Née en Écosse dans les années 1950, Val McDermid est, à 17 ans, la première élève issue d'une école publique à fréquenter la célèbre université d'Oxford. Elle travaille comme journaliste pendant quinze ans, notamment à Glasgow et à Manchester, avant de vivre de sa plume. Elle est désormais critique de littérature policière pour la presse et participe à des programmes sur BBC Radio 4 et BBC Radio Scotland.

Auteur de trois séries policières d'une grande noirceur, notamment celle mettant en scène l'inspectrice Carol Jordan et le profileur Tony Hill dans Le chant des sirènes ou encore La fureur dans le sang, elle développe dans ses romans ses thèmes de prédilection de femme engagée et féministe.

Elle a reçu de nombreux prix littéraires anglo-saxons, dont le Gold Dagger Award en 1995 pour Le chant des sirènes, le Anthony Award pour Au lieu d'exécution en 2001, premier polar anglais à remporter cette récompense américaine, et le Barry Award pour Quatre garçons dans la nuit en 2004.

# Au lieu d'exécution

# VAL McDERMID

# Au lieu d'exécution

*Traduit de l'anglais
par Gérard-Henri Durand*

À mon jumeau diabolique :
*laissez les bons temps rouler, mon cher.*

*Titre original :*
A PLACE OF EXECUTION

Copyright © Val McDermid, 1999

*Pour la traduction française :*
© Éditions du Masque - Hachette Livre, 2000

*Vous serez reconduit à l'endroit d'où vous venez, puis mené au lieu d'exécution prévu par la loi, là, vous serez pendu par le cou jusqu'à ce que mort s'ensuive et votre corps sera inhumé dans la fosse commune de la prison où vous étiez précédemment incarcéré. Puisse le Seigneur avoir pitié de votre âme.*

Proclamation de la condamnation à la peine capitale dans les tribunaux britanniques.


## LE PENDU

*Interprétation : cette lame suggère une vie sur le point de basculer. Un bouleversement de la façon de vivre et de penser. Une période de transition. Le désarroi. Le renoncement. La modification des forces vitales. Un réajustement. Une régénération. Une renaissance. On sera peut-être contraint à des efforts et à un sacrifice en vue d'atteindre un but qui se révélera éventuellement illusoire.*

Le jeu de tarot, divertissement et cartomancie
S.R. Kaplan

# REMERCIEMENTS

Ce livre ne fut pas facile à écrire. Plonger dans un passé récent, encore vivace dans la mémoire de nombreuses personnes, c'est courir le risque que l'on dénonce vos erreurs. Nombreux sont ceux qui m'ont aidée à éviter une situation aussi embarrassante. Douglas Wynn, chroniqueur spécialisé dans les affaires criminelles, m'a raconté l'histoire qui fut la première étape de mon roman. Il a également collaboré à l'examen des archives historiques. Les bibliothécaires du département des sciences sociales, à la bibliothèque de Manchester, m'ont accordé une aide bienvenue, de même que leur collègue James Mathieson. Sans Bill Fletcher, inspecteur à la retraite, il m'eût été impossible de recréer le monde de la police régionale dans les années 1960. Mark, du *Buxton Advertiser*, nous a permis de consulter les journaux à loisir, et les archivistes du *Manchester Evening News* ont fait tout leur possible pour me guider dans ma quête de faits authentiques. Le docteur Sue Black m'a fait profiter de son expérience de médecin légiste et Diana Muir a été déterminante en repérant à la fois le défaut fatal à l'intrigue et en proposant un rebondissement. Peter N. Walker a aimablement repris les détails de cette période et il eut la gentillesse de chercher les erreurs dans le manuscrit achevé. Si bien que toute faute qui subsisterait serait entièrement de mon fait.

J'ai pris quelques libertés avec la géographie du Derbyshire et la ville de Derby. Le village de Scardale n'existe pas, bien qu'on trouve plusieurs hameaux assez comparables dans la région du White Peak.

Les écrivains, un peu comme les vieilles maisons, ont besoin de quantité d'étais. Je dois donc remercier les miens : Jane et Lisanne, Julia et les deux Karen, Jai et Paula, Leslie, Mel et surtout Brigid.

# LIVRE PREMIER

# INTRODUCTION

Comme Alison Carter, je suis née dans le Derby-shire en 1950. Nous avons toutes deux passé notre enfance dans les vallées crayeuses du White Peak et en hiver, il m'est arrivé de vivre ces périodes de bliz-zard où nous étions coupés du reste du monde. N'est-ce pas à Buxton, après tout, que la neige vint en juin arrêter un match de cricket?

En décembre 1963, la disparition d'Alison Carter nous toucha plus, mes camarades de classe et moi, que la plupart des adultes. Nous connaissions son emploi du temps, des villages semblables à celui où elle avait grandi. Nous avions suivi les mêmes cours, vécu les mêmes affrontements dans les toilettes de l'école pour décider lequel des quatre Beatles était le plus fabuleux. Nous partagions sans doute les mêmes espoirs, les mêmes rêves, les mêmes peurs. Pour toutes ces raisons, dès l'annonce de sa dispari-tion, nous savions que quelque chose de terrible lui était arrivé; une fille comme elle, comme nous, ne pouvait avoir fait une fugue, et certainement pas dans le Derbyshire au beau milieu du mois de décembre!

Les filles de 13 ans n'étaient pas les seules à en être convaincues. Mon père, parmi des centaines de volontaires, passait au peigne fin la lande et les val-lées boisées autour de Scardale, et son air sinistre, quand il rentrait à la maison après une journée de recherches infructueuses, reste gravé dans ma mémoire.

À l'école, nous lisions tous les articles et, pendant des semaines, nous avons échafaudé les hypothèses les plus folles. Lorsque, bien des années après, j'ai rencontré George Bennett, l'ex-inspecteur chargé de l'affaire, j'avais trop de questions à lui poser pour qu'il pût répondre à toutes.

Je n'ai pas fondé mon récit seulement sur les notes de George Bennett et mes propres souvenirs. Lors de mes recherches, je me suis rendue plusieurs fois à Scardale et dans les alentours, pour interroger ceux qui avaient tenu un rôle dans l'histoire, rassemblant leurs impressions, comparant leurs récits. Je n'aurais pu achever ce roman sans l'aide de Janet Carter, Tommy Clough, Peter Grundy, Charles Lomas, Kathy Lomas et Don Smart. Je me suis permis quelque licence en m'appropriant les pensées, les émotions de ces intervenants et en les faisant parler, mais tout est fondé sur des entretiens réels. Les témoins encore en vie ont tous accepté de m'aider à recréer une image véridique d'une communauté et des êtres qui y appartiennent.

Une partie de ce qui s'est passé au cours de cette terrible nuit de décembre 1963 restera naturellement un mystère. Mais pour quiconque s'est senti ému par la vie et la mort d'Alison Carter, le témoignage de George Bennett représente un aperçu fascinant de l'un des crimes les plus affreux des années soixante.

Trop longtemps, le massacre des Moors, à juste titre plus connu, lui a fait de l'ombre. Mais ce n'est pas parce que le tueur s'en est pris à une seule victime que le destin d'Alison Carter serait moins terrible. Et la leçon que l'on peut en tirer conserve toute son importance. L'histoire d'Alison nous démontre que le plus grand danger peut se dissimuler sous un visage amical.

Rien ne peut faire revivre l'Alison d'alors. Mais, en rappelant au monde ce qui lui est arrivé, on évitera peut-être à d'autres personnes de connaître un destin semblable. Si ce livre y parvient, George Bennett et moi en ressentirons quelque satisfaction.

Catherine HEATHCOTE,<br>
Longnor, 1998

# PROLOGUE

La jeune fille disait adieu à son existence. Et ce n'était pas un adieu facile.

Comme toute adolescente, elle croyait avoir de nombreuses raisons de se plaindre de la vie, mais là, à l'instant de la perdre, elle lui semblait infiniment désirable. Maintenant, elle comprenait enfin pourquoi les vieux s'accrochaient avec une telle ténacité à chaque précieuse minute, même gâchée par la douleur. Si la vie peut paraître difficile, l'imminence de la mort l'est plus encore.

Elle commençait même à éprouver des regrets. Toutes les fois où elle avait souhaité la mort de sa mère ; toutes les fois où elle avait rêvé d'être une enfant trouvée ; toute la haine éprouvée envers ceux qui à l'école l'avaient injuriée et rejetée ; tous ces désirs violents de devenir enfin adulte – tout cela paraissait maintenant futile. Seule comptait cette vie inestimable qu'elle allait perdre.

Elle avait peur, inévitablement, peur de l'au-delà, et de ce qui l'attendait. Elle avait été élevée dans la croyance au paradis et à son contrepoids nécessaire, l'enfer, ces forces égales et opposées qui assurent la stabilité du monde. Elle imaginait assez bien le paradis, un univers idéal. Elle se préparait à y entrer très vite, trop vite.

Mais l'idée de l'enfer la terrifiait. Elle ne se le représentait pas très bien. Elle se disait seulement que ce serait pire que tout ce qu'elle avait détesté. Et étant donné ce qu'elle avait vécu, ce serait sans doute épouvantable.

Mais elle n'avait plus le choix. Elle devait dire adieu à son existence.

Un adieu définitif.

# Première Partie

## AU COMMENCEMENT

*Manchester Evening News,*
*mardi 10 décembre 1963, p. 3*

### AVIS DE RECHERCHE
### 100 LIVRES DE RÉCOMPENSE

La police continue ses recherches afin de retrouver John Kilbride, âgé de 12 ans, et espère qu'une récompense de 100 livres ouvrira de nouvelles perspectives. En effet, un gérant de société de la région a promis cette somme à quiconque fournira des informations susceptibles de conduire à la découverte de John, disparu il y a 18 jours de son domicile dans Smallshaw Lane, à Ashton-under-Lyne.

# 1

— Aidez-moi, s'il vous plaît.

La voix tremblante, la femme paraissait au bord des larmes. Le constable de service perçut une sorte de halètement ou de hoquet : son interlocutrice avait du mal à parler.

— Nous sommes là pour ça, madame, répondit le constable Ron Swindells, imperturbable.

Au bout de quinze ans à Buxton, il avait l'impression que les cinq dernières années n'étaient qu'une pâle copie des dix précédentes. Il avait fini par croire qu'il ne se passerait jamais rien de bien nouveau. Cette conviction volerait en éclats avec les événements ultérieurs, mais pour l'instant, il lui suffisait de resservir la formule habituelle.

— Quel est le problème ? demanda-t-il d'une voix de basse calme et impersonnelle.

— Alison, souffla la femme. Mon Alison n'est pas rentrée...

— Alison, c'est votre fille, c'est bien ça ? demanda le constable Swindells, toujours aussi paisible, s'efforçant de rassurer son interlocutrice.

— Elle est sortie avec le chien, dès son retour de l'école. Et elle n'est pas rentrée !

La voix montait vers l'aigu, à la limite de l'hystérie.

Swindells eut le réflexe professionnel de jeter un coup d'œil à la pendule : il serait bientôt 20 heures. La femme n'avait pas tort de se faire du souci. Sa fille était dehors depuis au moins quatre heures et, à cette époque de l'année, ce n'était pas une partie de plaisir.

— Elle est peut-être allée voir des amis, à l'improviste ?

Il savait pourtant qu'elle avait déjà vérifié cette possibilité.

— J'ai cogné à toutes les portes du village. Elle a disparu, j'en suis sûre. Quelque chose est arrivé à mon Alison…

Les mots furent étouffés par les sanglots. Swindells crut entendre une voix grave derrière elle.

Elle avait prononcé le mot « village ».

— Vous appelez d'où ?

Quelques phrases furent échangées, puis une voix masculine résonna dans le combiné, dont le fort accent du sud du comté ne dissimulait pas le ton autoritaire :

— Philip Hawkin, manoir de Scardale.

— Très bien, monsieur, avança Swindells prudemment.

L'information rendit le policier plus circonspect : Scardale ne faisait pas vraiment partie de son territoire. Non seulement ce lieu ne ressemblait en rien à la ville animée où il vivait, mais l'endroit avait la réputation de ne connaître d'autre loi que la sienne. Pour qu'un tel appel vienne de là-bas, il fallait un événement peu ordinaire.

La voix s'adoucit, prenant le ton de la confidence entre hommes :

— Vous voudrez bien excuser mon épouse. Elle est bouleversée. Très émotives, les femmes, vous ne croyez pas ? Comprenez-moi, monsieur l'agent, je suis sûr que rien de grave n'est arrivé à Alison, mais ma femme a voulu à tout prix vous appeler. Je suis sûr qu'Alison va rentrer à tout moment et je ne voudrais surtout pas vous faire perdre votre temps.

— Si vous voulez bien me fournir quelques précisions, répondit l'imperturbable Swindells en s'emparant de son bloc-notes.

L'inspecteur George Bennett aurait dû être rentré depuis longtemps. Il était presque 20 heures, un horaire inhabituel pour un inspecteur-chef. En toute logique, il aurait dû être confortablement installé dans son fauteuil, les jambes étendues devant le feu, un bon repas dans le ventre, à regarder *Coronation Street*. Ensuite, pendant qu'Anne débarrasserait la table et ferait la vaisselle, il serait allé siroter une bière au *Duke of York* ou au *Baker's Arms*. Rien de tel pour se tenir au courant. Et, dans la mesure où il n'occupait son poste que depuis six mois, il était plus avide d'informations que ses collègues. Les gens du coin ne lui faisaient pas encore assez confiance pour lui raconter leurs histoires mais, peu à peu, sa présence se fondait dans le décor et ils ne lui tenaient plus rigueur de ne pas avoir grandi dans le comté.

Il jeta un coup d'œil à sa montre. Il aurait de la chance s'il pouvait se rendre au pub ce soir-là. Non qu'il y tienne particulièrement, mais tâter le pouls de l'agglomération faisait partie de ses responsabilités professionnelles. Sans cela, il n'aurait pas mis les pieds dans un pub plus d'une fois par semaine. Il préférait aller danser avec Anne au *Pavillon Gardens* où passaient les nouveaux groupes rock, ou voir un film à l'*Opera House*. Ou encore rester à la maison, tout simplement. Après trois mois de mariage, George n'arrivait toujours pas à croire qu'Anne ait accepté de passer le reste de sa vie avec lui. Ce miracle lui donnait des forces quand son travail lui pesait. Jusqu'alors, la routine le minait bien davantage que les énigmes criminelles.

Les sept mois à venir le feraient changer d'avis.

Ce soir-là, l'image d'Anne tricotant devant la télévision en attendant son retour lui paraissait plus tentante que n'importe quelle bière.

George marqua la page du dossier qu'il consultait avant de le replacer soigneusement dans son tiroir. Il entama son rituel de départ : écraser la *Gold Leaf*, vider le cendrier dans la corbeille, reprendre son trench-coat et, avec une touche de bravade, coiffer son feutre à large bord avec lequel il se sentait un peu ridicule. Anne adorait ce chapeau : elle lui répétait qu'il ressemblait ainsi à James Stewart. Il n'y croyait pas : son visage allongé et ses cheveux blonds en bataille ne faisaient pas de lui une vedette de cinéma.

Il haussa les épaules et enfila son manteau, qui lui parut un peu juste pour ses larges épaules de joueur de cricket. La faute en incombait à la doublure molletonnée conseillée par Anne, et qu'il apprécierait dès qu'il mettrait un pied dehors, sous les rafales du vent mordant qui balayait les rues de Buxton.

Après un dernier coup d'œil circulaire, il referma la porte derrière lui puis, s'assurant que la salle des inspecteurs était vide, contempla d'un air satisfait la plaque où, en lettres blanches sur fond noir, se détachait l'inscription : « G.D. Bennett, Inspecteur-chef ». Il pouvait être fier. Pas encore 30 ans et déjà à ce poste. La récompense de toutes ces heures passées à bûcher, trois années de suite, pour décrocher sa licence en droit. Parmi les inspecteurs en civil de la police du Derbyshire, jamais un homme si jeune n'avait été promu, sept ans seulement après son serment.

Il s'accorda même une entorse à la dignité en descendant les escaliers quatre à quatre et, dans son élan, se retrouva dans le hall du poste de police. À son entrée, trois têtes d'agents en uniforme pivotèrent à l'unisson. Sur le moment, George se demanda pourquoi tout paraissait si calme, puis il se souvint que la moitié de la ville devait assister à une cérémonie en l'honneur du président Kennedy, récemment assassiné : un office spécial ouvert à toutes les confessions. Les habitants de Buxton considéraient le chef d'État abattu comme un enfant adoptif du pays. N'était-il pas venu se recueillir, quelques mois auparavant, devant la tombe de sa sœur à quelques kilomètres de là, à Edensor, sur les terres de Chatsworth House ? Et l'une des infirmières de l'équipe qui avait lutté en vain pour sauver le président à Dallas était originaire de Buxton, ce qui ne faisait que renforcer leur conviction.

— Alors, tout est calme, sergent ?

Bob Lucas fronça les sourcils et haussa une épaule. Il jeta un coup d'œil à la feuille de papier qu'il tenait à la main.

— Le calme plat, mais ça vient peut-être de changer, chef. (Il se redressa.) C'est possible qu'il y ait du neuf. Mais je parie bien une livre contre un penny que tout sera arrangé avant même que j'y aille.

— Quelque chose d'intéressant ? demanda George, sur le ton de la conversation.

Bob Lucas ne devait pas croire qu'il faisait partie de ces chefs qui méprisent les policiers en uniforme.

— Une gosse qu'a disparu, dit Lucas en tendant la feuille de papier. Le constable Swindells vient de prendre l'appel. Ils ont téléphoné ici sans passer par le standard des urgences.

George tenta de se souvenir de la position de Scardale.

— On a un gars sur place, sergent ?

— Non. À peine un hameau. Dix maisons, pas plus. C'est dans le secteur de Peter Grundy. Lui, il est à Longnor. À seulement trois kilomètres, mais la mère a sûrement pensé que Peter suffirait pas.

— Et vous, qu'est-ce que vous en pensez ? avança George prudemment.

— Je pense, chef, que je ferais mieux de prendre la voiture et d'aller causer avec Mrs Hawkin. Au passage, j'emmènerai Peter.

Tout en parlant, Lucas avait empoigné sa casquette, et l'avait enfoncée sur une chevelure presque aussi noire et luisante que ses bottes. Le rouge des pommettes aurait pu faire croire qu'il avait deux balles de ping-pong dans la bouche. Avec ses yeux sombres et brillants, ses sourcils noirs et droits, il évoquait la marionnette d'un ventriloque. Mais George avait déjà constaté que Bob Lucas n'était surtout pas homme à se laisser manipuler. Il savait qu'il aurait une réponse directe à sa question :

— Ça vous dérangerait que je vous accompagne ?

Peter Grundy raccrocha avec précaution. Un pouce vint frotter la barbe de la journée, aussi rêche que du papier de verre.

Il avait 32 ans, cette nuit de décembre 1963. Sur des photographies, on découvre un homme à l'air jeune, la mâchoire étroite, le nez court et pointu mis en valeur par une coupe de cheveux quasi militaire. Même sur les clichés de vacances avec ses enfants, le regard demeure vigilant.

24

Deux coups de téléphone en l'espace de dix minutes avaient bouleversé une soirée tranquille devant la télévision en compagnie de sa femme, une fois les enfants couchés. Il n'avait pas pris à la légère le premier appel. Quand la vieille mère Lomas – « les yeux et les oreilles de Scardale » – ne craignait pas de braver le froid en dépit de son arthrite, abandonnant le confort de son cottage pour se rendre à la cabine téléphonique du village, cela méritait un effort d'attention. Mais il avait pensé pouvoir attendre 20 heures et la fin de l'émission avant d'intervenir. Après tout, il n'était pas impossible que Ma' Lomas ait déguisé la raison de son appel. Grundy se demandait si son inquiétude n'était pas un bon prétexte pour créer des ennuis à la mère de la jeune disparue. À Scardale, certains voyaient d'un mauvais œil la promptitude avec laquelle Ruth Carter avait sauté le pas avec Philip Hawkin. Bien sûr, il était le premier à lui avoir mis un peu de baume au cœur après le décès de Roy, son premier mari.

Mais le téléphone avait sonné à nouveau. Sa femme avait fait la grimace ; lui avait dû se résoudre à quitter son confortable fauteuil pour rejoindre l'entrée glaciale. Cette fois, il fallait bien qu'il se bouge. Le sergent Lucas arrivait de Buxton. Et comme si une paire de bottes de la ville ne suffisait pas, le « Professeur » débarquait lui aussi. Pour la première fois, Grundy devrait travailler avec quelqu'un qui sortait de l'université. Bien sûr, lors de ses passages au poste, il avait bien vite compris qu'il n'était pas le seul à se sentir gêné. Ils étaient tous d'accord : la seule université qui compte pour un flic, c'est celle de la vie. Ces diplômés, pas question de les envoyer sur la place du marché de Buxton un samedi soir ! Comment auraient-ils su s'y prendre pour arrêter une bagarre de pub ? Grundy avait cru comprendre que la seule qualité de l'inspecteur-chef Bennett, c'était d'avoir un bon coup de batte au cricket. Pas de quoi rassurer Grundy, qui redoutait l'invasion de ses terres et le risque de s'aliéner les contacts soigneusement entretenus.

Avec un soupir, il boutonna son col de chemise, mit sa casquette et décrocha son pardessus. Il passa la tête par la porte du salon, un sourire d'excuse plaqué sur son visage.

— Faut que j'aille à Scardale.

— Chut, le réprimanda sèchement sa femme, tu vois pas que ça devient passionnant ?

— Alison Carter a disparu, lui jeta-t-il, rancunier, avant de refermer la porte du salon derrière lui et de se hâter de gagner la porte d'entrée, sans attendre sa réaction.

Elle ne pouvait manquer de réagir. Scardale était trop proche pour qu'une disparition d'enfant ne fasse pas souffler un air glacé sur Longnor.

George Bennett suivit le sergent Lucas dans la cour. Il aurait préféré, et de loin, prendre sa voiture, une élégante Ford Corsair noire aussi récente que sa promotion, mais le protocole le contraignait à s'installer dans le siège passager de la Rover ornée du blason du comté. Comme ils tournaient vers le sud dans la rue principale, puis traversaient la place du marché, George s'efforçait d'oublier cette pointe d'excitation qu'il avait ressentie en entendant : « Jeune fille disparue ». Il s'attendait à une fausse alerte. Dans 95 % des cas, l'enfant réapparaissait au dîner ou, au pire, pour le petit déjeuner du lendemain.

Parfois, il en allait tout autrement. Les recherches s'éternisaient et la certitude grandissait que l'enfant ne rentrerait jamais à la maison. Pour la police, il ne s'agissait plus que de retrouver un corps.

Dans d'autres cas, la disparition restait un mystère, comme si la terre s'était ouverte pour engloutir sa victime.

Il y avait eu deux histoires de ce type au cours des six derniers mois, à moins de cinquante kilomètres de Scardale. Georges classait soigneusement les communiqués des autres brigades et il avait accordé une attention particulière à ces deux avis de disparition. Il n'était pas exclu que l'on retrouve les disparus dans son secteur, morts ou vifs.

Tout d'abord, Pauline Catherine Reade. Cheveux noirs, yeux noisette, 16 ans, apprentie couturière à Gorton, Manchester. Mince, 1,53 mètre environ, vêtue d'une robe rose et or et d'un manteau bleu pâle. Peu avant 20 heures, le vendredi 12 juillet, elle avait quitté la maison où elle vivait avec ses parents et son frère cadet pour aller danser le twist. On ne l'avait jamais revue. Aucun conflit chez elle ou sur son lieu de travail. On ne lui connaissait aucun copain. Elle ne disposait d'ailleurs pas de l'argent nécessaire pour s'enfuir. Tous les environs avaient été fouillés méthodiquement et trois réservoirs d'eau entièrement vidés – aucune trace. La police de Manchester avait suivi toutes les pistes indiquées par des témoins qui prétendaient l'avoir aperçue, également sans résultat.

Le second cas semblait n'avoir aucun rapport avec le précédent si ce n'est là encore l'absence d'indice : une disparition totale, comme par un coup de baguette magique. John Kilbride, 12 ans, 1,47 mètre, vêtu d'une veste sport à carreaux, d'un pantalon de flanelle gris, d'une chemise blanche, chaussé de souliers noirs à bouts pointus. Selon l'un des flics du Lancashire, que George avait connu au cricket, ce n'était pas un élève brillant, mais un garçon gentil et serviable. John était allé au cinéma avec quelques copains le samedi après-midi, le lendemain de l'assassinat du président Kennedy. Après la séance, il s'était rendu seul au marché d'Ashton-under-Lyne, où il gagnait quelques pièces en préparant le thé des vendeurs en plein air. Il avait été remarqué pour la dernière fois près d'une benne à ordures vers 17 h 30.

Les recherches, jusqu'alors infructueuses, avaient repris la veille sous l'impulsion de l'offre d'une récompense de 100 livres, faite par un homme d'affaires de la région. Aucun élément nouveau ne semblait cependant vouloir apparaître. Le collègue de George, rencontré le samedi précédent à une soirée organisée par la police, lui avait fait la réflexion que si John Kilbride et Pauline Reade avaient été enlevés par des petits hommes verts, on aurait au moins retrouvé quelques indices.

Et maintenant c'était le tour de son secteur.

De chaque côté de la route d'Ashbourne, les champs recouverts d'une croûte de givre et les murets de pierre sèche réfléchissaient la lumière de la lune. Un petit nuage obscurcit la scène et George, malgré son manteau doublé, frissonna, imaginant se trouver la nuit au milieu d'une pareille désolation.

Il avait honte de laisser l'excitation le gagner – enfin une affaire intéressante – au lieu de penser tout d'abord, comme il le devait, aux souffrances de la jeune fille et de sa famille. Il se retourna brusquement vers Bob Lucas :

— Parlez-moi de Scardale.

Il sortit son paquet de cigarettes et en offrit une au sergent qui refusa.

— Merci, chef, j'essaie de réduire. Scardale, « le pays que le temps a oublié ».

À la brève lueur de l'allumette de George, le visage de Lucas sembla renfrogné.

— Comment ça ?

— On se croirait au Moyen Âge. Une seule route, et un cul-de-sac encore ! Elle s'arrête à la hauteur de la cabine téléphonique sur le pré communal. Il y a la grande maison, le manoir, c'est là qu'on va. À peu près une douzaine de cottages et de fermes, pas de commerce, pas de pub, pas de poste. Mr Hawkin, c'est ce qu'on pourrait appeler le châtelain. Toutes les baraques de Scardale sont à lui, plus la ferme, plus toute la terre sur un rayon de deux kilomètres. Ceux qui vivent là sont ses métayers ou ses employés. Tout lui appartient, quoi, y compris les gens.

Le sergent ralentit pour tourner dans un chemin étroit qui longeait une carrière.

— Dans ce coin y'a que trois noms de famille, j'crois bien : les Lomas, les Crowther et les Carter.

George s'aperçut que Hawkin ne figurait pas dans la liste. Il poserait la question plus tard.

— Certains doivent quand même partir, se marier, trouver du travail ailleurs ?

— Ouais, il y en a qui partent, reprit Lucas, mais Scardale leur colle à la peau. Ils ne s'en débarrassent jamais. À chaque génération, un ou deux vont se marier ailleurs : c'est la seule façon de ne pas épouser une cousine. Et ceux qui se sont mariés à Scardale, ils en partent quelques années après pour demander le divorce, en laissant les gosses derrière eux. Bizarre, hein ?

Il jeta un bref coup d'œil à George, comme pour apprécier ses réactions.

George tira sur sa cigarette et garda le silence. Il avait entendu parler d'endroits comme celui-là, mais n'en avait jamais vu. Comment imaginer un monde aussi limité, où rien de votre passé ou présent, futur même, n'était ignoré de la communauté ?

— J'ai du mal à croire qu'un tel endroit puisse exister si près de la ville. À quelle distance sommes-nous ? Onze kilomètres ?

— Dix, dit Lucas. Pensez à ce qu'ils endurent. Vous avez remarqué ces routes ?

Il montrait du doigt le virage à angle droit qui, sur la gauche, plongeait vers le village de Earl Sterndale. Les maisons ouvrières construites par l'entreprise exploitant la carrière se serraient contre la colline comme une mêlée de rugby.

— Avant que nous ayons des voitures avec de vrais moteurs et des routes avec un revêtement, en hiver il fallait bien une journée pour aller de Scardale à Buxton. Et quand des congères ne bloquaient pas le chemin ! Les gens devaient se débrouiller tout seuls. Et vous trouvez encore des endroits où ils en ont gardé l'habitude. Prenez cette fille, Alison. Même avec le ramassage scolaire, il lui faut au moins une heure pour aller et revenir de l'école. L'administration a bien essayé de convaincre les parents d'inscrire leurs enfants comme pensionnaires du lundi au vendredi, mais, dans des coins comme Scardale, ils ont refusé tout net. Ils comprennent pas que le comté puisse les aider, ils croient que les autorités veulent leur prendre leurs mômes, et comment les raisonner ?

La voiture tangua dans une enfilade de virages serrés et commença l'escalade d'un raidillon. Le moteur grondait dès que Lucas rétrogradait. Lorsque George entrouvrit la fenêtre pour jeter son mégot, une bouffée d'air glacé mélangé à la fumée d'un feu de charbon le prit à la gorge et il referma aussitôt la vitre.

— Pourtant, Mrs Hawkin n'a pas perdu de temps pour nous appeler.

— À en croire le constable Swindells, elle a

d'abord frappé à toutes les portes de Scardale, affirma Lucas sèchement. Comprenez bien : c'est pas qu'ils en veulent à la police, ils sont seulement... méfiants. Mais ils voudront retrouver Alison, alors ils feront avec...

La voiture franchit la crête et commença la longue descente sur Longnor. Les maisons chaulées se tassaient comme des moutons endormis, d'un blanc sale sous la lumière de la lune. Toutes les cheminées étaient empanachées de fumée. Au carrefour, au centre du village, George distingua la silhouette caractéristique d'un agent en uniforme battant la semelle.

— Voilà Peter Grundy. Il aurait pu attendre au chaud.

— Impatient de savoir ce qui se passe, peut-être. C'est son territoire, après tout.

Lucas émit un grognement :

— Je crois plutôt que sa femme a pas encaissé qu'il sorte la nuit.

Il freina un peu trop sèchement. La voiture dérapa et heurta le trottoir. Peter Grundy se pencha pour voir qui se trouvait sur le siège du passager puis il grimpa à l'arrière.

— B'soir, sergent, dit-il. Chef, ajouta-t-il, inclinant la tête dans la direction de George. J'aime pas trop comment les choses se présentent.

## 2

Avant que le sergent Lucas puisse redémarrer, George Bennett leva un doigt.

— Scardale n'est plus qu'à trois kilomètres, hein? Lucas hocha la tête.

— Avant d'y arriver, j'aimerais en savoir un peu plus. En deux ou trois minutes, le constable Grundy pourrait nous fournir quelques détails supplémentaires.

— Une minute ou deux de plus peuvent pas faire de mal, confirma Lucas, en passant au point mort.

Bennett se tortilla sur son siège pour pouvoir distinguer le visage du policier.

— Donc, constable Grundy, vous ne croyez pas que nous allons trouver Alison Hawkin assise près du feu, en train de se faire tirer les oreilles par sa mère?

— Pas Hawkin, chef, Carter, Alison Carter. Elle est pas la fille du châtelain, dit Grundy, du ton impatient de quelqu'un qui s'attend à fournir de longues explications.

— Je vous remercie, répondit George, conciliant. Au moins je ne ferai pas cette erreur. Pouvez-vous nous donner un bref aperçu de la famille?

Il tendit son paquet de cigarettes à Grundy, pour éviter que son interlocuteur ne le juge condescendant.

32

Grundy jeta un bref coup d'œil à Lucas et, après son assentiment, il en prit une, puis fouilla dans sa poche de manteau à la recherche d'une allumette.

— J'ai déjà fait la présentation de Scardale, dit Lucas comme Grundy allumait sa cigarette. Et comment le châtelain possède tout le village et les terres avoisinantes.

— Tout à fait, acquiesça Grundy à travers un nuage de fumée. Mais y'a encore un an, ça appartenait à l'oncle de Hawkin. Le vieux Mr Castleton. On retrouve des Castleton dans le manoir dès les premières pages du registre de la paroisse. Mais le fils unique du vieux s'est fait tuer à la guerre. Pilote de bombardier. La déveine lui est tombée dessus une nuit en Allemagne, on l'a jamais retrouvé. Ses parents étaient déjà plus tout jeunes à sa naissance et ils n'ont pas eu d'autre enfant. Alors quand Mr Castleton est mort, Scardale est revenu au fils de sa sœur, Philip Hawkin. Un homme que personne avait vu depuis l'époque où il était en culotte courte.

— Qu'est-ce qu'on sait de lui ? demanda Lucas.

— Sa mère, la sœur du châtelain, a grandi à Scardale, mais elle est tombée sur le mauvais numéro quand elle a épousé Stan Hawkin. Il travaillait dans la Royal Air Force, mais pas pour longtemps. Il a toujours prétendu qu'il avait trinqué pour un supérieur, mais en réalité ils l'ont foutu dehors parce qu'il revendait des outils en douce. Alors le châtelain s'en est mêlé. Il a arrangé les affaires de Hawkin, lui a trouvé un boulot chez un de ses vieux copains : il vendait des voitures dans le Sud. À ce qu'on raconte, il s'est jamais fait repincer, mais moi, je crois qu'un léopard perd pas ses taches, si bien que les visites à la famille se sont arrêtées.

— Et son fils Philip ? demanda George, essayant d'écourter le récit.

Grundy haussa les épaules et son poids fit remuer la voiture.

— C'est un sacré beau gars, je peux pas dire le contraire. Du charme et tout. Y plaît aux femmes. Avec moi jamais de problème, pourtant je lui ferais pas confiance le temps d'emmener le chien pisser.

— Et il a épousé la mère d'Alison ?

— J'y viens, j'y viens, reprit Grundy agacé. Ruth Carter était veuve depuis près de six ans quand Hawkin est remonté pour toucher l'héritage. Il paraît que Ruth lui a tout de suite tapé dans l'œil. Faut dire que c'est une belle femme, mais tout le monde serait pas prêt à prendre l'enfant d'un autre. D'après ce qu'on raconte, ça ne lui a jamais posé de problème. Il lui a fait du rentre-dedans et elle, ça lui déplaisait pas apparemment. Il lui a redonné goût à la vie. Ils se sont mariés trois mois après son arrivée. Ils forment un beau couple.

— Une romance éclair, dit George, non ? Tout le monde a pas dû apprécier, même dans un coin où on se serre les coudes comme à Scardale.

Grundy haussa les épaules :

— J'en n'ai pas entendu parler.

George se heurtait à un mur. Il lui faudrait d'abord gagner la confiance de Grundy.

— Bon, allons-y, en route pour Scardale et on verra bien.

Lucas enclencha la première et traversa le village. À un panneau « voie sans issue », il quitta la route principale et s'engagea dans un chemin.

— Facile à trouver, remarqua George sèchement.

— Ceux qui doivent se rendre à Scardale connaissent la route, répliqua Bob Lucas, le regard fixé sur une piste étroite qui évoquait les montagnes russes.

Les phares pénétraient à peine l'obscurité de la voie qui se faufilait entre des talus imposants et des murs de pierre de hauteur inégale, tantôt bombés, tantôt inclinés.

— Quand vous êtes monté dans la voiture, dit George, vous affirmiez que les choses avaient mauvaise tournure. Pourquoi ?

— Elle a de la tête, cette Alison. Je la connais un peu. Elle est allée à l'école primaire à Longnor avec ma nièce et elles vont ensemble au collège. Pendant que je vous attendais, j'ai fait un saut chez Margaret. D'après elle, Alison était comme à l'accoutumée. Elles ont pris le car toutes les deux, Alison racontait qu'elle irait à Buxton après l'école un de ces soirs pour acheter ses cadeaux de Noël. Margaret peut vraiment pas imaginer une fugue. Quand ça va pas, c'est la fille à faire face. S'il lui est arrivé quelque chose, c'est sûrement pas de sa faute.

Les paroles de Grundy n'étaient pas à prendre à la légère et George en ressentit un malaise. Comme pour renforcer leur caractère inquiétant, les murs qui bordaient la route laissèrent la place à des falaises crayeuses.

Mon Dieu ! pensa George, on dirait un canyon dans un western. On devrait être sur des mules avec des chapeaux de cow-boy.

— Juste après le virage, sergent, dit Grundy.

Son haleine exhala une odeur âcre de tabac.

Lucas ralentit encore et contourna une masse rocheuse en surplomb. Aussitôt après le tournant, une barrière fermée par une lourde barre bloquait la route. George respira un grand coup. S'il avait été au volant, il se serait aperçu trop tard de l'obstacle. Comme Grundy allait au trot ouvrir la barrière, George remarqua plusieurs bandes de diverses couleurs peintes sur les rochers, de chaque côté du chemin.

— Les étrangers ne sont pas les bienvenus ici, hein?

Le sourire de Lucas ressemblait à une grimace.

— Pourquoi ils le seraient? Au-delà de la barrière, c'est pratiquement une propriété privée. Le chemin est goudronné depuis à peine dix ans. Avant ça, seul un tracteur ou une Land Rover pouvaient emprunter la route.

Il dépassa la barrière et, lorsque Grundy l'eut refermée, ils repartirent. Environ cent mètres plus loin, les falaises de craie perdaient de la hauteur et se confondaient peu à peu avec l'horizon.

Soudain, l'obscurité fit place à la pleine lune brillant dans un ciel rempli d'étoiles. George eut l'impression d'être un joueur qui débouche du tunnel des vestiaires dans un stade immense. Ils se trouvaient en fait dans une cuvette d'au moins deux kilomètres de diamètre, presque entièrement cernée par des collines escarpées : les gradins de son stade. Cette arène ne ressemblait pourtant pas à un terrain de jeu. Sous l'éclairage irréel, George découvrit des pâtures en pente douce de chaque côté de la route. Des moutons se blottissaient contre les murets, leur respiration formant des nuées de vapeur dans l'air glacé. Au passage de la voiture, des masses d'ombre redevenaient des boqueteaux. George n'avait jamais rien vu de semblable : un monde secret, dissimulé, à l'écart.

Maintenant il distinguait des bâtiments adossés aux collines crayeuses, à l'extrémité de la vallée.

— Scardale, annonça Grundy bien inutilement.

Des maisons se détachaient autour d'un pré à l'herbe rase. Au milieu, s'élevait une pierre dressée fortement inclinée et, à son extrémité, brillait une cabine téléphonique, seule tache de couleur sous la lune. Il semblait y avoir une douzaine de cottages, tous différents, mais à peine séparés de leurs voisins. La plupart des fenêtres révélaient des lampes derrière les rideaux. Ici et là, George vit des mains les soulever discrètement, mais il s'interdit de montrer sa propre curiosité.

Tout au fond du pré, on distinguait un ensemble de pignons et de fenêtres disparates. Ce ne pouvait être que le manoir de Scardale. George ne s'attendait pas à cette grosse ferme, qui n'avait de manoir que le nom et paraissait avoir été assemblée au cours des siècles par des propriétaires successifs, tous également dépourvus de goût. Avant qu'il ait pu dire un mot, la porte principale s'ouvrit et une nappe de lumière jaune se répandit dans la cour. Dans l'encadrement se découpait une silhouette féminine.

La femme se dirigea vers eux, mais à peine avait-elle fait deux pas qu'un homme la retint en l'enlaçant de son bras. Alors que les policiers s'avançaient à leur rencontre, George resta volontairement en retrait. Pendant que Bob Lucas ferait les présentations, il aurait le temps de se faire une première idée de la mère d'Alison et de son beau-père.

Ruth Hawkin paraissait au moins dix ans de plus que son Anne, ce qui la mettait pas loin de la quarantaine. Elle devait mesurer dans les 1,60 mètre et elle était solidement bâtie, comme une femme habituée aux travaux pénibles. Ses cheveux châtains ramenés en queue-de-cheval accentuaient l'air hagard de ses yeux bleu-gris embués de larmes. Le vent avait tanné sa peau, mais des traces de rouge à lèvres persistaient dans les craquelures de ses lèvres gercées. Elle portait un pull bleu apparemment tricoté à la main sur une jupe plissée en tweed gris et des bas de laine côtelés. Des bottillons à fermeture Éclair sur le devant complétaient sa tenue. Ce que George voyait cadrait mal avec le commentaire admiratif de Grundy. Dans une file d'attente, il n'aurait remarqué que sa détresse : le corps tendu, les bras contre la poitrine. Peut-être cet état la dépouillait-il de son charme.

L'homme derrière elle paraissait beaucoup plus à son aise. Une main fermement appuyée sur l'épaule de sa femme, l'autre négligemment enfoncée dans la poche d'un cardigan marron foncé aux revers en daim. Le bas de son pantalon de flanelle grise retombait sur des chaussons usagés en cuir.

Assurément, pensa George, Philip Hawkin n'a pas frappé à toutes les portes.

Si la femme n'avait rien d'exceptionnel, le mari, lui, était vraiment beau. Dans les 1,80 mètre, avec des cheveux noirs, en pointe sur le front, rejetés en arrière et lissés par une touche de brillantine, qui mettaient en valeur le visage dont la forme faisait penser à un blason, large en haut et s'amincissant vers le bas. Les sourcils en pointe marron foncé formaient deux blasons, tandis que le nez à l'arête fine attirait l'attention sur une bouche qui semblait toujours sur le point de sourire.

George enregistrait tous ces détails tandis que Bob Lucas continuait de parler :

— Nous pourrions peut-être entrer et essayer d'y voir un peu plus clair.

Il fit une pause, dans l'attente d'une réponse. Hawkin prit la parole pour la première fois :

— Certainement. Entrez, messieurs. Je suis persuadé qu'elle va réapparaître saine et sauve, mais suivre les règles ne peut pas faire de mal.

Sa main glissa jusqu'à la taille de Ruth et il la guida vers l'intérieur de la demeure. Elle semblait n'avoir plus de réactions. Elle était assurément incapable de prendre une initiative.

— Je suis navré qu'on vous ait dérangés par une nuit aussi froide, remarqua Hawkin d'une voix douce.

George franchit le seuil derrière Lucas et Grundy. Il se retrouva dans une cuisine de ferme, au sol dallé, aux murs de pierre brute passés à la chaux, qui s'écaillaient près du poêle à bois et de la cuisinière électrique. Un buffet et plusieurs armoires de hauteurs différentes, peintes en vert « hôpital », meublaient la pièce où trônait un double évier profond en pierre, sous une fenêtre donnant sur le fond de la vallée. D'autres s'ouvraient sur le pré communal et la cabine téléphonique qui luisait dans la demi-obscurité. Des casseroles dépareillées et divers ustensiles de cuisine pendaient aux poutres noircies.

Sans se soucier de ses invités, Hawkin s'installa immédiatement sur une chaise au dossier sculpté, au bout d'une vaste table en bois soigneusement décapée.

— Fais donc du thé, Ruth, dit-il.

— Vous êtes bien aimable, intervint George, comme la femme soulevait une bouilloire posée sur le poêle, mais une enfant a disparu, ne perdons pas de temps. Mrs Hawkin, si vous voulez bien nous dire ce que vous savez.

Ruth jeta un coup d'œil à son mari, comme pour solliciter sa permission. En guise de réponse, il fronça les sourcils avant d'approuver d'un signe de tête. Elle se laissa tomber sur une chaise, les bras croisés sur la table. George s'installa en face, Lucas à côté de lui. Grundy déboutonna son manteau et s'empara de la chaise sculptée en face de celle de Hawkin. Il sortit un carnet, l'ouvrit d'une pichenette puis, léchant le bout de son crayon, il releva la tête, l'air attentif.

— Quel âge a Alison, Mrs Hawkin ? demanda George doucement.

La femme s'éclaircit la gorge.

— Treize ans passés. Son anniversaire est en mars…

Sa voix se brisa.

— Auriez-vous connu un… moment difficile avec elle ?

— Hé là, inspecteur, protesta Hawkin. Qu'est-ce que vous entendez par là ? Qu'est-ce que vous insinuez ?

— Je n'insinue rien, monsieur, mais, à l'adolescence, les jeunes filles sont particulièrement sensibles. Une simple réprimande, parfaitement justifiée, et pour elles c'est la fin du monde. J'essaie de savoir si l'hypothèse d'une fugue pourrait être fondée.

Fronçant le sourcil, Hawkin bascula sa chaise et parvint à attraper un paquet d'Embassy et un petit briquet chromé posés sur la tablette du buffet. Il alluma une cigarette sans en offrir à personne.

— Bien sûr qu'elle s'est enfuie, dit-il avec un sourire qui vint adoucir sa physionomie. C'est un truc d'ado. Ils font ça pour vous inquiéter, pour se venger de quelque offense imaginaire. Vous voyez ce que je veux dire, continua-t-il sur le ton d'une conversation entre gens à qui on ne la fait pas. On approche de Noël.

« Je me souviens qu'une année, j'ai disparu pendant quelques heures. Je m'imaginais que ma maman serait si contente de me retrouver qu'elle voudrait bien m'acheter un vélo pour mon Noël. (Le sourire se fit piteux.) C'est mon dos qui a souffert. Écoutez, inspecteur, elle va réapparaître avant demain matin, sûre d'être couverte de cadeaux.

— Elle n'est pas comme ça, Phil, affirma Ruth d'un ton plaintif. Je te répète qu'il lui est arrivé quelque chose. Elle aimerait pas nous causer du souci.

— Que s'est-il passé cet après-midi, Mrs Hawkin? demanda George, sortant ses propres cigarettes et lui en proposant.

Elle le remercia d'un bref hochement de tête et, de ses doigts rougis par le travail manuel, en prit une. Il n'eut pas le temps de sortir sa boîte d'allumettes: Hawkin, le briquet à la main, se pencha vers elle. George attendit patiemment qu'elle soit capable de répondre.

— Le car scolaire a déposé Alison, une cousine et un cousin, au bout de la route à environ 16 h 15. Il y a toujours un voisin pour aller les chercher, si bien qu'elle arrive vers la demie. Elle est rentrée à l'heure habituelle. J'étais là dans la cuisine à éplucher des légumes. Elle m'a embrassée et m'a annoncé qu'elle sortirait la chienne. Je lui ai proposé de prendre d'abord une tasse de thé, mais elle m'a répondu qu'elle avait été bouclée toute la journée et qu'elle avait besoin de courir. Elle sortait souvent avec la chienne. Elle pouvait pas supporter de rester longtemps enfermée...

À l'évocation de ces souvenirs, la voix de Ruth se brisa.

— Vous avez vu Alison, Mr Hawkin? demanda George.

Non qu'il s'intéressât à la réponse, mais il voulait laisser à Ruth le temps de reprendre ses esprits.

— Non. J'étais dans ma chambre noire. J'y perds toute notion du temps.

— Vous êtes donc photographe? remarqua George.

Le sursaut de Grundy indiqua qu'il n'était pas au courant.

— La photographie, inspecteur, est mon premier amour. Avant d'hériter de mon oncle, lorsque je devais travailler comme simple fonctionnaire, je ne la pratiquais qu'occasionnellement. Mais maintenant, j'ai mon labo et depuis un an je suis devenu, disons, un semi-pro. Je fais du portrait, bien sûr, mais surtout des paysages. Vous trouverez à Buxton des cartes postales qui portent ma signature. La lumière d'ici a une qualité particulière.

Le sourire de Hawkin s'agrandit.

— Oui, bien sûr, répondit George tout en s'interrogeant sur un homme qui s'extasiait sur la qualité de la lumière en oubliant la disparition de sa belle-fille, par une nuit de décembre glaciale.

— Donc vous ne vous êtes aperçu ni de son arrivée ni de son départ?

— Non, je n'ai rien entendu.

— Mrs Hawkin, Alison avait-elle l'habitude de rendre visite à quelqu'un quand elle sortait le chien? Un voisin? Vous avez parlé de cousins...

Ruth secoua la tête:

— Non, elle traversait les champs jusqu'au petit bois puis elle revenait. En été, elle va plus loin, jusqu'à la zone boisée au bord du Scarlaston. Il y a une sorte de pli entre les collines: on le voit à peine d'ici, mais par là on peut aller jusqu'à Denderdale en suivant le cours d'eau. Elle serait jamais allée aussi loin en hiver. (Elle soupira.) Elle a traversé les champs et plus rien.

— Et le chien, demanda Grundy, il est revenu?

On voyait que Grundy venait de la campagne, pensa George. Lui, il aurait fini par poser la question, mais pas tout de suite.

Ruth secoua négativement la tête:

— Non, elle est pas là. Mais si Alison avait eu un

accident, Shep l'aurait pas quittée. Elle aurait aboyé, mais elle serait restée près d'elle. Et une nuit comme celle-là, dans toute la vallée on l'entendrait. Vous étiez dehors, vous l'avez entendue ?

— Non..., dit Grundy, ça m'étonnait aussi... ce silence.

— Vous pouvez nous dire comment Alison était habillée ? demanda Lucas, espérant des détails concrets.

— Elle portait un duffle-coat bleu marine sur son uniforme d'école.

— Celui du collège de filles de Peak ? demanda Lucas.

— Oui, fit Ruth de la tête : blazer noir, gilet marron, chemise blanche, cravate marron et noir, jupe marron sur un collant noir en laine, des bottes noires en peau de mouton, à mi-mollet... (Puis soudain dans un cri, éclatant en sanglots :) On se sauve pas en tenue d'école !

Du dos de la main, elle essuya brusquement ses larmes.

— Pourquoi on reste assis à rien faire ? Pourquoi vous la cherchez pas ?

George intervint :

— On y va, Mrs Hawkin. Mais plus on en sait, mieux ça vaut, on perd moins de temps. Elle est grande comment Alison ?

— Elle a presque ma taille, dans les 1,60 mètre, elle est mince, elle commence à ressembler à une vraie jeune fille.

— Vous auriez une photographie récente ?

Hawkin repoussa sa chaise dont les pieds grincèrent sur le carrelage puis ouvrit le tiroir de la table de cuisine et sortit une poignée de photos.

— En voilà que j'ai prises pendant l'été, il y a à peine quatre mois.

Il se pencha et les étala devant George. Le visage cadré dans les photographies allait se graver dans sa mémoire.

Personne ne l'avait prévenu qu'elle puisse être belle et il retint son souffle en regardant Alison. Les cheveux couleur de miel ambré tombant jusqu'aux épaules, l'ovale d'un visage semé de fines taches de rousseur ; l'écartement de grands yeux bleus, le nez droit bien dessiné et la bouche généreuse lui donnaient un peu l'air slave ; le sourire creusait une fossette dans la joue gauche. Seule imperfection, la cicatrice en biais qui traçait une ligne blanche au milieu du sourcil droit. Dans chaque cliché, la pose variait mais le sourire candide demeurait le même.

Il releva la tête et jeta un coup d'œil à Ruth, dont le visage s'était adouci. Il découvrit alors ce qui avait pu séduire Hawkin. Sans la tension, la beauté réapparaissait. Une ombre de sourire sur les lèvres et elle perdait son aspect ordinaire.

— C'est une jolie fille, murmura George. (Il se leva, ramassant les photos.) J'aimerais les garder pour le moment. (Hawkin acquiesça.) Sergent, nous pourrions nous concerter dehors.

Les deux hommes passèrent de la tiédeur de la cuisine à l'air glacé de la nuit. Comme ils refermaient la porte derrière eux, George entendit Ruth dire : « Maintenant, je vais faire du thé. »

— Alors qu'est-ce que vous en pensez ? demanda George.

Il n'avait pas besoin de l'opinion de Lucas pour juger la situation sérieuse, mais s'il faisait immédiatement preuve d'autorité, cela équivalait à dire qu'il croyait que la fille avait été violemment agressée, sinon assassinée. Et si au fond de lui il en était de plus en plus convaincu, il craignait qu'en donnant des ordres en ce sens l'hypothèse devienne réalité.

— Je crois qu'il faut faire venir le maître-chien aussi vite que possible. Elle a peut-être été blessée, elle peut s'être fait surprendre par une chute de pierre qui aurait tué le chien. (Il regarda sa montre.) Nous avons quatre gars en uniforme à la cérémonie. On peut les prévenir avant qu'ils soient partis et leur dire de réquisitionner tous les hommes disponibles.

Lucas revint vers la porte.

— Va falloir que j'utilise leur téléphone. La radio marche pas bien ici. Y a des parasites, pire que dans le puits de mine de Markham.

— OK, sergent. Vous organisez un groupe de recherche. Moi, j'appelle les inspecteurs Clough et Cragg. Ils devront d'abord faire du porte-à-porte pour savoir qui l'a vue en dernier et où.

George ressentit une légère palpitation au creux de l'estomac : le trac d'un acteur le soir de la première. Oui, exactement. Si ses craintes étaient fondées, il tenait là sa première véritable affaire, celle qui mettrait sa carrière en jeu. S'il ne parvenait pas à découvrir ce qui était arrivé à Alison Carter, il en garderait une marque indélébile.

## 3

Le souffle du chien montait en spirale de vapeur dans l'air nocturne puis restait suspendu comme un esprit. Le berger alsacien était assis tranquillement sur son arrière-train. Il dressait les oreilles et examinait le pré communal de Scardale. Dusty Miller, le maître-chien, se tenait à ses côtés, lui grattant d'un doigt, distraitement, le poil raide et court entre les oreilles.

— Prince a besoin d'habits et de chaussures de la fille, dit-il au sergent Lucas. Plus ils seront portés, mieux c'est. On pourrait s'en passer, mais le chien, ça va l'aider.

— Je vais en parler à Mrs Hawkin, intervint George, avant que le sergent charge un homme de cette mission.

Non qu'un policier en uniforme puisse manquer de tact, mais il voulait seulement une autre occasion d'observer la mère d'Alison Carter et son mari.

Il se retrouva dans la tiédeur confinée de la cuisine où Hawkin, toujours assis, continuait de fumer devant une tasse de thé en compagnie de la femme policier. Tous deux le regardèrent et Hawkin fronça les sourcils, interrogatif. George fit non de la tête. Hawkin pinça les lèvres et, de la paume de la main, se frotta les yeux. George se sentit rassuré de voir qu'il montrait des signes d'émotion. Cet homme qui s'intéressait d'abord à lui-même avait enfin pris conscience du danger que courait Alison.

Ruth Hawkin se tenait devant l'évier, les mains plongées dans le bac, mais elle ne faisait pas la vaisselle. Immobile, elle regardait fixement à l'extérieur. La lumière de la lune n'éclairait que partiellement l'arrière de la maison. Dans cette partie reculée de la vallée, les falaises crayeuses l'occultaient. On ne distinguait rien à travers la fenêtre, sinon une forme vague contre la muraille gris clair. Une grange sans doute, se dit George. L'avait-on déjà fouillée ? Il s'éclaircit la gorge :

— Mrs Hawkin...

Lentement, elle se retourna. Dans le peu de temps qui s'était écoulé depuis leur arrivée, elle semblait avoir vieilli. Sa peau se tendait sur ses pommettes et ses yeux s'enfonçaient.

— Oui ?

— Il nous faudrait des vêtements d'Alison pour le chien.

— Je vous apporte quelque chose.

— Le maître-chien a réclamé des chaussures, des affaires qu'elle aurait souvent portées. Un pull, un manteau, peut-être.

D'une démarche de somnambule, Ruth se dirigea vers la porte.

— Pourrais-je me servir de votre téléphone ? demanda George.

— Faites comme chez vous, répondit Hawkin, en indiquant la direction d'un geste de la main.

George n'eut qu'à suivre Ruth pour découvrir l'appareil, un modèle ancien en bakélite noire posé sur une console, à côté d'une photographie de mariage d'une Ruth rayonnante et de son nouvel époux. Si Hawkin n'avait pas été semblable à lui-même, toujours aussi bel homme, jamais il n'aurait reconnu la mariée.

Dès qu'il eut refermé la porte, il sentit un froid glacial le saisir. Si la fille vivait toujours dans une pareille température, il y avait peut-être un espoir de la retrouver vivante. Il vit Ruth disparaître au premier tournant de l'escalier. Il souleva le combiné, composa le numéro. Après la quatrième sonnerie, le son de la voix familière dissipa son anxiété.

— Anne, c'est moi. J'ai dû aller à Scardale. Une fille a disparu.

— Oh les pauvres parents, dit aussitôt Anne, et pauvre de toi, par une nuit pareille !

— C'est pour la fille que je me fais du souci. Je serai très en retard. Tout va dépendre de la suite. Je ne vais peut-être pas pouvoir rentrer cette nuit.

— Tu te donnes trop de mal, Georges. Ce n'est pas bon pour toi, tu le sais. Si tu n'es pas rentré quand j'irai au lit, je te préparerai quelques sandwiches ; ils seront dans le réfrigérateur. Il faut que tu manges. J'espère bien qu'ils auront disparu quand je me lèverai, ajouta-t-elle, mi-taquine mi-fâchée.

Si Ruth Hawkin n'était pas revenue, il aurait avoué à Anne combien il aimait qu'elle se soucie ainsi de lui, mais il se contenta de dire :

— Merci. Je te rappellerai dès que possible.

Il reposa le combiné et s'avança au pied de l'escalier pour accueillir Ruth, un petit ballot serré contre sa poitrine.

— Nous faisons tout ce que nous pouvons, dit-il, conscient de l'inutilité de sa remarque.

— Je sais. (Elle ouvrit les bras pour lui montrer une paire de pantoufles et une veste de pyjama chiffonnée.) Vous donnerez ça au maître-chien.

George prit les affaires, la gorge serrée en constatant combien ces pantoufles en velours bleu et ce pyjama rose avaient maintenant quelque chose de pathétique. En les tenant du bout des doigts – pour éviter d'y mêler sa propre odeur –, il retraversa la cuisine et sortit. Sans un mot, il tendit les affaires à Miller et observa le maître-chien qui, d'une voix douce, parlait à Prince tout en lui mettant les vêtements sous le museau.

Le chien leva la tête délicatement, comme s'il avait repéré une bonne odeur de nourriture. Puis il commença à flairer devant la porte, sa tête décrivant cette fois de grands arcs à quelques centimètres du sol. Tous les mètres environ, il reniflait bruyamment avant de replonger ses narines dans le pyjama d'Alison, comme s'il voulait se souvenir de ce qu'il était censé chercher. Le chien et son maître avancèrent, couvrant chaque pouce de terrain sur le chemin devant la porte de la cuisine. Aux abords de l'allée qui longeait le pré communal, le berger alsacien se raidit. Tendu comme un enfant qui jouerait à la statue. Prince observa une pause pendant de longues secondes, humant avidement l'herbe pelée. Puis, d'un mouvement souple, fluide, il pénétra dans le pré, avançant rapidement, le corps près du sol, son museau paraissant le tirer de l'avant.

Miller pressa le pas pour suivre son chien. Sur un signe de tête de Lucas, quatre hommes en uniforme arrivés peu après le maître-chien les suivirent, s'écartant les uns des autres pour éclairer le plus grand espace possible avec leurs lampes torches. George leur emboîta le pas pendant quelques mètres, hésitant : devait-il continuer ou attendre les deux inspecteurs du CID ?

Les sauveteurs longèrent tout d'abord le pré, franchirent la marche de pierre d'un échalier fermant un passage étroit entre deux maisons, puis débouchèrent sur un vaste champ. Comme le chien continuait de les guider sans hésiter, George entendit le grondement d'une voiture, qui s'arrêta derrière les autres véhicules de police. Il reconnut la Ford Zéphir de l'inspecteur Tommy Clough. Il jeta un rapide coup d'œil pour voir où en étaient les traqueurs, identifiables grâce à l'éclat des lampes. Il ne serait pas difficile de les retrouver. Il tourna sur ses talons et, d'un pas décidé, alla ouvrir la portière de la Ford. La face familière, lunaire et rougeaude, de l'inspecteur Clough grimaça un sourire.

— Ça va, chef ?

L'haleine sentait la bière.

— On a du boulot, Clough, dit George sèchement.

Même avec un coup de trop, Clough serait plus efficace que beaucoup d'autres policiers à jeun. La portière du passager claqua et Gary Cragg, l'allure lourde, fit le tour de la voiture. Il a vu trop de westerns, avait conclu George à sa première rencontre avec l'inspecteur dégingandé. Cragg eût été parfait en veste et pantalon de peau, la paire de colts sur les hanches étroites et le chapeau cabossé incliné sur des yeux gris aux paupières lourdes. En complet-veston, il avait toujours l'air perdu d'un homme qui souhaiterait se trouver ailleurs.

— Une gosse disparue, c'est bien ça, chef ? demanda-t-il d'une voix traînante.

Même sa voix eût été parfaite dans un saloon pour commander un bourbon. Heureusement pour lui, il ne jouait pas les fortes têtes.

— Alison Carter, 13 ans, les informa George comme Clough extrayait son corps massif de la voiture, puis, du pouce, il indiqua une direction par-dessus son épaule.

— Elle habite dans le manoir, c'est la belle-fille du châtelain. Elle et sa mère sont de Scardale.

Clough grogna et enfonça une casquette en tweed sur ses cheveux bruns bouclés.

— Elle aurait même pas su se perdre. Vous avez une idée de Scardale ? Depuis des générations ils se marient entre cousins. La plupart sont à moitié débiles.

— Alison est arrivée jusqu'au collège en dépit de ses handicaps, fit observer George. Vous ne pouvez pas en dire autant, Clough, si je me souviens bien.

L'inspecteur foudroya son chef du regard – un chef qui avait trois ans de moins que lui –, mais il ne répondit pas.

— Alison est rentrée de l'école à l'heure habituelle, continua George. Elle est sortie avec le chien depuis au moins cinq heures. Vous allez frapper à toutes les portes. Je veux savoir qui l'a croisée en dernier, où et quand.

— Il devait déjà faire nuit quand elle est sortie, remarqua Cragg.

— Et alors ? Quelqu'un peut l'avoir vue. Je vais essayer de retrouver le maître-chien, je serai là si vous avez besoin de moi, compris ?

Une pensée lui fit soudain froid dans le dos. Il jeta un coup d'œil aux maisons disposées en fer à cheval autour du pré, et fit demi-tour :

— Dans chaque maison, il faudra vérifier si les gosses sont bien là. Je ne voudrais pas retrouver une mère piquant sa crise demain matin si elle découvrait qu'un de ses mômes a lui aussi disparu.

Sans attendre la réponse, il se dirigea vers l'échalier. Juste avant d'y parvenir, il ralentit le pas et, se retournant, il aperçut le sergent Lucas qui donnait des instructions aux six hommes en uniforme qu'il était parvenu à réquisitionner.

— Sergent, appela George. Il y a une grange derrière. Je ne sais pas si on l'a déjà fouillée, mais faudrait sûrement le faire, au cas où la fille n'aurait pas suivi son chemin habituel.

Lucas eut un geste d'approbation et d'un mouvement de la tête désigna un des policiers :

— Va voir ce que tu peux trouver, mon gars. (Puis s'adressant à George :) Bonne idée, chef.

Kathy Lomas, derrière sa fenêtre, regardait l'obscurité engloutir l'homme de grande taille en imper et chapeau de feutre. Dans la lumière des phares de la voiture qui venait de s'arrêter près de la cabine téléphonique, il lui avait semblé voir James Stewart. Loin d'être rassurante, cette ressemblance rendait les événements encore plus irréels.

Kathy et Ruth, cousines à la fois du côté de la mère et du père, avaient à peine une année de différence. Derek, le fils de Kathy, était né trois semaines après Alison.

L'histoire des deux familles était inextricablement mêlée. Apprenant la nouvelle, Kathy avait aussitôt couru chez Ruth. Elle l'avait trouvée dans sa cuisine, faisant les cent pas, fumant cigarette sur cigarette, et avait ressenti la même angoisse que si c'eût été son propre enfant.

Elles avaient fait le tour du village, d'abord certaines de trouver Alison devant un feu, insouciante de l'heure, désolée d'avoir causé du souci à sa mère. Mais d'échec en échec, leur assurance s'était dissipée et les affres du désespoir les avaient envahies.

Kathy se tenait debout dans l'ombre, derrière la fenêtre de la petite pièce de Lark Cottage d'où elle surveillait l'agitation de cette sombre nuit de décembre. Le policier en civil, au volant de la voiture, lui faisait penser à un taureau Hereford, avec ses cheveux bouclés et sa grosse tête ; il souleva son manteau pour se gratter le dos, dit quelque chose à son collègue, puis s'avança vers sa porte. Elle eut l'impression que leurs regards se croisaient.

Kathy se dirigea vers la porte et jeta un coup d'œil dans la cuisine où son mari essayait de se concentrer sur une décoration en marqueterie représentant des pêcheurs dans un port.

— La police est là, Mike, appela-t-elle.

— Ils y ont mis le temps, l'entendit-elle grommeler.

Elle ouvrit la porte juste au moment où le taureau Hereford levait la main pour frapper. Son air de surprise se changea en sourire quand il distingua les courbes généreuses de Kathy que ne dissimulait pas complètement son tablier.

— Vous venez au sujet d'Alison, dit-elle.

— Exact, m'dame. J'suis l'inspecteur Clough et lui c'est l'inspecteur Cragg. On peut entrer une minute ?

Kathy s'écarta pour les laisser passer. Elle resta sans réaction lorsque l'épaule de Clough effleura ses seins.

— La cuisine est devant vous. Vous y trouverez mon mari, annonça-t-elle froidement.

Elle les suivit et s'appuya à la barre de la cuisinière pour se réchauffer. Une peur glacée la tenaillait ; elle attendait que les hommes se présentent et s'installent autour de la table.

Clough se tourna vers elle :

— Vous avez vu Alison après son retour de l'école ?

Kathy prit une profonde inspiration :

— Ouais. C'était mon tour d'aller chercher les mômes. En hiver, on fait un roulement pour les attendre à l'arrêt du car.

— Elle semblait différente de d'habitude ? Vous avez remarqué quelque chose ?

Kathy réfléchit un instant, puis secoua la tête :

— Rien du tout. (Elle haussa les épaules.) Elle était comme toujours. Alison, quoi... Elle a lancé « salut », et elle a pris le chemin du manoir. J'l'ai entendue crier « b'jour » à sa maman quand elle est entrée et c'est la dernière fois que je l'ai vue.

— Vous avez rencontré des étrangers dans le coin, sur la route ou dans le chemin ?

— J'ai rien remarqué.

— Vous auriez pas fait le tour du village avec Mrs Hawkin ? demanda soudain Clough.

— Il aurait peut-être fallu que j'la laisse toute seule ? questionna-t-elle, agressive.

— Et comment saviez-vous qu'Alison avait disparu ?

— Par notre Derek. Il travaille pas si bien à l'école qu'il devrait, alors je m'assure qu'il fait ses devoirs proprement. Je le laisse pas sortir tout de suite avec Alison et la cousine Janet quand y rentrent de l'école. Je l'oblige à rester là.

— Elle l'installe sur la table de la cuisine. I'faut qu'il fasse tout le boulot qu'les profs lui donnent avant d'lui lâcher la bride avec les filles. Une sacrée perte de temps, si vous voulez mon avis. Le gars, il fera fermier comme moi, intervint Mike Lomas d'une voix rocailleuse.

— Ouais, on verra, répliqua Kathy d'un ton acerbe. Et comme perte de temps, le tourne-disque qu'a acheté Phil Hawkin à Alison, hein, c'est quoi ? Derek et Janet sont toujours fourrés là-bas, à écouter les derniers succès. Elle vient d'avoir le dernier tube des Beatles : *I Want To Hold Your Hand*. Bon, j'ai lâché Derek qu'après le thé, vers les 7 heures. L'est revenu cinq minutes après, racontant qu'Alison était sortie avec Shep et qu'elle était pas rentrée. Bien sûr, j'ai couru là-bas pour savoir de quoi y retournait.

54

« J'ai trouvé Ruth dans tous ses états. Je lui ai dit qu'on devrait faire le tour du village, des fois qu'Alison se soit arrêtée quelque part et ait oublié l'heure. Elle aime bien aller chez la vieille mère Lomas : elle et son cousin Charlie y tiennent compagnie à la vieille sorcière, ils l'écoutent raconter les histoires de l'ancien temps. Une fois que la mère elle est partie, vous y restez la nuit. Pour sûr, c'est une conteuse hors pair et notre Alison, elle adore ça.

Elle s'installa plus confortablement. Clough vit qu'elle était lancée et il décida de la laisser parler et de voir ce qu'il en sortirait. Il hocha la tête :

— Continuez donc, Mrs Lomas.

— Bon, on allait se mettre en route quand Phil il est entré. Il nous a dit qu'il faisait des photos dans sa chambre noire, qu'il les avait ratées, et qu'il venait juste de s'apercevoir de l'heure. Puis il a réclamé son thé et a voulu voir Alison. Je lui ai fait remarquer qu'y avait des choses plus importantes que son estomac, mais Ruth lui a servi une platée de ragoût. On l'a laissé devant son assiette et on est parties cogner aux portes.

Kathy s'arrêta soudain.

— Vous n'avez donc plus revu Alison depuis le moment où elle est descendue de votre voiture ?

— Land Rover, grogna Mike Lomas.

— Pardon ?

— C'est une Land Rover, pas une voiture. Personne n'a de bagnole dans le coin, reprit-il, méprisant.

— Je l'ai plus revue après qu'elle est passée par la porte de la cuisine, dit Kathy. Mais vous allez la trouver, hein ? C'est votre boulot, non ? Vous allez la trouver.

— On fait de notre mieux.

Cragg administrait la formule habituelle, le placebo routinier. Avant qu'elle ait pu lui envoyer la pique que Tommy Clough sentait venir, il demanda très vite :

— Et votre garçon, Mrs Lomas, il se trouve là où il doit être ?

Choquée, elle resta bouche bée.

— Quoi, Derek ? Et pourquoi il y serait pas ?

— Peut-être pour la même raison qu'Alison ne se trouve pas où il faudrait.

— Vous avez pas le droit de dire ça !

Mike Lomas bondit, les joues enflammées, les yeux pleins de colère. Clough sourit, levant les mains dans un geste de conciliation.

— Mais non, prenez pas ça mal. Je voulais seulement que vous vérifiiez, au cas où il lui serait arrivé quelque chose à lui aussi.

Seul un halo lumineux dans le lointain indiquait la progression des sauveteurs. À voir comment les rayons jaunes semblaient soudain apparaître et disparaître de façon imprévisible, George supposa qu'ils étaient entrés dans une zone boisée. Il alluma la lampe torche empruntée à la Land Rover de la police de Buxton et se fraya un chemin dans l'herbe.

Les arbres se dressèrent devant lui plus vite qu'il ne s'y attendait. Tout d'abord, il ne distingua que des taillis touffus, mais en balançant sa lampe de droite à gauche, il découvrit un sentier étroit au sol piétiné. George s'enfonça dans le sous-bois, tentant de concilier la hâte et la prudence. Çà et là, le faisceau lumineux faisait danser des ombres effrayantes, le contraignant à une attention plus soutenue encore que dans le champ. Les feuilles gelées crissaient sous ses pieds. De temps en temps, une branche le fouettait au visage, accrochait son épaule et l'odeur de champignons en décomposition lui montait à la tête. Environ tous les vingt mètres, il éteignait sa torche pour vérifier la position des sauveteurs. L'obscurité complète l'engloutissait et il devait résister à la sensation que des yeux l'observaient secrètement, suivant chacun de ses mouvements. Rallumer la lampe lui procurait un grand soulagement. Au bout de quelques instants, il s'aperçut que les lumières s'étaient immobilisées. Il accéléra le pas, se prit les pieds dans une racine et faillit bousculer un policier qui revenait en hâte sur ses pas.

— Vous l'avez trouvée ?

— On n'a pas eu cette chance, chef. Mais on a retrouvé le chien.

— Vivant ?

L'homme acquiesça de la tête.

— Ouais. Mais il pouvait pas aboyer.

— Bâillonné ? demanda George, incrédule.

— On lui avait fermé la gueule avec du sparadrap, chef.

La pauvre bête peut à peine gémir. Miller, le maître-chien, m'envoie chercher le sergent Lucas pour savoir ce qu'on fait maintenant.

— Je m'en charge, dit George fermement. Mais allez tout de même prévenir le sergent Lucas de ce qui s'est passé. Je crois qu'il serait sage de ne pas faire entrer trop de gens dans le bois cette nuit, on risquerait d'effacer les traces, s'il y en a.

Le policier eut un signe d'assentiment puis repartit au trot.

— Ils naissent avec des pattes de chèvre dans le coin, grommela George en trébuchant sur le sentier.

Dans la clairière, les ombres s'allongeaient, s'entrecroisaient dans un ballet en clair-obscur. Un colley noir et blanc aux yeux bruns exorbités tirait sur sa corde attachée à un arbre. Le rose pâle du spa-radrap enroulé autour de son museau semblait par-faitement incongru dans cette étrange pastorale. George prit conscience des yeux fixés sur lui, en attente.

— Faudrait s'occuper de cette pauvre bête. Qu'est-ce que vous en dites, Miller ? demanda-t-il, s'adressant directement au maître-chien tandis que Prince continuait de flairer le sol.

— C'est pas elle qui s'en plaindra, chef, dit Miller. Je vais éloigner Prince pour qu'elle se calme plus facilement.

D'une secousse sur la laisse et avec un bref com-mandement, il guida le berger alsacien vers une extrémité de la clairière. George remarqua que de nouveau l'animal balançait la tête comme devant le manoir.

— A-t-il perdu la piste ? demanda-t-il, conscient soudain qu'il y avait des choses plus importantes que les malheurs d'un chien.

— On dirait qu'elle s'arrête ici, répondit Miller. J'ai déjà fait deux fois le tour. On a continué le sen-tier. Mais y'a rien.

— Ça voudrait dire qu'on l'a portée ?

À cette idée, George ressentit un frémissement glacé au creux de l'estomac.

— C'est possible, répondit le maître-chien, l'air sombre.

Y'a une chose de sûre. Elle est pas sortie de là toute seule. Elle aurait pu retourner sur ses pas, mais alors pourquoi attacher la chienne et la museler ?

— P't-être qu'elle voulait surprendre sa maman, ou beau-papa, suggéra un des policiers.

— La chienne aurait pas aboyé après eux, non ? Alors pourquoi la museler et l'abandonner ? reprit Miller.

— Elle croyait que l'un des deux se trouvait avec un étranger, murmura George.

— Ouais, moi je parierais qu'elle a jamais quitté cette clairière de son plein gré, affirma soudain Miller comme il conduisait son chien sur le sentier.

George s'approcha prudemment du colley. Les gémissements devinrent un grondement sourd. Comment s'appelait donc l'animal ?

Shep ? oui :

— Allons, Shep, murmura-t-il.

George releva le bas de son pantalon et s'accroupit sur le sol craquelé par le gel. Il remarqua le sparadrap d'environ cinq centimètres de large doté d'une bande de gaze.

— Du calme, Shep, ordonna-t-il, agrippant d'une main le poil épais à la base de l'encolure pour lui immobiliser la tête. (De l'autre main, il décolla l'extrémité de la bande.) Faudrait que quelqu'un vienne m'aider à le tenir pendant que j'enlève cette saloperie.

L'un des policiers enfourcha l'animal et lui saisit fermement la tête. George tira sur le sparadrap aussi fort qu'il le put. En moins d'une minute il l'avait retiré, évitant de justesse les crocs de la chienne dont il avait arraché des touffes de poil. Le policier qui la tenait dut, lui aussi, reculer d'un bond comme elle se retournait sur lui en aboyant furieusement et en tirant sur la corde.

— Qu'est-ce qu'on fait maintenant, chef ? demanda l'un des hommes.

— Je vais la détacher pour voir où elle veut nous conduire, annonça George en tentant de paraître sûr de lui.

Il s'avança prudemment, mais la chienne ne semblait pas vouloir l'attaquer. Il sortit son canif pour défaire le nœud qui résista, tant la chienne tendait et secouait la corde. Mieux valait la couper et, du même coup, préserver le nœud qui présentait peut-être quelque caractéristique particulière. Mais il en doutait. *A priori*, c'était un nœud double tout ce qu'il y a de plus courant.

Dès que la corde se rompit, Shep bondit. George, pris par surprise, s'entailla le pouce en tentant de retenir le chien de berger.

— Nom de Dieu! s'exclama-t-il tandis que la corde filait entre ses doigts, lui brûlant la peau.

Un des policiers tenta en vain de rattraper la chienne. George, le pouce en sang, dut se contenter de regarder l'animal courir le long du sentier que venaient d'emprunter Prince et son maître.

Presque aussitôt les hommes s'agitèrent, Miller hurla: «Au pied!», puis un hululement étrange déchira le silence nocturne.

Fouillant sa poche pour y trouver un mouchoir, George les suivit. Quelques dizaines de mètres plus loin, Prince était allongé, le museau entre les pattes. Shep, assise sur son arrière-train, levait la tête vers le ciel; sa gueule s'ouvrait, se refermait tandis que s'élevaient des gémissements déchirants. Miller retenait le Colley avec le bout de corde sectionnée.

— On dirait qu'elle veut aller par là, dit-il, montrant de la tête la direction opposée à la clairière.

— Alors suivons-la, proposa George. (Il enveloppa son pouce dans le mouchoir et empoigna la laisse.) Allez va, mon chien! Montre-moi.

Shep l'entraîna en remuant la queue sur le sentier qui serpentait entre les arbres. Quelques minutes plus tard, ils débouchaient sur la berge d'une rivière étroite au courant rapide. Le chien s'immobilisa, s'assit et, la langue pendante, le regarda avec un air perplexe.

— Ça doit être le Scarlaston, dit la voix de Miller derrière lui. Je sais qu'il prend sa source par là. Un drôle de cours d'eau. On raconte qu'il suinte du sol et qu'il lui arrive de disparaître quand l'été est sec.

— Il va où ?

— J'sais pas très bien. Il doit se jeter dans la Derwent ou le Manifold. Je me souviens plus lequel. Faudra que vous consultiez une carte.

— Supposons qu'on ait porté Alison, la piste s'arrête ici de toute façon. (George soupira ; il était presque 10 heures moins le quart.) Nous ne pouvons rien faire de plus avec cette obscurité. On va retourner au village.

Il lui fallut littéralement traîner Shep pour que l'animal consente à quitter la berge du Scarlaston. Sur le lent chemin du retour, George retournait dans sa tête tous les éléments dont il disposait. Rien ne paraissait logique. Si quelqu'un se montrait assez cruel pour kidnapper une enfant, pourquoi épargner le chien ? Surtout un chien aussi remuant que Shep. Il n'arrivait pas à imaginer l'animal se laissant museler sans résistance. À moins que... Alison l'ait fait elle-même ?

Et, si oui, avait-elle agi de sa propre initiative ou sous contrainte ? Et dans le premier cas, où serait-elle allée ? En cas de fugue, elle aurait gardé le chien pour se protéger, tout au moins pendant la nuit.

Ses réflexions ne le conduisaient nulle part.

George sortit du bois d'un pas pesant, traversa le champ, toujours traînant la chienne. Il retrouva le sergent Lucas avec le constable Grundy sous une lampe tempête suspendue à l'arrière d'une Land Rover. George les informa brièvement.

— Je vois pas à quoi servirait de piétiner le coin. Le mieux que l'on puisse faire est de mettre deux hommes de garde et, dès le point du jour, battre le bois mètre par mètre.

Les deux policiers le fixèrent comme s'il était devenu fou.

— Sauf votre respect, chef, si vous voulez empêcher les villageois d'aller dans le bois, ça servira pas à grand-chose de mettre des gardes, sinon à les faire geler, affirma Lucas d'un ton las. Les gens d'ici connaissent ce terrain comme leur poche. S'ils veulent pénétrer dans le bois, ils le feront et on y verra que du feu. Et puis ils se sont tous déjà portés volontaires pour les recherches. Si on leur explique pourquoi, ils seront les premiers à faire attention de pas détruire les indices.

Le sergent avait raison, George le comprit :

— Et si des gens venaient de l'extérieur ?

Lucas haussa les épaules :

— Suffit de mettre un garde à la barrière sur la route. Je vois pas quelqu'un arriver à pied de l'autre vallée. Le sentier est raide le long du Scarlaston, même par beau temps, alors de nuit quand y gèle…

— Je sais que je peux vous faire confiance, sergent. Et, si j'ai bien compris, vos hommes ont fouillé les maisons et les dépendances.

— Sûr. Pas une trace de la fille, dit Lucas. (Son air sombre contrastait avec sa jovialité habituelle.) La grange de l'autre côté du manoir, c'est là que le châtelain développe ses photos. Et il y a pas la moindre cachette là-dedans.

Avant que George puisse répondre, Clough et Cragg sortirent de l'ombre. Tous deux paraissaient aussi frigorifiés que lui, les cols de manteau relevés pour résister aux rafales de vent glacé. Cragg feuilletait à rebours les pages de son carnet.

— On progresse ? demanda George.

— Pas de quoi en faire un plat, répondit piteusement Clough, offrant son paquet de cigarettes à la ronde.

Seul Cragg se servit.

— On a parlé à tout le monde, y compris à ses cousins. Kathy Lomas les a récupérés à l'entrée du chemin. La dernière fois qu'elle a vu Alison, elle entrait dans la cuisine du manoir. La mère nous a raconté la vérité. Elle est revenue de l'école entière. Mrs Lomas est retournée chez elle avec son fils et personne n'a de nouvelles depuis.

## 4

*Jeudi 12 décembre 1963, 1 h 14*

George examina la chapelle avec un air résigné. Dans la lumière jaunâtre, elle paraissait lugubre et peu spacieuse ; le vert pâle des murs contribuait à cette impression. Il leur fallait un poste opérationnel assez vaste pour y rassembler si nécessaire inspecteurs en civil et gradés en uniforme, mais à distance raisonnable de Scardale, le constable Peter Grundy n'avait pu dénicher que la salle de mairie de Longnor ou cette annexe de la chapelle méthodiste située sur la route, juste après l'embranchement de Scardale. Elle avait l'avantage de la proximité et surtout de disposer d'une ligne téléphonique dans une petite pièce attenante baptisée sacristie, comme le proclamait un écriteau.

— On voit que les méthodistes prêchent le dépouillement, constata George sur le seuil en examinant le meuble qui tenait lieu d'armoire. Prenez note, Grundy. Il nous faudra aussi un téléphone de campagne.

Grundy ajouta le téléphone sur une liste qui comprenait déjà machines à écrire, formulaires de déposition, cartes de la région, fichiers, listes électorales et annuaires. Tables et chaises ne constituaient pas un problème : la salle en contenait un nombre suffisant. George se tourna vers Lucas.

— Il faut que nous établissions un plan d'action pour demain matin. Mettons-nous au travail.

Ils installèrent une table sous un des convecteurs fixés aux solives. Il dissipait à peine l'humidité glaciale de la nuit, mais ils devraient s'en satisfaire. Grundy disparut dans la petite cuisine et revint avec trois tasses et une soucoupe :

— En guise de cendrier, annonça-t-il, en la poussant dans la direction de George.

Puis il posa bruyamment sur la table une bouteille Thermos extraite de son manteau.

— Où as-tu trouvé ça ? demanda Lucas.

— Betsy Crowther, du cottage Meadow. La cousine de ma femme, du côté de sa mère.

Il dévissa le bouchon. George louchait sur la volute de vapeur.

Réconfortés par le thé et les cigarettes, les trois hommes commencèrent à établir la suite des opérations.

— Il va nous falloir autant de policiers que nous pourrons en trouver, dit George, et passer au peigne fin tout le secteur autour de Scardale, mais si nous faisons chou blanc, nous devrons étendre nos recherches tout le long du Scarlaston. Je vais contacter l'armée pour voir s'ils peuvent nous fournir quelques supplétifs.

— Si le filet s'élargit, ça vaudrait le coup de réclamer l'aide de l'équipage de chasse à courre du High Peak, suggéra Lucas, courbé sur sa tasse pour profiter de la chaleur. Ils ont une meute de chiens et leurs cavaliers connaissent le terrain.

— Je les garde en réserve, répondit George, inhalant la fumée de sa cigarette comme si elle pouvait dissiper le froid glacé qui l'envahissait. Grundy, je vous charge d'établir la liste de tous les fermiers sur un rayon de huit kilomètres autour de Scardale. Au lever du jour, nos hommes iront les prier de faire le tour de leur terre. Si la fille s'est enfuie, elle a très bien pu avoir un accident pendant la nuit.

Grundy acquiesça :

— Je vais m'y mettre. Chef, y'a une chose que je voulais vous dire, je peux ?

George fit signe que oui.

— Hier c'était la foire à Leek. Bêtes de boucherie et vaches laitières. Y a une remise de prix. Ça veut dire plus de circulation sur les routes du coin que d'habitude. Certains en profitent pour faire leurs emplettes de Noël. Ils ont dû rentrer à la nuit tombée. Si la fille se trouvait sur une de ces routes, il y a une chance qu'ils l'aient repérée.

— Excellente suggestion, approuva George, prenant note. Faudra donc en parler aux fermiers et je le mentionnerai à la conférence de presse.

— Conférence de presse ? répéta Lucas, l'air soupçonneux.

Jusqu'à présent, il avait plutôt fait confiance au « professeur », mais maintenant il se demandait si George Bennett n'entendait pas se servir d'Alison Carter pour sa propre publicité. Et cela ne lui plaisait guère.

George hocha la tête :

— J'ai déjà appelé le QG pour qu'ils organisent cette conférence de presse ici à 10 heures. Nous avons besoin de toute l'aide que nous pouvons trouver et les journalistes feront passer l'information plus vite que nous. Il nous faudrait des semaines pour contacter tous ceux qui assistaient à la foire et encore, beaucoup nous échapperaient. Grâce à la presse, tout le monde ou presque connaîtra cette disparition. Et, par chance, l'édition hebdomadaire du *High Peak Courant* sort demain. À l'heure du thé, la nouvelle sera diffusée. Dans des affaires comme celle-là, l'information est vitale.

— Elle a pas été très utile à nos collègues de Manchester et d'Ashton, remarqua Lucas d'un ton dubitatif. Sauf qu'elle leur a fait perdre du temps sur des fausses pistes.

— Si elle a fait une fugue, il lui sera plus difficile de rester cachée. Si elle a été kidnappée, nous aurons plus de chances de trouver des témoins, répliqua George avec fermeté. J'ai parlé au superintendant Martin. Il viendra en personne à la conférence de presse. Et il a confirmé que pour le moment je prenais la tête des opérations.

Il ressentit un léger malaise à vouloir paraître aussi catégorique.

— C'est logique, dit Lucas. Vous êtes là depuis le début.

Il se redressa, repoussa sa chaise et écrasa sa cigarette dans la soucoupe.

— On pourrait aller à Buxton maintenant. Qu'est-ce qu'on va faire de plus pour le moment ? La relève peut tout mettre en place quand elle arrivera à 6 heures.

D'un point de vue personnel, George ne pouvait qu'approuver. Quelque chose cependant le retenait, mais il craignait d'abuser de son autorité en leur ordonnant de rester, sans doute inutilement. Il suivit donc à regret Lucas et Grundy. Peu de paroles furent échangées entre la chapelle et Longnor où ils déposèrent Grundy et encore moins pendant les onze kilomètres qui les séparaient de Buxton. Tous deux, plongés dans leurs pensées, se sentaient fatigués.

Une fois au poste, George laissa le sergent taper la liste des équipes de relève et des policiers appelés en renfort dans tout le comté. Dans sa voiture, il frissonna sous le souffle glacé des aérateurs. En moins de dix minutes, il était de retour à la maison que la police du Derbyshire avait jugée convenir à son rang : une maison mitoyenne en pierre comprenant trois chambres, agrémentée d'un jardin généreux qui suivait une courbe de la route. À l'arrière de la maison, les bois de Grin Low recouvraient la chaîne de collines et s'étendaient jusqu'aux landes désolées. Au fil des kilomètres, le Derbyshire venait s'y fondre dans le Staffordshire.

George, immobile dans la cuisine éclairée par la lune, contemplait ce paysage inhospitalier. Respectueux des consignes, il s'était préparé du thé, avait pris les sandwiches dans le réfrigérateur, incapable d'en avaler une bouchée. Il aurait même été bien en peine d'en préciser la garniture. Sur la table, Anne avait laissé à son attention un petit tas de cartes de Noël. Il les ignora. Il serrait la fragile tasse de porcelaine dans ses mains robustes, revoyant le visage ravagé par le chagrin de Ruth Hawkin quand il avait ramené la chienne et interrompu sa veille.

Elle se tenait près de l'évier, les yeux fixés sur la fenêtre. Maintenant qu'il y réfléchissait, il se demanda pourquoi elle ne concentrait pas son attention sur la porte de devant. Si Alison devait revenir, elle rentrerait sans doute par les champs et le pré communal. Tout porteur de nouvelles emprunterait également ce chemin. Elle ne supportait peut-être pas les allées et venues des policiers qui lui rappelaient la terrible absence de sa fille.

Quelle qu'en soit la raison, elle restait devant la fenêtre, le regard dans le vide, tournant le dos à son mari et à la femme policier, toujours assise gauchement à la table, alors qu'elle était censée apporter un soutien manifestement rejeté. Même lorsqu'il avait ouvert la porte, Ruth ne s'était pas retournée. Seul le bruit des pattes du chien sur le carrelage l'avait incitée à détourner le regard. L'animal avait rampé sur le sol pour s'approcher d'elle en émettant des sons plaintifs.

— Nous avons découvert Shep attachée à un arbre dans le bois, muselée avec du sparadrap.

Les yeux de Ruth s'étaient agrandis, sa bouche tordue de douleur.

— Non, avait-elle protesté faiblement. Ce n'est pas possible.

Elle s'était agenouillée à côté de la chienne qui se contorsionnait contre ses chevilles pour se faire pardonner. Ruth enfouit son visage dans la toison, serrant la bête comme un enfant. Une longue langue rose lui lécha l'oreille.

George avait jeté un coup d'œil à Hawkin. Il secouait la tête, complètement désemparé.

— C'est incompréhensible, avait-il dit. C'est le chien d'Alison. Il n'aurait jamais permis à quiconque de toucher un cheveu de sa tête.

Il avait eu une sorte de rire nerveux :

— Une fois j'ai levé la main sur elle. Il m'a aussitôt planté les crocs dans la manche. La seule personne qui pourrait lui faire ça ne peut être qu'Alison. Ni Ruth ni moi on n'aurait pu, encore moins un étranger.

— Alison n'a peut-être pas eu le choix, insinua George.

Ruth avait relevé la tête, le visage bouleversé : elle réalisait que ses peurs n'étaient sans doute que le reflet de la réalité.

— Non, avait-elle gémi la voix rauque. Non, pas mon Alison. Mon Dieu, je vous en prie, pas mon Alison.

Hawkin se leva, s'approcha de sa femme et s'accroupit près d'elle en passant un bras maladroit autour de ses épaules.

— Ne te mets pas dans cet état, Ruth, dit-il, jetant un coup d'œil à George. Ça n'aidera pas Alison. Il faut qu'on soit forts.

Hawkin avait paru embarrassé de devoir montrer de l'affection à sa femme. George avait souvent rencontré des personnes qui n'aimaient pas montrer leurs sentiments en public, mais rarement de manière aussi évidente.

Il ressentait une immense pitié pour Ruth. Une nouvelle fois, un mariage ne résisterait pas à la pression d'une enquête, et malgré le peu de temps passé en leur compagnie, il sentait qu'il avait assisté non pas à une fêlure, mais à un véritable effondrement. S'il est toujours difficile de constater que celui que l'on a épousé n'est pas celui qu'on croit, pour Ruth, récemment mariée, la déception combinée avec la disparition de sa fille devenait impossible à supporter.

Presque involontairement, George s'était accroupi à son tour, une main posée sur celle de Ruth.

— Nous ne pouvons pas faire grand-chose dans l'immédiat, Mrs Hawkin. Mais tout ce qui est possible sera fait. Dès la première lueur du jour, nos hommes vont ratisser toute la vallée. Je vous le promets. Je n'abandonnerai pas tant qu'on n'aura pas retrouvé Alison.

Leurs regards s'étaient croisés et il avait ressenti une émotion inexprimable, bien trop complexe pour pouvoir l'analyser.

Tout en scrutant la lande, il comprit que, de toute façon, il ne pourrait pas dormir cette nuit-là. Les sandwiches enveloppés dans du papier aluminium, il remplit un Thermos de thé bouillant et, sur la pointe des pieds, monta à la salle de bains pour prendre son rasoir.

Sur le palier, il marqua une pause et ne put résister à l'envie d'apercevoir Anne. Du bout des doigts, il poussa la porte entrouverte de leur chambre. Son visage se dessinait sur la blancheur de l'oreiller. Elle dormait sur le côté, un poing serré posé sur le drap. Dieu qu'elle était belle ! La regarder dormir suffisait à faire lever le désir en lui. Il aurait aimé jeter ses vêtements, se glisser près d'elle, sentir sa chaleur tout au long de son corps. Mais, cette nuit, le souvenir des yeux égarés de Ruth Hawkin le tenaillait.

Avec un soupir réprimé, il se détourna. Une demi-heure plus tard, il se retrouvait dans la chapelle méthodiste, face à Alison Carter, dont quatre photographies trônaient sur le panneau d'affichage. Il avait laissé la cinquième au poste pour qu'elle soit photocopiée de toute urgence, afin d'être distribuée à la conférence de presse. Devant l'air dubitatif de l'inspecteur de garde, George avait dû lui signifier que c'était un ordre.

Il étala avec précaution la carte d'état-major et s'efforça de l'examiner avec les yeux d'une personne qui a décidé de s'enfuir. Ou avec ceux de quelqu'un qui a décidé la mort d'une autre personne.

Puis il sortit de la chapelle et emprunta à pied la piste qui conduisait à Scardale. En quelques mètres, la lumière jaunâtre que diffusaient les fenêtres en ogive disparut. Seuls les faibles éclats des étoiles scintillaient entre les bancs de nuage. Ne pas trébucher sur les touffes d'herbe gelées au bord du chemin mobilisait toute son attention.

Peu à peu, sa vue s'accoutumait et ses pupilles dilatées saisissaient quelques détails parmi les formes fantomatiques. Mais, lorsqu'il parvint enfin à distinguer des haies, des enclos, des barrières, le froid l'avait saisi. Les semelles minces de ses souliers de ville n'étaient guère adaptées au sol verglacé et même ses gants de cuir doublés de coton n'arrêtaient pas les rafales qui prenaient le creux de la vallée pour une soufflerie. Il ne sentait plus ni ses oreilles ni son nez et, au bout d'un kilomètre, il abandonna. Il en conclut que si Alison Carter se trouvait dehors, elle résistait mieux que lui.

Oui, plus résistante, ou alors elle ne sentait plus rien.

*Manchester Evening News,*
*jeudi 12 décembre 1963, p. 11*

### Un jeune campeur met la police sur les dents

#### DESCENTE DE POLICE SUR UN SITE TOURISTIQUE

Les policiers qui continuent leurs recherches pour retrouver John Kilbride de Ashton-under-Lyne, âgé de 12 ans, se sont précipités toutes sirènes hurlantes sur un lieu touristique déserté aux abords de la ville.

On les avait informés qu'un jeune garçon y campait. Quand ils le trouvèrent sain et sauf, l'espoir revint. Mais il y avait erreur sur la personne. Il s'agissait d'un jeune fugueur de 11 ans, David Marshall de Gorse View, Alt Estate, Oldham. Il n'était porté disparu que depuis quelques heures. Après «des ennuis à la maison», il avait rassemblé quelques affaires – et une tente – pour aller camper près d'une ferme dans Lily Lanes, au voisinage d'Ashton-under-Lyne.

Encore un espoir déçu depuis le début de l'enquête, il y a 19 jours. La police a déclaré: «Nous y avons cru. Mais au moins nous avons ramené un enfant sain et sauf chez lui. »

L'enfant avait été repéré devant sa tente par un visiteur de la ferme qui avait immédiatement prévenu la police. «Cela montre que le public coopère de son mieux» a commenté un policier.

### Jeudi 12 décembre 1963, 7 h 30

Janet Carter rappelait à George un des chats de sa sœur. Le visage triangulaire au nez coquin, aux grands yeux et à la bouche en bouton de rose, était aussi fermé et vigilant que celui d'un félin domestique. Les points noirs disséminés aux deux extrémités de sa lèvre supérieure donnaient l'impression qu'on lui avait arraché les moustaches.

Ils se faisaient face de chaque côté de la table dans la cuisine basse de plafond du cottage de ses parents à Scardale. Les petites dents pointues de Janet entaillaient en demi-cercle chaque côté d'un toast beurré. De temps à autre, à l'abri de ses longs cils, elle jetait un coup d'œil en coin à George.

Même plus jeune, il n'appréciait pas la compagnie des adolescentes. Il se souvenait des amies de sa sœur de trois ans son aînée qui considéraient l'inexpérimenté George comme un jouet commode. Puis, plus tard, elles avaient essayé sur lui les coquetteries qu'elles réservaient à des cibles plus âgées. George s'était souvent plaisamment comparé à ces stabilisateurs dont sont équipées les bicyclettes des débutants. Depuis ces expériences, il savait quand une jeune fille mentait; ce qui n'était guère le cas de la plupart des hommes qu'il connaissait.

Mais l'attitude de Janet Carter le déstabilisait. Sa cousine avait disparu, pourtant Janet paraissait aussi tranquille que si Alison était partie faire des courses.

Maureen, la mère, ne se contrôlait pas aussi bien. Sa voix tremblait quand elle parlait de sa nièce. Elle avait les larmes aux yeux en rassemblant ses trois enfants plus jeunes pour laisser George en tête à tête avec sa fille. Le père, Ray, mettait sa connaissance des lieux à la disposition d'une des escouades de policiers parties à la recherche de la fille de son frère décédé.

— Vous connaissez sans doute Alison mieux que quiconque, dit enfin George, s'efforçant de continuer d'utiliser le présent.

Janet approuva :

— Nous sommes comme des sœurs. Elle a huit mois et deux semaines de plus que moi, si bien qu'on n'est pas dans la même classe. Comme de vraies sœurs.

— Vous avez grandi ensemble à Scardale ?

Janet hocha la tête. Une autre demi-lune de toast disparut entre ses dents.

— Oui, nous trois, moi et Alison et Derek.

— Donc vous êtes non seulement cousines mais les meilleures amies du monde ?

— J'suis pas sa meilleure copine au collège, parce que nous ne sommes pas dans la même classe, mais ici, chez nous, oui.

— Et qu'est-ce que vous faites ensemble ?

La bouche de Janet se plissa comme elle réfléchissait.

— Pas grand-chose. Certains soirs, Charlie, notre grand cousin, nous emmène à Buxton sur la piste de roller. Parfois on fait les boutiques à Buxton ou à Leek, mais la plupart du temps on est là. On sort les chiens ou on aide à la ferme s'ils manquent de bras. Ali a eu un tourne-disque pour son anniversaire, alors souvent moi et Ali et Derek on écoute des disques dans sa chambre.

Il prit une petite gorgée du thé que Maureen Carter lui avait préparé, étonné que quelqu'un puisse faire un breuvage plus corsé que celui de la cantine de la police.

— Elle a pas eu de souci particulier ? demanda-t-il. Des problèmes chez elle ? ou à l'école ?

Janet leva la tête et le regarda en face, les sourcils froncés.

— Elle s'est pas sauvée, dit-elle furieuse. Quelqu'un l'a enlevée. Ali serait pas partie. Et pourquoi elle l'aurait fait ? Elle avait pas à se sauver d'ici !

Peut-être pas, pensa George, surpris par sa véhémence. Mais elle pouvait aussi aller retrouver quelqu'un.

— Est-ce qu'Alison a un amoureux ?

Janet respira un grand coup :

— Pas vraiment. Elle a été au cinéma avec ce gars de Buxton une ou deux fois. Alan Milliken. Mais c'était pas vraiment son petit ami et, de toute façon, ils y sont allés en groupe. Il a essayé de l'embrasser, mais elle voulait pas. Elle m'a raconté que s'il croyait que lui payer le cinéma lui donnait des droits, il s'était fourré le doigt dans l'œil.

Janet le regarda d'un air de défi, encore énervée.

— Pas le plus petit béguin ? Peut-être quelqu'un de plus âgé ?

Janet secoua la tête :

— On aime bien Denis Tanner, celui qui joue dans *Coronation Street*, ou Paul McCartney. Mais c'est juste du rêve. Les gens vrais la font pas rêver. Elle dit toujours que les garçons c'est la barbe. Ils veulent parler que de football ou de conquête spatiale ou d'la voiture qu'ils voudraient conduire.

— Et Derek là-dedans, quelle est sa place ?

Janet prit un air perplexe :

— Derek, quoi Derek ? C'est… Derek. Puis il a des boutons. Comment il pourrait vous faire rêver ?

— Et Charlie alors ? Votre grand cousin ? On m'a rapporté qu'il passait beaucoup de temps chez sa grand-mère.

De nouveau Janet secoua la tête, un doigt glissa vers un minuscule point noir à côté de sa bouche.

— Ali va écouter les histoires de la mère Lomas. Charlie habite là, et c'est tout. D'ailleurs je comprends pas pourquoi les rêves d'Ali vous intéressent autant. Vous devriez chercher ceux qui l'ont kidnappée. Je parie qu'ils croient que l'oncle Phil a des tonnes de fric, parce qu'il vit dans une grande maison et que tout le village est à lui. Ouais, je parie que l'enlèvement du fils de Frank Sinatra l'autre jour leur a donné des idées. C'est passé à la télé et dans les journaux et tout. On n'a pas la télévision ici, on la reçoit pas. On a que la radio. Mais même là à Scardale ils en ont entendu parler. Alors forcément un kidnappeur ça l'a fait réfléchir. Ouais, je parie qu'ils vont réclamer une grosse rançon pour Ali.

Comme elle passait son temps à s'humecter les lèvres, elle luisait de beurre.

— Est-ce qu'Alison s'entend bien avec son beau-père ?

Janet haussa les épaules comme si cette question n'avait aucun intérêt.

— Ouais, j'suppose. Elle aime bien habiter au manoir. Répétez pas c'que j'vais vous dire. (Une lueur de malice brilla dans ses yeux.) Quand quelqu'un lui demande où elle habite, elle répond tout de suite : «Au manoir de Scardale», comme si c'était quelque chose de vraiment super. Petites, on s'inventait des histoires sur le manoir ; des histoires de fantômes, de meurtres. On croirait qu'Alison s'prend pour une princesse depuis qu'elle y vit.

— Et son beau-père ? Qu'est-ce qu'elle en pense ?

— Pas grand-chose. Quand il faisait la cour à sa 'man, elle le trouvait un peu ballot parce qu'il était toujours fourré chez elles. Il apportait des tas de petits cadeaux à la tante Ruth. Vous voyez ce que j'veux dire : des fleurs, des chocolats, des bas Nylon, des trucs comme ça...

Elle s'agitait nerveusement sur son siège. Elle pressa un bouton sur sa joue, tentant innocemment de dissimuler cette action de son autre main.

— Je crois qu'elle était alors un brin jalouse, elle avait tellement l'habitude d'être la reine, elle voulait pas perdre ça ! Mais une fois mariés, qu'il faisait plus sa cour, elle s'est bien entendue avec lui. Faut dire qu'il la laisse tranquille. Il a pas vraiment l'air de s'intéresser aux autres. Y a que lui qui compte. Et ses photos. Il arrête pas d'en prendre.

Janet reprit son toast comme si elle lui en avait assez confié.

— Des photos de quoi ?

George posait la question non par curiosité mais pour prolonger la conversation.

— Des paysages. Il aime bien aussi espionner les gens qui bossent. Il raconte qu'il faut qu'ils aient l'air naturel, alors il les prend quand y croit qu'ils le voient pas. Mais voilà, c'est un étranger. Il connaît pas Scardale comme nous autres. Aussi quand il croit se cacher, la moitié du village sait où il se trouve.

Elle gloussa, puis se souvenant de la raison de la présence de George, les yeux écarquillés, de la main elle couvrit sa bouche.

— Donc, si j'ai bien compris, Alison n'avait aucune raison de se sauver ?

Janet reposa son toast et fit la moue.

— J'vous l'ai dit. Ali se serait pas sauvée sans moi. Et j'suis là ! Donc quelqu'un l'a emmenée. Et c'est à vous d'la trouver !

Elle cligna des yeux. Son regard se fixa sur un coin de la pièce. George se tourna à demi et aperçut Maureen Carter dans l'encadrement de la porte.

— Maman ! J'arrête pas d'lui expliquer et i'veut pas écouter ! Dis-lui, toi, qu'Alison s'est pas sauvée ! Dis-lui !

Maureen approuva :

— Elle a raison. Quand Alison a des ennuis, elle fait face. Si quelque chose ne tournait pas rond, nous le saurions tous. Ce qui est arrivé, c'est pas elle qui l'a voulu. (Elle s'avança, s'empara de la tasse de thé de Janet.) C'est l'heure. Toi et les petits vous filez chez Derek. Kathy vous emmène jusqu'au car.

— Je pourrais m'en charger, proposa George.

Maureen l'examina de haut en bas, lui montrant à l'évidence qu'elle ne le trouvait pas à la hauteur.

— Vous êtes bien aimable mais y'a déjà eu assez de tintouin ce matin, pas la peine d'en rajouter. Mets ton manteau, Janet.

George leva la main.

— Avant que vous partiez, Janet, une dernière question. Vous avez pas un endroit bien à vous ? Une cabane, une cachette, quelque chose de ce genre ?

La fille adressa à sa mère un regard désespéré.

— Non, répliqua-t-elle, sa voix dénotant son mensonge.

Janet enfourna le reste de son toast dans sa bouche et s'enfuit avec un petit signe de la main. Maureen ramassa l'assiette sale et redressa la tête.

— Si Alison avait voulu se sauver, elle aurait pas agi comme ça. Elle adore sa maman. Elles sont très proches. Parce qu'elles ont été longtemps que toutes les deux. Jamais Alison ferait autant de mal à Ruth.

## 5

*Jeudi 12 décembre 1963, 9 h 50*

Dans la chapelle méthodiste, des téléphones de campagne en liaison avec le QG, des cartes délimitant en rouge les secteurs de recherche, des fiches, fichiers et formulaires s'entassaient sur huit tables soutenues par des tréteaux. Ici et là, des policiers tapaient sur des machines à écrire.

À Buxton, des inspecteurs interrogeaient les camarades de classe d'Alison, tandis que trente policiers et un nombre à peu près égal de volontaires fouillaient la vallée de Scardale.

Au fond de la chapelle, près de la porte, un demi-cercle de chaises était disposé face à une table en chêne où se tenaient George et le superintendant Jack Martin. George en arrivait à la conclusion de son rapport. Pour la première fois, depuis les trois mois qu'il travaillait à Buxton, il rencontrait le chef de la police du comté. Il ne connaissait cet homme que de réputation.

Pendant la guerre, Martin, lieutenant dans un régiment d'infanterie, avait accompli son service sans faire de vagues. Mais il avait gardé de l'armée un goût pour le protocole. Il ne tolérait pas qu'un gradé interpelle par son nom un policier d'un rang égal ou inférieur. S'il constatait un pareil manquement à la discipline, le coupable écopait d'une réprimande. À en croire l'inspecteur Clough, l'utilisation d'un simple prénom dans un poste de police lui faisait friser l'apoplexie. Il inspectait régulièrement les policiers en uniforme et malheur à ceux dont les bottes ou les boutons de tunique ne reluisaient pas suffisamment. Du faucon, il avait le profil et le regard. Il marchait toujours au pas accéléré et l'on prétendait qu'il supportait mal les inspecteurs en civil qu'il trouvait négligés.

Mais l'apparence inflexible dissimulait peut-être, du moins George l'espérait, un policier expérimenté et efficace. Il allait rapidement être fixé. Martin l'avait écouté attentivement, ses sourcils poivre et sel froncés. Du pouce et de l'index, il rebroussait sa moustache puis la lissait de nouveau.

— Vous fumez ? demanda-t-il enfin, tendant à George un paquet de Capstan, du tabac brun très fort.

George remercia de la tête, préférant ses Gold Leaf plus légères, mais il vit dans cette offre une permission et aussitôt en alluma une des siennes.

— Tout cela ne me plaît guère, dit Martin. Rien n'était laissé au hasard, hein ?

— Oui, je le crois, répliqua George impressionné.

Martin avait tout de suite tiqué sur le sparadrap. Personne ne part en promenade en emportant un rouleau complet de ce type de pansement, pas même le chef scout le plus consciencieux ! Le traitement infligé au chien sentait la préméditation à plein nez, bien que ses collègues n'aient pas paru s'en apercevoir.

— Je crois que celui qui a enlevé la fille connaissait ses habitudes. Il a dû la surveiller un certain temps, attendant que l'occasion se présente.

— Vous pensez donc que c'est quelqu'un du coin ?

George passa la main dans ses cheveux blonds.

— Ça en a tout l'air, dit-il sans insister.

— Vous avez raison de ne pas être trop affirmatif. La balade de Denderdale jusqu'à la source du Scarlaston est fréquentée. Des douzaines de randonneurs la font en été. N'importe qui aurait pu voir la fille, seule ou avec ses amis, et décider de revenir un jour pour l'enlever.

Martin hocha la tête comme s'il approuvait ses propres paroles et, d'une pichenette, fit tomber une cendre de la manchette de son impeccable tunique.

— C'est possible, admit George. (Cependant il ne parvenait pas à se représenter un être capable d'attendre aussi longtemps pour satisfaire son obsession. Mais son incertitude reposait également sur une autre constatation :) Il me semble difficile d'imaginer qu'un membre de cette communauté ait pu commettre un tel acte. Ils se serrent incroyablement les coudes. Et cela depuis des générations.

« Que quelqu'un de Scardale ait pu faire du mal à un de leurs propres enfants serait contraire à tout ce qu'ils ont appris depuis l'enfance. Et pourrait-il le faire sans que les autres l'apprennent ? Pourtant, tout semble montrer que c'est quelqu'un du coin...

George soupira. Les arguments qu'ils venaient de développer le troublaient.

— À moins que tout le monde se trompe sur la direction qu'a prise la jeune fille, observa Martin. Elle pourrait avoir changé d'itinéraire, traversé les champs et s'être rabattue sur la route. Hier la foire à Leek a entraîné une circulation importante sur la route de Longnor. Il n'était pas difficile de l'attirer dans une voiture sous prétexte de demander son chemin.

— Vous oubliez le chien, monsieur, fit observer George.

Martin agita impatiemment sa cigarette.

— Le kidnappeur peut avoir fait le tour et abandonné le chien dans le bois.

— Le risque était grand et il fallait qu'il connaisse bien le terrain.

Martin soupira à son tour :

— Sans doute. Comme vous, j'ai du mal à croire que le traître de l'histoire soit un gars du coin. Nous avons peut-être une vision trop romantique de ces communautés rurales ; elle est souvent déçue.

Il jeta un coup d'œil à une pendule murale, éteignit sa cigarette, fit jouer ses manchettes et se redressa.

— Bon, il va falloir affronter ces messieurs de la presse. (Il se retourna vers les tréteaux :) Parkinson, allez dire à Morris de faire entrer les journalistes.

Le policier, se levant d'un bond, marmonna :

— Oui, m'sieur.

— Casquette, Parkinson ! aboya Martin.

Parkinson s'arrêta net, fit un demi-tour, saisit la casquette sur le dos de sa chaise, l'enfonça sur sa tête et repartit presque en courant vers la porte. Il sortait lorsque Martin ajouta sur le même ton :

— Coupe de cheveux, Parkinson !

La bouche du superintendant se plissa en ce qui semblait être un sourire comme il gagnait sa place derrière la table.

La porte s'ouvrit. Une demi-douzaine d'hommes se précipitèrent ensemble dans la salle. Passant du froid et du vent du dehors à l'air chaud de la chapelle, le groupe semblait entouré d'un halo de brume. Ils s'installèrent bruyamment sur les chaises pliantes. Certains avaient à peine plus de 25 ans, d'autres plus de 50, estima George, bien que l'évaluation fût difficile à cause des cols relevés, des casquettes enfoncées, des foulards enroulés. Il reconnut Colin Loftus du *High Peak Courant* mais les autres lui étaient étrangers. Pour quels journaux travaillaient-ils ?

— Bonjour messieurs. Je suis le superintendant Jack Martin et voici mon collègue, l'inspecteur-chef George Bennett. Comme vous l'avez déjà compris, une jeune fille de Scardale a disparu. Elle s'appelle Alison Carter, elle a 13 ans. Elle a été vue pour la dernière fois hier vers 16 heures. Elle avait quitté la maison familiale, le manoir de Scardale, pour promener sa chienne. Comme elle ne revenait pas, sa mère, Mrs Ruth Hawkin et son beau-père, Mr Philip Hawkin, ont alerté la police de Buxton.

«Suite à cet appel, nous avons commencé les recherches dans les environs immédiats du manoir de Scardale, avec l'aide d'un chien policier. La chienne d'Alison fut découverte dans un bois non loin de sa maison, mais nous n'avons trouvé aucune trace de la fille. (Il s'éclaircit la gorge.) Des photocopies d'une photographie récente d'Alison seront disponibles au poste de police de Buxton dès midi.

Comme Martin donnait une description détaillée de la jeune fille et de ses vêtements, George examinait les journalistes. Les crayons couraient sur les carnets ; curieux, ils prenaient des notes sans lever la tête. Était-ce à cause des disparitions de Manchester ? Car comment expliquer qu'ils viennent si nombreux pour une jeune fille disparue depuis seulement 16 heures d'un petit village perdu du Derbyshire ?

Martin se raidissait :

— Si nous ne retrouvons pas Alison aujourd'hui, nous intensifierons les recherches. Nous ne savons pas ce qui lui est arrivé, et notre préoccupation est réelle, ne serait-ce qu'en raison des sévères conditions climatiques. Si vous avez des questions à poser, l'inspecteur-chef Bennett ou moi-même nous efforcerons d'y répondre.

Une tête se leva :

— Brian Bond, du *Manchester Evening Chronicle*. Avez-vous envisagé la possibilité d'un acte criminel ?

Martin respira profondément :

— Pour l'instant, nous n'écartons aucune hypothèse. Rien ne vient expliquer la disparition de cette jeune fille. Tout se passait bien dans sa famille ou à l'école. Mais nous n'avons trouvé jusqu'à présent aucun indice suggérant un acte criminel.

Colin Loftus leva le doigt :

— Rien ne vient étayer l'hypothèse d'un accident ?

— Non, pas jusqu'à présent, reprit George. Comme le superintendant Martin vous l'a expliqué, nos équipes sont en train de passer la vallée au crible. Nous avons également demandé à tous les fermiers de faire le tour de leur propriété, au cas où Alison, blessée, serait incapable de se déplacer.

L'homme qui se trouvait au bout de la rangée s'appuya plus confortablement contre le dossier de sa chaise et souffla un rond de fumée parfait.

— On dirait qu'il y a des points communs entre la disparition d'Alison Carter et celle des deux enfants dans les alentours de Manchester. Je veux parler de Pauline Reade de Gorton et de John Kilbride d'Ashton. Êtes-vous en contact avec les policiers de Manchester et du Lancashire au cas où ces différentes affaires seraient liées ?

— Vous êtes qui ? demanda Martin sèchement.

— Don Smart, du *Daily News*, agence du Nord.

Il eut un grand sourire et George y vit une ressemblance avec les babines retroussées d'un prédateur, un renard peut-être : les cheveux poil de carotte mal dissimulés sous une casquette à carreaux, les yeux noisette plissés à cause de la fumée de son petit cigare.

— Il est beaucoup trop tôt pour envisager de telles hypothèses, intervint George, bien que cette question éveillât en lui des échos de ses propres interrogations. Je suis bien sûr au courant de ces affaires mais nous n'avons pas actuellement de raisons suffisantes pour prendre contact avec d'autres comtés, si ce n'est pour réclamer éventuellement des renforts. La police du Staffordshire nous a déjà proposé son aide au cas où nous devrions agrandir le périmètre des recherches.

On ne rembarrait pas Smart aussi facilement :

— Si j'étais la maman d'Alison Carter, je ne serais sûrement pas contente d'apprendre que la police ne cherche pas à établir un lien entre ces différentes disparitions.

Martin redressa immédiatement la tête et ouvrit la bouche pour rétorquer mais George le devança.

— Admettons qu'il y ait des similitudes, mais les différences existent aussi, considérables, dit-il fermement. Scardale c'est la campagne, rien à voir avec les rues d'une ville. Pauline et John ont disparu un week-end, Alison en milieu de semaine ; des étrangers passent inaperçus dans les deux premiers cas, à Scardale quelqu'un qui ne serait pas du village aurait tout de suite mis Alison sur ses gardes ; surtout, et c'est probablement le plus important : Alison n'était pas seule, son chien l'accompagnait. Enfin Scardale se trouve à plus de cinquante-cinq kilomètres de Manchester. Quiconque serait à la recherche d'enfant à kidnapper devrait franchir quelques obstacles avant de s'en prendre à Alison. Des centaines de gens disparaissant chaque année, les similitudes sont inévitables.

Le regard froid de Don Smart défia George, mais il se contenta de dire :

— Merci, inspecteur Bennett. Votre nom s'écrit bien avec deux t ?

— Oui. D'autres questions ?

— Allez-vous sonder les réservoirs d'eau des landes ?

C'était de nouveau Colin Loftus.

— Nous vous avertirons des actions entreprises, dit Martin sur un ton sans réplique. Et maintenant, à moins qu'il y ait encore une question, cette conférence de presse est terminée.

Il se leva. Don Smart se pencha, posant les coudes sur ses genoux.

— À quand la prochaine ?

George vit le cou de Martin prendre la couleur d'une crête de dindon. Bizarrement, cette rougeur ne remonta pas jusqu'au visage.

— Quand nous trouverons la fille, nous vous en informerons.

— Et si vous ne la trouvez pas ?

— Je serai ici demain matin même heure, dit George et tous les matins jusqu'à ce que nous l'ayons trouvée.

Les sourcils de Don Smart se levèrent :

— J'y compte bien, lança-t-il, rassemblant les plis de son manteau sur sa maigre carcasse et en se redressant.

Les autres journalistes gagnaient déjà la porte, comparant leurs notes, déjà soucieux d'écrire leur article.

— Insolent, jugea Martin dès que la porte se fut refermée.

— Je suppose qu'il fait son travail, soupira George.

Il se serait bien passé d'un tel poison, mais qu'y pouvait-il sinon ne pas répondre à ses provocations.

— Un fouteur de merde, renifla Martin. Les autres font leur boulot sans insinuer que nous, nous ne faisons pas le nôtre. Gardez l'œil sur lui, Bennett.

George approuva.

— Je voulais vous demander, monsieur. Voulez-vous que je reste à la tête des opérations sur le terrain ?

Martin fronça les sourcils.

— L'inspecteur Thomas est responsable des hommes en uniforme, mais vous, vous assurerez ici le commandement de l'ensemble des opérations. L'inspecteur-chef Carver a encore la cheville dans le plâtre. Il s'est porté volontaire pour prendre en charge le poste de Buxton, mais il me faut un homme sur place. Puis-je compter sur vous, inspecteur ?

— Je ferai de mon mieux, monsieur. Je suis décidé à tout mettre en œuvre pour retrouver cette enfant.

*Manchester Evening Chronicle,*
*jeudi 12 décembre 1963, p. 1*

### La police bat la campagne

#### CHIENS À LA RESCOUSSE

La police utilise des chiens pisteurs pour rechercher une fillette de 13 ans disparue de son domicile dans le hameau isolé de Scardale en plein Derbyshire depuis hier après-midi. Alison Carter n'est pas rentrée au manoir de Scardale où elle habite avec sa mère et son beau-père. Elle était sortie promener son colley Shep. Alison aurait traversé les champs pour gagner un bois situé à proximité dans la vallée crayeuse où elle vit. On ne l'a pas revue depuis. Après que sa mère eut alerté la police, les recherches s'organisèrent. Le chien fut retrouvé en vie mais aucune trace d'Alison. Interrogés, les voisins et ses camarades du collège de

filles de Peak n'ont pu fournir aucun élément susceptible d'étayer l'hypothèse d'une
fugue de cette jolie écolière. Aujourd'hui
sa mère, Mrs Ruth Hawkin, âgée de 34 ans,
attend dans l'angoisse des nouvelles pendant
que le ratissage de la vallée se poursuit.
Son mari, Mr Philip Hawkin, âgé de 37 ans,
s'est joint à ses voisins et aux fermiers du
canton qui apportent leur aide aux policiers. Un haut responsable de la police a
déclaré: «Nous n'avons trouvé aucun motif
expliquant la disparition d'Alison. Mais
nous n'avons pas découvert non plus d'indice
qui nous permettrait d'envisager un acte
criminel. Les recherches se poursuivront
éventuellement demain.»

Don Smart rejeta dédaigneusement la première
édition du *Chronicle*. Au moins ils ne lui avaient pas
piqué ses idées sur la question. C'était toujours un
risque à prendre quand on voulait marquer sa différence dans une conférence de presse. À partir de
maintenant, il jouerait les francs-tireurs et suivrait
sa propre inspiration. Il avait le sentiment qu'avec ce
George Bennett il allait pondre de superpapiers en
exploitant le filon du beau et jeune détective.

Il aurait mis sa main au feu que George Bennett,
tel un bulldog, n'abandonnerait en aucun cas. Smart
savait par expérience que pour la plupart des flics la
disparition d'Alison Carter n'aurait été qu'un boulot
comme les autres, avec un peu de pitié, bien sûr,
pour la famille. Il aurait même parié que ceux qui
avaient des enfants serreraient un peu plus fort leur
fille quand leurs recherches auraient tourné court.

Mais, avec George, il pressentait qu'il n'en allait
pas ainsi. Cet homme accomplissait une mission.
Si tout le monde renonçait, George, lui, persisterait.

Il montrait autant de passion dans son travail que si Alison avait été sa propre fille.

Et pour lui, Smart, c'était un cadeau du ciel. Depuis qu'il travaillait à l'édition du Nord du *Daily News*, il collaborait enfin à un journal national et cherchait l'événement qui le ferait embaucher au siège, à Londres, dans Fleet Street. Il avait déjà couvert en partie les disparitions de Pauline Reade et John Kilbride. Il lui fallait maintenant les relier à celle d'Alison. De quoi faire la une !

De toute façon, Scardale fournissait un superbe décor pour une histoire dramatique, pleine de mystère ! Une communauté fermée sur elle-même comme celle-là méritait d'être examinée au microscope. Des quantités de secrets ressurgiraient. Du linge sale garanti. Et Don Smart était résolu à tout révéler à l'opinion publique.

De retour à la chapelle, George Bennett rejeta également le journal du soir, certain que le matin suivant le *Daily News*, un journal à sensation, présenterait l'information sous un éclairage moins neutre. Martin aurait une attaque si l'article jetait un doute, si faible soit-il, sur la compétence de la police. Les muscles raidis, il sortit et traversa la route pour reprendre sa voiture.

Se rendre à Scardale de jour était à peine moins intimidant que de nuit ou entre chien et loup. L'obscurité dissimulait en partie les rochers en surplomb qui, en tombant, auraient écrasé la voiture, à la façon d'une boîte de conserve sous un rouleau compresseur ! Cette fois, la barrière qui fermait la route était grande ouverte. Un policier en uniforme montait la garde. Il se pencha, reconnut George et fit un salut réglementaire. Le malheureux, se dit George qui avait eu la chance de ne pas monter la garde souvent dans le froid. Il se demanda comment de simples policiers, qui n'avaient pas une perspective d'avancement rapide, pouvaient supporter l'idée de battre la semelle, semaine après semaine ou, comme aujourd'hui, de ratisser sans résultat un terrain inhospitalier.

La lumière du jour n'embellissait pas non plus le village. Les chaumières en pierres grises de Scardale manquaient cruellement de charme. Elles semblaient ramassées sur le sol comme des bêtes battues. Quelques toits s'affaissaient et l'enduit des poutres s'écaillait. Des poules erraient à l'aventure et lorsqu'une voiture arrivait, une cacophonie s'élevait, mêlant les bêlements de moutons et les aboiements de chiens de berger tirant sur leur chaîne. Et, comme George l'éprouvait à l'instant, des yeux surveillaient constamment les nouveaux venus. Il savait maintenant que ces guetteurs étaient tous du sexe féminin. Tous les hommes valides aidaient aux recherches, apportant leur détermination et leur connaissance du terrain.

Il se gara à l'extrémité du pré communal, à l'abri du mur du manoir. C'était le moment d'avoir une petite conversation avec Mrs Hawkin. Mais il marqua une pause devant la caravane, arrivée ce matin du QG, qui devait servir de point de liaison pour les équipes de recherche plutôt que de poste de commandement. Deux femmes policiers s'y affairaient, prêtes à servir le thé ou le café. George en ouvrit la porte et immédiatement se félicita d'avoir gagné son pari personnel : l'inspecteur Alan Thomas y était confortablement installé dans le coin le plus chaud, devant une théière et un cendrier où reposait sa pipe en bruyère, le tout à portée de ses larges mains.

— George, dit Thomas chaleureusement, viens donc t'installer un peu, mon gars. Ça pince dehors, hein ? J'suis content de pas être dans les bois.

— Des nouvelles ? s'enquit George, acceptant le gobelet de thé que lui tendait une des femmes.

Il le sucra et s'appuya contre la cloison.

— Rien de rien. Tous fait chou blanc. Ouais, des bouts de tissu qui traînaient là depuis des mois, rien quoi. (L'accent gallois de Thomas donnait quelque saveur à ces informations déprimantes.) Allez, sers-toi, ajouta-t-il, désignant de la main une assiette de scones beurrés. La mère de la fille les a apportés. Elle a dit qu'elle en pouvait plus de rester assise.

— Je vais passer la voir.

George prit un des gâteaux, le goûta. Pas mauvais, pensa-t-il. Meilleurs que ceux d'Anne. Anne faisait bien la cuisine mais ses talents de pâtissière laissaient à désirer, l'obligeaient à mentir, à dire qu'il n'aimait pas trop les douceurs. Incapable de la critiquer, il eût été contraint de la féliciter. Et il ne voulait pas se condamner à cinquante ans d'éponges indigestes, de gâteaux durs comme la pierre de la carrière voisine !

Soudain, la porte s'ouvrit. Un homme au visage rougeaud vêtu d'un épais blouson de cuir sur plusieurs épaisseurs de chemises et de chandails fit son entrée en titubant, transpirant et haletant.

— Vous êtes Thomas ? demanda-t-il en regardant George.

— C'est moi, mon gars, dit Thomas se levant et faisant tomber une avalanche de miettes. Qu'est-ce qui se passe ? On a trouvé la fille ?

L'homme secoua négativement la tête, les mains sur les genoux, tentant de reprendre son souffle.

— Dans le petit bois en dessous de Shield Tor, parvint-il à dire. On dirait qu'on s'est battu. Y'a des branches brisées. (Il se redressa.) J'suis censé vous y amener.

George abandonna thé et scone pour suivre l'homme à l'extérieur, Thomas à la traîne. Il se présenta et questionna :

— Vous êtes de Scardale ?

— Ouais. J'suis Ray Carter, l'oncle d'Alison.

Et le père de Janet, se souvint George.

— C'est à quelle distance de l'endroit où nous avons trouvé le chien ? demanda-t-il.

La corpulence du fermier était trompeuse, George fut contraint d'allonger le pas.

— Cinq cents mètres environ, à vol d'oiseau.

— Vous avez mis du temps pour trouver cet endroit, remarqua George sans insister.

— On l'voit pas du sentier. On l'a manqué la première fois qu'on a traversé le bois, le coin est pas évident.

Il fit une pause, se retourna pour montrer du doigt le manoir.

— R'gardez, v'là le manoir. (Il pivota.) V'là le champ par où on va au bois et au Scarlaston, où on a trouvé le chien. (Il tourna encore.) Là, c'est le chemin qui sort de la vallée et là, conclut-il, montrant un bosquet entre le manoir et la zone boisée où Shep était attaché, c'est l'endroit où on va. Ça mène nulle part, ajouta-t-il amèrement, et d'un grand geste de la main il désigna les falaises crayeuses et le ciel bas et gris.

George fronça les sourcils. L'homme avait raison. Si Alison s'était trouvée dans le bosquet lors de son enlèvement, pourquoi le chien était-il attaché à cinq cents mètres de distance ?

Mais si elle avait été kidnappée sans résistance dans la clairière et ne s'était débattue que plus tard, à la première occasion, que faisait le ravisseur dans cette impasse ? Encore une contradiction, pensa-t-il, suivant de nouveau Ray Carter.

Le bosquet recelait différentes espèces d'arbres : hêtres, frênes, sycomores, ormes ; des arbres plus jeunes que ceux du bois de la nuit précédente, moins élevés, aux troncs moins épais. Ils étaient en revanche plus serrés, les branchages entremêlés formaient une trame impénétrable. Et les broussailles touffues ne facilitaient pas la progression.

— Par là, prévint Carter, s'enfonçant dans un sentier presque invisible au milieu des tiges jaunies des fougères et des feuilles rouge et vert des ronciers.

Dans le sous-bois, la lumière de l'après-midi pénétrait à peine. À demi aveuglé, George comprit pourquoi la première vague de chercheurs n'avait rien remarqué. Il se rendait compte de l'hostilité de cette nature, et avec quelle facilité on pouvait passer à côté de quelque chose comme… non, à Dieu ne plaise !… comme un corps… Ses yeux s'accoutumaient à la pénombre, il distinguait mieux la végétation. Sous ses pieds, les feuilles mortes rendaient le sol spongieux.

— Ça fait des mois que j'répète au châtelain qu'y faudrait débroussailler le coin, marmonna Carter, repoussant les branches cinglantes d'un sureau. Y'a de quoi engloutir tous les chasseurs de High Peak.

Ils se retrouvèrent soudain en face de l'équipe de recherche. Trois policiers et un jeune gars se tenaient là dans un repli du sentier. Le jeune homme n'avait pas plus de 18 ans et portait, comme Carter, un blouson de cuir et un pantalon en velours côtelé.

— Bon, dit George, qui va nous montrer, à l'inspecteur Thomas et à moi, ce que vous avez trouvé ?

Un des policiers s'éclaircit la voix :

— Juste devant, chef. Une autre équipe était passée ici ce matin, mais Mr Carter a suggéré qu'on y jette aussi un coup d'œil, tellement la végétation est épaisse.

Il fit passer George et l'inspecteur Thomas tandis que les autres s'écartaient gauchement. Le policier désigna un endroit, presque indétectable, où les buissons étaient tassés.

— C'est le gars qui l'a repéré. Charlie Lomas. Y'a des tiges cassées, des plantes écrasées, mais fallait le voir. Et là-dedans, à quelques mètres, on dirait qu'on s'est battu.

George s'accroupit. L'homme avait raison. Il fallait le voir. Que quelqu'un s'en soit aperçu tenait du miracle. Mais les habitants de Scardale devaient si bien connaître leur territoire que quelque chose d'inhabituel attirait, sans doute, leur attention.

— Combien d'hommes ont piétiné cet endroit avec leurs gros sabots ? demanda Thomas.

— Que moi et le gars Lomas, chef. On a fait gaffe. On a essayé de rien déranger.

— Je vais jeter un coup d'œil, dit George. Inspecteur Thomas, un de vos hommes devrait téléphoner au PC pour qu'ils envoient un photographe. Je veux aussi les chiens. Quand les photos seront prises, il faudra essayer de trouver des empreintes.

Sans attendre une réponse, George retint prudemment les branches qui jonchaient cette piste à peine tracée, puis il fit quelques pas, en s'efforçant de marcher à la gauche des herbes foulées. Il faisait encore plus sombre que sur le sentier et il attendit que sa vue s'habitue à la demi-obscurité.

La description du policier correspondait à la réalité. Quelques enjambées suffisaient pour atteindre le but. De petites branches cassées, des fougères délimitaient un espace d'environ 1,50 mètre sur 1,80 mètre. Bien qu'il ne fût pas de la campagne, il comprenait qu'il s'était passé quelque chose récemment à cet endroit. Les tiges brisées n'avaient pas eu le temps de se dessécher. Un arbuste à feuilles persistantes en partie arraché commençait à faner. Si ces traces n'avaient aucun rapport avec la disparition d'Alison Carter, la coïncidence était étrange.

George se pencha, s'accrochant d'une main à une branche basse. Il restait peut-être d'autres indices et il ne voulait surtout pas faire plus de dégâts que les chercheurs avant lui. Comme cette pensée lui traversait l'esprit, il découvrit en scrutant le sol une bribe de tissu sombre accrochée au bout d'une brindille cassée. Des collants de laine noirs, avait dit Ruth Hawkin. L'estomac de George se serra. « Elle se trouvait bien là », murmura-t-il.

Il entreprit de faire le tour, s'arrêtant tous les deux pas pour examiner le sol. À la moitié du parcours, presque en face du sentier, il vit la tache. Une tache sombre sur l'écorce étonnamment blanche d'un bouleau. Irrésistiblement attiré, il s'approcha.

Le sang avait séché depuis longtemps, mais une douzaine de cheveux blonds y restaient collés. Et, sur le sol près de l'arbre, traînait un bouton de duffle-coat en corne avec un bout de tissu.

# 6

*Jeudi 12 décembre 1963, 17h05*

George prit une profonde aspiration et leva la main pour frapper à la porte qui s'ouvrit instantanément. Ruth Hawkin lui faisait face, le visage tendu, presque gris dans la lumière du soir. Elle s'appuya contre le chambranle pour le laisser entrer.

— Vous avez trouvé quelque chose, lança-t-elle d'une voix sans timbre.

George franchit le seuil, ferma la porte derrière lui, décidé à mettre un terme au spectacle offert aux regards indiscrets. Ses yeux balayèrent automatiquement la pièce.

— Où est l'auxiliaire? demanda-t-il, se retournant vers Ruth.

— Je l'ai renvoyée. Je n'ai pas besoin que l'on s'occupe de moi comme une enfant. Je suis sûre qu'elle pouvait se rendre plus utile à Alison qu'en restant sur ses fesses à boire du thé.

Il y avait dans sa voix une touche d'agressivité nouvelle. Une bonne chose, pensa George. Elle ne serait pas femme à avoir une crise de nerfs en apprenant de mauvaises nouvelles. Cette constatation le soulagea, parce qu'il tenait indéniablement le rôle du messager de malheur.

— Si on s'asseyait? proposa-t-il.

Elle eut une grimace sardonique :

— C'est si moche que ça, alors ?

Elle abandonna l'appui du mur et se laissa tomber sur une chaise. George s'installa en face d'elle et remarqua qu'elle portait les mêmes vêtements que la nuit précédente. Elle avait donc passé une nuit sans sommeil…

— Votre mari participe aux recherches ? demanda-t-il.

Elle acquiesça.

— Je pense pas que ça l'enchante. Des jours comme aujourd'hui, froids, humides, avec une trace de brouillard givrant, soit il bouge pas du poêle, soit il s'enferme dans son labo avec deux radiateurs à pétrole. Je dois dire qu'aujourd'hui il a fait une exception.

— Si vous préférez, nous pouvons attendre son retour.

— Ça changera pas ce que vous avez à dire, rétorqua-t-elle avec lassitude.

— J'ai bien peur que non.

George déboutonna son manteau et en sortit deux sachets en plastique. L'un contenait la bribe de tissu duveteux accrochée à une brindille, l'autre le bouton lisse, strié, dont les colorations naturelles, celles du bois et de la corne, prenaient un aspect étrange à travers la matière transparente. Un bout de feutrine bleue restait attaché à ce bouton par un brandebourg.

— Je dois vous poser la question : reconnaissez-vous cela ?

Le visage figé, elle s'empara des deux sachets et les examina longuement.

— C'est quoi ? demanda-t-elle, son index tapotant le plastique.

— Nous pensons que c'est de la laine. Elle provient peut-être de collants identiques à ceux d'Alison.

— Ça pourrait être n'importe quoi, remarqua-t-elle sur la défensive. Ça traîne peut-être là depuis plusieurs jours, depuis des semaines.

— Nous verrons ce qu'en disent les gars du labo. (Inutile de la contraindre à admettre ce que son esprit refusait.) Et le bouton ? Vous le reconnaissez ?

Son doigt suivit le contour du morceau de corne. Elle le regarda. Ses yeux l'imploraient.

— Vous n'avez trouvé que cela ? Rien d'autre à me montrer ?

— Nous avons décelé des traces de lutte dans le bosquet. (George indiqua vaguement la direction.) Entre votre maison et le bois où on a découvert Shep, en bas, là, vers le fond de la vallée. La nuit tombe et pour le moment nous ne pouvons pas en savoir plus, mais dès l'aube nous allons rechercher des empreintes dans tout le bosquet...

— C'est vraiment tout ce que vous avez trouvé ?

Un peu de couleur était revenue sur son visage. Il s'en voulait de devoir anéantir ses espoirs mais il ne pouvait pas mentir :

— Nous avons aussi trouvé quelques cheveux et un peu de sang. Comme si elle s'était cogné la tête contre un arbre.

Ruth pressa sa main contre sa bouche pour étouffer un cri.

— On a recueilli vraiment très peu de sang, Mrs Hawkin. Rien qui puisse indiquer autre chose qu'une égratignure, je vous le promets.

Elle le fixait de ses yeux écarquillés ; ses doigts s'enfonçaient dans une joue comme pour empêcher sa bouche de prononcer un mot définitif. Il ne savait ni quoi dire ni quoi faire face aux réactions à une telle tragédie. Jusqu'alors, tenter d'adoucir la douleur des victimes était du ressort de ses supérieurs. Maintenant, en tant que responsable, il prenait conscience du jugement qu'il allait porter sur lui-même selon sa capacité à répondre à la situation.

George se pencha par-dessus la table, prit une main de Ruth dans la sienne.

— Je mentirais, dit-il, en affirmant qu'il n'y a pas là de quoi s'inquiéter. Mais rien n'indique qu'Alison ait été sérieusement blessée. Bien au contraire. Et nous avons maintenant une certitude : elle n'a pas disparu volontairement. Je me doute qu'actuellement ce n'est pas pour vous une consolation, mais cela signifie que nous n'allons pas disperser nos efforts. Sachant qu'elle n'a pas fait une fugue, nous n'aurons pas à enquêter dans les gares. Tous les policiers dont nous disposons vont se consacrer à la même tâche et les chances d'aboutir s'en trouveront renforcées...

La main que Ruth tenait contre sa joue retomba.

— Elle est morte, n'est-ce pas ?

George se saisit de cette main.

— Il n'y a aucune raison de le croire.

— Auriez-vous une cigarette ? J'ai épuisé mon stock. (Elle eut un petit rire amer.) J'aurais dû envoyer votre auxiliaire m'en chercher à Longnor. Elle se serait rendue utile.

Tous deux fumèrent en silence. Il reprit les sachets et poussa le paquet de cigarettes vers elle.

— Gardez-les. J'en ai d'autres dans la voiture.

— Merci.

La rigidité de ses traits s'assouplit un instant et George entraperçut pour la première fois le même sourire que celui qui donnait tant de charme à la photographie d'Alison.

Il laissa le temps au silence ou à la nicotine de faire effet.

— J'ai besoin d'aide, Mrs Hawkin. La nuit dernière, nous avons dû travailler contre la montre pour tenter de trouver des traces d'Alison. Aujourd'hui, les recherches se sont poursuivies. J'ai été très pris par ce travail routinier mais efficace, du coup je n'ai jamais eu la possibilité de venir vous parler d'Alison. Si quelqu'un l'a enlevée et – je ne veux surtout pas vous mentir – c'est de plus en plus vraisemblable, j'ai besoin de rassembler le plus d'éléments possible sur elle. Ainsi, je pourrai peut-être déterminer le rapport entre elle et son ravisseur. Parlez-moi de votre fille.

Ruth soupira :

— C'est une gamine pleine de promesses, depuis sa plus tendre enfance. Ses maîtres disent qu'elle pourra aller dans le supérieur si elle continue à travailler aussi bien. (Elle inclina la tête de côté.) Vous êtes allé à l'université.

C'était une constatation, non pas une question.

— Oui. J'ai fait mon droit à Manchester.

— Vous savez ce que c'est alors, les études. Je n'ai jamais eu à lui dire de faire ses devoirs, contrairement à Derek et à Janet. Je crois qu'elle aime vraiment l'école, bien sûr elle se couperait la langue plutôt que de l'avouer. Dieu sait d'où elle tient ça. Pas de moi ni de son papa. Plus tôt on sortait de classe, mieux c'était. N'allez pas croire qu'elle pense qu'à bûcher. Elle aime aussi s'amuser.

— Elle s'amuse comment ? lança George sans insister.

— Ils sont tous fous de pop music, elle et Janet et Derek. Les Beatles, Gerry et les Pacemakers, Freddie et les Dreamers, etc. Charlie adore aussi mais il a pas le temps d'en écouter tous les soirs. De temps en temps, il va danser au *Pavilion Gardens* et il indique à Alison quels disques elle doit acheter. Elle a plus de disques que le marchand, j'arrête pas d'le lui répéter. Il faudrait plus de deux oreilles pour les écouter tous. Phil les lui achète. Il va à Buxton chaque semaine et il choisit dans le hit-parade sans oublier les conseils de Charlie…

Sa voix se perdit.

— Que fait-elle encore ?

— Parfois Charlie les emmène à Buxton à la piste de roller, le mercredi soir. (Elle retint son souffle.) Mon Dieu, si j'les avais emmenés la nuit dernière, s'écria-t-elle.

Accablée par cette pensée soudaine, sa tête retomba et elle tira si fort sur sa cigarette que George put entendre le grésillement du tabac. Quand elle se redressa, ses yeux mouillés de larmes lançaient un tel appel de détresse que George sentit ses défenses fondre.

— Retrouvez-la, s'il vous plaît.

Sa voix se brisa.

Il pinça les lèvres, hocha la tête.

— Il faut me croire, Mrs Hawkin. Je m'y emploie.

— Même si c'est pour l'enterrer.

— J'espère qu'on n'en n'arrivera pas là.

— Nous l'espérons tous les deux. (Elle souffla un mince filet de fumée.) Oui, tous les deux.

Il attendit un moment avant de reprendre :

— Et ses amis ? De qui était-elle proche ?

Ruth soupira.

— C'est dur pour eux de se faire des amis en dehors de Scardale. Ils ont pas la possibilité de rester après l'école. S'ils sont invités à des fêtes, y a toutes les chances qu'ils puissent pas rentrer après. Y a seulement un bus pour Longnor. Alors ils sortent pas. Et, par-dessus le marché, les gens de Buxton sont remontés contre ceux de Scardale. Ils nous prennent tous pour des balourds de païens qui s'marient entre eux. (L'agressivité était revenue dans sa voix.) Les gosses sont rejetés. Alors ils restent entre eux. Notre Alison est sociable et, d'après ses maîtres, on l'aime bien à l'école. Mais elle n'a jamais eu ce que vous appelleriez un véritable ami à part ses cousins et cousines…

Encore une impasse, pensa-t-il.

— Je voulais aussi vous demander… j'aimerais voir la chambre d'Alison, si c'est possible. Pour me faire une idée plus précise…

Il lui fallait également trouver des échantillons sur une brosse à cheveux pour que le laboratoire médico-légal puisse comparer avec les cheveux trouvés sur l'arbre. Mais il ne pouvait évoquer ce point.

Elle se leva difficilement, comme une femme âgée.

— Le chauffage marche là-haut. Au cas où…

Elle n'acheva pas sa phrase. Il la suivit dans le vestibule, où il ne faisait pas plus chaud que la veille. La différence de température lui coupa presque le souffle. Ruth le précéda dans l'escalier imposant avec sa rampe à colonnes torsadées. Du chêne massif noirci par des années de frottements.

— Encore une chose, précisa-t-il tout en escaladant les marches. Je suppose que si Alison s'appelle toujours Carter c'est que votre mari ne l'a pas légalement adoptée ?

La tension soudaine dans le cou et le dos de Ruth fut si fugace qu'il aurait pu l'avoir imaginée.

— Phil le souhaitait. Il voulait l'adopter. Mais Alison avait 6 ans quand son père est… mort. Assez grande pour se souvenir combien elle l'aimait. Trop jeune pour voir l'homme avec ses défauts. Elle pense que si elle se laisse adopter, elle trahit la mémoire de son papa. À mon avis elle changera avec le temps mais elle est têtue. On lui fait pas faire ce qu'elle veut pas.

Arrivés sur le palier, Ruth se tourna vers lui, le visage de nouveau inexpressif.

— J'ai convaincu Phil de ne rien entreprendre pour le moment.

Elle désigna du doigt un couloir qui plus loin repartait à angle droit vers une aile du bâtiment plus récente.

— La chambre d'Alison est la dernière sur la droite. Vous ne m'en voudrez pas si je ne viens pas avec vous.

De nouveau, elle formulait une affirmation, non une question. George éprouva involontairement de l'admiration pour cette femme qui, bien que soumise à une terrible tension, parvenait à dominer ses émotions.

— Merci, Mrs Hawkin, je ne traînerai pas.

Il suivit le couloir, conscient du regard qui pesait sur lui. Mais même cette sensation gênante ne l'empêchait pas d'enregistrer chaque détail. La moquette était usée mais elle avait dû coûter cher. Les gravures et aquarelles sur les murs, jaunies par le temps, conservaient un certain charme. Il reconnut plusieurs paysages du sud du comté où lui-même avait grandi ainsi que des demeures historiques et familières de Chatsworth, Haddon et Hardwick. À l'endroit où le couloir tournait à angle droit, le sol présentait une différence de niveau comme si les bâtisseurs avaient mal calculé le raccord. Parvenu devant la dernière porte à droite, il hésita, respira profondément. Il n'aurait peut-être plus l'occasion d'approcher Alison Carter d'aussi près.

La chaleur le surprit, l'enveloppa ; elle était en harmonie avec la pièce qui, quoique vaste, semblait confortable. Comme elle se trouvait sur un coin de la demeure, elle disposait de deux fenêtres accentuant l'impression d'espace. Des linteaux de pierre qui soulignaient l'épaisseur des murs divisaient chacune d'elles en quatre parties. Il referma la porte derrière lui et s'avança dans la pièce.

Importance des premières impressions, se répéta George. Chaleur – le feu simulé électriquement dans l'âtre, un radiateur à huile –, confort – un lit de bonne dimension à la courtepointe recouverte de satin vert sombre, deux chaises en osier aux coussins rebondis ; une touche moderne donnée par l'épaisse moquette laineuse et son décor de volutes vert olive et moutarde, accentuée par les photos de pop stars découpées dans des magazines sur les murs. Le mobilier était de bon goût : une armoire sobre en bois massif, une coiffeuse et son tabouret assortis, le tout comme neuf. George avait vu des chambres à coucher de ce style quand, avec Anne, ils cherchaient à se meubler. Il avait donc une idée assez précise du prix. Rien de tout cela ne semblait bon marché. Sur une table, sous la fenêtre, trônait un tourne-disque Dansette en plastique rouge sombre, aux boutons couleur crème. En dessous s'amoncelaient en désordre quantité de disques. À l'évidence, Philip Hawkin voulait faire bonne impression sur sa belle-fille. Peut-être pensait-il que tous ces biens matériels ne manqueraient pas d'apprivoiser l'enfant d'une veuve élevée dans les conditions difficiles de Scardale.

George s'installa gauchement devant la coiffeuse et son image se refléta dans le miroir. La dernière fois qu'il avait eu les yeux aussi cernés, c'était au moment de ses derniers examens de droit. Des poils de barbe se hérissaient sous son oreille gauche : la foi méthodiste bannissait les accessoires de la vanité, si bien qu'en guise de miroir il avait dû, pour se raser, se contenter de son rétroviseur ! Une agence de pub ne l'aurait embauché que pour vendre des somnifères. Il se fit une grimace et se mit au travail. Devant lui se trouvait la brosse d'Alison dont il retira soigneusement quelques cheveux.

Par chance, elle n'avait pas été excessivement soigneuse et il enferma son butin dans un autre sachet en plastique.

Puis, avec un soupir, il entreprit non sans réticence l'examen des affaires personnelles. Une demi-heure plus tard il n'avait rien exhumé d'inhabituel. Les livres rangés dans un casier près du lit – Nancy Drew, *The Famous Five*, *The Chalet School*, Georgette Heyer, *Les Hauts de Hurlevent*, *Jane Eyre* – ne recelaient aucun secret, aucune surprise. Un ouvrage souvent feuilleté de Palgrave, *Golden Treasury*, n'était qu'une anthologie de poésie. Dans les tiroirs de la coiffeuse, il découvrit des sous-vêtements d'écolière, des soutiens-gorge pour le sport, une boîte à bijoux ne contenant que des pendentifs en toc et un bracelet de baptême en argent gravé de son nom : « Alison Margaret Carter ». En revanche, il ne trouva de Bible nulle part. Scardale vivait tellement à l'écart du monde que ses habitants adoraient peut-être encore une déesse Maïs, ou alors aucun missionnaire n'était parvenu jusque-là !

Seul un coffret en bois posé sur la coiffeuse se révéla plus prometteur. Il contenait une demi-douzaine de photos en noir et blanc, cornées et jaunies sur les bords. Il reconnut une Ruth Hawkin jeune, riant à gorge déployée, le regard fixé sur un homme aux cheveux noirs, baissant la tête, l'air gauche et timide. Deux autres photographies montraient le couple bras dessus bras dessous, tout sourires. Le décor lui fit penser à Blackpool. Lune de miel ? Venaient ensuite deux clichés du même homme, les cheveux noirs retombant sur le front, en vêtements de travail, une large ceinture retenant un pantalon qui semblait taillé pour un homme plus grand que lui. Sur le premier, il se tenait sur une herse tirée par un tracteur, sur le second il s'accroupissait près d'une fillette blonde au large sourire... Manifestement Alison.

La dernière photographie semblait plus récente : le cadre conservait sa blancheur. On y découvrait Charlie Lomas et une vieille femme appuyés à un muret ; à l'arrière-plan, on distinguait vaguement les falaises de craie. Le visage de la femme était protégé par l'ombre d'un chapeau de paille à large bord tenu par une écharpe nouée sous le menton ; il ne laissait entrevoir que la bouche pincée et le menton en galoche. Mais son corps gauchement voûté indiquait qu'elle était beaucoup trop âgée pour être la mère de Charlie Lomas. Et quel photographe d'une époque révolue avait exigé qu'ils tiennent la pose avec une telle raideur ? Charlie, le visage dur, fixait l'objectif, les bras croisés contre la poitrine. Il faisait penser à ces jeunes à la fois gauches et provocants que George avait vus au poste clamer leur innocence.

« Fascinant », murmura-t-il. Les photos du père, rien de plus normal, mais il se serait attendu à les trouver exposées, voire encadrées. En revanche, qu'elle ait gardé comme un trésor ce cliché où figurait le cousin qui avait permis la découverte dans le bosquet, voilà qui ne manquait pas d'intérêt pour un esprit entraîné au soupçon. Il replaça soigneusement les photographies dans le coffret, mais, après réflexion, il glissa celle du cousin et de la vieille dame dans sa poche.

Ce fut parmi les disques qu'il découvrit des exemples de l'écriture d'Alison. Sur des feuilles déchirées de cahiers d'écolier, elle avait noté des fragments de paroles de chansons auxquels elle attachait sans doute de l'importance. Des vers de *Devil in disguise* d'Elvis Presley, *It's my Party (And I'll Cry if I Want To)* de Lesley Gore, *It's All in the Game* de Cliff

Richard, ou encore *I (Who Have Nothing)* de Shirley Bassey ; toutes ces citations s'harmonisaient mal avec la jeune fille joyeuse qu'on lui avait décrite. Toutes parlaient d'amour trahi, de perte et de solitude. Pas surprenant qu'une adolescente croie éprouver ces sentiments tout en étant persuadée d'être la première à en souffrir. Mais, si telle était son humeur, elle avait assurément bien donné le change à son entourage.

Fausse note, sans doute sans importance, mais l'unique qu'il ait relevée jusqu'alors. George glissa les feuillets dans un autre sachet. Ce n'était pas des preuves à proprement parler, mais il ne voulait rien négliger. Il ne se le pardonnerait jamais si un détail négligé se révélait crucial. Pas uniquement pour les effets sur sa carrière, mais, bien pire, parce que le tueur pourrait du coup lui échapper. Il s'arrêta net, sa main s'immobilisa devant le bouton de porte.

Il venait d'admettre pour la première fois ce que la logique professionnelle impliquait. Il ne cherchait plus Alison Carter. Il recherchait son corps. Et son assassin.

*Jeudi 12 décembre 1963, 18 h 23*

George, à la sortie du manoir, emprunta le chemin d'un pas fatigué. Il devait prendre des nouvelles au PC installé dans la chapelle méthodiste, puis il irait déposer les sachets à l'hôtel de police de Buxton, enfin il passerait chez lui pour prendre un bain bien chaud, manger un repas convenable, dormir quelques heures. Mais avant, il voulait avoir une discussion avec le jeune Charlie Lomas.

Il atteignait à peine le pré communal qu'une silhouette se précisa devant lui, surgie de l'ombre. Surpris, il s'arrêta devant l'apparition. Il avait peine à en croire ses yeux. Dans l'état de fatigue où il se trouvait, il fut pris d'un rire nerveux vite réprimé. La forme qui s'était précisée devant lui aurait fait le bonheur d'un peintre réaliste. La créature qui le regardait d'en dessous, voûtée, le nez crochu venant presque toucher le menton, était l'archétype de la vieille sorcière, dont elle avait également les verrues et le châle noir jeté sur la tête et les épaules. L'original de la photographie lui faisait face. Involontairement, il tapota la poche qui contenait le fac-similé.

— C'est donc vous le patron, dit-elle d'une voix haut perchée et grinçante.

— Je suis l'inspecteur Bennett, si c'est ce que vous sous-entendez, madame.

Sa peau se plissa en une grimace de mépris.

— Des titres en peau d'lapin. Perte de temps à Scardale, mon gars. Entendez-moi bien, vous le perdez tous vot' temps. Y'en a pas un qu'a assez d'imagination pour comprendre que'que chose à Scardale. C'est pas Buxton, Scardale. Si Alison Carter elle est pas où elle devrait être, la réponse doit être que'que part dans que'que tête de Scardale, l'est pas dans les bois qu'attendrait comme un renard pris au piège.

— Vous pouvez peut-être m'aider alors à trouver cette réponse, Mrs... ?

— Et pourquoi j'ferais ça, m'sieur ? Ici, on règle les affaires entre nous. Quel démon l'a prise, Ruth, d'appeler des étrangers dans c'te vallée ?

Elle tenta d'écarter George de son chemin mais il l'arrêta fermement.

— Une jeune fille a disparu, lança-t-il avec douceur. Vous ne pourrez pas laver votre linge sale en famille. Que cela vous plaise ou non, le monde extérieur existe. Mais nous avons besoin de votre aide comme vous avez besoin de la nôtre.

108

La vieille se racla la gorge et cracha à ses pieds.

— Tant que vous me montrerez pas que vous savez c'que vous cherchez, v'là toute l'aide que vous aurez, m'sieur.

Elle pivota à demi et repartit en trottinant à travers le pré, étonnamment vive pour une femme de son âge – 80 ans bien sonnés d'après George, qui la regardait se fondre dans la brume, aussi stupéfait qu'un homme victime d'un saut dans le temps.

— Rencontre avec Ma'Lomas ? ricana l'inspecteur Clough, lui aussi surgi de nulle part.

— Qui est la mère Lomas ? questionna George, stupéfait.

— Comme dit Shakespeare, la question n'est pas : « Qui est la mère Lomas ? » mais : « Qu'est-ce qu'elle est ? », psalmodia Clough l'air solennel. Ma' Lomas est la « matriarche » de Scardale. Elle est la plus âgée, la seule qui reste de sa génération. Elle prétend avoir fêté ses 21 ans l'année de la célébration des cinquante ans de règne de la reine Victoria. Mais ne me demandez pas la date !

— Cela paraît correspondre.

— Oui, monseigneur ! Mais qui diable à Scardale sait que Victoria monta sur le trône et combien de temps elle a régné ?

Clough conclut sa parodie par un sourire sardonique.

— Et par rapport à Alison, elle est…

— Ah ça ! (Clough haussa le épaules.) Son arrière-grand-mère ? une tante éloignée ? cousine à je ne sais combien de degrés ? tout cela à la fois ? Même l'historiographe de la noblesse du Royaume s'y perdrait. Moi, ce que je sais, je le tiens du constable Grundy : ici, elle voit tout, elle sait tout. Qu'une souris émette un pet, Ma' Lomas l'entendra !

— Pourtant elle n'a pas l'air très désireuse de nous aider à retrouver la disparue. Cette fille fait partie de la famille. Comment expliquez-vous cela ?

Nouveau haussement d'épaules.

— Pour faire bloc, ils font bloc et y a pas de place pour les étrangers.

— Lorsque vous et Cragg vous avez interrogé la population la nuit dernière, c'est ce que vous avez ressenti ?

— Plutôt deux fois qu'une. Oh, ils répondent aux questions, mais pas plus.

— Vous croyez qu'ils vous ont dit la vérité quand ils ont affirmé ne pas avoir vu Alison ? demanda George, tâtant ses poches pour trouver ses cigarettes.

Clough sortit son paquet au moment où George se souvenait qu'il avait laissé le sien à Ruth Hawkin.

— Nous y voilà. Non, je crois pas qu'ils mentaient, mais ils ont peut-être gardé pour eux les détails intéressants. Encore fallait-il poser les bonnes questions.

— On va remettre ça, hein ? soupira George.

— Y a des chances, chef.

— Ça attendra jusqu'à demain. Sauf le jeune Charlie Lomas. Vous ne sauriez pas où il se trouve par hasard ?

— Un de nos poulets l'a emmené à la chapelle pour prendre sa déposition. Il y a environ une demi-heure.

— Je ne veux plus jamais entendre ce mot, sergent Clough.

— Lequel ?

Clough tombait des nues.

— Un poulet n'a pas beaucoup de cervelle. Dites-moi, les inspecteurs en civil sont-ils toujours plus malins que les gars en uniforme? Dans cette affaire, nous avons absolument besoin de leur coopération et vous n'allez pas tout gâcher avec des noms d'oiseau! C'est clair, sergent?

Clough se gratta le menton.

— Ouais, ouais, chef. Mais moi qui suis même pas allé au lycée je me demande si je vais m'en souvenir.

Si George voulait asseoir son autorité, le moment était venu.

— Je vous fais une promesse, sergent: quand cette affaire sera terminée, je vous paie un paquet de clopes pour chaque journée où votre mémoire n'aura pas flanché.

Clough sourit.

— Voilà ce que j'appelle une belle carotte!

— Je vais avoir une petite conversation avec Charlie Lomas. Ça vous ennuierait d'y participer?

— Avec plaisir, chef.

George se dirigea vers sa voiture, s'arrêta soudain et regarda son sergent en fronçant les sourcils.

— Mais qu'est-ce que vous foutez donc ici? Je croyais que vous faisiez partie de l'équipe de nuit jusqu'au week-end.

Clough parut embarrassé.

— C'est le cas. Mais j'ai décidé de venir prêter main-forte cet après-midi. (Il eut un sourire malin.) Vous inquiétez pas. Je compterai pas ça en heures supplémentaires.

George tenta de ne pas montrer sa surprise.

— C'est généreux de votre part, se contenta-t-il de dire.

La voiture engagée sur le chemin de Scardale, George continuait de s'étonner des surprises que lui réservait Clough. Il croyait être bon psychologue, mais plus il côtoyait Clough, plus il découvrait de contradictions chez cet homme.

À première vue une grande gueule, toujours le premier pour payer la tournée, jamais le dernier pour raconter des histoires salaces. Mais ses états de service révélaient un tout autre homme : un enquêteur perspicace, capable, une fois trouvé le point faible chez un suspect, de ne plus le lâcher jusqu'aux aveux. Toujours prêt à faire des avances à une jolie femme, il vivait pourtant en célibataire dans un studio qui donnait sur le lac dans Pavilion Gardens. George était passé le prendre suite à une convocation de dernière minute au tribunal. Il ne s'attendait pas à trouver un endroit entretenu, meublé sobrement, avec des rayonnages lestés d'albums de jazz et, sur les murs, des dessins au trait d'oiseaux des îles britanniques. Clough avait paru déconcerté en voyant George devant sa porte et il s'était préparé en un temps record.

Et voilà que cet homme, toujours prêt à réclamer le paiement de chaque minute supplémentaire, avait pris sur son temps libre pour participer à la recherche d'une fillette dont il n'avait jamais entendu parler vingt-quatre heures auparavant. George hocha la tête. Il se demanda s'il semblait lui-même aussi imprévisible aux yeux du sergent Clough. Il en doutait.

George mit un terme à sa rêverie et exposa à son sergent ses soupçons concernant Charlie.

— Ce n'est pas grand-chose, je le sais, mais actuellement nous n'avons rien d'autre, conclut-il.

— S'il n'a rien à cacher, cela ne lui fera pas de mal de voir que nous prenons l'affaire au sérieux, dit Clough l'air sombre. Sinon, il faudra qu'il accouche.

Dans la chapelle méthodiste les sons étaient bizarrement étouffés. Deux policiers en uniforme remplissaient des formulaires. Peter Grundy et un sergent que George ne connaissait pas scrutaient des cartes géographiques détaillées des environs immédiats, délimitant des cases au crayon rouge. Au fond de la salle, Charlie Lomas, son corps dégingandé coincé sur une chaise pliante, jambes et bras croisés, faisait face à un policier. L'homme en uniforme transcrivait laborieusement une déposition sur la table de bridge qui les séparait.

George vint trouver Grundy et le pria de le suivre.

— J'ai l'intention de bavarder avec Charlie Lomas. Vous pourriez me parler de lui ?

D'un seul coup, le visage du policier en poste à Longnor se ferma.

— Qu'est-ce que je peux vous en dire, chef ? demanda-t-il avec raideur. Nous n'avons rien sur lui.

— Oui, je sais qu'il n'est pas fiché, mais c'est votre territoire. Vous avez de la famille à Scardale…

— Ma femme, oui.

— D'accord, mais vous devez avoir une idée. Comment est-il ? Qu'est-ce qu'il est capable de faire ?

Les paroles de George restèrent en suspens tandis que sur le visage de Grundy se peignait l'indignation.

— Vous n'allez tout de même pas imaginer que Charlie a un rapport quelconque avec la disparition d'Alison ? rétorqua-t-il, incrédule.

— Je dois lui poser quelques questions et cela m'aiderait de savoir à quel genre de gars j'ai affaire, dit George d'un ton las. Rien de plus. Donc, comment est-il, constable Grundy ?

Grundy jeta un coup d'œil à droite puis à gauche, à droite encore, comme un enfant prudent avant de traverser une rue, mais le regard de George ne le quittait pas. Il se gratta l'oreille à l'endroit où la peau est plus tendre. Pas d'échappatoire possible.

— C'est un bon gars, Charlie. Ah, bien sûr, à l'âge qu'il a c'est pas facile. Les gars d'son âge d'habitude ils sortent, boivent quelques pintes de bière, essaient de draguer des filles. Mais c'est pas si simple quand vous vivez au milieu de nulle part. Et y'a aussi qu'il est pas bête. Assez pour savoir qu'il pourrait s'en tirer s'il se décidait à quitter Scardale. Mais voilà, il est pas assez costaud dans sa tête. Alors parfois il cause trop, il se met à dégoiser ce qu'il a sur le cœur. Mais du cœur il en a. Il habite dans le cottage avec la vieille Ma'Lomas parce qu'elle se débrouille plus si bien toute seule et que la famille préfère qu'il y ait quelqu'un pour rentrer le charbon et pour toutes les choses à porter ou aller chercher. C'est pas une vie pour un gars de son âge, mais de ça i'se plaint jamais.

— Était-il proche d'Alison ?

George voyait Grundy se demander jusqu'à quel point il se laisserait bousculer. Dans ce travail, il devait constamment tenir tête et s'affirmer devant ses collègues, ça devenait pénible.

— Ils sont tous très proches les uns des autres là-bas, dit finalement Grundy ; j'ai jamais entendu dire que lui et Alison pouvaient pas s'sentir.

Prenant conscience qu'il ne tirerait rien de plus de Grundy, il le remercia d'un signe de tête et, sans se presser, se dirigea vers le fond de la chapelle, espérant que son épuisement ne se remarquait pas trop. Il ferait sans doute mieux d'attendre le lendemain, mais le gars était là, disponible, mal à l'aise devant l'autorité. Et il y avait encore une chance sur un million qu'Alison fût toujours en vie. Charlie Lomas savait peut-être où elle se trouvait. Cette chance-là, si mince soit-elle, il ne pouvait pas la gâcher.

George s'empara d'une chaise et la posa négligemment devant la table entre le policier et Charlie, tandis que Clough venait tout aussi innocemment occuper le quatrième côté. Les yeux de Charlie cillèrent en les regardant tour à tour et il s'agita sur son siège.

— Vous savez qui je suis, hein, Charlie? demanda George.

Le jeune homme fit un signe affirmatif.

— On répond pas quand on te parle? dit Clough brutalement. J'parie que ta grand-mère te le répète tout le temps. C'est bien ta grand-mère, non? J'veux dire, c'est pas ta tante ou ta nièce ou ta cousine? On sait jamais trop bien par chez toi.

Un coin de la bouche de Charlie se tordit et il secoua la tête.

— J'vois pas ce que vous me voulez. Je vous aide, non?

— Et nous vous sommes très reconnaissants de vous être porté volontaire et d'avoir accepté de faire une déposition, répliqua George, prenant sans effort le rôle du bon flic comme Clough avait assumé celui du méchant. Je profite de votre présence pour vous poser quelques questions. Vous n'y voyez pas d'inconvénient?

Charlie respira profondément par le nez.

— Non, non. Allez-y.

— Vous m'avez impressionné. Avoir trouvé ces traces dans le bosquet alors que toute une équipe avait fouillé le coin avant vous sans rien voir…

Charlie parvint à hausser les épaules sans desserrer ni les bras ni les jambes.

— J'la connais mieux que ma poche la vallée. Quand on connaît vraiment bien un coin, la plus p'tite chose qui va pas vous saute à la figure.

— Pourtant, d'autres gars de Scardale étaient passés avant vous et eux ils avaient rien vu.

— I'se pourrait que j'aie de meilleurs yeux que vous les vieux.

Il tentait de braver son interlocuteur, sans y parvenir.

— Tout cela m'intéresse, affirma George avec douceur, parce qu'il arrive que des gens qui ont été mêlés à un crime tentent de prendre part à l'enquête.

Comme traversés par un courant électrique, bras et jambes se dénouèrent, les pieds cognèrent sur le sol, les poings sur la table. À l'autre bout de la salle, des policiers surpris regardèrent dans la direction de la table.

— Vous êtes malade, dit Charlie.

— Moi non, mais ce n'est sûrement pas le cas de tout le monde dans le coin. C'est mon travail de trouver ce malade. Imaginons maintenant que quelqu'un veuille enlever Alison ou lui faire du mal, ça serait beaucoup plus facile si c'était quelqu'un qu'elle connaît, en qui elle a confiance. Vous, vous la connaissez ; vous êtes son cousin, vous avez grandi avec elle. C'est vous qui lui indiquez les disques que son beau-père doit acheter. Vous restez assis avec elle près du feu à écouter la grand-mère raconter ses histoires des jours passés. Les mercredis, vous l'emmenez à la patinoire à Buxton. (George haussa les épaules.) Vous, vous n'auriez eu aucune difficulté à la persuader de vous accompagner.

Charlie repoussa la chaise, enfonça ses mains tremblantes dans ses poches de pantalon.

— Alors quoi ?

George sortit la photographie trouvée dans le coffret d'Alison.

— Elle gardait une photo de vous dans sa chambre, se contenta-t-il de dire en présentant la photo à Charlie.

Son visage se contracta et il croisa les jambes.

— C'est à cause de Ma', articula-t-il. Elle aime Ma' et la vieille sorcière a horreur d'être photographiée. Ça doit bien être la seule photo qu'existe d'elle.

— T'en es sûr, Charlie? intervint Clough. Nous on croyait qu'elle t'aimait bien. Une jolie fille toujours à rôder dans le coin, à baiser le sol sur lequel tu marches, combien de gars diraient non, hein? Surtout quand elle est aussi mignonne qu'Alison. C'est dans le sac, y'a plus qu'à tendre la main. Tu es bien sûr, Charlie, que t'y pensais pas?

Charlie se tortilla, faisant non de la tête.

— Vous voyez tout de travers, m'sieur!

— De travers, vraiment? demanda George aimablement. Comment ça se passait avec elle, Charlie? Ce n'était pas un peu gênant d'avoir cette fille à vos basques quand vous alliez à la patinoire? Difficile d'aborder des filles plus âgées? Vous ne l'auriez pas rencontrée hier après-midi, par hasard? Elle en a peut-être trop fait et vous ne l'avez pas supporté?

Charlie respira profondément, releva la tête et se tourna face à George.

— Je ne comprends pas. Pourquoi vous me traitez comme ça? J'ai juste essayé d'aider. C'est ma cousine. Elle fait partie de ma famille. Et on s'entraide à Scardale, pas comme à Buxton, où tout le monde se fout d'tout le monde! (Son doigt pointa, accusateur:) Vous, vous devriez être là-bas à la chercher, vous avez pas à m'insulter comme ça! (Il se releva d'un bond.) Faut que j'reste ici?

George se leva à son tour et, d'un geste, lui montra la porte:

— Vous êtes libre, Mr Lomas. Cependant, il faudra que nous nous revoyions.

Clough s'approcha de George comme Charlie quittait la chapelle d'une démarche raide, l'air indigné.

— Il a pas les couilles.

— Peut-être, dit George.

Les deux hommes empruntèrent le même chemin que Charlie, s'arrêtant sur le seuil comme le jeune homme repartait vers Scardale. George le suivait d'un regard interrogatif. Il s'éclaircit la gorge :

— Je vais faire un tour chez moi. Je serai de retour avant l'aube. Vous me remplacez au PC pendant ce temps-là.

Le rire de Clough se changea en volute de vapeur blanche, bientôt dissipée.

— Moi et Cragg, hein, chef ? Les méchants ont plus qu'à bien se tenir. Y a pas une piste à remonter encore ?

— Quiconque a enlevé Alison ne l'a pas gardée dans la vallée. (George parlait comme s'il pensait à haute voix.) Il n'aurait pas pu la porter longtemps, pas une fille de 13 ans, de taille normale. S'il a emprunté la vallée du Scarlaston en direction de Denderdale, il avait au moins six kilomètres à franchir avant d'atteindre la route. Mais s'il remontait vers la route de Longnor, il doit y avoir environ deux kilomètres à vol d'oiseau. Pourquoi vous ne feriez pas, vous et Cragg, du porte-à-porte ce soir à Longnor ? Vous sauriez si quelqu'un a vu un véhicule garé le long de la route près de l'embranchement de Scardale.

— Bien raisonné, chef. Je déniche Cragg et on y file.

George retourna dans le PC opérationnel. Il voulait que les chiens pisteurs explorent Denderdale et les alentours le matin suivant.

118

À Buxton, il dut passer une demi-heure à remplir les formulaires de demande d'analyse destinés au laboratoire médico-légal concernant le contenu des sachets en plastique. Enfin il put prendre le chemin du retour à la maison.

Les villageois attendraient, jusqu'au lendemain.

## 7

*Jeudi 12 décembre 1963, 20 h 06*

George ne se souvenait pas d'avoir éprouvé un plus grand sentiment de soulagement en refermant sa porte d'entrée. Avant même qu'il ait enlevé son chapeau, Anne avait sauté dans ses bras.

— C'est merveilleux d'être chez soi, soupira-t-il, s'enivrant du parfum musqué de ses cheveux, mais conscient de ne s'être pas lavé depuis la veille.

— Tu travailles trop dur, le tança-t-elle gentiment. Si le travail te conduit à la tombe, ça servira à qui ? Allez, installe-toi. J'ai allumé un bon feu et dans moins de cinq minutes, ton repas arrive.

Elle se recula, l'examina d'un œil critique.

— Tu as l'air épuisé. Un bain chaud et au lit dès que tu auras fini de manger.

— Si l'eau est chaude, je préfère le bain en premier.

— Rien de plus facile. Le chauffe-eau est allumé. Je voulais en prendre un moi aussi. Pendant que tu te déshabilles, je te fais couler l'eau…

Elle le poursuivit dans l'escalier jusqu'à la salle de bains.

Une demi-heure plus tard, en robe de chambre, attablé dans la cuisine, il dévorait une généreuse portion de bœuf aux carottes et des tranches de pain beurré.

— Désolée, je n'ai pas de patates, s'excusa Anne. J'ai pensé que le pain beurré ça irait plus vite. Et j'étais sûre qu'à ton retour tu aurais besoin de quelque chose. Quand tu travailles, tu es incapable de te nourrir convenablement.

— Hum, grogna-t-il la bouche pleine.

— Tu l'as trouvée ta disparue ? C'est pour ça que tu rentres.

La bouchée perdit sa saveur, devint une boule indigeste. Il se força à l'avaler.

— Non, dit-il, les yeux fixés sur son assiette. Et je ne crois pas la retrouver vivante.

Anne pâlit.

— Mais c'est affreux, George. Comment peux-tu en être sûr ?

Il soupira.

— Je ne peux pas en être sûr. Mais nous savons qu'elle n'a pas choisi de disparaître. Ne me demande pas comment nous en avons la certitude, mais nous l'avons. La famille ne pourrait pas payer de rançon et les gens qui enlèvent des enfants, en général, ne les gardent pas en vie longtemps. J'en conclus qu'elle est déjà morte. Et si tel n'est pas le cas, elle le sera avant que nous puissions la trouver parce que nous ne disposons d'aucune piste. Les gens du village se conduisent comme si nous étions leurs ennemis et le terrain est si difficile qu'on dirait qu'il nous en veut, lui aussi.

Il repoussa son assiette et tendit la main vers les cigarettes d'Anne.

— C'est terrible, dit-elle. Comment une mère peut-elle le supporter ?

— C'est une femme forte, Ruth Hawkin. J'imagine qu'en grandissant dans un endroit où la vie est aussi dure qu'à Scardale, on apprend à plier plutôt qu'à rompre. Mais je ne sais pas comment elle fait pour résister. Elle a perdu son premier mari dans un accident du travail il y a sept ans, et maintenant... Le nouveau mari ne l'aide pas vraiment. C'est le genre égoïste qui voit seulement ce qui atteint sa propre personne.

— Un homme, à ce que je vois, le taquina-t-elle.

— Très drôle. Je ne suis pas comme ça. Je ne m'attends pas à trouver mon repas sur la table quand j'arrive. Rien ne t'oblige à me servir.

— Tu te lasserais bien vite...

Souriant et haussant les épaules, George s'avoua battu.

— Tu as certainement raison. Nous les hommes nous avons l'habitude que les femmes s'occupent de nous. Mais si notre enfant venait à disparaître je ne crois pas que je réclamerais mon dîner avant que ma femme sorte à sa recherche.

— Il a fait ça ?

— Selon un témoin, oui. (Il secoua la tête.) Je ne devrais pas t'en parler.

— Et à qui je le répéterais ? Les seules personnes que je connaisse ici sont des femmes de policiers. Elles ne m'ont pas vraiment adoptée. Celles de mon âge sont toutes mariées à de simples policiers, du coup elles ne me font pas confiance, et que j'aie été enseignante n'arrange rien. Elles étaient vendeuses ou secrétaires, un point c'est tout. Les femmes des gradés sont toutes plus âgées et me traitent comme si j'étais une petite fille. Alors tu me vois aller parler de ton enquête, George ? conclut Anne avec une pointe d'aigreur.

— Je suis navré. Je sais que ce n'est pas facile pour toi de te faire des amis dans cette ville.

Il s'empara de sa main.

— Si je perdais un enfant, je me demande si je pourrais le supporter.

Presque inconsciemment, sa main libre glissa jusqu'à son ventre. Les yeux de George se plissèrent.

— Me cacherais-tu quelque chose ?

Anne vira à l'écarlate.

— Je ne suis pas sûre, George. C'est que je ne les ai pas eues ce mois-ci... une semaine de retard, donc... je suis désolée, je ne voulais pas en parler avant d'être sûre, et avec ton affaire d'enlèvement d'enfant... Oui, je crois que j'attends...

Un sourire vint lentement éclairer le visage de George, à mesure qu'il prenait conscience des paroles d'Anne.

— Vraiment, je vais être papa ?

— C'est peut-être une fausse alarme. Mais je n'ai jamais eu de retard.

Elle paraissait presque inquiète. George se leva d'un bond, la souleva de sa chaise et l'entraîna dans une ronde joyeuse.

— C'est merveilleux ! merveilleux ! merveilleux ! (Il s'arrêta en titubant, l'embrassa passionnément.) Je vous aime, Mrs Bennett.

— Je vous aime aussi, Mr Bennett.

Il la tint très serrée, enfouissant son visage dans ses cheveux. Un enfant. Son enfant. Il ne lui restait plus, comme tout parent depuis Adam et Ève, qu'à lui assurer la sécurité.

Jusqu'alors l'inspecteur Bennett avait pris à cœur l'affaire Alison. Elle acquérait maintenant une valeur symbolique. Elle devenait une croisade.

Dans Scardale, l'humeur générale semblait aussi sombre que les escarpements crayeux bordant la vallée. La nouvelle de l'interrogatoire de Charlie Lomas s'était propagée aussi vite que celle de la disparition d'Alison. Tandis que les femmes veillaient régulièrement et non sans anxiété sur le sommeil de leurs enfants, les hommes s'étaient rassemblés dans la cuisine du Bankside Cottage, où Alison et Ruth avaient vécu jusqu'au mariage de cette dernière.

Terry Lomas, le père de Charlie, mâchait l'embout de sa pipe et rouspétait contre la police :

— Ils ont pas le droit de traiter notre Charlie comme un criminel, conclut-il.

John, le frère aîné, n'était pas moins maussade :

— Ils ont aucune idée de ce qui est arrivé à Alison, alors ils font un exemple pour faire croire qu'ils agissent.

— Mais ils vont pas s'arrêter là, vous croyez pas ? intervint Robert, l'oncle. Ils vont nous cuisiner tour à tour quand ils auront rien tiré de Charlie. Le Bennett, on voit bien qu'une mouche l'a piqué, non ?

— C'est pas une si mauvaise chose après tout. (Ray Carter mettait son grain de sel.) I'fera un boulot correct. I'va pas lâcher le morceau avant d'avoir une réponse.

— Si c'est la bonne réponse, parfait, répliqua Terry.

— Ouais, reprit Robert pensif. Mais s'il perd trop de temps à persécuter le Charlie ? Le gars c'est pas un dur, on le sait tous. Ils lui mettront les mots dans la bouche. Pour autant qu'on sache, s'ils peuvent pas attraper le bon, ils se contenteront du mauvais...

— Y a que deux façons de s'en tirer, dit Jack Lomas. *Primo* : le mur du silence. On la boucle sauf sur ce qui peut aider Charlie. Ils comprendront vite qu'il faut trouver un autre bouc émissaire. Ou alors on file doux et on les aide. Et là, ils comprendront peut-être que loucher du côté de ceux qui l'aimaient notre Alison, ça les mènera nulle part.

Le silence retomba, seuls s'entendaient les suçotements de Terry sur sa pipe. Enfin le vieux Robert Lomas prit la parole :

— On peut faire un peu des deux.

Sans George, le travail continuait. Si les recherches sur le terrain étaient arrêtées pour la nuit, des policiers préparaient la journée à venir. Déjà, ils avaient accepté que des membres des unités territoriales et des aspirants de la Royal Air Force viennent leur prêter main-forte. Personne n'exprimait d'opinion à voix haute mais l'atmosphère n'était pas à l'optimisme. Pourtant ils fouilleraient, s'il le fallait, chaque pouce du Derbyshire.

Dans Longnor, Clough et Cragg avaient bu du thé plus que de raison sans trouver aucun indice. Ils avaient pris la décision de mettre un terme à leur enquête à 21 h 30, sachant qu'à la campagne on se couche plus tôt qu'à la ville. Mais, juste avant l'heure fatidique, Clough frappa à la bonne porte : un couple de gens âgés revenus la veille de Leed où ils avaient fait leurs emplettes de Noël. Ils avaient remarqué une Land Rover garée sur l'herbe à côté de la chapelle méthodiste.

— Sur le coup de 5 heures, certifia le mari.

— Et pourquoi vous l'avez remarquée ? demanda Clough.

— C'est la chapelle où on va. Normalement y a que le pasteur qui se gare là. Nous, on laisse nos voitures sur le bas-côté. Tous les gens du coin le savent.

— Croyez-vous que le conducteur s'est garé là pour rester discret ?

— Sans doute que oui. Comment il aurait su que là il se remarquait plus qu'ailleurs ?

Clough approuva.

— Vous avez vu le conducteur ?

Ils firent tous deux non de la tête.

— Il faisait noir, remarqua la femme. Les feux de la voiture étaient pas allumés et on s'est pas attardés.

— Y a-t-il autre chose ? Modèle court ou long ? avec une capote ou carrossée ? un chiffre, une lettre peut-être de la plaque ? insista Clough.

Non à nouveau, l'air dubitatif :

— On faisait pas trop attention, dit le mari. On discutait des bêtes de la foire. On était invités à fêter la médaille d'or d'un gars de Longnor. La moitié du village devait y être mais la femme a voulu rentrer. Fallait qu'elle installe les décorations.

Clough jeta un coup d'œil aux ornements en papier, fabrication maison, à l'arbre de Noël artificiel, où ne manquaient ni un malheureux serpentin de lumières colorées ni une guirlande argentée qui avait l'air d'avoir été mâchonnée par un chien.

— En effet, je vois, dit Clough impassible.

— J'aime bien faire ça le jour de la foire, annonça la femme fièrement. Alors on sent que Noël arrive, hein, papa ?

— Sûrement, Doris. Vous voyez, sergent, pourquoi on avait pas l'esprit à regarder la Land Rover.

Clough se releva en souriant :

— Ne vous en faites pas. Au moins vous l'avez vue. Et vous êtes bien les seuls dans le village.

— Ils pensaient qu'à fêter les génisses d'Alec Grundy, répliqua l'homme avec un sourire entendu.

Clough les remercia encore et prit le chemin du pub où il avait rendez-vous avec Cragg. La règle de ne pas boire en service ne faisait pas partie de sa profession de foi, spécialement la nuit. Un ou deux verres et son esprit, comme un moteur bien huilé, fonctionnait mieux. Devant une pinte de bière brune, il informa Cragg de sa trouvaille.

— Épatant, s'exclama Cragg, le professeur va être content !

Clough fit la grimace.

— Jusqu'à un certain point. Qu'on ait deux témoins, ouais, il va aimer, qu'ils aient vu une Land Rover près de la chapelle, à un endroit où les gens de Longnor se garent pas, à l'heure approximative où Alison a disparu, il va aimer...

Puis Clough expliqua ce qui plaisait moins à George.

— Merde, fit Cragg.

— Ouais... (Clough en une seule lampée avala un quart de sa pinte.) Merde.

*Vendredi 13 décembre 1963, 5 h 35*

En entrant dans le poste de Buxton, George tomba nez à nez avec un policier occupé à fixer des clochettes de papier gaufré sur le mur.

— Charmant, grogna-t-il. Le sergent Lucas est là ?

— Vous devez pouvoir le trouver, chef. Il est parti à la cantine se chercher un sandwich au bacon. Il a pas arrêté de la nuit, chef.

— La cloche rouge est pas à la même hauteur que la jaune, fit remarquer George en sortant.

Le policier de faction lança un regard furieux vers la porte. George trouva Lucas mâchant son sandwich devant les journaux du matin.

— Vous avez vu ça, chef ? l'accueillit-il, poussant le *Daily News* dans sa direction.

George prit le journal et lut.

*Daily News, vendredi 13 décembre 1963, p. 5*

## Disparition d'une fillette y aurait-il un lien?

### DES CHIENS SUR LA PISTE D'ALISON

Dans la journée d'hier, la police a démenti vouloir écarter l'hypothèse d'un lien possible entre la disparition d'une écolière, Alison Carter, âgée de 13 ans et deux disparitions similaires intervenues à moins de cinquante kilomètres de distance dans les six derniers mois.

Des similitudes frappantes existent entre les trois affaires et les inspecteurs s'interrogent en privé sur la nécessité de former un corps unique d'investigation à partir des trois brigades actuellement chargées des enquêtes.

Des battues sont en cours pour retrouver Alison Carter qui a disparu du village isolé de Scardale dans le Derbyshire mercredi dernier. Après l'école, elle avait emmené en promenade son colley, Shep, et comme elle ne revenait pas, sa mère, Mrs Ruth Hawkin, avait alerté le poste de police de Buxton.

Les premières recherches conduites avec des chiens policiers n'ont pas permis de retrouver la fillette, seul le chien fut découvert sain et sauf dans des bois voisins.

Cette disparition mystérieuse intervient moins de trois semaines après celle de John Kilbride, âgé de 12 ans, à Ashton-under-Lyne. On l'a vu pour la dernière fois sur la place du marché à l'heure du thé. Jusqu'à présent, la police du Lancashire ne dispose pas de la moindre piste.

Pauline Reade, 16 ans, se rendait à un bal lorsqu'elle a quitté la maison familiale dans Wiles Street, Gorton, Manchester, en juillet. Elle n'est jamais arrivée à destination et, comme pour John et Alison, on n'a aucune idée de ce qui lui est arrivé.

Un responsable de la police du Derbyshire a déclaré : «Pour l'heure, nous n'écartons aucune hypothèse. Alison n'avait pas de raison valable de s'enfuir. Elle n'avait pas de problèmes familiaux ou scolaires. Si nous ne retrouvons pas Alison aujourd'hui, les recherches seront intensifiées. Nous ignorons ce qui lui est arrivé et nous sommes très inquiets, étant donné la baisse actuelle des températures.»

Un inspecteur du CID de Manchester a confié au *Daily News* : «Naturellement, nous espérons qu'Alison sera retrouvée rapidement. Mais nous serions très heureux de mettre en commun avec le Derbyshire les résultats de nos investigations, si l'affaire traîne en longueur.»

L'envoyé spécial du *Daily News*

— Foutus journalistes, se plaignit George. Ils déforment toutes les déclarations. Et quand j'affirme qu'il y a plus de différences que de similitudes, il l'oublie. J'aurais mieux fait de me taire. Ce Don Smart écrit ce qu'il a envie d'écrire, sans se soucier de la vérité.

— C'est toujours la même chose avec les journalistes de Londres, répliqua Lucas aigrement. Ceux de la région évitent parce qu'ils ont besoin de nous s'ils veulent de la copie. Mais qu'est-ce qu'ils en ont à foutre, ces Londoniens s'ils créent des problèmes aux policiers de Buxton! (Il soupira.) Vous me cherchiez, chef?

— Juste pour vous demander de passer la consigne aux hommes qui prennent la relève. Je pense que le moment est venu de retrouver tous les pervers fichés et de les interroger.

— Dans tout le comté, chef?

Lucas paraissait fatigué. Parfois George comprenait parfaitement pourquoi certains policiers restaient au même échelon pendant toute leur carrière.

— Nous commencerons par le secteur autour de Scardale, disons dans un rayon de huit kilomètres, mais en étendant la zone du côté nord jusqu'à Buxton.

— Y a des visiteurs qui viennent de loin, dit Lucas. Rien ne garantit que notre homme ne soit pas de Manchester ou de Sheffield ou de Stoke.

— Je le sais, sergent, mais il faut bien commencer quelque part. (George repoussa sa chaise et se redressa.) Je vais à Scardale. J'y resterai sans doute toute la journée.

— On vous a prévenu pour la Land Rover? demanda Lucas, la voix neutre mais le sourire entendu.

— Quelle Land Rover?

— Vos gars ont déniché un couple de témoins la nuit dernière à Longnor. Ils ont vu une Land Rover garée sur le bas-côté, tout près de l'embranchement de Scardale au moment de la disparition d'Alison.

Le visage de George s'éclaira:

— Mais c'est formidable!

— Pas tant que ça. Il faisait noir. Les témoins ont juste aperçu une Land Rover, rien de plus.

— Mais nous allons avoir des empreintes de pneus. On a un point de départ.

Lucas secoua la tête :

— J'ai peur que non, chef. La voiture a été repérée à côté de la chapelle, là où les nôtres ont fait des allers-retours, toute la nuit et la journée d'hier.

— Merde !

Tommy Clough tenait avec précaution un gobelet de thé et une cigarette quand George arriva au PC.

— B'jour, chef, lança-t-il sans prendre la peine de se lever.

— Vous êtes encore là ? Vous pouvez aller vous reposer maintenant, vous devez être épuisé.

— Pas pire que vous hier. Chef, si ça vous dérange pas, j'aimerais mieux m'incruster. C'était mon dernier service de nuit, alors faut que je m'entraîne à aller me coucher à l'heure normale. Si vous interrogez les gens du village, j'peux peut-être aider. J'les ai déjà presque tous rencontrés et je commence à m'y retrouver.

George l'examina un instant : le visage plutôt rougeaud de Clough avait perdu ses couleurs mais, malgré les yeux gonflés, le regard restait vif et Clough avait une connaissance du terrain qui lui faisait défaut. Par ailleurs, le moment était venu de faire de l'un de ses trois inspecteurs un véritable partenaire.

— D'accord, mais si je vous vois bâiller quand une charmante vieille veut nous raconter sa vie, alors là au lit !

— Je n'en demande pas plus, chef. Où voulez-vous commencer ?

George s'empara d'une grande feuille de papier posée sur une table :

— Une carte. Le nom des maisons et des habitants. On part de là.

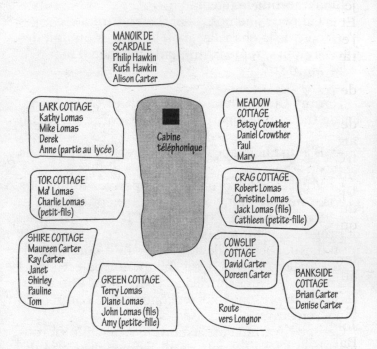

MANOIR DE
SCARDALE
Philip Hawkin
Ruth Hawkin
Alison Carter

LARK COTTAGE
Kathy Lomas
Mike Lomas
Derek
Anne (partie au lycée)

MEADOW
COTTAGE
Betsy Crowther
Daniel Crowther
Paul
Mary

Cabine
téléphonique

TOR COTTAGE
Ma' Lomas
Charlie Lomas
(petit-fils)

CRAG COTTAGE
Robert Lomas
Christine Lomas
Jack Lomas (fils)
Cathleen (petite-fille)

SHIRE COTTAGE
Maureen Carter
Ray Carter
Janet
Shirley
Pauline
Tom

GREEN COTTAGE
Terry Lomas
Diane Lomas
John Lomas (fils)
Amy (petite-fille)

COWSLIP
COTTAGE
David Carter
Doreen Carter

BANKSIDE
COTTAGE
Brian Carter
Denise Carter

Route
vers Longnor

George se gratta la tête.

— Je ne veux pas croire que vous connaissiez tous les liens de parenté, s'étonna-t-il tout en examinant le croquis que Clough venait de dessiner.

— Non, ça me dépasse. À part les plus simples, comme Charlie Lomas, c'est le plus jeune fils de Terry et de Diane, tandis que Mike Lomas est l'aîné de Robert et Christine. Puis il y a Jack qui vit avec eux et ils ont deux filles : Denise, mariée à Brian

Carter et Angela qui a épousé un petit propriétaire à Three Shires Head.

George leva la main.

— Assez, gémit-il. Comme vous m'avez l'air doué, je vous nomme généalogiste en chef de Scardale. Et je vous autorise à me rappeler ces notions quand j'en aurai besoin. Pour le moment, je me contenterai de savoir où placer Alison Carter.

Tommy leva les yeux au ciel comme s'il essayait de voir l'arbre généalogique.

— OK. Laissons de côté les cousins, aux premier, deuxième ou troisième degrés. Ma' Lomas est son arrière-grand-mère. Son père, Roy Carter, était le frère de David et de Ray. Du côté de sa mère, c'est une Crowther. Ruth est la sœur de Daniel et de Diane, la femme de Terry Lomas. (Clough montrait du doigt les maisons correspondantes sur son croquis.) Mais ils ont tous des liens de parenté.

— Il doit bien y avoir un apport de sang frais de temps à autre, objecta George, ou nous n'aurions affaire qu'à des demeurés.

— Oui, un ou deux nouveaux venus pour diluer le mélange. Cathleen Lomas est de Longnor. Et John Lomas a épousé une femme de l'autre côté de Bakewell. Elle est restée juste le temps d'avoir Amy, puis elle est partie, quelque part où elle pouvait regarder le feuilleton télé, aller boire un verre sans que ce soit une opération militaire. Et, bien sûr, il y a Philip Hawkin.

— Oui, n'oublions pas le châtelain, dit George pensif. (Il soupira, se leva.) Ça ne serait pas inutile d'en savoir un peu plus long sur lui. Il vient de St Albans, il me semble ? (Il sortit son carnet et prit quelques notes.) Faites-m'y penser. Et en route Tommy ! Allons nous frotter un peu à Scardale

Brian Carter essuya les pis de la vache suivante dans l'étable et, avec une douceur surprenante, mit en place la machine à traire sur la mamelle. Quelques heures avant l'aube il avait quitté le lit bien chaud qu'il partageait avec sa nouvelle épouse Denise dans Bankside Cottage, cette maison qui avait vu naître Alison Carter par une nuit pluvieuse en 1950. Comme il traversait à pas lourds le village silencieux en compagnie de son père, il ne put s'empêcher de constater amèrement que la disparition soudaine de sa cousine avait déjà bouleversé son monde.

Son existence s'était jusqu'alors déroulée tranquillement. À Scardale, ils vivaient entre eux, ils n'avaient besoin de personne. À l'école il s'était habitué aux sobriquets insultants et plus tard dans les pubs quand les gars avaient un coup de trop. Il connaissait toutes les vieilles blagues éculées sur les unions consanguines et les messes noires, mais il avait appris à les ignorer et à vivre sa vie. Quand il faisait jour, Scardale travaillait la terre et, le soir, s'affairait encore. Les femmes filaient la laine, tricotaient des pull-overs, faisaient des châles, des couvertures et des vêtements de bébé au crochet, préparaient des conserves et des condiments. Elles pouvaient vendre leurs produits par l'entremise de l'Institut des femmes à Buxton.

Les hommes entretenaient les bâtiments et les maisons. Ils travaillaient également le bois. Terry Lomas sur son tour faisait de superbes coupes, polissant avec soin le grain, jouant avec les variations de teinte de son matériau. Il les expédiait à des boutiques d'artisanat à Londres où elles se vendaient pour des sommes ridicules à en croire les autres villageois. Le père de Brian, David, fabriquait des jouets pour un magasin de Leek. Comment auraient-ils trouvé le temps de se livrer à ces rites sataniques qu'imaginaient des ivrognes crédules à Buxton ? En vérité, on travaillait trop dur à Scardale pour avoir le temps de faire autre chose que manger et dormir.

Et pas besoin de contact quotidien avec le monde extérieur ! Entre les escarpements crayeux, la vallée produisait presque tous les biens qu'ils consommaient : viande, pommes de terre, lait, œufs, quelques variétés de fruits et de légumes. Ma' Lomas distillait une boisson à base de fleurs et de baies de sureau. Au cours de la fermentation elle ajoutait des feuilles d'orties, de pissenlit, de la résine de bouleau, de la rhubarbe, des groseilles. Tout le monde buvait de ce vin, éventuellement utilisé comme remède pour les enfants.

Chaque mardi un poissonnier passait avec sa camionnette, et, le jour j du Couronnement, son père et l'oncle Roy avaient installé une antenne et tout le village s'était assemblé dans la grande salle du château. Avec un grand geste le vieil homme avait allumé le téléviseur et tous, ils avaient contemplé stupéfaits un blizzard de février. David et Roy s'étaient employés à régler l'antenne, en vain, n'obtenant au mieux qu'un grésillement. Impossible de vaincre ces phénomènes d'interférence – seule interférence extérieure tolérable à vrai dire pour un habitant de Scardale !

Mais maintenant tout avait changé. Alison disparue, d'un seul coup, leurs vies ne leur appartenaient plus. La police, les journaux, tous voulaient des réponses à leurs questions, que ça les regarde ou pas. Et Brian se sentait sans défense contre cette invasion. Il aurait aimé frapper quelqu'un. Mais il ne trouva personne à proximité.

Il faisait encore nuit quand George et Clough atteignirent les abords du village. La première lumière qu'ils découvrirent filtrait de la porte entrouverte d'une étable.

— On pourrait commencer là, proposa George, arrêtant la voiture sur le bas-côté. À qui allons-nous avoir affaire? demanda-t-il, comme ils foulaient les quelques mètres de béton boueux conduisant à l'étable.

— Sûrement Brian et David Carter, dit Clough. C'est leurs vaches.

Les deux hommes à l'intérieur ne pouvaient entendre leur approche étant donné le bruit métallique de la trayeuse et ses gargouillements liquides. George attendit qu'ils se retournent. Il s'habituait à ce curieux mélange d'odeurs, celles de la bouse, du lait et de la sueur animale, tout en regardant les hommes essuyer les pis de la vache à traire. Le plus âgé s'aperçut de leur présence le premier. George eut l'impression que les yeux attentifs de Ruth avaient été transplantés dans une statue de l'île de Pâques. Le visage se composait d'angles et de surfaces planes, les pommettes comme des éclats de pierre et les orbites creusées dans de la cire rose.

— Des nouvelles? s'enquit l'homme, d'une voix assez forte pour couvrir le bruit de la machine.

George fit non de la tête:

— Je suis venu me présenter. Je suis l'inspecteur George Bennett, chargé de l'enquête.

Comme il s'approchait, le plus jeune arrêta à son tour son travail, s'appuya contre l'arrière-train massif de l'une des vaches frisonnes et croisa les bras.

— J'suis David Carter, dit le plus âgé. L'oncle d'Alison. Et voilà mon fils Brian.

Brian hocha lentement la tête. Il avait hérité des traits de son père, mais ses yeux étaient petits et pâles, tels des éclats de topaze. Il n'avait pas beaucoup plus de 2 ans mais sa bouche aux plis amers aurait pu elle aussi avoir été taillée dans la pierre.

— Je voulais vous dire que nous faisons tout notre possible pour savoir ce qui est arrivé à Alison, affirma George.

— L'avez pas trouvée pourtant, hein ? répliqua Brian, la voix aussi maussade que sa physionomie.

— Non. Les recherches reprendront dès qu'il fera jour et, si vous voulez vous y joindre, vous êtes les bienvenus. Mais je ne suis pas là pour ça. Je ne peux pas m'empêcher de penser que la réponse se trouve dans la vie d'Alison. Je ne crois pas que l'on ait pu agir sur un coup de tête. Tout était préparé. Et, par conséquent, il doit y avoir des traces. Quelqu'un a forcément vu ou entendu quelque chose. Aujourd'hui, je vais rencontrer tous les habitants du village et je répéterai la même chose à tout le monde. Vous devrez mentionner tout ce qui aurait pu sembler inhabituel, un fait, une attitude, le passage d'un étranger.

Brian émit un son qui ressemblait étonnamment aux reniflements de ses vaches.

— Si vous cherchez que'qu'un qu'est pas du coin, vous avez pas loin à aller.

— À qui pensez-vous ? demanda George.

— Brian ! avertit le père.

Brian fit la grimace, fouilla la poche de sa salopette pour trouver une cigarette.

— Pa', il est pas d'ici. Il s'ra jamais d'ici.

— De qui parle-t-on ? insista George.

— De Philip Hawkin, qui d'autre ? marmonna Brian recrachant la fumée.

Il redressa la tête et, avec un air de défi, fixa la nuque de son père.

— Vous sous-entendez que le beau-père aurait un rapport avec la disparition d'Alison ? fit Clough, une nuance de défi dans sa voix.

George espéra que Brian allait le relever.

— J'ai jamais dit ça. Vous m'avez demandé qui n'est pas du coin. Eh bien, y'a lui. Et depuis qu'il est là, faut tout le temps qu'il mette son grain de sel, qu'il nous dise comment cultiver not' terre, comme s'il le faisait depuis des générations. Il croit qu'en lisant un bouquin ou une brochure du secrétariat à l'agriculture, vous v'là un expert ! Et fallait le voir faire sa cour à la tante Ruth. Il la laissait pas respirer. Fallait qu'elle le marie pour être tranquille...

— J'pensais pas que ça t'gênait, intervint le père, sarcastique. Si Ruth et Alison avaient pas quitté Bankside Cottage, toi et Denise vous commenciez votre mariage dans ta vieille chambre. J'sais pas c'que t'en penses mais moi j'me passe bien de c'bois de lit qui cogne cont' le mur la moitié d'la nuit.

Brian rougit, jeta un coup d'œil furieux à son père.

— Tu mêles pas Denise à ça. On parle de Hawkin. Tu sais comme moi qu'il a rien à faire ici. À qui tu vas faire croire que tu ronchonnes pas tous les jours, à répéter que c'est un inutile, que tu comprends pas comment le vieux châtelain a pu laisser la terre à un étranger comme lui.

— Ouais mais j'dis pas qu'il a à voir avec le départ d'Alison, rétorqua David Carter, en se frottant le menton de la main dans un geste d'exaspération apparemment habituel.

138

— Votre père a raison, remarqua George tranquillement.

— P'têtre bien, marmonna Brian. Mais faut toujours qu'il en sache plus, cet Hawkin. S'il fait la loi chez lui comme il veut faire avec nous, alors ma cousine elle a une vie pire qu'un chien. Je m'en fous de ce qu'on raconte, moi j'dis qu'elle peut pas être heureuse avec Hawkin.

Il cracha par terre puis se détourna d'un coup et s'en fut vers l'autre bout de l'étable.

— Faites pas attention au gars, grogna David Carter. Il a plus de gueule que de cervelle. Hawkin est pas malin, mais à en croire Ruth, il place Alison très haut. Et je fais plus confiance à ma sœur qu'à ce fils qu'est le mien. (Il hocha la tête et, se tournant, il regarda Brian qui paraissait s'affairer avec la trayeuse.) J'croyais que d'épouser Denise lui mettrait un peu de plomb dans la cervelle. Je m'étais fait des illusions. (Il soupira.) On va reprendre les recherches, Mr Bennett. Et j'vais réfléchir à ce que vous avez dit. Si j'pense à quelque chose...

Ils se serrèrent la main. George sentit le regard de Carter l'évaluer comme il suivait Clough dans la lumière grise du jour qui se levait.

— Le courant ne passe pas entre le jeune Brian et le châtelain, commenta George comme ils retournaient à la voiture.

— Il n'exprime rien que les autres ne pensent pas, à en croire le constable Grundy. On a bavardé avec lui la nuit dernière après notre porte-à-porte. Selon lui, tous les villageois pensent que Hawkin se laisse charmer par sa propre voix. Il aime que les gens sachent qu'il est le patron. Et ça, ça leur plaît pas à Scardale. La tradition veut que les villageois travaillent la terre comme ils veulent. Le châtelain, lui, ramasse ses loyers et ne fourre pas son nez dans leurs affaires. Vous allez entendre bien des choses sur le compte de Hawkin.

Clough se trompait complètement.

## 8

Quatre heures plus tard, George avait découvert de multiples preuves de la validité des lois sur l'hérédité. Les noms de famille pouvaient varier selon les unions mais les mêmes caractéristiques physiques réapparaissaient, réparties apparemment au hasard : le visage monolithique de David Carter, le nez crochu de Ma' Lomas, les yeux de chat de Janet Carter ou d'autres traits non moins remarquables. George revoyait ces livres d'enfant où les pages découpées permettent des combinaisons multiples des yeux, nez et bouches.

Les villageois de Scardale avaient un autre point commun : le même ébahissement devant la disparition d'Alison. Contrairement à ce que Clough avait prédit, aucun d'entre eux ne se laissait aller comme Brian Carter. Parler avec eux devenait une lutte pour leur tirer les mots de la bouche. George se présentait, faisait son petit discours. Ses interlocuteurs prenaient alors un air pensif. Non, rien d'inhabituel. Non, aucun étranger par ici. Non, personne dans le village n'aurait touché un cheveu d'Alison. Mais tout compte fait, Charlie Lomas était un gars tout ce qu'il y a de bien. Il méritait pas d'être traité comme un criminel.

Seul point digne d'être noté : aucun doigt ne se tendait dans la direction du châtelain. Pas une plainte, pas un reproche. Personne sans doute ne lui faisait de louanges, mais à la fin de la matinée, on aurait pu croire que Brian Carter était le seul habitant de Scardale qui songeait à critiquer Philip Hawkin.

Si bien que George et Clough revinrent bredouilles à la caravane. À leur entrée, une femme policier se leva d'un bond et fit infuser du thé.

— Vous aviez tort, soupira George.

— Chef ?

Clough fit apparaître une cigarette, la tendit à George sans un mot.

— Vous croyiez que les reproches allaient pleuvoir sur Hawkin. Pas le moindre grincement de dents, excepté bien sûr cette tête brûlée de Brian.

Clough réfléchit un moment, le front marqué d'un pli profond.

— Peut-être tout simplement parce qu'il est jeune. Il croit encore que le fait qu'Hawkin ne soit pas l'un d'entre eux a son importance. Les autres savent que de ne pas aimer quelqu'un suffit pas à le condamner. Entre vous casser les pieds et enlever une gosse, il y a un monde.

George goûta prudemment son thé. Chaud mais pas brûlant. Il but la moitié de sa tasse pour apaiser sa soif. L'hospitalité n'était pas le point fort des habitants de Scardale. Même Diane Lomas, assise dans sa cuisine devant une théière, ne leur en avait pas offert une goutte.

— Peut-être. Mais il ne faut pas négliger le fait que c'est une communauté fermée sur elle-même. Le genre d'endroit où l'on croit que la loi de Lynch est la meilleure solution dans des cas pareils. Il se peut qu'ils pensent qu'Hawkin est dans le coup mais que nous sommes trop bêtes pour l'épingler. Ils attendent peut-être qu'on soit partis. Un vilain accident, ça arrive dans les fermes, et adieu le châtelain. Mais ça pose un double problème. D'abord, faire porter les soupçons sur Philip Hawkin se fonde-t-il seulement sur des préjugés ? Ensuite, je ne voudrais pas avoir son sang sur les mains, qu'il soit impliqué ou pas.

Clough prit un air sceptique, mais poli.

— Si vous n'étiez pas mon patron, je dirais que vous regardez trop la télé. Mais, vous connaissant, je me contenterai de répondre que c'est une idée intéressante, chef.

George regarda Clough dans les yeux :

— Alors mieux vaut s'en souvenir, sergent. (Il tendit son gobelet à l'auxiliaire.) Il en reste ?

Elle allait remplir le récipient quand la porte s'ouvrit sur Peter Grundy. Le policier de Longnor hocha la tête l'air satisfait.

— Je pensais bien vous trouver ici, chef. Message de l'inspecteur-chef Carver. Il faudrait le rappeler à Buxton dès que possible.

George se leva, s'empara du gobelet, but le contenu en hâte puis fit signe à Clough de le suivre.

— Nous ferions mieux de retourner au PC, affirma-t-il se dirigeant vers sa voiture.

Soudain la portière d'une Ford Anglia lui barra le chemin et la chevelure rousse de Don Smart apparut.

— Bonjour inspecteur, dit-il avec entrain. La pêche a été bonne ? Quoi de neuf ? Je m'attendais à vous voir à la conférence de presse de 10 heures, comme vous l'aviez annoncé hier, mais vous aviez sûrement mieux à faire.

— En effet, fit George s'écartant de la portière. Les collègues que vous avez vus ce matin disposaient de toutes les informations nécessaires.

— Vous avez regardé notre article ?

— Vous m'interrompez au beau milieu d'une enquête importante, Mr Smart. Si vous avez besoin de commentaires, adressez-vous aux autorités compétentes. Si vous voulez bien m'excuser…

Le sourire de prédateur réapparut.

— Si vous ne voulez pas prendre au sérieux ma suggestion… vous avez pensé à consulter une voyante ?

George fronça les sourcils.

— Une voyante ?

— Elle pourrait vous indiquer une direction précise. La zone de recherche s'élargit sans cesse, non ?

Abasourdi, George hocha la tête.

— Mon boulot, Mr Smart, ce sont les faits, pas les gros titres. (Il s'écarta d'une dizaine de pas nerveux puis pivota.) Si c'est Alison Carter qui vous intéresse et pas votre carrière, pourquoi ne pas publier une photographie de cette jeune fille ?

— Si je comprends bien, vous êtes toujours au point mort ? constata Smart comme George retournait à sa voiture.

— Pourquoi vous foutez pas le camp ? intervint Clough d'une voix basse mais ferme, avec un sourire candide.

Sans attendre de voir l'effet de sa déclaration, il suivit George.

— S'appeler ainsi « Smart », le malin, et croire qu'on l'est, bien sûr, constata amèrement George tandis que la voiture peinait dans une côte, ça me rend malade. Il voit ça comme une chance à saisir alors que la vie d'une jeune fille est en jeu.

— Il peut pas se permettre d'y penser. Il pourrait pas écrire ses papiers ! fit remarquer Clough.

— Ça vaudrait mieux pour tout le monde, conclut George.

Quand il entra à grandes enjambées dans la chapelle méthodiste, il se sentait encore plein d'indignation. Il se dirigea vers le téléphone et se pencha au-dessus du policier qui l'utilisait, en tapotant du bout d'une Gold Leaf sur son paquet de cigarettes. Ce dernier jeta un coup d'œil à George, ses yeux trahissant sa nervosité.

— Donc ce sera tout, madame, merci, bafouilla-t-il, reposant le combiné avant même d'avoir achevé sa phrase. Il est à vous, chef, ajouta-t-il, tendant craintivement l'appareil à George.

— L'inspecteur Bennett voudrait parler à l'inspecteur-chef Carver, dit-il brusquement.

Il y eut une pause puis il entendit l'accent nasal des Midlands de son supérieur :

— Bennett, c'est vous ?

— Oui, monsieur. Vous vouliez me parler ?

— Ils ont pris leur temps pour faire passer le message, grogna Carver.

George s'était déjà aperçu qu'après trente ans passés dans la police, Carver avait fait des récriminations un art. George avait passé son premier mois à Buxton à s'excuser, le deuxième à tenter de l'amadouer. Puis, à l'image de ses collègues, il en avait pris son parti.

— Du nouveau, monsieur ?

— Vous avez laissé des instructions au sergent Lucas, accusa Carver.

— Oui, monsieur.

— Rafler les suspects habituels, une sacrée perte de temps pour tout le monde !

George attendit, sans rien dire. Derrière le masque impassible du professionnel, la colère contre Smart bouillait et le mécontentement chronique de Carver menaçait de tout faire exploser. Mais il devait se contenir. Il prit une profonde inspiration et, lentement, expira l'air par le nez.

— Cette fois, pourtant, il se pourrait qu'on tienne une bonne piste, avoua Carver, presque à contrecœur.

Il aurait sans doute préféré que ce fût un échec, se dit George à la fois incrédule et amer.

— Vous croyez, monsieur?

— Il semblerait que nous tenions un de nos vieux clients. Outrage à la pudeur devant des écolières. Vol de culottes de femmes sur les cordes à linge… Rien de bien terrible, rien de bien récent, ajouta Carver, en aparté. Mais dans ce cas on tient quelque chose d'intéressant: c'est l'oncle d'Alison Carter.

George en resta bouche bée.

— Son oncle? parvint-il à dire.

— Peter Crowther.

George avala sa salive. Il ne connaissait même pas l'existence de ce Peter Crowther.

— Puis-je assister à son interrogatoire, monsieur?

— Et pourquoi croyez-vous que je voulais vous joindre? Ma cheville me fait abominablement souffrir. Vous imaginez que je vais lui flanquer une sainte frousse avec ma jambe dans le plâtre, à boiter comme Hopalong Cassidy? Alors vous rappliquez dare-dare.

— Bien, monsieur.

— Et, Bennett…

— Oui?

— Pensez à m'apporter du poisson et des frites. Je ne supporte pas la nourriture de la cantine, elle me pèse sur l'estomac.

George raccrocha, secouant la tête. Il alluma une cigarette et, les sourcils froncés, se retourna vers la salle. Clough, négligemment appuyé contre une table, examinait une des cartes épinglées au mur. Grundy, près de la porte, semblait se demander s'il devait rester ou s'en aller.

— Clough, Grundy. À la voiture maintenant, on retourne à Buxton.

Les portières étaient à peine claquées que George se retourna sur son siège et regarda fixement Grundy.

— Peter Crowther, dit-il.

— Peter Crowther, chef?

Grundy prenait un air innocent mais son regard fuyant le trahissait.

— Oui, Grundy, le délinquant sexuel. Celui-là même, dit George sarcastique, enfonçant l'accélérateur.

Le démarrage en trombe colla les passagers à leurs sièges.

— Qu'est-ce qu'il a fait, chef?

— Pourquoi l'inspecteur-chef est-il le premier à m'en parler? Comment se fait-il qu'avec votre connaissance du terrain vous n'ayez jamais mentionné Peter Crowther?

George avait abandonné le ton sarcastique pour prendre la voix de velours du professeur sadique qui, pour mieux châtier ses élèves, les berce d'abord de l'illusion d'être en sécurité.

— J'ai pas pensé qu'il pouvait y avoir un rapport; il habite Buxton, depuis au moins vingt ans. J'y ai jamais songé, expliqua Grundy, les oreilles écarlates.

— Voilà pourquoi vous n'êtes que constable, Grundy. (George se retourna pour fusiller Grundy de ce regard dur et insolent capable de pousser un prisonnier à un acte de violence qui lui vaudra le doublement de sa peine.) Non? (George reprit son ton hypocrite de redresseur de torts:) Oui, c'est la vérité, Clough, pour faire le pied de grue au centre de Derby on n'a pas besoin de cervelle, mais le policier en poste dans un village doit être capable de réflexion. Constable Grundy, à moins que vous ne désiriez être muté, je vous suggère d'utiliser la distance qui nous sépare de Buxton pour nous dire tout ce que vous savez de Peter Crowther.

Grundy se frotta le front.

— Peter Crowther est le frère de Ruth Hawkin, articula-t-il comme un homme en proie à un calcul mental difficile. Diane est l'aînée, c'est la femme de Terry Lomas. Ensuite Peter, puis Daniel, puis Ruth. Peter doit bien avoir dix ans de plus que Ruth. Il a donc environ 45 ans. Je l'ai pas vraiment connu. Il a quitté Scardale bien avant que je prenne mon poste à Longnor. Mais j'ai entendu parler de lui.

« Apparemment, il est pas franc du collier. Son frère Daniel le tenait à l'œil quand il vivait encore à Scardale, mais il s'est passé quelque chose... Je sais pas quoi. Le secret est bien gardé à Scardale... Quand ils ont décidé qu'ils ne voulaient plus de lui dans la vallée, ils l'ont carrément embarqué à Buxton. Il loge dans un foyer pour célibataires près du golf à Waterswallows et travaille dans l'atelier protégé, derrière le dépôt du chemin de fer. On y fabrique des abat-jour et des corbeilles à papier. Je savais juste qu'il avait été arrêté pour voyeurisme.

George soupira profondément :

— Vous connaissiez tout cela et il ne vous est jamais venu à l'esprit d'en parler ?

Grundy s'agita, passant d'une fesse sur l'autre.

— Vous comprendrez quand vous le verrez, chef. Peter Crowther a peur de son ombre. Je ne crois pas qu'il soit capable d'accoster quiconque, à plus forte raison de l'enlever.

— Il n'avait pas besoin de l'enlever de force, intervint Clough, d'une voix cinglante comme un fouet, ses yeux bleus glacés. C'est son oncle. Elle n'aurait pas eu peur de lui. Il avait qu'à lui dire : « Hé, notre Alison, j'ai une paire de patins à glace qui doivent t'aller. Tu veux pas venir les voir ? » Comment se serait-elle méfiée ? Il était peut-être un peu bizarre, son oncle Peter, mais il faisait partie de la famille, hein, *constable* Grundy ?

Il fit sonner le grade comme une insulte.

— Il aurait pas le cran… reprit Grundy, têtu. Et quand je vous ai dit qu'ils voulaient plus de lui dans la vallée, je plaisantais pas. À ma connaissance, Peter Crowther n'a pas remis les pieds là-bas depuis vingt ans. Et les gens de Scardale allaient pas le voir non plus. Je suis à peu près sûr qu'il aurait pas reconnu Alison s'il l'avait rencontrée dans la rue.

— Nous allons nous en assurer, marmonna Clough, l'air menaçant, les yeux à demi fermés pour éviter la fumée de sa cigarette.

Janet Carter avait prié et supplié pour qu'on ne l'envoie pas à l'école après la disparition d'Alison. Elle aurait pu économiser sa salive. En 1963, les enfants n'étaient pas censés avoir les mêmes sentiments que les adultes. Ces derniers les gavaient de contes pour qu'ils ne voient pas les réalités de l'existence. Ils pensaient les protéger. Rompre la routine constituait la faute la plus grave en matière d'éducation pour une cervelle d'adulte, convaincue qu'aussitôt le jeune comprendrait qu'il ne vivait pas dans le meilleur des mondes. La terre pouvait bien s'arrêter de tourner, on continuerait quand même à déposer Janet et ses cousins à l'arrêt du bus scolaire.

Mais quand elle arriva à l'école le lendemain de la disparition, elle fut surprise par l'excitation ambiante. Pour la première fois, elle devenait l'objet de l'attention générale. La police interrogeait les camarades de classe d'Alison et ses enseignants. La cour de récréation bourdonnait et Janet était celle qui savait. Elle avait momentanément acquis le statut de célébrité. Et cela suffisait à lui faire oublier la terreur qui l'avait tenue éveillée la moitié de la nuit, à l'idée de ce qui était arrivé à Alison.

Une sorte de peur délicieuse planait dans l'air, le sentiment que quelque chose d'interdit s'était passé. Les fillettes n'en comprenaient pas vraiment le sens, même celles qui vivaient dans une ferme. Elles avaient l'expérience du comportement des animaux, mais elles ne parvenaient pas à imaginer que des êtres humains puissent agir ainsi. Sans doute, toutes avaient entendu parler de filles que l'« on avait touchées », mais aucune d'entre elles ne connaissait le sens exact de cette expression, si ce n'est que cela se passait « en bas » si on laissait un garçon « aller trop loin ». Mais comment mesurer ce « loin » ?

Une tension électrique régnait donc dans le collège de filles de Peaks. Bien que la plupart des camarades de classe de Janet fussent aussi angoissées qu'elle-même, certaines ressentaient un trouble presque agréable. Le jeudi et le vendredi avaient été des journées éprouvantes. Au moment où sonna la cloche annonçant la fin de la semaine, Janet ne pensait plus qu'au retour à la maison et à sa mère qui allait être aux petits soins pour elle.

Elle n'avait plus guère de résistance pour affronter le choc qui l'attendait dans le car de ramassage. Le conducteur annonçait à qui voulait l'entendre que l'oncle d'Alison avait été soumis à un interrogatoire en règle au poste. La réaction de Janet fut instantanée : elle se recroquevilla sur la banquette, à la place qu'elle partageait avec Alison, derrière le conducteur.

— Quel oncle ? demanda Derek.

Le conducteur allait se lancer dans une de ses plaisanteries habituelles sur le fait qu'ils étaient tous parents à Scardale, mais, étant donné l'humeur de Janet, il se retint et se contenta de dire :

— Peter Crowther.

Janet fronça les sourcils.

— Ça doit être un autre Crowther. Il n'est pas de Scardale. Alison n'a pas d'oncle Peter.

— C'est ce que vous croyez, répliqua-t-il avec un clin d'œil. Peter Crowther est le demeuré de frère de la mère d'Alison. Celui qu'ils ont chassé.

Janet regarda Derek qui haussa les épaules, aussi stupéfait qu'elle. Jamais ils n'avaient entendu parler d'un deuxième frère Crowther. Son nom n'avait même pas été mentionné.

Tout au long de la route, le conducteur du car parla de Peter Crowther sans discontinuer, expliquant qu'il vivait dans un établissement spécialisé, travaillait dans un atelier réservé aux cinglés que le conseil municipal ne jugeait pas suffisamment dangereux pour être enfermés. Et comme un sombre secret planait sur son passé, la police pensait qu'il s'en était pris à Alison. Janet regardait intensément la nuque épaisse et rougeaude, souhaitant de toutes ses forces la mort du bavard.

Mais elle désirait encore plus connaître la vérité. Son père l'attendait à l'arrêt du car depuis une dizaine de minutes. Plus personne à Scardale ne voulait prendre de risques. Dès que la porte du bus se fut refermée derrière elle, Janet demanda :

— Papa, qui est Peter Crowther ? Qu'est-ce qu'il a fait ?

Ray Carter, en homme peu habitué à ménager les enfants, le lui raconta. Et Janet souhaita qu'il se soit tu.

Grundy avait eu raison sur au moins un point, se dit George comme il s'appuyait contre le mur du bureau qui servait aux interrogatoires. Peter Crowther avait peur de sa propre ombre. Et de celle des autres. La première chose qui l'avait frappé dans la pièce, c'était l'odeur aigre de la peur de Crowther, une odeur spécifique distincte du relent de moisi d'un corps maigre et jamais lavé.

— On va fumer à la chaîne, avait marmonné Clough en aparté, fronçant le nez avec application comme pour se protéger des miasmes exhalés par Crowther.

— Quoi ? avait murmuré George en réponse.

Dans l'encadrement de la porte, les deux hommes portaient un regard insistant sur le suspect.

— On fume à la chaîne ou on dégueule, expliqua Clough.

George montra qu'il comprenait.

— À vous de jouer, lança-t-il, en allant se mettre contre le mur pour laisser Clough s'installer sur la chaise face à Crowther.

D'un signe de tête, George indiqua au policier de garde qu'il pouvait sortir, à son grand soulagement.

— Alors, ça va, Peter ? demanda Clough, les coudes sur ses cuisses.

Peter Crowther parut se replier encore plus sur lui-même. En examinant son visage, George pensa irrésistiblement à du fromage ; la forme, la texture, il ressemblait à une portion de fromage surmontée de pousses de cresson, à la fois bizarrement pâle et moite. Et malgré ces effluves insoutenables, il ne paraissait pas sale. Son menton pointu rasé de près enfoncé dans sa poitrine, il regardait Clough avec des yeux de chat. Il aurait pu illustrer le mot « servilité » dans un dictionnaire. Il ne répondit pas à voix haute à Clough, ses lèvres se contentèrent de former des mots, des mots silencieux.

— Tu vas me parler tôt ou tard, Peter, dit Clough sur le ton de la confidence.

Sa main plongea dans sa poche pour saisir une cigarette. Il l'alluma nonchalamment, souffla la

fumée dans la direction de Peter Crowther qui, lorsqu'elle l'atteignit, l'aspira avec avidité, les narines
frémissantes.

— Il vaudrait mieux que tu ne tardes pas trop.
Explique-nous, qu'est-ce qui t'a décidé à aller à
Scardale mercredi ?

Crowther fronça les sourcils. Il paraissait véritablement surpris. Il se sentait coupable, mais pas à
cause de Scardale.

— Peter jamais. (L'intonation indiquait le doute
plutôt que l'assurance feinte.) Peter habite Buxton.
Waterswallows Lodgings, numéro 17. Peter n'habite
plus à Scardale.

— Oui, nous le savons, Peter. Mais tu es retourné
à Scardale dans la nuit de mercredi. Pourquoi le
nier ? Nous savons que tu t'y trouvais.

Peter frissonna.

— Peter jamais. Peter ne peut pas retourner à
Scardale. Il a pas le droit. Il habite Buxton. Waterswallows Lodgings. Numéro 17.

Sa voix s'affermissait.

— Qui a décidé que tu n'avais pas le droit ?

Crowther baissa les yeux.

— Notre Dan. Il dit que si Peter met un pied à
Scardale, il coupe les mains. Alors Peter y va pas.
Peter peut avoir une clope ?

— Tout à l'heure, rétorqua Clough en soufflant
négligemment sa fumée vers Crowther. Et Alison ?
Quand as-tu vu Alison pour la dernière fois ?

Crowther releva la tête, l'air ahuri.

— Alison ? Peter ne connaît pas Alison. C'est
Angela. Peter aime bien Angela. Elle a un blouson en cuir. Elle l'a pris à son frère. Il travaille dans
la tannerie à Whaley Bridge. Le frère d'Angela.
Peter travaille avec Angela. Peter fait des abat-jour.

— Alison, ta nièce Alison. La fille de ta sœur Ruth, répéta Clough fermement.

Le nom de Ruth fit tressauter Crowther. Ses genoux remontèrent jusqu'à sa poitrine et il les entoura de ses bras. Il haleta :

— Peter jamais !

George s'avança et posa ses poings sur la table.

— Vous ne savez pas que Ruth a une fille ? demanda-t-il doucement.

— Peter jamais, répétait Crowther comme une incantation.

George fit un signe discret à Clough qui se renfonça sur sa chaise et dirigea la fumée de sa cigarette vers le plafond. Il prit son propre paquet, en alluma une et la tendit à Crowther qui, tremblant, continuait de murmurer : « Peter jamais... » Il lui fallut quelques secondes pour s'apercevoir du geste ; il regarda la cigarette d'un air soupçonneux, puis jeta un coup d'œil à George. Une main se détendit, la saisit, se referma autour de la proie, le bout pincé entre le pouce et le majeur, comme si on allait la lui reprendre. Enfin, Crowther inspira à petits coups rapides, clignant des yeux et fixant tantôt George, tantôt Clough.

— Quand avez-vous parlé à quelqu'un de Scardale pour la dernière fois, Peter ? s'enquit George aimablement.

Il se glissa sur la chaise à côté de Clough. Crowther haussa gauchement les épaules.

— Sais pas. Parfois Peter voit d'la famille au marché le samedi. Mais la famille parle pas à Peter. Une fois, en été, Peter était dans la boutique, achetait des clopes, notre Diane est entrée. Elle fait signe avec sa tête mais dit rien. J'crois qu'elle voulait, mais elle savait que si elle faisait, Dan fait très mal à Peter. Dan fait très peur à Peter, pourquoi Peter retourne jamais à Scardale. (Un frisson nerveux le secoua.) Peter jamais, gémit-il.

Il commença à se balancer, répétant inlassablement son refrain. George regarda Clough et secoua la tête. Il se leva, revint vers la porte.

— On va vous apporter une tasse de thé, Peter.

Clough le suivit dans le couloir.

— Il cache quelque chose, assura George.

— Oui, mais ça n'a rien à voir avec Alison.

— Je n'en suis pas certain. Il faudrait déjà savoir pourquoi sa famille l'a renié. Ce devait être grave pour que sa propre sœur refuse de lui parler vingt ans après.

— Vous voulez qu'on le garde? demanda Clough, incapable de dissimuler ses doutes.

— Il le faut. Il est en sécurité ici, non? reprit-il, en se dirigeant vers le bureau de l'inspecteur-chef. Le patron est convaincu qu'il tient le coupable et ce n'est pas moi qui le ferai changer d'avis. Par ailleurs, il y a toujours des fuites dans un poste de police. La moitié de la ville va bientôt savoir que l'on interroge Peter Crowther à propos de la disparition. Je ne pense pas qu'actuellement, Waterswallows Lodgings, numéro 17, soit un très bon refuge.

Il ouvrit la porte du bureau et contempla son supérieur, la jambe posée sur une corbeille à papier, un quotidien du soir devant lui. La pièce conservait l'arôme du poisson-frites arrosé de vinaigre enveloppé dans du papier journal.

— Vous lui avez fait avouer où se trouve la fille? ronchonna Carver.

— Je ne crois pas qu'il le sache, monsieur, répondit George en espérant que sa voix ne trahissait pas son découragement.

Carver renifla.

— Voilà où ça mène, l'université ? Incroyable ! Je vous donne jusqu'à demain matin pour tirer les vers du nez de ce triste individu… (Il marqua une pause.) Il est toujours dans sa cellule, au moins ? Vous l'avez pas libéré ?

— Mr Crowther est encore en détention, monsieur.

— Bon. Je rentre chez moi maintenant. À vous de jouer. Si demain il a pas tout déballé, je reprends les rênes, dans le plâtre ou pas, et il crachera le morceau, je vous le garantis.

— Je n'en doute pas, monsieur. Il parlera. Maintenant, si vous voulez bien m'excuser, je dois retourner à Scardale.

George sortit du bureau avant que Carver puisse trouver d'autres arguments mettant en doute ses compétences.

— Alors, on y retourne ? demanda Clough, en suivant George jusqu'à la voiture. On repart à Scardale ?

— Oui, pour savoir ce qu'a fait Peter, dit George sèchement. Lui ne nous en parlera pas, alors mettons les gens de Scardale à contribution. Ils peuvent bien nous aider un peu !

# 9

George commençait à croire que l'image du chemin de Scardale ne le quitterait jamais. La voiture s'engouffrait dans l'étroit défilé plongé dans la pénombre d'un triste après-midi d'hiver. Le soleil ne parvenait décidément pas à percer la couche de nuages, pensa-t-il, en ralentissant à la vue du pré communal. Des hommes battaient la semelle autour de la caravane de la police. Des gobelets de thé s'élevaient des volutes de vapeur qui allaient se joindre aux spectres de la brume rampant dans la vallée. L'arrêt des recherches correspondait à la disparition de la lumière.

Silencieusement, George traversa le pré en direction de Tor Cottage. Il était grand temps que Ma' Lomas cesse de jouer un personnage de mélodrame victorien. Elle devait prendre ses responsabilités, cette matriarche ! Comprendre enfin ce qui pourrait arriver à Alison si elle, et sa vaste famille, continuaient de se taire.

Comme il contournait le tas de bois qui gênait l'accès au cottage, il buta sur un obstacle et manqua de tomber. Mais Clough lui attrapa le bras pour le retenir.

— Bon Dieu ! jura George, tentant de retrouver son équilibre.

Il découvrit derrière lui, dans l'ombre, Charlie Lomas, les quatre fers en l'air au milieu d'un effondrement de bûches.

— J'crois que vous m'avez cassé la cheville, gémit ce dernier.

— Qu'est-ce que vous foutiez là ? s'exclama George, se tâtant le bras à l'endroit où les doigts robustes de Clough s'étaient enfoncés.

— Je m'étais juste assis là. Pour être tranquille un moment. C'est pas un crime, non ?

Charlie se tortilla et parvint à se redresser. Il se frottait vigoureusement le visage du dos de la main. La fenêtre du cottage refléta un instant la lumière et George s'aperçut que les yeux du jeune homme brillaient de larmes. Difficile de l'imaginer agressant un chaton, à plus forte raison une adolescente.

— Pensiez à Alison ? demanda George simplement.

— C'est un peu tard pour me traiter comme un être humain, m'sieur. (Charlie, les épaules raidies, reprenait son attitude de défi.) Faut vous faire un dessin ? Alison, c'était ma cousine, ma famille. Vous en avez donc pas, vous ? Que vous comprenez pas qu'on est tous sous le choc ?

Les paroles de Charlie remuèrent George. Il avait vite appris qu'un bon policier devait occulter ses propres sentiments pour se protéger des chocs et des aspects déplaisants inhérents à sa profession. Dans l'ensemble, il avait édifié une digue solide. Parfois, cependant, sa vie personnelle et sa vie professionnelle s'entrechoquaient. Et, soudain, il se souvint qu'il avait appris la nuit d'avant qu'il aurait une autre personne à chérir.

Il ne put réprimer un sourire, bien qu'il remarquât le mépris dans les yeux de Charlie et l'étonnement dans ceux de Clough. Il prenait conscience que Anne portait en elle un enfant, pour son plus grand bonheur.

— Qu'est-ce qui est si marrant? lança Charlie.

— Il n'y a rien de drôle, répliqua George bougon, remettant le masque en place. Je pensais seulement à ma famille. Vous avez raison: ce serait un coup terrible si quelque chose leur arrivait. Veuillez m'excuser.

Charlie frotta ses habits.

— Ouais, c'est un peu tard. (Il détourna à demi la tête jusqu'à ce que ses yeux replongent dans l'ombre.) Vous cherchez qui? Moi ou grand-maman?

— Votre grand-mère. Elle est là?

— Pas encore rentrée.

— Rentrée? d'où?

— J'lai vue quand on revenait des fouilles. Elle traversait le champ juste entre l'endroit où on a trouvé Shep et où on était hier quand vous êtes tombé sur ce truc… (Charlie plissa le front comme s'il essayait d'extirper quelque chose d'enfoui dans sa tête.) Ouais, elle avait l'air de reprendre l'même chemin que le châtelain suivait mercredi à l'heure du thé.

Certaines combinaisons de mots semblent parfois arrêter la marche du monde. Comme le sens des paroles de Charlie pénétrait la conscience de George, il eut une impression de vertige tandis que ses pensées s'accéléraient. Il cligna des yeux, s'éclaircit la voix puis demanda en détachant les syllabes:

— Qu'est-ce que vous venez de dire, Charlie?

— Que grand-maman se promenait dans les champs… Comme si elle se dirigeait vers l'arrière du manoir.

Il avait à l'évidence décidé de ne pas tenir compte de la façon dont il avait été traité. L'intérêt d'Alison l'emportait. Il lui fallait aider ce flic bizarre qui ne ressemblait pas à ceux que l'on voyait dans les films au cinéma de Buxton.

George s'efforça de garder son sang-froid. Il se sentait capable d'empoigner Charlie à la gorge et de hurler. Il se contenta de reprendre :

— Vous avez dit qu'elle suivait le même chemin que le châtelain à l'heure du thé, mercredi ?

Le visage de Charlie se contracta.

— Ouais. Et pourquoi le châtelain se promène-rait pas dans ses champs ?

— Vous avez précisé : « mercredi, à l'heure du thé ».

— Juste. J'me le rappelle à cause de tout le foin qu'y a eu après. Quand on retrouvait plus Alison.

Les regards de George et de Clough se croisèrent. L'incrédulité d'un côté la colère de l'autre.

— On t'a déjà demandé si tu avais vu quelqu'un dans les champs ou dans les bois ce mercredi, gronda Clough.

— Jamais de la vie, répondit Charlie sur la défen-sive.

— Je t'ai interrogé moi-même, rétorqua Clough en insistant sur chaque syllabe.

— Non, non, jamais, affirma Charlie. Vous m'avez demandé si nous avions rencontré des étrangers, si j'avais remarqué quelque chose de pas ordinaire. J'avais vu ni l'un ni l'autre. Juste le châtelain se promenant sur ses terres, rien d'extraordinaire là-dedans. D'ailleurs ça avait pas de rapport avec Ali-son. Il faisait encore assez clair pour le reconnaître. Quand Alison est sortie, il faisait presque noir d'après vous. Et puis vous avez pas de raison de me parler comme ça. (Il redressa les épaules, essayant de paraître viril.) D'ailleurs, vous pensiez plus à m'accuser qu'à ce que je pouvais dire d'autre.

Écœuré, George se détourna et ferma les yeux un instant.

— Nous aurons besoin d'une déclaration écrite, affirma-t-il.

L'excitation qu'il ressentait à l'idée de cette nouvelle piste l'emportait peu à peu sur sa frustration. Que de temps perdu pourtant parce que les esprits frustes de Scardale s'en tenaient littéralement à la question posée.

— Allez à la chapelle méthodiste et dites à un des inspecteurs que je vous envoie. Donnez-lui tous les détails : l'heure, la direction prise par Mr Hawkin, s'il portait quelque chose, comment il était habillé. Faites ça maintenant, s'il vous plaît, Mr Lomas, avant que je cède à la tentation de vous arrêter pour entrave à une enquête de police.

Il jeta un coup d'œil par-dessus son épaule. Il vit les yeux de Charlie s'agrandir sous le coup de la panique.

— J'ai rien fait, se défendit-il d'une voix de petit garçon. I'm'a jamais demandé pour le châtelain.

— Je t'ai jamais posé la question pour le duc d'Édimbourg non plus, mais s'il se promenait dans les champs, je pense que tu me l'aurais raconté, rugit Clough. Et maintenant, bouge ton cul si tu veux pas que j'le botte.

Charlie les bouscula presque et, se mettant à courir, traversa le pré en direction d'une des Rover boueuses garées de l'autre côté.

— Vous les comprenez ces gens-là ? À se demander s'ils veulent retrouver Alison. (George soupira profondément.) Une conversation avec Hawkin s'impose. Il nous a menti et je veux savoir pourquoi. (Il jeta un coup d'œil à sa montre.) D'abord, en savoir un peu plus sur Peter Crowther.

— Selon ce que va nous dire Philip Hawkin, il n'est peut-être plus dans le coup, fit remarquer Clough.

— Vous pensez que c'est sérieux… Hawkin ?

Clough haussa les épaules.

— Si je crois qu'il en est capable ? Je n'en ai aucune idée, je lui ai à peine parlé. Mais il nous a menti. (Il fit le compte des possibilités sur ses doigts courts et épais.) Un : il a quelque chose à cacher, deux : il protège quelqu'un, trois : sa distraction est impardonnable.

Avant que George puisse répondre, le problème fut provisoirement résolu par l'arrivée de Ma' Lomas, emmitouflée dans un manteau épais, un foulard sur la tête. Elle redressa nerveusement la tête et constata :

— Vous m'bloquez le chemin.

Les deux hommes s'écartèrent puis elle s'avança vers sa porte sans le moindre remerciement.

— Nous devons avoir une conversation avec vous, déclara George.

— Moi, j'ai pas besoin d'vous parler, répliqua-t-elle, essayant d'introduire une grosse clef en fer dans la serrure. L'a jamais fallu fermer nos portes avant que Ruth Carter invite des étrangers.

La serrure émit une plainte métallique.

— Ce qui arrive à la chair de votre chair ne vous intéresse pas ? demanda George.

Elle lui fit face, les yeux à demi clos.

— Vous, vous savez r'in !

Puis elle ouvrit sa porte.

— Nous irons questionner le châtelain juste après vous, intervint Clough comme elle était sur le point de disparaître à l'intérieur. (Elle s'immobilisa sur le seuil, telle une souris devant la menace d'un faucon.) Nous sommes au courant, Mrs Lomas, il se promenait dans les champs comme vous maintenant. Nous devons rayer Peter Crowther de la liste des suspects s'il est innocent.

Elle demeura un moment pensive, tentant d'établir un rapport entre les deux phrases. Enfin, elle

162

redressa la tête et fixa Clough d'un regard calculateur.

— Vous f'riez mieux de rentrer, donc. Pensez à essuyer vos pieds. Et vous fumez pas. C'est mauvais pour ma poitrine.

Ils la suivirent dans un salon de dix mètres carrés au plus, une pièce sombre avec une unique fenêtre étroite, sentant vaguement le camphre et l'eucalyptus. Çà et là sur les carreaux de pierre, des tapis en patchwork aux couleurs passées. Une paire de fauteuils face à l'âtre était flanquée de deux éléments noirs en fonte de la taille d'une caisse de bière. Sur l'un d'eux trônait une bouilloire d'où une volute de vapeur s'élevait et disparaissait dans la cheminée. Contre le mur opposé, une desserte au plateau encombré de petits animaux sculptés dans le bois et de pierres crayeuses mal dégrossies où se distinguaient des empreintes fossiles. Dans la saillie de la fenêtre s'enfonçait une table, entourée de trois chaises en chêne noirci, aux dossiers droits avec des barreaux en échelle.

Des dizaines de cartes postales décoraient les murs, des cartes aux couleurs criardes où l'on découvrait aussi bien des plages espagnoles que des hôtels de ville scandinaves. Croisant le regard stupéfait de George, Ma' Lomas déclara :

— Sont à Charlie. Des cartes postales qui reçoit, pas vraiment des correspondants. C'est un rêveur, Charlie. C'qui me fait rire c'est qu'y a des dizaines de gens dans le monde entier qui regardent la carte postale de Scardale qu'a faite le châtelain, et y croient tous que la vie ici c'est p'tits moutons blancs et soleil toute la sainte journée.

En boitillant, elle alla s'installer sur une chaise. Ses épaules se soulevaient comme elle tentait de trouver une position confortable.

— Puis-je m'asseoir ? demanda George.

— Vous aimerez pas le fauteuil. (De la tête elle indiqua une chaise.) C'est meilleur pour votre dos.

Ils prirent les deux sièges, les installèrent face à elle tandis qu'elle se penchait pour tisonner les charbons jusqu'à ce qu'ils rougeoient.

— Peter Crowther est en détention à Buxton, annonça George quand elle parut enfin disponible.

— Ouais, je sais.

— Vous croyez que c'est une bonne chose ?

— C'est vous le flic, pas moi. J'suis qu'une vieille femme qu'est jamais sortie de sa vallée du Derbyshire.

— Nous pourrions encore perdre pas mal de temps en tentant de trouver le rapport entre Peter Crowther et Alison, continua George, sans tenir compte de la dérobade. Du temps qui serait mieux employé à la rechercher.

— J'vous l'répète, ce qui va pas chez vous c'est que vous comprenez rien à not' coin, dit-elle, irritée.

— J'essaie de comprendre. Mais les gens de Scardale ont plutôt l'air de vouloir me retarder que de m'aider. Je viens juste de découvrir que votre petit-fils avait omis de mentionner un fait qui pourrait se révéler capital.

— Y a rien d'étonnant d'la façon dont vous avez traité ce gars. Et pas un de vous qu'a eu le bon sens de lui demander s'il avait un rapport avec la disparition d'Alison. Et c'était pas le cas. Parce que quand elle a disparu, il était là dans cette maison avec moi. Vous appelez ça un alibi, hein ? siffla-t-elle méprisante.

— Vous en êtes sûre ?

— Je suis peut-être vieille, mais pas gâteuse. Charlie est arrivé juste avant 16 h 30 et a commencé à éplucher les pommes de terre. Avec mon arthrite, je peux pas, c'est lui qui doit le faire. Tous les soirs, c'est pareil. Il pouvait pas être avec Alison, il était ici, il s'occupait de moi.

— Nous aurions gagné beaucoup de temps si vous ou Charlie aviez jugé bon de nous le dire, soupira George. Dans les affaires de disparitions d'enfants, les premières quarante-huit heures sont cruciales. Elles sont presque passées et nous ne savons toujours pas où chercher une jeune fille qui est de votre sang. (La frustration fit hausser la voix à George.) Mrs Lomas, je jure que je vais retrouver Alison Carter. Tôt ou tard je saurai ce qui s'est passé ici il y a deux jours. Même si je dois fouiller du haut en bas chaque maison du village ou creuser tous les champs et les jardins de la vallée, et au diable vos récoltes et votre bétail ! Et si je dois tous vous arrêter pour entrave à l'enquête ou complicité d'homicide, je le ferai ! (Il s'arrêta abruptement, se pencha en avant.) Alors dites-moi. Croyez-vous que Peter Crowther a quelque chose à voir avec cette disparition ?

Elle secoua la tête, exaspérée.

— Pas qu'je sache, et j'suis au courant de tout ce qui se passe dans le coin. Peter a pas remis les pieds dans la vallée depuis la fin de la guerre. J'crois même pas qu'il connaît l'existence d'Alison. Et je jurerais sur la Bible qu'elle a jamais entendu son nom.

Ses lèvres se serrèrent, son nez et son menton se refermèrent telles les pointes d'un compas.

— Nous ne pouvons pas en être sûrs. La fillette allait à l'école à Buxton. Elle ressemble à sa mère. N'oubliez pas que Mrs Hawkin devait avoir à peu près l'âge d'Alison quand son frère vivait encore là. Pour quelqu'un qui n'a pas toute sa tête, croiser Alison dans la rue peut réveiller toutes sortes de souvenirs.

Ma'Lomas croisa les bras sur sa poitrine et secoua vigoureusement la tête.

— J'peux pas y croire, j'y crois pas.

— Nous devons donc interroger Peter Crowther, Mrs Lomas ?

Devant sa détresse évidente, la voix de George avait retrouvé son amabilité.

— S'il avait mis les pieds dans la vallée, on l'aurait tous su. D'ailleurs il devait être au boulot, ajouta-t-elle accablée.

— Ils ont leur mercredi après-midi. Il aurait pu se trouver là, Mrs Lomas. Mais qu'a donc fait Peter qui lui a valu d'être exclu ?

— Ça regarde plus personne maintenant, affirma-t-elle, reprenant de la vigueur.

Elle fermait à demi les yeux, gênée par la lueur du foyer.

— Il faut que je sache, insista George.

— C'est pas nécessaire.

Tommy Clough se pencha en avant, les coudes sur les genoux, son carnet pendant entre ses mollets. George lui envia son aptitude à paraître calme alors qu'une telle tension régnait.

— Je crois pas que Peter pourrait faire du mal à une mouche. Malheureusement c'est pas moi qui commande. Il se pourrait que Peter reste à l'ombre un bout de temps. Une femme comme vous, Mrs Lomas, qui a jamais vécu hors de sa vallée, comment pourrait-elle savoir ce que font les prisonniers aux violeurs d'enfants ? Ce qu'ils font a de quoi rendre fou un homme sain d'esprit. Ils se pendent aux barreaux de leur cellule. Ils avalent de l'eau de Javel. Ils se couperaient les poignets avec leur couteau à pain si quelqu'un d'assez cinglé leur en donnait. On usera et abusera de votre Peter pire que d'une prostituée pendant la guerre. Je ne crois pas que c'est ce que vous voulez pour lui. Vous ou quiconque dans Scardale. Peut-être il y a vingt ans, mais vous l'avez laissé partir. Vous lui avez permis de bâtir sa petite vie. Alors pourquoi se taire maintenant et le laisser la perdre ?

La force de persuasion de la tirade n'eut aucun effet.

— J'peux pas vous l'dire.

George repoussa bruyamment sa chaise, les pieds grinçant sur le carrelage.

— Je n'ai plus de temps à perdre. Si vous ne voulez pas sauver Peter Crowther ou retrouver Alison, je m'adresserai à quelqu'un de plus bavard. Je suis sûr que Mrs Hawkin nous dira tout ce que nous voulons savoir. Après tout, c'est son frère.

Ma' Lomas releva la tête d'un coup comme si on lui avait tiré les cheveux. Ses yeux s'écarquillèrent.

— Pas Ruth. Non, il faut pas. Pas Ruth !

— Et pourquoi pas ? demanda George, laissant filtrer sa colère. Elle veut retrouver Alison. Elle ne supportera pas que nous perdions du temps sur de fausses pistes. Elle nous dira tout ce que nous voulons savoir, croyez-moi.

Elle le fusilla du regard, son visage de sorcière aussi malveillant qu'un masque d'Halloween.

— Asseyez-vous, siffla-t-elle.

Un commandement plus qu'une invitation. George battit en retraite. Ma'Lomas se leva et, d'une démarche incertaine, alla ouvrir la desserte, en sortit une bouteille au contenu aussi incolore que le gin pourtant étiqueté whisky. Elle en remplit un verre à porto qu'elle avala d'un trait et toussa deux fois, d'une toux sèche, en haussant les épaules. Enfin, elle leur fit face, les yeux humides.

— Peter a toujours été un problème, articula-t-elle. Il a toujours eu l'esprit mal tourné. (Elle revint à sa chaise.) Un vrai vicieux. Dans les champs, il quittait pas des yeux les bêtes qui s'accouplaient. Plus y grandissait, pire c'était. Quand y avait des amoureux, fallait qu'il les suive, qui soient de sa propre famille, peu importe, il voulait tout voir. Vous saviez quand le bélier montait les brebis, vous entriez dans l'bois et vous trouviez Peter sa… (Elle s'arrêta, pinça les lèvres, reprit:)… sa chose à la main, les yeux sortis de la tête, perdant pas une miette du spectacle. On l'a giflé, on lui a crié dessus, on lui a botté le train, rien n'y faisait. Peu à peu on y avait renoncé, ça paraissait pas si grave et dans un endroit comme Scardale, faut apprendre à supporter ce que vous pouvez pas guérir.

Elle soupira, les yeux fixés sur le feu.

— Puis Ruth commença de changer : elle était plus une petite fille, elle devenait une demoiselle. Peter, on l'aurait dit envoûté. Il la suivait comme un chien qui renifle une femelle en chaleur. Dan l'a surpris bien des fois grimpé sur une échelle sous la fenêtre de Ruth. Il l'observait par une fente dans le rideau. On a tous essayé d'lui faire entendre raison. Sa propre sœur ! Ça pouvait pas continuer… Il entendait rien. À la fin, Dan lui a fait quitter leur maison et dormir, ici, dans mon cottage.

Ma' Lomas prit une pause, frotta ses paupières. Ni George ni Clough ne bougeaient, décidés à laisser l'histoire suivre son cours.

— Un soir, Dan revenait de Longnor. Il avait été boire un coup. C'était la guerre à cette époque-là et fallait respecter l'couvre-feu. Dès qu'il est arrivé dans la vallée, il a r'marqué une lumière qui brillait comme une balise. Il a pédalé aussi vite que possible. Il voulait seulement prévenir et éviter une amende à la personne négligente si l'policier de Longnor s'en apercevait. En approchant il s'aperçut que la lumière venait de sa propre maison alors il a pédalé encore plus fort. Surtout quand il a reconnu la fenêtre de Ruth. Il savait que Diane restait seule avec Ruth et i'pensait que que'que chose de terrible était arrivé à l'une ou à l'autre. (Ma' Lomas observa ses auditeurs passionnés.) Eh ben, il avait à la fois tort et raison.

« Il s'est précipité dans la maison comme une tornade, et, en rugissant, il a ouvert tout grand la porte de Ruth. Et là, y avait Peter debout à côté du lit d'Ruth, l'pantalon sur les chevilles, la lanterne projetant l'ombre d'sa chose sur le plafond qu'on aurait dite un manche à balai. La fille dormait à poings fermés, mais le vacarme qu'avait fait Dan en entrant l'a réveillée. Elle a dû penser qu'elle faisait un cauchemar. (La vieille femme secoua la tête.) J'l'ai entendue hurler de l'autre côté du pré. Et, ensuite, c'est Peter que j'ai entendu gueuler. Il a fallu trois hommes pour maîtriser Dan.

« D'abord, j'ai cru qu'Peter était mort. Couvert de sang qu'il était, comme un veau qui sort de travers du ventre de sa mère. On l'a enfermé dans une étable jusqu'à ce qui s'remette, puis not' châtelain, le vieux Castleton, a réussi à l'faire inscrire au foyer à Buxton. Dan il lui a promis que si jamais il approchait encore de Ruth, il le tuerait de ses propres mains. Peter l'a cru à l'époque et il le croit encore.

« J'sais ben qu'vous allez penser que c'que je viens d'vous raconter accuse Peter. Qu'il aura cru voir Ruth dans Alison et lui a fait quelque chose de terrible. Mais vous auriez tort. C'est l'contraire. Si vous voulez qu'Peter Crowther rampe par terre en suppliant qu'on l'épargne, allez lui dire que Ruth et Dan le recherchent. S'il y a un endroit où il ira pas, c'est Scardale. Une personne qui voudra pas voir, c'est une de Scardale. J'vous en donne ma parole.

Elle se rencogna sur sa chaise. Son récit était terminé. La tradition orale ne mourrait pas, pensa George, tant que vivrait Ma' Lomas. Elle incarnait l'Ancienne, celle qui détient et préserve l'histoire de la tribu. Il ne se serait jamais attendu à rencontrer une telle femme en 1963 dans le Derbyshire.

— Merci, Mrs Lomas, pour vos explications, dit-il très poliment. Vous nous avez été d'un grand secours. Une chose encore avant que nous vous laissions tranquille. Charlie nous a affirmé avoir aperçu Mr Hawkin dans le pré entre le bois et le boqueteau, mercredi après-midi. Il a également affirmé que vous refaisiez le même chemin tout à l'heure. Vous auriez donc vu, vous aussi, le châtelain ?

Les yeux brillants comme ceux d'un perroquet, elle le regarda d'un air calculateur :

— Non, pas après qu'Alison a disparu, non.

— Mais avant ?

— Je venais de prendre une tasse de thé avec notre Diane. Quand j'suis sortie, Kathy montait dans la Land Rover. Elle allait chercher Alison, Janet et Derek à l'arrêt du car. J'ai vu David et Brian qui ramenaient les vaches des champs et l'châtelain qui traversait l'champ.

— Pourquoi ne pas l'avoir dit plus tôt ? s'exclama George, exaspéré.

— Et pourquoi j'l'aurais fait ? Y'avait rien d'extraordinaire là-d'dans. C'est ses champs, pourquoi i's'y promènerait pas ? Il est toujours à rôder, à prendre ses photos quand on s'y attend pas. D'ailleurs, Alison était pas encore rentrée de l'école. I'se serait vraiment traîné pour être encore dans les champs quand elle est partie avec Shep. Et, par ce temps, personne traîne à Scardale, ajouta-t-elle d'un ton péremptoire, comme si pour elle la discussion était close.

George inspira profondément puis ferma les yeux. Quand il les rouvrit, il aurait pu jurer qu'un sourire relevait les commissures de la bouche de la vieille dame.

— Je vais faire rédiger votre témoignage, j'espère que vous voudrez bien le signer.

— S'il est fidèle, je l'ferai. Vous allez libérer Peter maintenant ?

George se leva et remit la chaise en place sous la table.

— Au moment de la décision, nous prendrons en considération tout ce que vous nous avez révélé.

— C'est pas un violent, inspecteur. Même s'il a vu Alison et qu'elle lui a rappelé Ruth, elle aurait eu qu'à l'repousser. C'est un lâche. Perdez pas votre temps avec Peter. Laissez pas l'coupable s'échapper.

— Il semblerait que votre opinion soit faite. Mais quelqu'un est forcément responsable de ce qui est arrivé à Alison, constata Clough, se levant à son tour mais gardant volontairement son carnet ouvert.

Son visage parut se refermer, les yeux rétrécis, la bouche pincée, le nez froncé.

— C'que je pense et c'que vous savez, c'est deux choses très différentes. Voyez si vous pouvez pas les rapprocher, sergent Clough. P't-être qu'alors on saura c'qui est arrivé à la gamine. (Elle jeta un coup d'œil à la pendule.) J'croyais que vous deviez causer au châtelain ?

— On y va, dit George.

— Feriez mieux de pas traîner. Il lui faut son dîner sur la table à 6 heures pile. J'le vois pas changer ses habitudes pour vous faire plaisir.

Elle ne les raccompagna pas à la porte.

— Alors, qu'en pensez-vous, Tommy ? demanda George une fois dehors.

— Elle dit la vérité, la sienne, chef.

— Et l'alibi de Charlie ?

Clough haussa les épaules :

— Pour lui, elle mentirait. Ça ne fait aucun doute. Mais tant qu'on n'a pas trouvé quelqu'un qui nous dise le contraire, ou une preuve plus convaincante, nous n'avons aucune raison de ne pas la croire ; et pour ce qui est de Crowther, j'suis d'accord avec elle mais reste à savoir…

— Je suis aussi d'accord.

George se passa la main sur le visage ; sa peau était rêche, ses os saillants. La fatigue. Il soupira.

— Nous devrions le laisser partir, chef, conseilla Clough, pêchant des cigarettes dans sa poche et en offrant une à George. Il va pas s'enfuir. Il n'a nulle part où aller. Je pourrais appeler le poste de la cabine téléphonique et leur dire de le mettre en liberté provisoire, sous conditions bien sûr. Présentation tous les jours. Pas sortir de Buxton. On n'a vraiment pas besoin de le garder.

— Nous ne risquons pas qu'il se fasse lyncher ?

— Plus nous le gardons, pire ça sera pour lui. Nous pourrions suggérer aux collègues de tuyauter les journalistes. Il a jamais été un suspect. On l'a amené au poste parce qu'il est vulnérable et comme il était de la famille d'Alison, on voulait l'interroger en toute tranquillité, ou une connerie de ce style. Et on pourrait suggérer aussi de passer la consigne dans les pubs.

La mâchoire de Clough s'avançait, résolue et, après tout, son raisonnement se tenait. George, enfin, était trop fatigué pour discuter d'un cas qui ne lui tenait pas à cœur.

— D'accord, Tommy. Vous les appelez et vous dites que ce sont mes ordres. Mais qu'ils n'oublient pas d'informer l'inspecteur-chef. Il ne va pas aimer, mais il faudra bien qu'il avale la pilule. Je vous retrouve à la caravane. Si je ne mange pas quelque chose de chaud, je tomberai tout raide avant même de tirer un mot du châtelain.

George n'attendit même pas une réponse. Il traversa le pré. Pas le moindre pressentiment ne le fit se retourner et surseoir à l'initiative du sergent Clough. Après tout, ce dernier savait ce qu'il faisait. Et l'instinct de Ma' Lomas lui-même ne s'était pas insurgé contre la libération de Peter Crowther.

Ce fardeau leur revenait également à tous trois.

# 10

*Vendredi 13 décembre 1963, 17 h 52*

Ruth Hawkin vint ouvrir la porte de la cuisine de Scardale en s'essuyant les mains sur son tablier. Une lueur d'espoir brilla fugitivement dans ses yeux, rapidement dissipée par l'expression de leurs visages. La peur revint, accablante.

À en juger par ses cernes, sa mine fripée et la pâleur de sa peau, l'angoisse ne l'avait pas laissée en paix depuis deux jours. Quand il perçut sa détresse, George dit très vite :

— Rien de vraiment neuf, Mrs Hawkin, j'en suis navré. Pouvons-nous entrer un instant ?

Ruth s'écarta sans un mot. Ses mains continuaient de frotter le tissu à fleurs de son tablier. Elle avait les épaules tombantes, ses mouvements étaient lents et distraits. George et Clough la frôlèrent et se figèrent gauchement au milieu de la cuisine. L'odeur caractéristique de steak et de rognons qui flottait dans l'air réveilla l'appétit des deux hommes. George eut une pensée pour ce que lui avait préparé Anne au cas où il pourrait rentrer. De toute façon, depuis le temps, le petit plat mijoté devait s'être desséché.

— Votre mari est là ? demanda-t-il. En fait, c'est lui que nous sommes venus voir.

— Il a passé sa journée dehors avec une équipe

174

de recherche. Il est rentré épuisé. Il prend un bain. Est-ce que je peux vous aider?

— Ce n'est pas très important, mais nous devons lui poser quelques questions.

Elle jeta un coup d'œil au réveil cabossé sur une étagère près de la cuisinière.

— Il va descendre prendre son thé dans dix minutes. (Elle se mordit le coin droit de la lèvre, révélant ainsi son angoisse.) Je préférerais que vous repassiez dans un quart d'heure, après qu'il a mangé. Vers 6 heures et demie? Je lui dirai de vous attendre.

Elle eut un sourire nerveux.

— Si ça ne vous ennuie pas de retarder son repas, Mrs Hawkin, nous parlerons à votre mari quand il descendra, annonça George avec douceur. Nous ne voulons pas perdre de temps.

Son visage se contracta.

— Vous croyez que je ne le comprends pas? Mais il aura besoin de manger après avoir passé tout l'après-midi dehors.

— J'en suis conscient, mais nous ferons aussi vite que possible.

— Faire quoi aussi vite que possible, inspecteur?

George se retourna. Il n'avait pas entendu Hawkin ouvrir la porte derrière lui. Le châtelain portait une robe de chambre en poil de chameau sur un pyjama rayé. Sa peau était rosie par le bain, ses cheveux lissés sur le crâne. Une main enfoncée dans une poche, l'autre tenant une cigarette, il affectait une pose qui serait passée pour élégante dans un théâtre à la mode, mais semblait ridicule dans une cuisine de ferme. George le salua de la tête.

— Il faudrait nous consacrer quelques minutes, Mr Hawkin.

— Je vais prendre mon repas, inspecteur, répliqua-t-il, irrité. Je pense que ma femme vous a prévenu. Vous pourriez revenir plus tard?

Intéressant, pensa George, que Hawkin n'ait même pas demandé s'ils étaient porteurs de nouvelles. Pas la moindre mention d'Alison, il ne semblait pas se soucier d'autre chose que de se remplir le ventre.

— Je crains que non, monsieur. Comme je l'ai déjà indiqué, dans des enquêtes de cette nature, le temps joue un rôle essentiel. Si cela ne dérange pas trop Mrs Hawkin, elle pourrait vous garder votre dîner au chaud pendant que nous vous posons une ou deux questions.

Hawkin poussa un soupir théâtral.

— Ruth, tu as entendu l'inspecteur.

Il s'avança vers la table en attrapant une chaise.

— Pourrions-nous aller ailleurs, monsieur? dit George.

Les sourcils de Hawkin se levèrent.

— Que voulez-vous dire?

— Nous préférons interroger les témoins séparément. Votre femme étant occupée ici, il serait raisonnable de trouver un autre endroit. Dans le salon, peut-être?

Si la voix de George demeurait parfaitement polie, elle n'était pas moins ferme.

— Je n'irai pas dans le salon. C'est une vraie chambre froide et je n'ai pas l'intention d'attraper une pneumonie à cause de vous. (D'une esquisse de sourire, il tenta d'adoucir cette prise de position.) Mon bureau est mieux chauffé, ajouta-t-il, se dirigeant vers la porte.

Ils le suivirent dans le vestibule glacé jusqu'à une pièce qui ressemblait à un club de gentleman. Une paire de fauteuils en cuir était disposée autour d'un âtre où était tapi un radiateur à pétrole. Mais c'est vers un second radiateur placé sous la fenêtre que se dirigea Hawkin. Un grand bureau recouvert de cuir marqué de griffures, décoré de presse-papiers ornementaux, occupait l'autre bout de la pièce. Sur les rayonnages en acajou s'alignaient des livres reliés en cuir dont la taille variait du grand registre à l'agenda de poche. Le parquet, usé par les années, était en partie caché par un tapis turc aux couleurs passées. Près de la porte, un ratelier contenait une paire assortie de fusils de chasse. George, bien qu'ignorant en matière d'armes, y reconnut des pièces de collection.

— Un bien beau bureau, monsieur, admit-il, se dirigeant vers le fauteuil en face de Hawkin.

— Je ne crois pas que mon oncle ait touché à quoi que ce soit. Tout date du grand-père. J'ai l'intention d'apporter une touche plus moderne. Me débarrasser de ce vieux bureau fatigué et remplacer quelques-uns de ces bouquins par des ouvrages plus récents. Il me faut un endroit pour ranger mes albums de photographies et mes négatifs.

George se mordit la langue. Il aurait aimé disposer d'une pièce comme celle-ci, qui fleurait bon le passé et qu'il aurait pu léguer à un fils. S'il avait la chance d'avoir un fils. De sorte que les intentions de Hawkin lui déplaisaient, bien qu'il sût que ce n'était pas son affaire. Mais cela ne contribuait pas à lui rendre cet homme sympathique. Il jeta un coup d'œil à Clough qui, installé sur la chaise du bureau, tenait déjà le carnet ouvert et le crayon prêt. Le sergent lui adressa un signe de tête. George s'éclaircit la voix, souhaitant avoir l'autorité que confèrent les années.

— Avant d'en venir à la raison principale de notre visite, monsieur, je voulais vérifier que vous n'avez reçu aucune demande de rançon.

Hawkin fronça les sourcils :

— Qui pourrait imaginer que je suis riche à ce point-là, inspecteur ? Parce que je possède un bout de terre ?

— Les gens se font souvent des idées, monsieur. Et depuis l'annonce du kidnapping Sinatra, il ne faut pas négliger cette possibilité.

Hawkin secoua la tête tristement :

— Rien de tel. Pas de lettres, pas d'appel téléphonique. Nous avons reçu aujourd'hui du courrier d'habitants de Buxton qui ont entendu parler de la disparition d'Alison, mais pour nous faire part de leur sympathie, pas pour nous soutirer de l'argent. Vous pouvez y jeter un coup d'œil ; tout est sur le buffet dans la cuisine.

— Si c'était le cas, il faudrait nous en informer. Même si l'on exige votre silence, pensez à Alison, prévenez-nous. Il nous faut votre coopération.

Hawkin eut un rire nerveux.

— Écoutez-moi, inspecteur, si quelqu'un croit qu'il peut mettre la main sur mon argent en enlevant ma belle-fille, il se fourre le doigt dans l'œil. Vous pouvez être certain que je vous préviendrai immédiatement si l'on est assez bête pour imaginer que je vais payer une rançon. Mais, à propos, pourquoi vouliez-vous me voir ? J'ai parcouru la vallée tout l'après-midi et je suis affamé.

— Nous avons relevé des divergences entre certains témoignages et nous voulions les éclaircir. Trouver Alison demeure notre priorité absolue, de sorte que tout malentendu doit être immédiatement dissipé.

— Sans aucun doute, approuva Hawkin, se détournant pour écraser sa cigarette dans un cendrier perché sur une pile de journaux.

— Vous avez déclaré que l'après-midi de la disparition d'Alison, vous étiez dans votre chambre noire ?

Hawkin inclina la tête de côté.

— Oui, dit-il, perplexe, le regard méfiant.

— Tout l'après-midi ?

— L'heure à laquelle je me trouvais dans ma chambre noire ? Quelle importance cela peut-il avoir ? Je ne comprends pas le rapport entre mes activités de l'après-midi et Alison.

— Si vous voulez bien me répondre, nous pourrons résoudre ce problème très rapidement. Pouvez-vous nous dire quand vous êtes entré dans votre chambre noire ?

De l'index, Hawkin frotta l'arête de son nez.

— Nous avons déjeuné à midi et demi comme d'habitude, puis je suis venu ici lire le journal. Un des inconvénients de la vie campagnarde : la poste ou le journal du matin arrivent rarement avant midi. J'ai donc mon petit rituel. Après le déjeuner, je me retire dans ce bureau. Je m'occupe du courrier, je lis l'*Express*. Mercredi j'avais quelques réponses à rédiger. J'ai donc dû me rendre dans mon labo vers 2 heures et demie. C'est un petit bâtiment sur l'arrière du manoir où il y avait déjà l'eau courante. Je l'ai simplement fait transformer. Vous vous intéressez à la photographie, inspecteur ? Je vous promets qu'il n'y a pas mieux équipé que mon petit labo privé.

Le sourire de Hawkin était le plus candide que George ait jamais vu sur son visage.

— J'aimerais y jeter un coup d'œil plus tard, avec votre permission.

— Vous êtes le bienvenu. Vos gars en uniforme y sont allés la nuit de la disparition d'Alison. Ils vérifiaient qu'elle ne s'y cachait pas, mais j'ai expliqué que je ferme mon local à clef. À cause de l'équipement. Mais surtout, ne vous gênez pas et si vous avez besoin de photographies professionnelles… (De la tête, Hawkin indiqua l'anneau d'or brillant à l'annulaire de George.) Peut-être un portrait de vous et de votre femme ?

La pensée du charme reptilien de Hawkin centré sur Anne, même par l'entremise d'un objectif photographique, fit éprouver à George un sentiment de répugnance disproportionné. Dissimulant son dégoût, il se contenta de dire :

— C'est une proposition très aimable, monsieur. Mais revenons à mercredi après-midi. Vous nous avez confié que vous vous êtes rendu dans votre chambre noire vers 14 h 30. Combien de temps y êtes-vous resté ?

Hawkin, les sourcils froncés, chercha ses cigarettes.

— J'avais un tas d'épreuves en retard à tirer. C'était pour un concours, il fallait donc veiller particulièrement au tirage. Je ne suis pas rentré avant l'heure du dîner. J'ai trouvé ma femme et Kathy Lomas se rongeant les sangs à propos d'Alison. Je réponds à votre question, inspecteur ?

— Cela répond à ma question mais ne simplifie pas le problème. Comprenez-nous, monsieur, vous avez été vu en promenade, du bois où nous avons trouvé Shep au boqueteau où furent découvertes des traces de lutte impliquant Alison, approximativement vers 16 heures. Comment expliquez-vous ces témoignages ?

Les oreilles et les joues de Hawkin tournèrent au rouge écarlate.

— Comment je les explique ? Ce sont des paysans stupides, inspecteur !

George se carra sur son siège, surpris par la violence de la réaction de Hawkin.

— Vous pouvez répéter ?

— Ils se marient entre eux depuis des siècles, inspecteur. Imaginez un village avec trois noms de famille. Vous les voyez participer à l'émission *Top of the Form* ? Ils savent à peine en quelle année nous sommes, et quant au jour... Rien d'étonnant si l'un de ces demeurés a confondu mardi et mercredi... faut-il prendre cela au sérieux ? Comprenez-moi bien, inspecteur, mon oncle a passé le plus clair de son existence à s'occuper de ce village parce qu'il savait que sans la protection du châtelain, les gens de Scardale ne survivraient pas. Ils n'ont pas de défense face au monde d'aujourd'hui...

Apparemment, Hawkin avait craché tout son venin. Il se passa la main dans les cheveux, et arbora un de ses fameux sourires en coin.

— Vous pouvez me croire, inspecteur, je ne suis jamais sorti de ma chambre noire mercredi après-midi. Quiconque vous a affirmé le contraire s'est trompé.

Clough intervint, relayant à la perfection son partenaire, avec la maestria d'un acteur confirmé. Comme s'il s'excusait, tout en paraissant chercher les pages dans son carnet, il déclara :

— Monsieur, c'est que nous disposons de deux dépositions. Deux personnes déclarent vous avoir vu au même endroit et à la même heure. Ah, si nous n'avions qu'un seul témoin, nous pourrions nous satisfaire de vos explications, parce que nous en voyons de belles depuis deux jours. Mais deux ? Voilà qui est plus ennuyeux.

Cette fois, le sourire de Hawkin parut plus authentique. Et, pour la première fois, George eut l'intuition de ce qui avait pu séduire une veuve de Scardale, comme Ruth Carter. Quand il souriait ainsi, Hawkin possédait le charme un rien diabolique d'un David Niven jeune, et la même aisance, pensa aussitôt George, comme Hawkin leur offrait à tous deux des cigarettes d'un geste étudié.

— Heureusement, il y a une explication, reprit ce dernier, parfaitement raisonnable.

Il affectait de prendre la situation à la légère.

— Laquelle ? demanda George, se penchant pour accepter du feu, sans quitter Hawkin des yeux.

— Je parcours souvent la vallée pour prendre des photos. Je m'assure que tout est en ordre sur mes terres. Il faut leur mettre la pression constamment sinon les murs de clôture ne seraient plus que des tas de cailloux. Et quant aux barrières... (Il pinça les lèvres, hocha la tête.) Bon, reprenons, il est vrai que mardi je me trouvais dans le champ dont vous parlez. Donc deux villageois m'y ont vu. Après la disparition d'Alison, ils ont dû oublier quel jour c'était. Si j'avais été un Carter, un Crowther ou un Lomas, ils m'auraient accordé le bénéfice du doute et ils seraient tous tombés d'accord sur le mardi. Mais je ne suis pas d'ici, alors ils sont disposés à me prêter les plus noires intentions. D'autant qu'ils se comportent comme des enfants, toujours prêts à faire les intéressants. Donc, s'il y avait encore un doute dans ce qui leur tient lieu de cervelle, ils ont tranché. Ils ont adopté la version qui fait de moi un méchant...

Hawkin se carra sur son siège, croisa les jambes, révélant une cheville osseuse et quelques pouces de peau blanche et velue entre le pyjama et la pantoufle.

— Vous êtes donc certain que vous n'êtes pas sorti ce mercredi ? demanda George.

— Je suis formel.

— Vous voudrez bien signer une déclaration en ce sens.

Tous les discours de Hawkin n'avaient pas convaincu George que Ma' Lomas et Charlie se trompaient, mais c'était leur parole contre la sienne. Et il savait trop lequel on croirait ! Deux minutes plus tard, ils revenaient dans la cuisine. Ruth Hawkin, assise à la table, la cigarette oubliée dans le cendrier devenue un cylindre de cendre, regardait fixement la une d'un journal, la main plaquée sur la bouche.

— Mais qu'est-ce que tu as ? demanda Hawkin, sa voix trahissant une inquiétude inhabituelle envers sa femme.

Sans un mot, elle poussa le journal vers les trois hommes. C'était le *High Peak Courant* paru l'après-midi même. George fixa le gros titre puis lut, incrédule.

DISPARITION D'UNE ÉCOLIÈRE
ARRESTATION D'UN MEMBRE DE SA FAMILLE

Un homme est actuellement interrogé par la police de Buxton dans le cadre de l'enquête sur la disparition d'Alison Carter, une écolière de Scardale. L'homme serait un parent de la fillette – âgée de 13 ans – qui n'a pas réapparu depuis mercredi soir. Alison était sortie promener son colley Shep dans les bois près de la rivière Scarlaston comme souvent à son retour de l'école. La police, aidée de chiens pisteurs, a conduit des recherches intensives dans cette vallée isolée. Les fermiers des alentours ont fouillé les granges et l'équipe des sauveteurs de High Peak mountain a sondé les fissures où Alison aurait pu tomber. Les recherches doivent se poursuivre pendant le week-end. Les volontaires sont appelés à se rassembler à la chapelle méthodiste sur la B8673 à la sortie sud de Longnor, à 8h30, samedi matin. L'homme arrêté serait un proche parent d'Alison Carter qui connaîtrait fort bien le secteur de Scardale, bien qu'il n'y vive plus depuis vingt ans. Il semblerait qu'il soit actuellement pensionnaire du foyer pour célibataires aux abords de Buxton. Il travaillerait dans un atelier en ville, où la police serait venue le chercher ce matin même. Le porte-parole de la police a refusé de confirmer ou de réfuter nos informations, se contentant de déclarer que l'enquête se poursuit dans différentes directions. Parmi les personnes interrogées figurent les camarades de classe d'Alison au collège de filles de Peak...

George ne parvenait pas à croire ce qu'il lisait. L'inspecteur-chef Carver, avide de notoriété sans doute, n'avait pas perdu de temps pour laisser filtrer l'information. Il avait dû téléphoner au journal local avant même que Peter Crowther soit arrivé au poste. George sentait son cœur cogner : lui et Clough avaient tenté de protéger Crowther. Ils n'avaient pas tenu compte des fuites éventuelles et de la parution imminente de l'hebdomadaire *Courant*. Le journal circulait actuellement dans les rues de Buxton.

Peter aussi.

Puis son regard se porta sur le visage défait de Ruth Hawkin et il se souvint que sa colère devrait attendre.

— Je suis vraiment navré, dit-il. Nous n'avons aucune raison de croire qu'il ait un rapport quelconque avec la disparition d'Alison, d'ailleurs nous l'avons relâché. Cette information n'aurait jamais dû paraître.

— De quoi parlez-vous ? demanda Hawkin, l'air déconcerté.

Il s'empara du journal, lut les premiers paragraphes.

— Je ne comprends pas. C'est qui ce parent sous les verrous ? Pourquoi n'avons-nous pas été prévenus ? Et pourquoi m'accabler alors que vous avez déjà arrêté quelqu'un ?

— Voilà bien des questions, monsieur. Prenons-les dans l'ordre. L'homme auquel cet article fait allusion est le frère de votre femme, Peter Crowther.

— Allons donc ! son frère s'appelle Daniel ! s'insurgea Hawkin.

— L'autre frère de Mrs Hawkin se prénomme Peter, reprit George.

Hawkin foudroya sa femme du regard :

— Quel autre frère, Ruth ?

Dans sa voix transparaissait la même tension que sur la ligne d'un pêcheur ferrant un saumon.

Incapable de parler, elle remua la tête. George vint à son secours :

— Peter Crowther n'avait pas sa place ici. Sa famille est parvenue à lui trouver un travail et un logis à Buxton. Il ne s'est pas approché de Scardale depuis vingt ans et il n'y a aucune raison de penser qu'il s'y trouvait mercredi.

— Mais vous l'avez arrêté ! objecta Hawkin.

— L'article n'avance pas vraiment cela, répliqua George conscient de son hypocrisie. Il fait état de rumeurs et se contente de le suggérer. Peter Crowther a été conduit au poste parce que mon supérieur pensait qu'il serait plus commode de l'interroger là plutôt que sur son lieu de travail, ou dans la chambre qu'il partage avec un autre pensionnaire. Après cet interrogatoire, il est reparti libre. (Il se retourna vers Ruth et vint s'asseoir sur la chaise à côté d'elle.) Je suis vraiment désolé, Mrs Hawkin. Connaissant son passé, nous n'avions pas l'intention de vous troubler. Faut-il que nous expliquions son histoire à votre mari ou souhaitez-vous le faire vous-même ?

Elle secoua négativement la tête. La main chercha à atteindre la cigarette, et parut surprise de ne trouver que de la cendre. Clough lui en tendit alors une autre, allumée.

— Demande à Ma', s'il te plaît, dit-elle d'un ton las, jetant un regard suppliant à son mari. Elle te racontera. Moi, je ne peux pas.

Hawkin, prenant appui sur la table, se redressa.

— Foutus péquenots, ronchonna-t-il.

Puis il pivota brutalement, marcha à grands pas vers la porte qu'il claqua derrière lui. Ruth soupira.

— Peter avait-il peur ?

— Je crois que oui, répondit George.

— Bien… (Elle regarda sa cigarette, la mine songeuse.) Tout est pour le mieux.

*Vendredi 13 décembre 1963, 21 h 47*

George était rentré chez lui, trop fatigué pour relire les témoignages. Il avait assisté auparavant à la séance de préparation du lendemain avec les policiers en uniforme et les inspecteurs. Les secteurs de recherche une fois définis et la participation des volontaires mise en place, un représentant de la société des eaux était venu proposer de vider les deux réservoirs situés non loin de Scardale, l'un sur les hautes terres dénudées du Staffordshire, l'autre sur les collines plus boisées entre Scardale et Longnor. George avait trouvé son empressement presque morbide.

À la sortie de la réunion, il avait proposé à Tommy Clough de prendre un verre vite fait. Ils s'étaient installés dans un coin sombre du *Baker's Arms* devant une pinte de bière.

— J'ai téléphoné au foyer, dit Clough. Crowther y est retourné dès qu'il a été relâché. Il a mangé, puis il est ressorti une heure plus tard, sans dire où il allait. Rien d'inhabituel. Le gardien pense qu'il est allé au pub. Personne n'est venu le trouver. On peut donc espérer qu'il n'est pas encore montré du doigt.

— Oui, je l'espère. Je porte déjà un poids suffisant sur les épaules sans avoir à me sentir responsable de Peter Crowther.

— Vous n'y êtes pour rien, chef. Faut plutôt voir du côté du patron ou de ce crétin de Colin Loftus, le gars du *Courant*... Il est de ceux qu'on devrait noyer à la naissance.

— Moi, j'ai donné l'ordre de relâcher Crowther.

— Et vous aviez foutrement raison. Nous n'avions pas la moindre preuve. Et je ne le vois pas faire ça.

— À supposer qu'il y ait un « ça », reprit George morose.

— Nous savons tous deux que c'est arrivé. Quarante-huit heures, pas l'ombre d'une piste, sinon ces signes de lutte et quelques gouttes de sang. Elle est morte, c'est certain.

— Pas nécessairement. Elle peut être prisonnière.

Clough regarda son supérieur d'un air sceptique :

— Vous vous souvenez de l'affaire tragique du bébé de l'aviateur, le fils de Lindbergh, hein ? Plus simple de ne pas les garder en vie...

George gardait les yeux rivés sur sa bière :

— Je vais la trouver, Tommy, vivante de préférence, mais on retrouvera Alison Carter. Mrs Hawkin saura enfin ce qui est arrivé à sa fille...

Il avala d'un coup le reste de sa bière.

— Je vais aller relire les témoignages. Vous, vous avez pas mal de sommeil à rattraper. Allez-y ! C'est un ordre.


La faim et l'épuisement s'étaient alliés contre lui et il avait dû abandonner sa lecture. Chez lui, Anne l'attendait tranquillement, assise dans un fauteuil, tricotant et regardant la télé. Quelques minutes après son retour, elle posait devant lui un bol de soupe sur la table de la cuisine. Lever la cuillère de l'assiette à sa bouche lui demanda un gros effort. Derrière lui, Anne s'affairait, faisant frire un mélange de bacon, d'oignons, de pommes de terre et d'œufs en une sorte de hachis.

— Comment te sens-tu ? parvint-il à demander entre la soupe et le plat de résistance.

— Je vais très bien, dit Anne assise en face de lui avec une tasse de thé. Je suis enceinte. Ce n'est pas une maladie. Ne te fais pas de souci. Pas de quoi alerter un médecin. Je suis plus inquiète pour toi qui travailles sans nourriture convenable et sans repos.

George contemplait son assiette, mâchant automatiquement.

— Je n'y peux rien. Alison Carter a une mère. Impossible de la laisser dans l'ignorance. Je n'arrête pas de m'interroger sur ce que je ressentirais si c'était mon enfant, et que personne ne sache ce qui lui est arrivé, où il se trouve, qu'on ne puisse rien faire pour lui.

— Grand Dieu, George, faut-il que tu assumes tout ? Tu n'es pas le seul responsable. Tu en fais trop, constata Anne avec une pointe d'irritation dans la voix.

— Facile à dire, mais c'est une course contre le temps et ça me hante. Il se peut qu'elle soit encore en vie. Tant que cette possibilité existe, je dois faire tout mon possible.

— Mais je croyais que vous aviez arrêté quelqu'un ? Tu peux souffler un peu maintenant ?

Elle se pencha au-dessus de la table pour remplir une deuxième fois sa tasse.

George renifla :

— Voilà que tu crois encore ce que tu lis dans les journaux ? dit-il, à la fois taquin et sévère.

— L'article du *Courant* ne laissait guère place au doute.

— C'est un tissu d'inexactitudes et d'hypocrisie. Oui, nous avons cueilli l'oncle d'Alison Carter, oui encore il a été autrefois condamné pour des délits sexuels, mais là s'arrête toute ressemblance entre la vérité et le contenu de l'article. C'est un malheureux qui n'a pas toute sa tête. Il s'est seulement rendu coupable d'exhibitionnisme, il y a des années. Mais quand l'inspecteur-chef Carter a eu connaissance de ces faits, il s'est enflammé, il a démarré comme un *Spoutnik*.

— Peux-tu le blâmer, George ? Vous êtes tous sur les dents. Rien d'étonnant si l'un d'entre vous perd un peu la tête. Cet oncle faisait un suspect idéal. Pauvre homme, il a dû être vraiment terrifié. C'est une affaire compliquée...

— Oui, et elle n'a pas l'air de vouloir s'éclaircir. (Il repoussa son assiette vide.) Dans la plupart des affaires criminelles, le chemin semble tracé. Au mieux, il est facile de voir qui a fait quoi, au pire on sait où il faut chercher. Mais, cette fois, nous nous perdons dans des impasses ou des recoins obscurs. La vallée tout entière a été passée au peigne fin. Aucun signe qui puisse nous guider. Quelqu'un doit pourtant connaître le destin d'Alison Carter. (Il eut un soupir d'exaspération.) Ma parole, je brûle de trouver ce quelqu'un.

— Et tu le trouveras, chéri. Tu es l'homme qu'il faut. (Elle lui versa une nouvelle tasse de thé.) Maintenant, essaie de te détendre. Demain, tu y verras plus clair.

— Je l'espère, dit George avec ferveur, cherchant ses cigarettes.

Avant même d'avoir ouvert le paquet, le téléphone sonna.

— Mon Dieu, soupira-t-il, ça recommence.

# 11

George se penchait sur le siège passager de la Zéphyr de Tommy pour tenter de voir à travers le pare-brise. Les lampadaires illuminaient des traînées obliques de neige fondue malmenée par le vent, tels des rideaux de gaze pris dans un courant d'air. Mais le souci principal de George n'était pas le temps ; le mouvement de foule devant la façade du foyer pour célibataires de Waterswallows l'inquiétait davantage.

— Incroyable, constata-t-il secouant la tête. Ils devraient être pressés de rentrer chez eux par une nuit pareille. Ils seraient mieux devant leur cheminée au lieu de risquer une double pneumonie et les matraques de la police.

— Quelques pintes de bière permettent d'oublier ces détails, dit Clough, cynique.

Il se trouvait lui-même au pub quand il avait entendu dire qu'un ramassis de lyncheurs avait entrepris de marcher sur le foyer. Il avait immédiatement téléphoné au poste de police puis foncé chez George, sachant que celui-ci allait être aussitôt prévenu. Et maintenant, tous deux contemplaient une escouade d'une douzaine de policiers tentant de disperser une trentaine d'ivrognes en colère, tâche qu'ils accomplissaient avec une sauvagerie contrôlée et réglée comme un ballet. Heureusement, pensa George, l'éclairage ne permettait pas de prendre des photos. C'eût été le bouquet que des défenseurs des droits civiques se mettent de la partie et dénoncent les brutalités policières. Tout ce qu'ils tentaient de faire, c'était d'empêcher la mort d'un innocent aux prises avec des partisans de la morale avinés.

Soudain, trois des combattants se dressèrent devant la voiture : deux policiers et un homme aux épaules de lutteur, le visage ruisselant de sang. Une matraque se leva et retomba sur la nuque de l'homme qui s'effondra, sonné, sur le capot de la Zéphyr.

— Parfait, constata Clough ironique, nous pourrons l'inculper également de dégradation volontaire.

Un policier menotta l'homme et le laissa glisser au sol dans une traînée de sang et de morve.

— Je suppose que nous devrions aller leur prêter main-forte, proposa George avec l'enthousiasme d'un homme devant la perspective d'un traitement dentaire sans anesthésie.

— Si vous le dites, chef. L'ennui c'est que nous sommes en civil, nous risquons d'accroître la confusion.

— Remarque judicieuse. Contentons-nous d'attendre que les collègues aient remis de l'ordre.

Ils continuèrent de regarder en silence pendant encore dix minutes au bout desquelles une douzaine d'hommes plus ou moins groggy se retrouvèrent à l'arrière d'un fourgon. Deux policiers tenaient des mouchoirs sur leur nez tandis qu'un autre cherchait sa casquette perdue dans la mêlée. Surgi de la neige fondue, Bob Lucas, son col de pèlerine relevé, ouvrit la portière arrière et s'engouffra dans le véhicule.

— Quelle nuit ! annonça-t-il, la voix aussi glaciale que l'air. Nous savons tous qui nous a mis dans le pétrin.

— Le *Courant ?* avança Clough faussement naïf.

— Ouais, dit Lucas. Plutôt l'informateur. Si je pensais que c'est un de mes gars, je l'écorcherais tout vif.

— Bien sûr. (Clough soupira.) Nous savons que c'était pas un de tes gars, Bob. Quand on porte l'uniforme, on a pas le culot de faire des confidences à la presse. (Il fit passer la raillerie en adressant un sourire complice au sergent.) Tu les entraînes trop bien.

— Comment va Crowther? demanda George offrant son paquet de cigarettes à l'agent.

Lucas remercia de la tête et se servit.

— Il est pas là. Quand on l'a libéré, il est revenu juste pour prendre son thé, puis il est reparti. Normalement, ils doivent rentrer avant 21 heures. Mais le gardien affirme que Crowther s'est pas montré. Il lui a accordé le quart d'heure de grâce vu la journée qu'il avait passée puis il a fermé. Il affirme que personne n'a sonné ni frappé avant l'arrivée de cette bande. Heureusement, il a eu la bonne idée de se barricader et les gars n'avaient pas réussi à casser la porte avant notre arrivée.

— Et il est où? interrogea Clough, ouvrant son déflecteur pour que le vent glacial emporte la fumée dans la nuit.

— Aucune idée, admit Lucas. Son abreuvoir habituel c'est le *Wagon*. J'ai donc pensé à y faire un saut sur le chemin du retour, histoire d'entendre ce qu'ils en disent.

— On va y aller tout de suite, dit George d'un ton sans réplique, heureux d'oublier provisoirement l'angoisse qui le rongeait.

— Il faut encore que je vérifie que plus rien ne traîne, protesta Lucas.

— Très bien. Faites. Nous, nous verrons le propriétaire du *Wagon*, reprit George du même ton autoritaire.

Lucas lui jeta un coup d'œil mauvais, tira un grand coup sur sa cigarette, sortit de la voiture sans un mot. Le vent claqua la portière avec violence.

— Vous connaissez le patron de cette boîte ? demanda George, tandis que Clough engageait prudemment la voiture dans Fairfield Road changée en patinoire.

— Fist Ferguson ? Oui, je le connais.

— « Fist » : le poing, un surnom ?

— Ouais, un surnom. Il a été boxeur professionnel. À ce qu'on raconte, il s'est fait graisser la patte pour s'allonger. S'est fait prendre. A perdu sa licence. Puis, pour gagner sa croûte, s'est lancé dans les matches à poing nu, en pleine illégalité. Mais s'est fait assez de fric pour acheter le pub.

— Comment des magistrats attribuent des licences d'exploitation on se le demande, fit remarquer George alors que la voiture, après un dérapage, s'arrêtait le long du trottoir devant le *Wagon Wheel*, un pub à l'aspect peu engageant. Aucune lumière ne brillait derrière les portes closes et les rideaux des fenêtres.

— Le pub est au nom de sa femme.

Ils se hâtèrent de sortir de la voiture, firent le tour du bâtiment et s'abritèrent du vent derrière une pile de caisses de bière. Clough tambourina sur la porte.

— J'suis pas chaud pour participer aux recherches demain matin si on continue comme ça, dit-il, se penchant en arrière pour voir les fenêtres du premier étage.

Il cogna de nouveau sur la porte.

Un carré jaune sale s'éclaira au-dessus d'eux. Une tête chauve surgit, dissimulant en partie la lumière.

— Ouvre, Fist, c'est Tommy Clough.

Il y eut un tonnerre de pas dans l'escalier. Des verrous grincèrent et la porte s'ouvrit dans un fracas métallique. Un homme remplissait la plus grande partie de l'encadrement, vêtu d'un ensemble en laine autrefois blanc et maintenant couleur de morve séchée.

— Vous voulez quoi à une heure pareille, bordel ! Si vous voulez boire un coup, vous pouvez vous le mettre où je pense !

Il se gratta ostensiblement les parties.

— Content de te voir, Fist, lança Clough, tu nous accordes une minute ?

Ferguson recula sans enthousiasme tandis qu'ils entraient.

— Qui c'est, celui-là ? demanda Ferguson, un doigt épais pointé vers George.

— Mon patron. Dis bonjour à l'inspecteur Bennett.

Ferguson émit une sorte de grognement bizarre que George interpréta comme un rire.

— L'air assez jeunot pour être ton fiston. Y se passe quoi ? C'est du sérieux alors ?

— Peter Crowther fait partie de tes clients ?

— Fini. À partir de cette nuit, fini, affirma Ferguson dont les poings s'étaient serrés en un geste machinal. J'veux pas dans mon bar quelqu'un qui s'en prend aux petites filles.

— Qu'est-ce qui s'est passé ? demanda George.

— Crowther s'est pointé à son heure habituelle. Je croyais pas qu'il aurait les couilles, mais il savait pas que tout le monde était au courant. Je lui ai flanqué le canard sous le nez et il s'est presque mis à chialer. Je lui ai dit que s'il voulait boire un coup dans Buxton il ferait mieux de trouver un pub où personne sache lire. Puis je lui ai conseillé de plus jamais remettre les pieds ici.

Ferguson se rengorgea.

— Très courageux, constata George sèchement. Donc Mr Crowther est parti.

— Foutre oui, il s'est barré ! répondit Ferguson d'un ton indigné.

— Tu sais où il est allé ? demanda Clough.

— J'en sais rien et j'm'en fous.

— À titre d'information, Mr Ferguson, intervint George, Mr Crowther n'a rien à voir avec la disparition de sa nièce. L'histoire rapportée dans le *Courant* est une œuvre de fiction. Je vous serai obligé de lever votre interdiction avant le renouvellement de votre licence.

Il tourna sur ses talons et sortit dans la nuit qui lui parut soudain moins hostile que le patron du bar.

— Tu devrais faire attention à Mr Bennett, menaça Clough derrière lui. Il est dans le coin pour un bout de temps.

Ferguson adressa un regard mauvais au dos de George mais se tut.

Ils s'installèrent dans la voiture, contemplèrent moroses les tourbillons de neige fondue.

— On va repasser au poste et prévenir les voitures de patrouille de repérer éventuellement Crowther... (George soupira.) Demain sera-t-il meilleur qu'aujourd'hui ?

Il ne voyait pas quelle contribution il pouvait bien apporter aux plans déjà établis pour la journée, si bien qu'il retourna à son bureau pour se plonger dans la tâche fastidieuse de l'examen minutieux des déclarations des témoins. Il y trouverait peut-être un indice. Il étudiait les réponses du professeur d'anglais quand la tête de Tommy Clough apparut dans l'entrebâillement de la porte.

— Vous avez lu le *Daily News* ?

— Non, le marchand de journaux était fermé.

Clough entra, ferma soigneusement la porte derrière lui.

— Le train de Manchester vient d'arriver. Le machiniste m'en a donné un exemplaire. Il ne va pas vous plaire...

Il laissa tomber le journal devant George, ouvert à la page 3.

## ALISON INTROUVABLE
## VOYANTE À LA RESCOUSSE

Une voyante française renommée nous a révélé en exclusivité que l'écolière disparue est encore vivante. Et elle a offert ses services afin de collaborer aux recherches entreprises pour retrouver Alison Carter, âgée de 13 ans.

Les pouvoirs de Mme Colette Charest ont déjà plusieurs fois stupéfié la police de son pays et elle se dit persuadée de pouvoir apporter une contribution précieuse à l'enquête.

Après avoir sollicité l'autorisation des parents dans la détresse, un membre de notre rédaction a téléphoné à Mme Charest et lui a fourni des détails supplémentaires sur la conduite d'Alison à son retour de l'école dans son hameau de Scardale - Derbyshire - où elle habite avec sa mère et son beau-père.

### SAINE ET SAUVE

Mme Charest a exprimé sa conviction que la jeune fille était encore en vie. «Elle est en sécurité, a-t-elle dit à notre collaborateur. Elle est partie avec quelqu'un qu'elle connaît et ils ont voyagé en voiture. Elle se trouve dans une petite maison, elle-même située dans une rangée de cottages identiques... C'est dans une ville, me semble-t-il, mais à des kilomètres de chez elle. Elle a été en danger, mais je sens qu'elle est actuellement en bonne santé. »

Mme Charest expliqua ensuite qu'elle ne pouvait pas donner plus de précisions sans une photographie d'Alison et une carte de la région. Ces documents ont été envoyés à Lyon, en France, par courrier spécial et un compte rendu complet des conclusions de Mme Charest paraîtra dans notre numéro de lundi.

### DÉCLARATION

Un porte-parole de la police nous a déclaré : « Nous n'envisageons pas actuellement de consulter un médium, mais nous ne rejetons pas *a priori* les propos de Mme Charest. La réalité dépasse parfois la fiction. » Toujours à propos de Mme Charest, des gendarmes français auraient reconnu que ses pouvoirs étaient étonnants. Elle a apporté son aide dans des affaires où la police ne disposait d'aucune piste.

Si le temps le permet, des volontaires se joindront aujourd'hui à la police du Derbyshire pour continuer les battues dans les landes désolées et les vallées autour de Scardale.

Notre envoyé spécial.

George froissa le journal, le roula en boule, le jeta à travers la pièce.

— Connard ! jura-t-il, le rouge des joues accusé par le noir des cernes. Mais comment peut-on écrire : « saine et sauve » ?

— Ça a l'air possible.

Clough s'appuya contre un fichier, alluma une cigarette.

— Bien sûr que c'est possible ! explosa George. Comme il est possible que Martin Bormann soit bien vivant à Chesterfield ! mais bon Dieu, est-ce que vous y croyez vraiment ? Et vous imaginez l'effet sur Ruth Hawkin ? Je n'arrive pas à imaginer qu'un journaliste puisse se montrer aussi irresponsable. Et cette déclaration invraisemblable d'un soi-disant porte-parole !

— Smart l'a sans doute inventée.

— Bon Dieu, soupira George, qu'est-ce qu'ils vont trouver encore ?

Il prit une cigarette dans le paquet ouvert sur son bureau et en aspira profondément une bouffée.

— Je vous achèterai un autre journal, s'excusa-t-il. Tout sauf le *Daily News* ! Bon Dieu, reprit-il, il va être à la conférence de presse avec son foutu rictus de renard.

— Vous pouvez demander au superintendant de lui interdire l'entrée.

— Je ne lui donnerai pas cette satisfaction. (George repoussa sa chaise et se leva.) En route pour Scardale. Ces quatre murs me rendent malade.

Smart traînait déjà sur les lieux. En se garant, ils le virent enfoncer un papier dans la boîte à lettres de Crag Cottage, continuer son chemin et répéter son geste devant Meadow Cottage.

— Pour le coup, c'est à mon tour de jouer, dit George.

Il ouvrit la portière et traversa le pré à grandes enjambées. Clough lui emboîta le pas en soupirant.

— Félicitations, gronda George à quelques pas de Smart.

— Un bon papier, hein ? commenta Smart, l'air plaisamment surpris. Je n'aurais pas cru qu'un homme de votre éducation puisse l'apprécier.

— Je ne vous félicitais pas pour votre article, mais pour le prix...

— Quel prix ?

Clough n'en revenait pas : Smart avait l'air de marcher. Il se mordit les lèvres pour ne pas laisser voir son sourire.

— Eh oui, le prix, reprit George avec une fausse bonhomie, le prix décerné par les bonnes œuvres de la police au journaliste le plus irresponsable de l'année.

— Allons, inspecteur, on ne vous apprend pas à l'université que le sarcasme est la forme la plus basse de l'ironie ?

Smart s'adossa au mur de Meadow Cottage, les bras croisés.

— En fait de bassesse, vous n'avez de leçon à recevoir de personne, Mr Smart. Avez-vous seulement pensé combien il est cruel de rallumer l'espoir de Mrs Hawkin ?

— Seriez-vous en train de dire qu'elle ne doit plus espérer ? Serait-ce la position officielle ?

Smart se pencha vers George, les yeux alertes, la barbe frémissante.

— Bien sûr que non. Mais votre torchon assure ses ventes avec de faux espoirs. Tout ce qui compte c'est le gros titre et les conséquences, qu'importe... Existe-t-elle seulement cette Mme Charest ? Vous l'avez peut-être créée de toutes pièces comme votre porte-parole de la police ?

C'était maintenant le tour de Smart de rougir de colère. Sa peau prit l'aspect du corned-beef.

— Je n'invente rien. Je garde l'esprit ouvert. Vous pourriez en prendre de la graine, inspecteur. Supposons que Mme Charest ait raison ? qu'Alison soit à quelques kilomètres d'ici, enfermée dans une maison de Manchester, de Sheffield ou de Derby, vous faites quoi ?

George eut un sursaut d'incrédulité.

— Vous voudriez nous voir perquisitionner dans toutes les villes d'Angleterre sous le prétexte qu'un charlatan aurait pu tirer le bon numéro ? Vous êtes encore plus stupide que je le croyais.

— Je n'ai jamais dit cela ! Mais vous pourriez faire passer un avis de recherche dans la presse : « Auriez-vous vu cette fillette ? Nous pensons qu'Alison pourrait se trouver en compagnie de quelqu'un qu'elle connaît. Si vous avez remarqué une maison où une adolescente est apparue ces derniers jours, ou si la conduite inhabituelle d'une personne ayant un rapport avec Scardale ou Buxton vous a frappé, contactez SVP la police du Derbyshire à ce numéro. » Voilà ce que je vais suggérer à votre chef à la conférence de presse de ce matin. (Smart se redressa, triomphant.) Ouais, et j'aimerais voir quelle tête vous ferez, assis derrière lui, quand il appréciera cette idée à sa juste valeur.

— Vous avez l'esprit dérangé, vous le savez, Smart ?

George ne trouva rien d'autre à répliquer, tout en ayant immédiatement conscience de la faiblesse de sa repartie.

— Vous êtes bien celui qui a déclaré qu'il ferait tout pour connaître le sort d'Alison. Je vous prends au mot. Je croyais que vous étiez différent, George. Mais quand ça se complique, vous avez la tête aussi dure que vos collègues. Eh bien ! que Dieu prenne pitié d'Alison si vous êtes sa dernière chance.

Smart fit un pas de côté pour continuer son chemin. La main du détective vint se poser au milieu de la poitrine de Smart, non pour le repousser mais pour le tenir fermement en place.

— Oui, affirma-t-il, d'une voix enrouée par l'émotion, je découvrirai ce qui est arrivé à Alison, mais quand je le saurai vous serez le dernier informé.

Il recula, libérant le journaliste qui le regardait fixement. Puis Smart sourit, d'un sourire qui creusa son visage sans modifier pour autant la dureté de son regard.

— J'en doute. Ça ne vous plaira pas, George, mais vous et moi nous sommes de la même espèce. Tant que le travail n'est pas mené à bien, il nous est égal de bousculer les gens autour de nous. Vous ne serez pas d'accord, mais parlez-en donc à votre charmante femme. Elle me donnera raison.

George respira si profondément qu'il parut grandir. Clough se hâta de poser sa main sur son bras.

— Je crois que vous feriez mieux de partir, Mr Smart.

Un coup d'œil au visage du policier suffit : le journaliste prit le large et fila vers sa voiture.

— Je prendrais combien, à votre avis, si je lui explosais la figure et ce beau sourire ?

Les paroles sifflaient entre les lèvres serrées.

— Tout dépend si le jury le connaît ou pas. Une tasse de thé ?

Ils se rendirent à la caravane où même à cette heure matinale les auxiliaires préparaient du thé. George, les yeux fixés sur le liquide dans sa tasse, murmura :

— Je suppose que vous avez déjà mené cette sorte d'enquête, Tommy, avec son lot de frustrations et d'impasses ?

— Oui, une ou deux, admit Clough, brassant trois cuillerées de sucre dans son thé. Faut pas s'arrêter, un point c'est tout, même si on patauge. On a peut-être l'impression de se cogner la tête contre un mur, mais plus souvent qu'on croit, les briques sont factices, c'est du carton-pâte. Vient le moment où les choses s'éclaircissent, tôt ou tard. Nous en sommes au début, qu'on le veuille ou non.

— Et si la lumière ne jaillit pas ? Si nous ne comprenons jamais ce qui est arrivé à Alison ? alors nous faisons quoi ?

George porta son regard sur le plafond en tôle, les yeux écarquillés à la pensée de ce qu'un tel échec représenterait à la fois sur le plan personnel et sur celui de sa carrière.

Clough aspira profondément, expira.

— Eh bien, chef, vous passez à l'affaire suivante. Vous emmenez votre femme danser, vous allez au pub vous jeter une pinte, vous essayez de ne pas rester éveillé la nuit à vous faire du mouron. De toute façon, vous n'y pouviez rien.

— Et c'est la bonne recette ? demanda George peu convaincu.

— Je peux pas l'affirmer, je suis pas marié…

Le rictus de Clough dissimulait bien mal le pressentiment qu'ils partageaient. Si l'affaire Alison n'aboutissait pas, ils n'en sortiraient indemnes ni l'un ni l'autre.

— Ma femme est enceinte.

Les mots étaient sortis de sa bouche presque malgré lui.

— Félicitations. (La voix de Clough était curieusement détimbrée.) Vous n'avez pas vraiment choisi le bon moment. Comment va-t-elle ?

— Jusqu'à présent très bien. Pas de nausées le matin. J'espère seulement… eh bien ! j'espère qu'il n'y aura pas de complications. Comment me décharger de cette enquête ? Quelle que soit sa durée…

Le regard de George se fixa sur les vitres embuées de la caravane; il ne remarqua même pas la montée progressive de la lumière qui annonçait le début d'une autre journée de recherche.

— Ça ne continuera pas longtemps à ce rythme, dit Clough, rappelant à George que ses connaissances restaient théoriques et son expérience limitée. Si dans les dix jours nous n'avons rien trouvé, les recherches sur le terrain seront abandonnées. Le PC opérationnel sera fermé et rapatrié sur Buxton. Nous continuerons d'essayer de suivre des pistes, mais si au bout d'un mois nous n'avons pas avancé, tout passera au second plan. Vous et moi, nous aurons d'autres affaires sur les bras. Sans doute celle-ci ne sera pas close et tous les trois mois nous dresserons le bilan. Fini alors le travail à plein temps.

— Oui, je sais, Tommy. Mais cette enquête est différente. J'ai déjà travaillé sur un meurtre non élucidé à Derby, mais je ne me sentais pas autant impliqué. Peut-être parce que la victime avait la cinquantaine bien sonnée. Il avait en quelque sorte déjà vécu. Quand il paraît de plus en plus sûr que nous ne retrouverons pas Alison vivante, mon sang ne fait qu'un tour : elle avait à peine commencé à vivre. Même si au cours de son existence elle ne devait jamais sortir de Scardale, élever des bébés, tricoter des brassières, même cela lui a été volé. Je veux que la loi fasse la même chose à celui qui a commis ce crime. Je regrette que l'on ne pende plus des monstres comme lui.

— Vous êtes donc encore partisan de la pendaison ? demanda Clough, se penchant en avant.

— Oui, pour un crime de sang-froid. C'est différent pour un meurtre sans préméditation. Je me contenterais de la perpétuité. On a le temps de regretter son acte. Mais cette espèce de monstre qui

203

fait des enfants sa proie... ou ceux qui, au cours d'un casse, abattent un innocent tout simplement parce qu'il se trouvait sur leur chemin. Oui, je les ferais pendre. Pas vous ?

Clough prit son temps avant de répondre.

— Je le croyais, moi aussi. Mais il y a environ deux ans j'ai lu ce livre consacré à l'affaire Timothy Evans, *Ten Rillington Place*. Au moment du jugement, tout le monde réclamait la potence. Il avait tué sa femme et son enfant. Les enquêteurs avaient obtenu une confession. Par la suite, le propriétaire d'Evans fut arrêté pour les meurtres de quatre femmes. Beryl Evans faisait sans doute partie de ses victimes, mais il était trop tard pour aller dire à Timothy Evans : « Désolé, mon pote, on s'était gouré ! »

George esquissa un sourire. Il acceptait en partie la leçon.

— Cela mérite réflexion, c'est vrai, mais contrairement à ce qui s'est passé dans cette histoire, je ne crois pas avoir jamais contraint un innocent à se confesser. Je ne veux m'en tenir qu'à mes propres constatations. Si Alison Carter a été assassinée, je verrai avec joie le coupable se balancer sur la potence.

— Si le salaud s'est servi d'une arme à feu, la loi prescrit encore la pendaison, ne l'oubliez pas...

George n'eut pas le temps de répondre. La porte de la caravane s'ouvrit d'un coup et le constable Peter Grundy fit son entrée, le visage du même gris crayeux que les falaises de Scardale.

— Ils ont trouvé un corps.

# 12

Le corps de Peter Crowther se trouvait à l'abri du vent, contre un muret de pierre à cinq kilomètres à vol d'oiseau au nord de Scardale. Il était recroquevillé en position fœtale, les genoux sous le menton, les bras autour des tibias. La gelée, qui rendait les routes dangereuses, l'avait revêtu d'une parure blanche, lui donnant un air innocent. Mais pas d'erreur possible : la mort avait frappé. Elle était là, dans la peau teintée de bleu, dans la fixité des yeux, dans la bave figée sur le menton.

George Bennett contempla cette dépouille d'être humain ; l'image le glaça davantage que la morsure du froid. Il releva la tête pour contempler le ciel miraculeusement bleu. À sa grande surprise, le soleil hivernal étincelait comme s'il avait quelque événement à célébrer. George ne se sentait pas de cette humeur. Son corps comme son esprit lui paraissaient douloureux. Il gardait dans la bouche le goût amer de la culpabilité. Un homme était mort parce qu'il avait mal fait son travail.

George baissa la tête, se détourna, laissant Tommy Clough accroupi près du cadavre qu'il examinait avec minutie. Il se rendit à la barrière du champ où deux policiers montaient la garde en attendant l'arrivée du médecin légiste.

— Qui a trouvé le corps ?

— Le fermier. Il s'appelle Dennis Dearden. En fait, c'est pas lui, c'est plutôt son chien.

— Mr Dearden est sorti au petit jour, comme d'habitude, pour s'occuper de son troupeau. Le chien l'a alerté, l'a conduit auprès du corps, expliqua l'agent le plus âgé.

— Où est Mr Dearden maintenant ? demanda George.

— C'est là qu'il habite, en haut du chemin, dans le cottage.

L'agent désignait une maison de plain-pied à quelques centaines de mètres.

— Si on me cherche, vous saurez où me trouver…

George remonta le chemin, le pas aussi lourd que le cœur. Sur le seuil de la fermette, il marqua une pause. La porte s'ouvrit soudain sur un visage de vieille pomme ridée, aux petits yeux marron comme des pépins de chaque côté d'une masse informe qui tenait lieu de nez.

— Alors, c'est vous le patron ?

— Vous êtes Mr Dearden ?

— Ouais, mon gars, y'a que moi ici. La femme visite sa sœur à Bakewell. Elle part quelques jours en décembre, elle achète tous les trucs de Noël au marché. Mais entrez, mon gars, vous devez geler dehors.

Dearden recula d'un pas et fit entrer George dans une cuisine étincelante : tout reluisait, l'émail de la cuisinière, le bois de la table, les chaises, les étagères, le cuivre de la bouilloire, les verres dans une vitrine d'angle, et la rampe à gaz dans le foyer.

— Installez-vous là, près du feu, ajouta Dearden, l'hospitalité faite homme, avançant une chaise à accoudoirs.

Lui s'installa gauchement sur une chaise ordinaire et sourit.

— On se sent mieux, hein ? Ça réchauffe les os. Bon Dieu, vous avez plus mauvaise mine que Peter Crowther !

— Vous le connaissiez ?

— Pas au point d'lui faire la causette. De vue, quoi. J'ai souvent fait affaire avec Terry Lomas au long des années. Je les connais tous à Scardale. Mais là-dehors j'ai bien cru que c'était la gamine. Ça me fait mal, cette histoire, comme à tout le monde dans le coin, je suppose.

Il tira une pipe de bruyère de sa poche de gilet et se mit à gratter le fourneau avec un canif.

— Quelle histoire ! Sa pauvre mère doit être à moitié folle de chagrin. On a tous ouvert l'œil des fois qu'elle serait tombée dans un fossé ou cachée dans une grange ou une bergerie. Aussi quand j'ai vu… d'abord j'ai bien cru que j'allais la trouver, la petite…

Il prit un temps pour bourrer sa pipe, ce qui permit à George de prendre la parole.

— Comment ça s'est passé ? demanda-t-il, soulagé de se trouver enfin devant un témoin qui semblait tout disposé à fournir des informations.

Après ces trois jours passés à Scardale, il ne savait que trop ce que signifiait le mot « taciturne » !

— Dès que j'ai ouvert la porte, Sherpa est partie comme une flèche le long du muret. J'ai tout de suite compris qu'il y avait quelque chose de bizarre. C'est pas une chienne à faire la follette sans raison. Puis à mi-chemin du champ, elle se couche sur le ventre, comme si on l'avait cognée, la tête entre les pattes. Moi, de l'autre bout du champ je l'entends gémir comme si qu'elle avait trouvé une brebis morte. Mais je savais que c'était pas un mouton, parce que le champ il est vide pour l'heure. J'ai ouvert la barrière, c'est un raccourci quand on veut aller au bout…

Dearden gratta une allumette et suça sa pipe. Le tabac parfumé remplit l'air d'un arôme de cerise et de trèfle.

— Vous voulez en fumer une, mon gars ? (Il poussa une vieille blague en peau sur la table.) C'est de mon mélange à moi, ça.

— Je ne fume pas la pipe, merci.

George sortit son paquet de cigarettes avec un geste d'excuse.

— Eh ouais, vous, vous avez tout juste le temps de vous payer une clope. Pourtant, vous devriez penser à la pipe. C'est épatant pour la concentration. Si j'suis que'que part où je peux pas fumer ma pipe, y'a pas mèche pour finir le mot croisé.

Il montra du pouce un *Daily Telegraph* de la veille. George s'efforça de ne pas paraître impressionné. Les mots croisés du *Telegraph* étaient peut-être un peu plus faciles que ceux du *Times*, mais ça restait un exploit de les faire en entier régulièrement. Dennis Dearden ne possédait pas seulement une langue bien pendue, la cervelle ne lui faisait pas non plus défaut.

— Bon, quand j'ai vu le cirque de la chienne, j'ai eu un coup au cœur, continua Dearden. Je connaissais Alison. J'supportais pas la pensée d'la voir étendue morte pas loin de ma porte. J'remonte donc le champ aussi vite que je peux, et c'est pas si vite que ça aujourd'hui, j'ai honte d'le dire. Ah, j'me suis senti comme soulagé quand j'ai compris que c'était Peter.

— Vous vous êtes approché du corps ?

— J'ai pas eu à le faire. J'ai tout de suite compris qu'il pouvait pas se réveiller avant la trompette du jugement. (Il secoua tristement la tête.) Sacré pauv' gars, de toutes les nuits qu'il pouvait choisir dans sa cervelle dérangée pour revenir à Scardale, il a pris la pire. Trop longtemps parti ! Il avait oublié ce que le climat peut faire aux hommes ici. La neige fondue vous perce la peau. Et, quand la gelée tombe, vous avez plus de résistance. Vous continuez d'avancer mais le froid vous glace jusqu'à la moelle. Vous voulez plus que vous coucher et dormir, pour toujours. Voilà ce qu'il a fait, la nuit dernière, Peter. (Il tira sur sa pipe et une volute de fumée s'échappa du coin de sa bouche.) Ah, il aurait dû s'arrêter à Buxton. Là au moins il savait où s'abriter…

George pinça sa cigarette entre ses lèvres. Non, Peter ne savait plus. Peter Crowther n'avait plus d'alternative. Sa terreur de tout perdre, même la si petite place qu'il s'était faite dans la vie l'avait poussé à l'endroit même d'où il avait été chassé, confirmant ainsi les craintes de George. Pourtant, malgré ses doutes, il s'était laissé persuader par Tommy Clough. Le remettre en liberté semblait être la façon la plus simple de résoudre le problème. Puis, par la faute d'un supérieur avide de publicité et d'un journaliste local en mal de sensationnel, on retrouvait Peter Crowther momifié par le froid dans une pâture du Derbyshire.

— Pour quelqu'un qui veut aller de Buxton à Scardale, votre ferme ne se trouve-t-elle pas à l'écart ?

C'était là le seul point qui le troublait dans le témoignage de Dearden.

Dearden eut un petit rire.

— Vous raisonnez en automobiliste, mon gars. Peter venait de la campagne. Allez donc regarder une carte d'état-major. Si vous tracez une ligne de Scardale à Buxton, en évitant le pire des montées et des descentes, elle passe droit à travers ce champ. Dans l'ancien temps, avant qu'on ait tous des Land Rover, des gens de Scardale passaient sur mes terres au moins une fois par jour. Ah, on voit pas de sentier sur la carte et y'a pas de droit de passage.

Mais tout le monde dans le coin fait attention aux bêtes, alors moi ça m'a jamais dérangé, ni mon père avant moi. C'est leur raccourci, mais j'aurais pas cru que l'un d'eux y trouve sa mort.

George se redressa.

— Merci de votre aide, Mr Dearden. Et pour la chaleur. Nous reviendrons vous voir pour enregistrer votre déposition. Et je vais demander à ce que vous soyez prévenu quand on enlèvera le corps.

— J'y compte bien.

Dearden l'accompagna jusqu'à la porte d'entrée. Le vieil homme jeta un coup d'œil à la Jaguar garée au bout du chemin avec deux roues sur le talus.

— Ça doit être le toubib.

Quand George eut descendu le chemin et pénétré dans le champ, le médecin légiste se relevait. Il réajusta son manteau en poil de chameau puis examina George à travers les verres carrés de ses lunettes à lourde monture noire.

— Vous êtes ?

— Inspecteur-chef Bennett, intervint Clough. Chef, je vous présente le docteur Blake, notre médecin légiste. Il vient d'effectuer l'examen préliminaire.

Le docteur acquiesça d'un bref signe de tête.

— Bon, il est tout ce qu'il y a de plus mort. D'après la température rectale, le décès est intervenu il y a environ, disons cinq ou huit heures. Pas de signes de coup, pas de blessure. Si je m'en tiens à la façon dont il est habillé, pas de manteau, pas d'imperméable, je dirais qu'il est mort d'hypothermie. Diagnostic provisoire tant qu'il n'aura pas été découpé, mais à mon avis, cause naturelle, à moins que vous trouviez le moyen d'inculper le climat du Derbyshire, ajouta-t-il avec un rictus sardonique.

— Merci docteur, le coupa George, alors vous dites entre 1 et 4 heures la nuit dernière ?

— Pas seulement une belle gueule, hein ? Oh, bien sûr, vous devez être le diplômé dont on parle si souvent, rétorqua le docteur avec un sourire condescendant. Oui, inspecteur, vous avez raison. Une fois que vous connaîtrez son identité, vous pourrez même en déduire la raison de sa balade sur la lande, avec aux pieds des chaussures qui n'auraient même pas résisté en ville.

Le docteur Blake enfila une paire d'épais gants de cuir.

— Nous savons qui il est et la raison de sa présence, annonça George sans élever la voix.

Ce n'était pas la première fois que des experts lui faisaient le coup du mépris, mais il ne se sentait pas d'humeur à supporter les sarcasmes d'un âne pompeux qui avait à peine cinq ans de plus que lui.

Les sourcils du médecin se levèrent.

— Diable ! Vous avez devant vous, sergent, la parfaite illustration des avantages de l'instruction dans la lutte contre le crime. Mais je vous laisse mener à bien ce combat. Vous aurez mon rapport au début de la semaine prochaine.

D'un signe de la main, il salua George, fit un pas de côté pour l'éviter et se dirigea vers la barrière.

— À vrai dire, monsieur, j'aimerais en disposer dès demain.

Blake s'arrêta net, se tourna à demi.

— Nous sommes en fin de semaine et rien ne presse puisque vous connaissez déjà l'identité du macchabée et la raison de sa présence en ce lieu.

— Sans doute, monsieur. Mais cette mort s'inscrit dans le cadre d'une enquête plus vaste. Il me faut donc votre rapport demain. Désolé si cela contrarie vos projets, mais c'est pour ce travail que le comté vous rémunère, généreusement.

Le sourire de George demeurait innocent mais son regard soutenait sans broncher celui du médecin qui s'exclama :

— Bon, bon, très bien !... Mais ce n'est pas la brigade de Derby, inspecteur. Nous sommes moins nombreux ici. Et la plupart s'efforcent de ne pas l'oublier.

Il reprit le chemin de sa voiture d'un pas nerveux.

— Je n'arrête pas de me faire des amis, remarqua George en se retournant vers Clough.

— C'est un feignant, rétorqua celui-ci. Et il était grand temps que quelqu'un lui rappelle qui paie sa Jag et sa carte de membre du club de golf. Un autre que lui aurait sans doute été curieux de connaître l'identité du corps avec lequel il avait eu un contact si intime ! Je vous parie qu'il va se pendre au téléphone cet après-midi pour savoir quel nom mettre sur son rapport.

— Il va falloir annoncer la nouvelle à Mrs Hawkin et le plus vite sera le mieux. Les tambours doivent déjà résonner. Elle va apprendre qu'il y a un cadavre sur la lande et elle pensera au pire... (Il hocha la tête.) On est mal parti quand l'annonce de la mort d'un frère peut passer pour une bonne nouvelle.

Kathy Lomas nourrissait ses cochons, remplissant leurs auges d'un mélange de fanes de navets, d'épluchures et de restes de repas. Le bruit d'une galopade sur le sol gelé attira son attention. Elle se retourna et vit Charlie Lomas sprinter dans le champ derrière la maison comme s'il avait le diable à ses trousses. Il l'aurait dépassée sans la voir. Elle l'attrapa par le bras. L'élan le fit pivoter sur lui-même. Il percuta le mur de la porcherie et serait tombé tout de son long dans le purin si sa tante ne l'avait pas agrippé par son blouson de cuir.

— Quoi qu'il t'arrive Charlie ? Y se passe quoi ?

À bout de souffle, plié en deux, les mains sur les genoux, la poitrine se soulevant, il parvint enfin à bafouiller :

— Le chien... le chien du vieux Dennis Dearden... a trouvé un cadavre... dans l'un de ses champs...

La main de Kathy comprima sa poitrine.

— Oh non, Charlie, non ! gémit-elle. C'est pas possible. J'peux pas y croire.

Charlie s'efforça de se redresser en s'appuyant sur le mur.

— J'étais là en bas près du Scarlaston. J'avais posé quelques collets dans le coin... c'est interdit... je voulais les enlever avant le passage des gars qui cherchent vers Denderdale. J'ai pris le raccourci par le bosquet de Carter et j'ai entendu une paire de flics en parler. C'est la vérité, tante Kathy. Ils ont trouvé un corps dans les champs de Dennis Dearden.

Kathy tendit nerveusement les bras vers son neveu et s'accrocha à lui. Ils restèrent ainsi curieusement enlacés jusqu'à ce que Charlie ait retrouvé son souffle.

— Faut prévenir Ruth, dit-elle enfin.

Il secoua la tête.

— Je peux pas. Je peux pas. J'allais le dire à Ma'.

— Je t'accompagne, déclara Kathy fermement, lui attrapant le bras sous le coude et l'entraînant vers le manoir. Les salopards, murmurait-elle, furieuse, tout en le forçant à avancer. Comment osent-ils jacasser avant que quelqu'un ait jugé bon de l'annoncer à Ruth ? Que je sois maudite si j'attends qu'ils le fassent !

Sans même prendre la peine de frapper, Kathy tira Charlie dans la cuisine du manoir. Ruth et Philip étaient assis à la grande table devant les restes du petit déjeuner. Son p'tit déjeuner à lui ! remarqua Kathy, sûre que Ruth n'avait rien pris sinon un peu de thé, et bien sûr beaucoup fumé, depuis la disparition d'Alison.

— Charlie a quelque chose à vous dire.

Elle savait que, dans ces affaires-là, il ne fallait pas tourner autour du pot.

Charlie répéta son histoire en bafouillant, son regard anxieux posé sur Ruth. Si cette dernière n'avait pas été assise, elle serait tombée sur le dallage. Le peu de couleur sur son visage s'était effacé, la faisant ressembler à un mannequin de cire. Puis elle fut parcourue par des frémissements comme lors d'un accès de fièvre. Ses dents s'entrechoquèrent. Des spasmes secouaient son corps. Kathy traversa la cuisine, l'enlaça et entreprit de la bercer comme une enfant.

Philip Hawkin paraissait ne rien voir de son entourage, il avait pâli, comme Ruth, mais là s'arrêtait toute ressemblance entre eux deux. Il repoussa sa chaise. Il sortit de la cuisine tel un somnambule. Kathy, trop occupée avec Ruth, ne s'en aperçut pas immédiatement, mais Charlie resta là, bouche bée, comme s'il n'en croyait pas ses yeux.


Ruth Hawkin s'était changée, remarqua George. Elle portait maintenant une robe en jersey marron et un cardigan couleur bruyère. Elle avait dû tenter de prendre un peu de repos pour la première fois depuis la disparition de sa fille, mais les cernes foncés de l'insomnie révélaient son échec. Et il la trouva de nouveau assise à la table de la cuisine, recroquevillée, une cigarette entre ses doigts tremblants.

Kathy Lomas s'appuyait contre la cuisinière, les bras croisés, le front plissé.

— Je ne comprends pas. Pourquoi Peter voulait-il revenir à Scardale ? En pleine tempête en plus ?

214

Ruth Hawkin soupira.

— Je crois pas qu'il pensait à ça, dit-elle d'une voix lasse. Il avait la tête dure, sauf pour ce qui le touchait directement. Le poste de police a dû le secouer, là-dessus le patron du pub l'a terrorisé. Il connaissait rien d'autre que Buxton et Scardale. Mais, mon Dieu, dans quel état il devait être pour prendre le chemin de Scardale… (Elle écrasa sa cigarette et se passa la main sur le visage comme si elle voulait le laver.) Je peux pas l'accepter…

— C'est pas ta faute, affirma Kathy amèrement. Nous savons tous qui est à blâmer.

— Je parle pas de Peter. Ça, je peux l'accepter. Je ne vais pas le regretter. C'est de penser à Alison qui est insupportable. Quand le jeune Charlie est venu nous dire qu'il y avait un corps sur les terres de Dearden, j'ai arrêté de respirer…

Elle était encore sous l'effet de ce choc à son arrivée, pensa George, assise les mains jointes sur la tête, comme si elle ne voulait plus rien entendre. Kathy se tenait derrière elle, entourant ses épaules d'un bras, lui caressant les cheveux de son autre main. Quant au mari de Ruth, il brillait par son absence et, à la question de George, Kathy s'était contentée de répondre que Philip était devenu blanc comme un linge pendant le récit de Charlie avant de sortir.

— Oh, il a pas dû aller loin. Il se pourrait qu'il soit enfermé dans son labo. Quand les choses tournent pas rond, il va toujours là.

George décida alors que Ruth était en droit d'être informée aussi vite que possible, même en l'absence de son mari, d'autant qu'une phrase suffisait à lui faire comprendre l'essentiel :

— C'est le corps d'un homme que nous avons trouvé.

Ruth parut revenir à la vie, la joie l'illumina un instant et George songea aux éclairages de Noël à Londres.

— Ce n'est pas elle ! s'exclama Kathy.

— Non, confirma-t-il.

Il respira profondément et ajouta :

— J'ai bien peur que ce ne soit pas nécessairement une bonne nouvelle. Nous avons identifié le corps, mais il faudra qu'un membre de la famille vienne confirmer qu'il s'agit bien de Peter Crowther.

Un long silence de stupéfaction suivit. Ruth se contentait de le regarder fixement comme si elle n'avait compris qu'une phrase : le corps dans le champ n'était pas celui de sa fille. Kathy paraissait hors d'elle.

Soudain, elle se leva d'un bond, une expression de dégoût sur le visage et marcha de long en large avant de s'appuyer à la cuisinière, toujours en colère. Elle ne savait que trop, se dit George, sur qui faire porter le blâme.

— Je n'ai qu'une chose en tête. Je remercie Dieu. Ce n'est pas mon Alison, reprit Ruth. C'est horrible, Peter aussi était un homme et personne le pleurera, j'en ai peur.

— Et d'abord on aurait jamais dû avoir quelqu'un à pleurer ! s'exclama Kathy. (Sa voix cinglait George comme une poignée d'orties.) Quand Ma' Lomas a commencé à nous prédire les pires malheurs pour avoir fait entrer des étrangers dans notre vallée, j'ai cru qu'elle en rajoutait, comme d'habitude. Mais elle avait vu juste en partie. Nombreux comme vous êtes, vous pouvez même pas mettre la main sur notre Alison ! Tout ce que vous trouvez c'est un mort de chez nous !

— Si vous l'aviez traité comme l'un des vôtres, il serait peut-être encore en vie, intervint une voix venue de la porte à demi ouverte où se tenait Philip Hawkin.

Depuis combien de temps se trouvait-il là? Apparemment, il avait entendu une grande partie de l'accusation.

— Ils l'ont chassé du village comme un chien et la Gestapo l'a chassé à son tour, continua-t-il. Grand Dieu, l'ignorance de ces gens! Il ne faisait de mal à personne, il n'avait jamais été violent, pour autant que je sache. Il n'avait jamais porté la main sur une femme. Je ne peux pas m'empêcher d'éprouver de la peine pour ce malheureux.

— Vous devez être soulagé que ce ne soit pas le corps d'Alison? intervint Clough, qui paraissait ne pas tenir compte de l'humeur sombre de Hawkin.

— Bien sûr. Qui ne le serait pas? Mais je dois dire que vous me décevez, vous et vos hommes, inspecteur. Deux jours et demi et toujours aucune nouvelle d'Alison. Vous voyez dans quelle détresse se trouve ma femme. Votre échec est pour elle une torture. Ne pouvez-vous rien de plus? Faire preuve d'imagination, par exemple? Et cette voyante qu'un journaliste a consultée? Vous pourriez lui accorder un peu d'attention? (Il posa ses poings sur la table, se pencha en avant; ses joues se coloraient peu à peu.) Nous sommes soumis à une tension terrible, inspecteur. Nous n'attendons pas de miracle, nous voulons seulement que vous fassiez votre travail, inspecteur, que vous retrouviez notre petite fille.

George tenta de dissimuler son sentiment de frustration derrière le masque de l'autorité.

— Nous faisons déjà tout notre possible, monsieur. Les équipes de recherche sont de plus en plus nombreuses. Nous bénéficions de l'aide de centaines de volontaires de Buxton, Stoke, Sheffield et Ashbourne, et des gens d'ici. Si elle est quelque part aux alentours, nous la retrouverons, je vous le promets.

— Je suis sûre que vous faites de votre mieux, dit Ruth doucement, Phil aussi. Mais ne rien savoir, c'est une torture constante.

D'un signe de tête, George montra qu'il compatissait.

— Nous vous tiendrons informés.

À l'extérieur, l'âpreté du vent lui enfonça des couteaux dans la poitrine, comme il traversait le pré communal en aspirant l'air goulûment.

Presque contraint de trotter pour le suivre, Tommy Clough déclara :

— Il y a quelque chose chez Hawkin qui sonne faux. Un peu comme pour une langue étrangère apprise aux cours du soir. Vous avez retenu la grammaire, la prononciation, mais on ne croira jamais que c'est votre langue maternelle. Celle-là, on la parle sans y penser.

George se jeta dans le siège du passager.

— Bon, il n'est pas d'ici, mais cela ne fait de lui ni un kidnappeur ni un meurtrier.

— Pourtant... (Clough mit le moteur en route.) Pourtant il va bien falloir affronter la conférence de presse. Le superintendant va vouloir la peau de quelqu'un pour ce qui s'est passé. Et, aussi sûr que Dieu a fait les pommes vertes, vous pouvez parier que Carver fera passer ça en premier.

George se laissa aller contre le dossier, alluma une cigarette. Il ferma les yeux et se demanda pourquoi il avait choisi la police. Avec sa licence de droit, il aurait pu entrer comme stagiaire dans un tranquille cabinet d'avocats-conseils à Derby. Devenu associé, il se serait spécialisé dans des branches sans histoire, la rédaction d'actes, l'homologation de testaments... Cette idée l'avait toujours fait frémir, mais aujourd'hui elle prenait du charme.

Il rouvrit les yeux et découvrit de longues files d'hommes traversant la vallée tout près les uns des autres.

— Il n'y a rien à trouver ici, constata-t-il amer, excepté ce que les premiers chercheurs ont laissé tomber !

— On envoie les bleus ici, répondit Clough calmement. Les plus qualifiés se chargent des endroits escarpés et des vallons hors des sentiers battus. Sur un terrain comme celui-là, il y aura toujours des coins que nous n'aurons pas fouillés à fond.

— Vous croyez qu'ils vont trouver quelque chose ?

— Ça dépend de ce qu'il y a à trouver. (Clough fit la grimace.) Un corps ? Non.

— Pourquoi pas ?

— Si nous ne l'avons toujours pas découvert, c'est qu'il a été bien planqué, par quelqu'un qui connaît encore mieux le terrain que tous nos traqueurs. Par conséquent nous ferons chou blanc. Sans nouvel indice, y'a pas d'espoir.

George hocha la tête.

— Impossible de l'admettre. Cela revient presque à dire que nous ne retrouverons ni Alison ni la personne qui l'a enlevée et probablement assassinée.

— Un dur morceau à avaler, chef. C'est pourtant ce que les collègues du Cheshire et de Manchester doivent faire. Ah, vous n'aimez pas qu'on vous rappelle l'article de Don Smart, je sais chef, mais il est possible qu'il y ait des leçons à tirer de leur expérience… ne serait-ce qu'apprendre comment on fait face à l'échec…

Clough venait d'arrêter brutalement la voiture. À perte de vue, les bas-côtés étaient encombrés d'autos, de camionnettes, de Land Rover. Dans les seuls espaces libres s'étaient glissés des motos et des scooters.

— Bon, on se gare comment ?

Restait une solution : George descendit près de la chapelle méthodiste et regarda Clough faire un demi-tour expert. Il s'engagea dans le chemin de Scardale.

George redressa les épaules, tira une dernière bouffée sur sa cigarette avant de la jeter. Un mauvais moment l'attendait dans la chapelle mais il ne servait à rien de reculer.

# 13

Le purgatoire de la conférence de presse ne dura pas aussi longtemps que George l'avait craint, grâce à la méthode militaire expéditive du superintendant Martin. Il se contenta d'annoncer la mort de Peter Crowther, sans autre commentaire qu'un bref mot de regret. Quand l'un des journalistes, tentant de le déstabiliser, l'interrogea sur des fuites éventuelles au sein de la police, il répondit en passant à l'offensive.

— Si vous cherchez des responsables, voyez certaines affabulations éhontées, je pense au *Courant*, proclama-t-il de sa voix d'officier passant les troupes en revue et à qui on ne la fait pas. S'ils avaient pris la peine de vérifier la rumeur, nous leur aurions répété mot pour mot ce que nous avons déclaré à tous les journalistes : qu'un homme avait été conduit au poste de police pour être interrogé dans les meilleures conditions possibles et qu'il était reparti lavé de tout soupçon. Je n'accepterai pas que mes hommes servent de bouc émissaire et de paravent à l'irresponsabilité de la presse. Nous, nous avons une fillette à retrouver. Je répondrai aux demandes relatives à cette affaire.

Après quelques questions de routine, inévitablement, la tête de renard de Don Smart se redressa.

— Je ne sais pas si vous avez lu l'article paru dans le *News* de ce matin ?

Le rire de dérision de Martin ponctua ses paroles :

— Jusqu'à ce jour, monsieur, je croyais que les seules putains en temps de paix étaient des femmes. Cette idée n'est pas nécessairement contredite par le fait que vous portiez des moustaches. Votre travail n'est bon qu'à remplir les colonnes des magazines féminins en mal de sensation. Je ne vous ferai pas l'honneur d'un commentaire face à vos piètres tentatives de semer la zizanie. Je me contente de dire foutaises, pures foutaises. J'avoue que je vous aurais bien interdit l'entrée de la conférence de presse. Mais je me suis laissé convaincre, à regret, par mes collègues : en agissant ainsi, je vous accordais la notoriété que vous recherchez. Vous pouvez donc rester. N'oubliez cependant pas que le but de notre réunion est de retrouver une jeune fille vulnérable disparue de chez elle et non pas d'accroître les ventes de votre torchon.

À la fin de sa tirade, la nuque de Martin avait pris la teinte écarlate d'une crête de coq. Don Smart se contenta de hausser les épaules et se replongea dans son calepin.

— Pas de commentaire, en résumé, dit-il doucement.

Martin avait ensuite conclu rapidement. Comme les journalistes sortaient en file, parlant à mi-voix et comparant leurs notes, George se prépara à l'assaut. Maintenant que le superintendant s'était exercé avec Smart, son tour allait venir. Martin tortilla les poils hérissés de sa moustache. Il regarda George fixement puis, sans le quitter des yeux, il tira de sa poche son paquet de Capstans brunes et alluma une cigarette.

— Eh bien ?

— Monsieur ?

— Votre version des faits ?

George brossa à grands traits sa rencontre avec Crowther.

— J'ai donc donné l'ordre au sergent de téléphoner à son collègue de garde à Buxton afin de relâcher Crowther. Nous avions également convenu de lui demander d'indiquer à la presse qu'aucun soupçon ne pesait sur lui ; les hommes en patrouille devaient contribuer à répandre la même nouvelle.

— Vous n'aviez pas vu l'article du *Courant* ?

— Non, monsieur. Nous avions passé la journée à Scardale et ce journal n'y parvient pas avant le samedi matin.

— Et le gradé de service n'a pas fait part au sergent Clough de cette information ?

— Si tel avait été le cas, le sergent Clough serait revenu me demander des instructions supplémentaires.

— Vous en êtes sûr ?

— Vérifiez auprès du sergent Clough, monsieur, mais le connaissant, je suis certain qu'il aurait considéré une telle information comme susceptible de modifier les ordres. Il serait revenu me voir.

George enregistra le froncement de sourcils et se prépara au pire. La foudre ne s'abattit pas. Martin se contenta de hocher la tête.

— J'avais bien l'impression qu'il s'agissait d'un dysfonctionnement de la communication. Deux mauvaises notes : tout d'abord l'un de nos gradés a informé la presse de faits qu'elle n'avait pas à connaître ; deuxièmement, l'officier de service n'a pas communiqué à ses collègues sur le terrain des nouvelles susceptibles de modifier leur décision. Il est heureux que la famille Crowther soit trop préoccupée par son autre perte pour s'interroger sur notre rôle dans cette affaire regrettable. Bien, que comptez-vous faire aujourd'hui ?

George montra une pile de fiches sur l'une des tables.

— J'ai fait apporter les déclarations enregistrées à Buxton afin de les examiner, tout en étant sur place si nous faisions une découverte.

— Les recherches prennent fin à 16 heures ?

— À peu près, dit George pris de court par la question.

— S'il n'y a rien de nouveau, je veux que vous soyez de retour chez vous à 17 heures.

— Monsieur ?

— Je n'ignore pas le temps que vous et Clough avez consacré à cette affaire. Je ne vois aucune raison pour que vous succombiez à la tâche. Vous avez quartier libre cette nuit et c'est un ordre. Demain est un jour important. Je veux vous retrouver en forme.

— Demain, monsieur ?

Martin s'exclama impatiemment :

— Allons donc ! Personne ne vous a mis au courant ? La communication, grand Dieu ! Il va falloir l'améliorer ! Demain, Bennett, nous avons le plaisir de recevoir deux inspecteurs venus d'autres divisions, l'un de Manchester et l'autre du Cheshire. Je ne doute pas que vous étiez au courant, avant même que *Mister* Smart du *Daily News* en fasse état, de ces deux disparitions mystérieuses d'adolescents. Les représentants des forces de police concernées souhaitent nous rencontrer afin de voir s'il existe des parallèles possibles.

George ressentit un choc au cœur. Devoir perdre son temps à accueillir d'autres inspecteurs n'allait pas faire avancer son enquête. La police de Manchester recherchait Pauline Reade depuis plus de cinq mois et celle du Cheshire John Kilbride depuis trois bonnes semaines. Les enquêteurs se raccrochaient à des fétus de paille ! Ce qui comptait pour eux, c'était de paraître poursuivre leur action alors même qu'ils se heurtaient à un mur. Quelle aide pouvaient-ils lui apporter ? S'il avait eu l'âme d'un parieur, il aurait misé sur le fait qu'une telle initiative avait déjà fait l'objet d'un communiqué de presse.

— Ne vaudrait-il pas mieux que l'inspecteur-chef Carver se charge de cette réunion ? demanda-t-il, quelque peu désespéré.

Martin contempla sa cigarette d'un air de mépris.

— Vous avez une bien meilleure connaissance de l'affaire, dit-il sèchement. (Il se détourna et prit la direction de la sortie.) Demain 11 heures au QG, reprit-il sans se retourner ni élever la voix.

George demeura un moment immobile. Il contemplait la porte qui s'était refermée sur le dos inflexible de Martin. Un mélange de colère et de désespoir bouillonnait en lui. D'autres personnes avaient décidé que la disparition d'Alison ne serait pas élucidée. Que cette affaire soit reliée ou non aux deux autres, il était évident que ses supérieurs ne s'attendaient plus à ce qu'il retrouve la jeune fille et surtout pas en vie.

Serrant les mâchoires, il tira une chaise d'un coup sec et entreprit la lecture des déclarations, sans doute sans intérêt, à moins que… un petit coup de pouce du destin – le seul espoir qui lui restait.

*Dimanche 15 décembre 1963, 10h30*

Enfin un journal sérieux. Dans tous les exemplaires du *Sunday Standard* était insérée une annonce pleine page. Les marchands de journaux en avaient reçu un exemplaire supplémentaire que George découvrait dans chaque vitrine placée sur son chemin. Sous le très gros titre en noir :

« AVEZ-VOUS VU CETTE FILLE ? », un agrandissement d'un des remarquables portraits d'Alison
tirés par Philip Hawkin, puis le texte suivant :

*Alison Carter n'est pas réapparue chez elle, au vil-*
*lage de Scardale, Derbyshire, depuis le mercredi*
*13 décembre, 16 h 30.*
SIGNALEMENT : 13 ans, 1,58 mètre, mince,
cheveux blonds, yeux bleus, teint clair. Signe particulier : le sourcil droit porte la marque d'une cicatrice. Vêtue de l'uniforme de son école : blazer noir,
cardigan marron, chemise blanche, cravate noire et
marron, collants de laine noirs, elle portait en outre
un duffle-coat bleu marine et aux pieds des bottines
noires en peau de mouton.
Toute information sera reçue à l'Hôtel de Police
du Comté du Derbyshire à Buxton ou auprès de
n'importe quel agent de la force publique.

Voilà comment les journalistes pouvaient aider la
police, pensa George, en espérant que Don Smart
avait avalé de travers quand, à son petit déjeuner,
l'affiche s'était détachée de son numéro du *Sunday*
*Standard*. Dans combien de foyers serait-elle collée
au mur d'ici la tombée de la nuit ?
Et dans les vitrines de High Peak, on verrait sans
doute plus de photographies d'Alison que de sapins
de Noël.
Une façon positive de commencer la journée, se
dit-il, s'efforçant d'être optimiste ; une journée qui
avait, par ailleurs, bien débuté puisqu'il n'avait pas
eu à se précipiter à Scardale dès l'aube.
Anne et lui s'étaient réveillés comme à l'accoutumée et avaient bavardé tranquillement au lit. Il était
allé chercher la théière et le temps s'était écoulé paisible, selon les conseils de la veille. Pouvait-il

oublier Alison plus d'une minute ? Si on lui avait posé la question, il aurait répondu non avec véhémence, mais la présence apaisante d'Anne lui avait permis de mettre provisoirement de côté les frustrations de l'enquête. Ils avaient soupé aux chandelles, écouté la radio pelotonnés l'un contre l'autre sur le canapé, tout en jouant à imaginer l'enfant à venir. Et bien que le moment de détente fût trop court et le sommeil agité, il se sentait revigoré, la confiance revenue.

Avec quelques punaises empruntées aux notes de service, George épingla l'affiche sur le panneau des inspecteurs. Elle ne manquerait pas de rappeler aux enquêteurs en visite que sa disparue à lui était encore vivante !

— Ça en jette !

La voix de Tommy Clough résonna dans la pièce comme la porte se refermait derrière lui. D'une secousse des épaules, il se débarrassa de son manteau qu'il lança sur la patère.

— Je ne pensais pas qu'ils le feraient, dit George, tapotant l'affiche de l'ongle.

— C'était prévu depuis hier matin, répondit Clough négligemment, comme il boutonnait le col de sa chemise et resserrait sa cravate.

— J'aimerais bien disposer de votre source de renseignement. Rien ne vous échappe.

Clough sourit :

— Quand vous serez resté ici depuis aussi longtemps que moi, vous aurez oublié plus de choses que j'en saurai jamais. J'ai appris par hasard pour les affiches. Je passais devant l'accueil quand un courrier est venu chercher la photo. Je voulais vous en parler, mais j'ai oublié. Désolé, chef.

Se retournant, George offrit son paquet de cigarettes.

— Comme nous sommes inséparables sur ce boulot, vous feriez mieux de m'appeler George quand on est entre nous.

Clough prit une cigarette, redressa la tête.

— Je suis pas contre, George…

Avant qu'il ait pu ajouter un mot, la porte s'ouvrit de nouveau et le superintendant Martin fit une entrée martiale. Deux hommes le suivaient, en costumes bleu marine, portant chapeaux mous et trench-coats. Mais là s'arrêtait la ressemblance. L'un avait les épaules larges, le torse épais et des jambes presque comiquement courtes, lui permettant tout juste d'atteindre la taille minimale dans la police d'1,74 mètre. L'autre, malgré ses 1,90 mètre, serait passé inaperçu derrière un poteau télégraphique. Martin fit les présentations. Le costaud était l'inspecteur-chef Gordon Parrott de la police urbaine de Manchester, l'autre l'inspecteur-chef Terry Quirke de la police du comté de Cheshire.

Martin les quitta, promettant de faire monter du thé de la cantine. Au début, les quatre hommes se regardèrent un peu en chiens de faïence, cependant, peu à peu, à mesure que chacun exposait la façon dont il avait mené son enquête respective, sans qu'aucun des trois autres n'y trouve à redire, ils commencèrent à se détendre. Deux heures plus tard, ils tombèrent d'accord sur le fait qu'il était autant possible de supposer que les trois disparus avaient été victimes du même criminel que de noter de simples coïncidences.

— Ce qui revient à dire, constata Parrott, l'air sombre, que nous ne disposons d'aucun élément nous permettant de fonder une opinion.

— À une différence près, remarqua George, la rareté des cas où rien n'apparaît qui puisse permettre d'échafauder une hypothèse : vous êtes dans cette situation. Moi, au moins, je dispose de deux indices : le chien ligoté dans un bois et les quelques signes de lutte dans un autre. C'est la seule différence entre la disparition d'Alison Carter et celles de Pauline Reade et John Kilbride, mais elle est cruciale.

Il y eut des murmures d'assentiment autour de la table.

— Dans le cas de Pauline et de John, ajouta Clough, je parierais sur un enlèvement par un automobiliste. Éventuellement par deux, l'un au volant, l'autre pour s'emparer de la victime. Si le ravisseur avait été à pied, il y aurait sûrement eu des témoins. Avec une voiture, cela se passe en quelques secondes. Bien sûr, nous avons ce vieux couple à Longnor qui a remarqué une Land Rover garée près de la chapelle, mais je n'y crois pas pour Alison. Un ravisseur n'aurait pas pu la porter depuis les bois de Scardale jusqu'à la chapelle, à moins qu'il ne soit Tarzan en personne. Et dans le village on n'a croisé aucun véhicule étranger cet après-midi-là.

— Et il ne serait pas passé inaperçu, confirma George. Si une souris éternue à Scardale, elle a le choix entre différents remèdes de bonne femme avant même de s'être mouchée !

Parrott soupira :

— Nous vous avons fait perdre votre temps.

George fit non de la tête.

— Curieusement, non. J'y vois plus clair maintenant. Je sais où nous divergeons. J'ai acquis la conviction qu'Alison n'a pas pu être enlevée par un inconnu. Quel que soit son destin, elle connaissait son ravisseur.

*Lundi 16 décembre 1963, 7 h 40*

Le moral presque au beau fixe, George résista à une autre journée de recherches infructueuses,

229

mais il s'effondra à la lecture du *Daily News* du lundi matin. Cette fois, le coup de la voyante avait valu la une à Don Smart.

### Jeune disparue : révélations dramatiques d'une voyante française

DE NOTRE ENVOYÉ SPÉCIAL

L'enquête menée suite à la disparition d'Alison Carter, 13 ans, a pris aujourd'hui un tour dramatique avec l'intervention d'une voyante extralucide qui a fourni à la police des informations capitales.

Mme Colette Charest a donné des précisions sur les déplacements de la jeune fille depuis sa disparition du hameau de Scardale dans le Derbyshire, il y a cinq jours.

Depuis sa ville de Lyon, en France, elle a dévoilé ses conclusions fondées sur une carte d'état-major de la région, une photographie de cette jeune et jolie blonde et des coupures de presse du *News*.

IMPRESSIONNÉ

Ces conclusions ont été transmises la nuit dernière à l'inspecteur-chef M.C. Carver qui est à la tête de l'équipe qui enquête sur cette disparition mystérieuse. Il a déclaré : «Nous ne négligerons aucun indice. Le rapport de cette femme est étonnant.»

Mme Charest a déjà impressionné la police française par ses pouvoirs extralucides dans des recherches de personnes disparues.

Cette veuve française dans sa quarante-septième année dit «avoir vu» Alison traversant une zone boisée en compagnie d'un homme qu'elle connaissait. C'était un homme entre 35 et 45 ans aux cheveux noirs.

Elle dit qu'Alison attendait cet homme près d'un cours d'eau et qu'elle paraissait triste et effrayée.

## ENCORE EN VIE

Mme Charest a insisté sur sa conviction qu'Alison est encore en vie: «Elle se trouve dans une ville, dans une maison située dans un alignement de maisons semblables en brique sur une colline. Elle est arrivée là dans un véhicule, sans doute une petite camionnette. Elle est arrivée de nuit et elle n'est pas sortie depuis lors. Elle n'est pas libre de ses mouvements mais elle ne souffre pas. Il y a une cour d'école près de la maison. Elle peut entendre les enfants jouer et cela la rend triste.»

Des équipes de volontaires, collaborant avec la police et l'équipe de secours de haute montagne, continuent de parcourir sans relâche les vallons et les landes autour de Scardale.

Les chercheurs ont eu recours à des chiens dressés et ont utilisé des instruments de sondage, car sur cette vaste étendue de lande on recense de nombreux puits de même que des trous d'eau.

L'inspecteur-chef Carver nous a déclaré: «Le secteur de recherche s'élargit sans cesse. Nous bénéficions d'une coopération remarquable de la part du public mais il nous faut encore des renseignements précis sur les déplacements d'Alison après qu'elle eut quitté sa maison en compagnie de son chien, mercredi après-midi. Il est possible que cette nouvelle information rafraîchisse la mémoire de quelqu'un. Même si une indication paraît insignifiante, nous sommes disposés à entendre toute personne qui croit savoir quelque chose. »

— À quoi joue Carver ? grogna-t-il en direction d'Anne. Ce n'est vraiment pas le moment d'encourager ce genre d'initiative. Nous allons être submergés par tous les soi-disant devins de ce pays.

Anne beurrait tranquillement son toast.

— Ils ont sans doute déformé ses propos.

— Tu dois avoir raison, concéda George. (Il replia le journal, le fit glisser sur la table en direction de sa femme avant de se lever.) J'y vais. Je reviendrai quand je pourrai.

— Essaie de revenir pas trop tard. Je ne veux pas que tu prennes l'habitude de travailler à pas d'heures. Je ne veux pas que notre bébé grandisse sans savoir qui est son père. J'ai écouté d'autres femmes parler de leur mari comme de parents éloignés, peu dignes d'être aimés. À les entendre, on a l'impression que ces hommes considèrent leur foyer comme un dernier recours, quand les pubs et les clubs sont fermés. Elles disent que même les vacances deviennent pénibles. C'est comme partir avec un étranger qui passe son temps à bouder ou à s'énerver. Ou alors il boit, il joue aux courses...

George secoua la tête :

— Je ne suis pas comme ça, tu le sais.

— La plupart, me semble-t-il, pensaient comme toi quand ils étaient jeunes mariés, dit Anne sèchement. Ton travail ne ressemble pas au leur. Quand tu rentres, il continue de te poursuivre. N'oublie pas que ta vie ne consiste pas uniquement à attraper des criminels.

— Comment pourrais-je l'oublier, quand tu es là, à mon retour ?

Il se pencha pour l'embrasser. Elle sentait bon. Une odeur de biscuit au four. Son odeur du matin. Elle lui avait révélé que lui sentait légèrement le musc, comme la fourrure d'un chat. Il avait alors pris conscience que chacun a son odeur particulière. Il se demanda si le souvenir de cette signature parfumée faisait aussi partie de la torture que subissait Ruth en pensant à sa fille. Il étouffa un soupir et serra Anne très vite, puis s'enfuit vers sa voiture pour ne pas succomber à l'émotion.

Comme il passait prendre Clough, il décida de ne pas assister à la conférence de presse. Le superintendant Martin était beaucoup plus compétent que lui pour tenir Don Smart à distance et il fallait éviter un affrontement public que sa colère rendait presque inévitable.

— Allons bavarder avec les Hawkin, dit-il au sergent. Ils doivent maintenant se douter que l'espoir s'épuise. Ils ne voudront pas l'admettre, mais nous leur devons une juste évaluation de la situation.

Les essuie-glaces balayaient la pluie de leur va-et-vient monotone comme ils se dirigeaient vers Scardale. Enfin, Clough déclara :

— Impossible qu'elle soit dehors par ce temps et encore en vie.

— Comment aurait-elle survécu ? Elle n'est plus un petit enfant que l'on peut terrifier et boucler dans une cave. Garder captive une adolescente, c'est une tout autre histoire. Par ailleurs, un tueur pervers ne peut pas attendre. Il faut qu'il prenne son plaisir tout de suite. Et un kidnappeur assez stupide pour croire Hawkin capable de payer une rançon se serait déjà manifesté.

George soupira tout en levant la main pour saluer le policier de garde à la barrière de Scardale, dégoulinant de pluie.

— Tant pis pour les Hawkin. Nous devons tous prendre conscience que maintenant nous recherchons un corps.

Seul le grincement des essuie-glaces sur le pare-brise se fit entendre dans la voiture jusqu'à leur arrivée sur le pré communal. Ils se garèrent le long de la caravane. Les deux hommes coururent sous l'averse et se blottirent contre l'encadrement de la porte, attendant que Ruth Hawkin réponde aux coups de George. À leur grande surprise, ce fut Kathy Lomas qui ouvrit.

— Vous feriez mieux de rentrer, dit-elle brusquement.

Ruth était assise à la table de la cuisine, enveloppée dans un peignoir rose en tissu matelassé, les yeux dans le vague, les cheveux en désordre. En face d'elle, Ma' Lomas portait plusieurs cardigans superposés et un châle écossais fixé sur la poitrine par une épingle à nourrice. George reconnut la quatrième femme : Diane, la sœur de Ruth et la mère du jeune Charlie Lomas. La poitrine de Ma'Lomas n'avait pas l'air de souffrir des cigarettes de ses trois parentes.

— Qu'est-ce que vous apportez donc ? demanda Ma' Lomas avant même que George ait pu ouvrir la bouche.

— Rien de bien neuf, admit George.

— Pas comme les journaux, alors, répliqua amèrement Diane Lomas.

— Ah, ils ont toujours quelque chose à raconter, ajouta Kathy. Et rien (elle prononçait *rin*) que des conneries, sur Alison coincée dans une maison de la

234

ville. On peut pas cacher en ville quelqu'un qui veut pas être caché. Puis ces maisons, elles ont des murs minces comme des feuilles de papier... Vous pouvez pas les empêcher d'imprimer ces saloperies ?

— Nous sommes dans un pays libre, Mrs Lomas. Je n'aime pas plus que vous l'article de ce matin, mais je n'y peux rien.

— Vous avez vu dans quel état elle est ? reprit Diane en montrant Ruth. Ils ne pensent pas au mal qu'ils lui font. C'est pas juste.

George se pinça les lèvres. Enfin, il parvint à dire :

— C'est en partie la raison de ma visite ce matin, Mrs Hawkin. (Il s'empara d'une chaise, s'assit face à Ruth et sa sœur.) Votre mari est-il là ?

— Il est parti à Stockport, répondit Ma' Lomas d'un ton méprisant. Il lui faut des produits chimiques pour sa photographie. Bien sûr, il peut aller et venir comme bon lui semble. Pas comme ceux nés et élevés à Scardale...

Ses paroles restèrent comme suspendues, en attente. Elle lui lançait un défi ; George se garda de relever. La mort de Peter Crowther le tourmentait suffisamment pour laisser la langue acérée de Ma' Lomas le fustiger. Il se contenta d'incliner la tête et reprit comme si de rien n'était.

— Je voulais vous dire à tous deux que nous continuons les recherches. Mais on ne vous cache pas que les chances de la retrouver vivante sont de plus en plus faibles.

Le visage de Ruth portait le masque de la résignation.

— Vous croyez que je ne le savais pas ? Je ne m'attends à rien d'autre depuis l'instant où j'ai compris qu'elle était partie, mais ça, je peux le supporter. Mais je ne sais toujours pas ce qui est arrivé à mon enfant, et ça devient insupportable. Je vous demande seulement de trouver ce qui lui est arrivé.

George respira profondément.

— Croyez-moi, Mrs Hawkin, j'y suis résolu. Vous avez ma parole : je ne renoncerai pas.

— De belles paroles, mon gars, mais qui veulent dire quoi ?

La voix sardonique de Ma' Lomas venait de couper court à l'émotion.

— Cela veut dire que nous continuons à chercher, à poser des questions. Nous avons déjà fouillé la vallée de fond en comble, ainsi que la campagne environnante. Nous avons dragué les réservoirs, des plongeurs de la police ont exploré le Scarlaston. Et nous n'avons rien trouvé de plus que ce que nous avons découvert dans les vingt-quatre premières heures. Mais nous ne renonçons pas.

Ma' renifla, méprisante, son nez et son menton se rejoignirent presque en une grimace.

— Comment pouvez-vous rester assis là et regarder Ruth dans les yeux, en lui affirmant que vous avez fouillé la vallée ? Vous vous êtes même pas approché des galeries de la vieille mine de plomb.

# 14

George vit sa propre stupéfaction reflétée sur les visages en face de lui. Ruth fronçait les sourcils comme si elle n'était pas sûre de ce qu'elle avait entendu. Diane paraissait déconcertée.

— De quelle vieille mine tu parles, Ma'?

— Vous savez pas? là-bas dans la faille de Scardale...

— Première fois que j'en entends parler, dit Kathy, apparemment vexée.

— Un instant, intervint George, de quoi parlons-nous? De quelles galeries de mine?

Ma' eut un soupir d'exaspération.

— Comment j'peux être plus claire? Dans la faille, il y a une ancienne mine de plomb, avec des galeries, des tunnels, des j'sais pas quoi. C'est pas une grande mine, mais elle existe.

— Depuis combien de temps est-elle fermée? demanda Clough.

— Comment j'le saurais? protesta la vieille femme. De toute ma vie j'l'ai jamais vue marcher. J'crois qu'elle est là depuis le temps des Romains. Ils creusaient pour trouver du plomb et de l'argent.

— J'ai jamais entendu parler d'une mine de plomb dans la faille, insista Diane. Et pourtant je vis ici depuis toujours.

George se retint pour ne pas hurler :

— Où se trouve exactement cette mine ?

Clough s'estima heureux de ne pas être la personne exposée à cette voix cinglante. Il n'aurait pas cru George capable d'une telle férocité, mais cela le conforta dans sa décision de se rallier à son panache.

Ma' Lomas haussa les épaules.

— Comment je le saurais ? Comme j'ai dit, on l'a jamais exploitée de mon temps. Tout ce que je sais c'est qu'on doit pouvoir y accéder quelque part après le boqueteau. Autrefois y avait un ruisseau qui courait par là, mais y s'est asséché quand j'étais une jeunette.

— Il est donc bien possible que personne ne connaisse son existence, conclut George, en baissant les épaules.

Le fil qu'il avait cru saisir s'effilochait.

— Eh bien, moi, j'la connais, insista Ma'. Le châtelain me l'a montrée dans un livre. Le vieux châtelain, pas Philip Hawkin.

— Quel livre ? demanda Ruth, s'animant pour la première fois depuis l'arrivée des deux policiers.

— J'sais pas comment qui s'appelait, mais sûr que je le reconnaîtrai. (La vieille femme repoussa sa chaise.) L'époux que tu t'es trouvé est-ce qu'il a bazardé les livres du châtelain ? (Ruth fit non de la tête.) Bon, allons y jeter un coup d'œil.

Pendant l'absence de Philip Hawkin, le bureau était aussi glacial que le vestibule. Ruth frissonna. Elle resserra les plis de son peignoir. Diane sortit ses cigarettes, puis se pelotonna sur son siège comme une grosse chatte tigrée tenant une souris dans sa patte. Kathy tripotait deux prismes posés sur le bureau. Elle les souleva, les fit jouer dans la lumière. Pendant ce temps, Ma' scrutait les rayonnages et George retenait son souffle.

Parvenue à l'étagère du milieu, elle pointa un doigt osseux.

— Là, dit-elle d'un ton satisfait. Ç'ui-là : *Inventaire des curiosités de la vallée du Scarlaston*.

George s'empara du livre. Un très bel ouvrage, assurément, mais qui avait souffert du passage des années et d'avoir été souvent consulté. Relié en maroquin d'un rouge passé, c'était un in-folio de 2,5 centimètres d'épaisseur. Il le posa sur le bureau et l'ouvrit.

— *Inventaire des curiosités de la vallée du Scarlaston dans le comté de Derbyshire, y compris la grotte du géant et la source mystérieuse de la rivière. Tel qu'établi par le révérend Onesiphorus Jones. Publié par Messrs. King, Bailey & Prosser de Derby. MDCCCXXII*, lut George. Mille huit cent vingt-deux, répéta-t-il. Où se trouve le passage consacré à la mine, Mrs Lomas ?

Ses doigts aux phalanges nouées par l'arthrite rampèrent sur le livre et se posèrent sur la table des matières.

— J'me souviens que c'était près du milieu, murmura-t-elle.

George se pencha par-dessus son épaule et lut attentivement.

— C'est ça ? demanda-t-il, désignant le chapitre quatorze, *Les mystères secrets de la faille de Scardale ; nos ancêtres dans la vallée ; l'or du Fou et le plomb de l'Alchimiste*.

— Ouais, je crois bien, mais ça date. (Elle recula d'un pas.) Le châtelain aimait me parler de l'histoire de la vallée. Sa femme était venue du dehors, vous comprenez.

George écoutait distraitement. Il feuilletait les pages jaunies marquées de taches de rouille, parvint au chapitre relatant l'histoire de l'extraction du plomb à Scardale, illustrée par un graveur plus soucieux de précision que d'atmosphère romantique. Le gisement de pyrite de fer et de minerai de plomb, découvert vers la fin du Moyen Âge, n'avait pas été véritablement exploité avant le XVIII<sup>e</sup> siècle, pendant lequel les mineurs forèrent quatre galeries principales et deux excavations plus importantes. Les veines se révélèrent progressivement peu productives et, vers 1790, la mine cessa toute activité. À l'époque de la rédaction du livre, une palissade obturait l'entrée de la mine.

George montra l'illustration :

— Est-ce que cela suffira pour nous permettre de découvrir cette entrée ?

— Vous ne la trouveriez jamais comme ça, dit Diane. (Elle s'était approchée et penchait la tête près du bras de George pour tenter de voir.) Mais moi je vous dis que j'connais quelqu'un…

— Qui donc ? demanda George, qui pensait qu'il avait sans doute été plus facile d'extraire du plomb à Scardale que d'y obtenir une information.

— J'parie que notre Charlie en est capable, reprit Diane sans paraître s'apercevoir de son exaspération. Il connaît la vallée mieux que personne aujourd'hui. Et y'a pas son pareil pour se faufiler. Si faut grimper ou creuser, c'est votre gars. Voilà qui y vous faut, Mr Bennett : not' Charlie. Mais faut qui veuille, après la façon dont vous l'avez traité.

*Lundi 16 décembre 1963, 11 h 33*

Charlie Lomas s'agitait comme un jeune chien tirant sur sa laisse quand il flaire le fumet d'un lapin. Comme George, il avait voulu sur-le-champ se précipiter à l'endroit où la rivière passait près de la faille. Mais, à la différence de George qui connaissait les vertus de la patience, il ne voyait pas l'intérêt d'attendre la venue de spéléologues expérimentés, lorsqu'il s'agissait d'explorer un mystère de Scardale. Il faisait donc les cent pas à l'extérieur de la caravane, sans s'arrêter de fumer, avalant des gorgées d'une tasse de thé refroidi depuis longtemps.

George, derrière la vitre de la caravane, jetait des regards furieux, ne décolérant pas :

— Nous avons pourtant l'habitude des témoins qui taisent ce qu'ils savent, mais ils ont une raison pour agir ainsi. Ils veulent se protéger ou couvrir quelqu'un d'autre. Ou encore ce sont de sales corniauds que ça fait jouir... Mais ici ? Comme si on voulait faire pisser du sang à une pierre !

Clough soupira.

— Je ne crois pas qu'ils y mettent de la malice. Les trois quarts du temps ils ne s'en rendent même pas compte. Une habitude prise au cours des siècles, qui ne changera pas facilement. Ils sont persuadés que les autres ne doivent pas fourrer le nez dans leurs affaires.

— C'est pire que ça, Tommy. Ils sont tellement liés les uns aux autres qu'ils savent tout ce qu'il y a à savoir. Et ils ne se rendent même pas compte que nous ne sommes pas dans le même bateau.

— Je comprends ce que vous voulez dire. Chaque fois que nous découvrons quelque chose qu'ils auraient dû nous révéler, ils restent là bouche bée parce qu'on ne savait pas.

George approuva :

— Nous en avons un exemple parfait. Ma' Lomas ne nous a jamais dit : « Saviez-vous qu'il y avait de vieilles galeries de mine dans la faille de Scardale ? Ça vaudrait peut-être la peine d'y jeter un coup d'œil. » Non, comme tous les autres, elle supposait que nous en avions entendu parler. Quand elle les a mentionnées, c'était juste pour m'asticoter, pour me dire que nous ne faisions pas bien notre travail.

Clough se leva et marcha de long en large dans l'espace resserré de la caravane.

— C'est exaspérant. Mais on n'y peut rien de rien. Quand on sait qu'on ne sait pas, c'est déjà trop tard!

George se frotta les yeux d'un geste las.

— Je n'arrête pas de me dire que si j'avais mieux su les faire parler, nous aurions pu sauver Alison.

Clough s'immobilisa, regarda le sol.

— Je crois que vous avez tort. Dès le premier appel téléphonique au poste de police de Buxton, Alison Carter était déjà condamnée.

Il releva la tête. Son regard rencontra celui de George. Incapable de supporter ce qu'il y vit, il ajouta:

— Mais je dis peut-être ça pour me rassurer, parce que je peux pas me faire à l'autre idée.

George se détourna. Il compulsa de nouveau l'ouvrage du XIXe siècle, essayant de localiser l'ancienne description sur sa carte d'état-major moderne. Tommy Clough, conscient de ses lacunes, s'assit près de la vitre. Il regarda un couple de merles qui grattaient la poussière au pied d'un vieil if noueux. Le travail ne manquerait pas. Il lui suffisait pour le moment d'attendre et de réfléchir.

Les spéléos arrivèrent dans un minibus équipé de sièges vissés au plancher. Sur les portières était maladroitement peint: *Secours des grottes du Park de High Peak*. Une demi-douzaine d'hommes se précipita dans le pré. Sans paraître se soucier de la pluie, ils empoignèrent des équipements rangés à l'arrière du véhicule. L'un d'eux se détacha du groupe et vint vers la caravane. Charlie arrêta ses allées et venues et le regarda avidement comme un chien à l'arrêt. L'homme ouvrit la porte.

— Qui est donc le patron?

George se leva, contraint de se courber sous le plafond bas et tendit la main:

— Inspecteur Bennett.

— Vous ressemblez à James Stewart, on vous l'a déjà fait remarquer ?

Le spéléo secoua brièvement la main de George qui, voyant le sourire de Clough, fronça le sourcil.

— Oui, on me l'a dit. Merci d'être venu.

— Le plaisir est pour nous. On n'a pas eu une bonne opération de secours depuis des lustres. À attendre quelque chose qui nous sorte d'la routine, on se ronge. Alors, vous nous proposez quoi ?

Il s'assit sur la banquette ; le caoutchouc de sa combinaison faisait des plis sur son ventre plat.

— Nous ne pouvons pas situer avec précision l'entrée de cette mine, dit George. (Il expliqua brièvement les indications données par le livre et reportées sur la carte.) Charlie, ici présent, est du coin. Il connaît la vallée, donc il sera précieux sur le terrain. Si nous trouvons l'entrée, je devrai vous accompagner.

Le spécialiste des cavernes parut sceptique.

— Vous avez fait de la spéléo ? de l'escalade ?

George hocha la tête.

— Je ne serai pas un boulet à traîner. Je fais du sport et je suis assez costaud.

— Vous serez quand même un handicap. Nous sommes une équipe, nous avons l'habitude de travailler ensemble et de nous entraider. Vous serez un corps étranger. J'ai pas vraiment envie de me retrouver dans un ensemble de galeries inexplorées avec quelqu'un qu'est pas dans le coup. (D'un mouvement nerveux, il se frotta la joue du revers de la main.) On peut crever sous terre, ajouta-t-il, mais c'est notre boulot de l'éviter.

— Vous avez raison : des gens meurent dans les grottes. Et c'est pourquoi je dois vous accompagner. Nous allons peut-être découvrir un lieu où s'est déroulé un crime. Je ne veux pas risquer de perdre un indice. Vous avez certaines compétences, je ne le nie pas. J'ai les miennes. Vous ne pouvez pas vous en passer. Avez-vous un équipement pour moi, ou faut-il que je déshabille un de vos hommes ?

Le spéléo n'avait pas l'air décidé à céder.

— J'veux pas mettre mon équipe en danger à cause de votre inexpérience.

— Je ne vous le demande pas. Je resterai en arrière et vous laisserai faire toutes les vérifications nécessaires. Je suivrai vos ordres, mais il faut que je sois là.

George parlait d'un ton péremptoire.

— Moi aussi, j'veux venir ! s'exclama Charlie, incapable de garder le silence plus longtemps. J'ai été dans des grottes, j'ai fait de la spéléo, de l'escalade. Je connais le terrain. Faut que j'vienne avec vous !

Tommy posa la main sur son bras.

— C'est pas une bonne idée, Charlie. Si Alison est là-dedans, ça sera sûrement pas un joli spectacle. Tu risques d'en être malade et de détruire des preuves sans le vouloir. À mon premier meurtre, j'ai failli être la victime suivante : j'ai dégueulé partout et mon chef m'aurait tué ! Je sais de quoi je parle. Tu nous aides déjà à trouver l'entrée.

Le jeune gars fronça les sourcils, repoussa les cheveux de son visage.

— C'est une cousine, Mr Clough. Quelqu'un d'la famille doit être là.

— Tu peux faire confiance à l'inspecteur Bennett. Il fera ce qu'il faut. Tu le sais bien…

Charlie se détourna les épaules basses et lança d'un air de défi :

— Alors qu'est-ce qu'on attend ?

Mais la bravade fit long feu : sa voix se brisa.

— Il faut que je me change, dit George. Je ne sais pas votre nom, ajouta-t-il, s'adressant au secouriste.

— Je m'appelle Barry. (Il poussa un soupir.) D'accord, nous avons une combinaison de rab qui devrait vous aller. Mais pour les chaussures...

— J'ai des bottes en caoutchouc dans la voiture. Ça ira ?

— Faudra bien.

Vingt minutes plus tard, une étrange procession traversait le terrain boisé où Charlie avait découvert des traces de lutte. Il montrait le chemin, suivi de près par George et Clough. Derrière eux, les spéléos marchaient en un groupe compact, plaisantant, s'esclaffant, fumant comme si la tâche qui les attendait ressemblait à une aimable exploration dominicale.

Quand ils atteignirent la base de l'escarpement, les spécialistes des cavernes s'accroupirent sur le sol, sous les arbres, attendant des instructions. Charlie explorait le bord de la muraille crayeuse. Il repoussait les branches des taillis, escaladait des amoncellements de rochers pour vérifier s'ils ne dissimulaient pas les vestiges de l'ancienne palissade. Occupé à comparer la topographie et la description du livre, George laissait à Charlie l'essentiel de la quête.

Charlie s'enfonça dans un bosquet de fougères mortes et d'arbustes, se hissa sur un amas de pierrailles, sauta de l'autre côté. Seule sa voix restait perceptible.

— Il y a un trou dans la falaise. On dirait... on dirait qu'il y a eu une barrière, mais le bois est complètement pourri.

— Ne bouge pas, Charlie ! ordonna George. Sergent, venez avec moi. Il pourrait y avoir d'autres traces que celles de Charlie.

Ils se frayèrent un chemin jusqu'aux rochers, se dépêtrant des branches qui les fouettaient au visage et des tiges tenaces des ronciers.

— Impossible de dire si quelqu'un est venu là ! constata Clough, sans dissimuler son sentiment de frustration. On pourrait y accéder par le bois ou en longeant la muraille de l'autre côté. Comme lieu du crime, y'a pas grand-chose à en tirer !

S'aidant des pieds et des mains, ils franchirent les rochers. Charlie les attendait impatiemment. Il dansait d'un pied sur l'autre.

— Regardez ! s'exclama-t-il, dès qu'il les vit. Ça peut être que ça, hein, Mr Bennett ?

Ce qu'ils découvraient n'avait qu'une ressemblance lointaine avec la description que George n'avait pas cessé de relire depuis le début de la matinée. Des blocs de pierre s'étaient détachés de l'entrée, brisant la voûte taillée par des outils primitifs dans la craie tendre et ne laissant qu'une faille triangulaire étroite. Des tiges de fougère s'élevaient jusqu'à mi-corps, tandis qu'un sureau contribuait au camouflage de ce qui avait dû être la galerie d'accès.

— Vous avez vu, dit Charlie, tout fier, les restes des pitons qu'ils avaient enfoncés pour tenir la barricade. (Il montra du doigt quelques bouts de fer noircis qui saillaient sur le pan de roche latéral.) Et là… (Il écarta la bruyère et révéla les restes pourrissants de grosses solives.) Je croyais connaître chaque pouce de la vallée, mais j'étais complètement passé à côté de cet endroit.

Le cœur lourd, George jeta un coup d'œil alentour. Charlie avait piétiné le sol comme un jeune éléphant. Si Alison était passée par là, de son plein gré ou contrainte, il n'en resterait nulle trace. Après une profonde respiration, il appela :

— Barry ! Si vous voulez bien amener vos gars par là. (Il se retourna vers Clough :) Sergent, retournez à la caravane avec Mr Lomas. Il me faut des hommes pour interdire l'accès à ce site. Et surtout pas un mot à la presse pour le moment.

— Tout à fait d'accord, chef. (Sa main se referma sur l'épaule de Charlie.) Au tour des spécialistes de bosser.

— Il faut que j'y aille, dit Charlie.

Il échappa à Clough et se précipita vers l'entrée. George tendit la jambe à son passage. Charlie roula sur le sol, regarda George avec des yeux furieux et surpris.

— On n'en parle plus. Allons, Charlie, rends pas les choses plus difficiles. Je te promets que tu seras le premier informé si on trouve quelque chose.

Charlie se releva, enleva des brindilles de ses cheveux.

— Je retourne dire à ma grand-mère ce que j'ai trouvé, marmonna-t-il l'air buté.

Mais George déjà ne s'intéressait plus qu'aux secouristes, qui franchissaient l'éboulis comme s'il ne présentait aucune difficulté. Et maintenant qu'ils avaient un travail à accomplir, ils se taisaient et chaque homme vérifiait méthodiquement son équipement. Barry tendit à George un casque surmonté d'une lampe de mineur.

— Bon, vous restez en arrière le plus possible. On sait pas du tout comment ça se présente là-dedans. À première vue, il peut y avoir du danger. Nous passons donc devant, vous suivez quand je vous le dis, pas avant. C'est clair ?

George fit signe que oui, tout en ajustant la lanière de son casque…

— Mais si nous trouvons des indices d'un passage récent, il ne faudra surtout pas les effacer. Et si la fille est là… demi-tour, tout de suite.

D'un signe de tête, Barry indiqua l'un des membres de son équipe :

— Trevor possède un appareil photo équipé pour prendre des clichés sous terre. Nous l'avons apporté au cas où... (Il jeta un coup d'œil autour de lui.) Bon, on y va. Des, tu passes en tête. Moi, je me tiens à l'arrière, je veux m'assurer que George suit nos conseils. Vous l'avez entendu, les gars, faut rien déranger. Oh, George, interdit de fumer là-dedans. Impossible de savoir à l'avance les petites surprises que nous réserve cette mine.

Il eut immédiatement l'impression de descendre aux enfers. La crevasse les engloutit et, une fois le portail franchi, ils s'enfoncèrent dans un monde d'obscurité. Les faibles cônes de lumière jaunâtre cognaient contre le calcaire carbonifère des parois blanches et striées. Ici et là, des plaques de quartz scintillaient, des traînées humides luisaient, des traces de minéraux coloraient les stries de teintes différentes. George se souvint d'une excursion avec Anne où ils avaient visité une des grottes ouvertes au public près de Castleton, mais restait incapable d'expliquer l'origine de ces incrustations. Il lui fallut un certain temps pour se rendre compte qu'il se trouvait dans un boyau étroit, d'à peine 1 mètre de large et d'environ 1,70 mètre de hauteur. Il devait se courber et plier les genoux pour éviter de cogner son casque aux excroissances de la voûte.

L'air était humide mais respirable, comme s'il était continuellement renouvelé. À intervalles irréguliers, des séries de clapotements résonnaient lorsque des gouttes à la pointe des stalactites s'alourdissaient et parvenaient à se libérer. George devait éclairer le sol inégal et glissant afin de ne pas buter sur des stalagmites en voie d'apparition.

— Étonnant, non? remarqua Barry qui, tournant la tête, l'aveugla une seconde de l'éclat de sa lampe.

— Impressionnant.

— Si on dérange rien pendant un siècle et demi, ça deviendra un lieu touristique. Je peux vous affirmer que si on trouve rien aujourd'hui, nous reviendrons le week-end prochain l'explorer convenablement. Vous savez comment le Scarlaston semble sourdre du sol? Ce qui veut dire qu'il y a tout un réseau de cours d'eau souterrains auquel cette mine pourrait nous donner accès.

La passion dans la voix de Barry mit George légèrement mal à l'aise. Il n'était pas sujet à la claustrophobie mais le désir évident de cet homme de passer des heures sous ces tonnes de roche hostile lui demeurait étranger. Il aimait trop le soleil et le souffle du vent sur sa peau pour ressentir l'attirance de ce monde clos.

Avant qu'il puisse répondre, l'écho d'un appel venu de la tête de la colonne leur parvint, si déformé qu'il était incompréhensible. Il tenta d'avancer mais le bras de Barry l'arrêta.

— Attendez, ordonna-t-il. Je vais voir. Je reviens tout de suite.

George trépignait d'impatience. Il tentait de comprendre les murmures. Il attendait là depuis une éternité. Enfin Barry réapparut.

— Que se passe-t-il? demanda George.

— Non, c'est pas un cadavre, répondit très vite Barry. Mais il y a quelques vêtements. Droit devant. Venez voir.

Les spéléologues se pressèrent contre la paroi pour le laisser passer. Quelques mètres plus loin, le passage s'élargissait, formant le carrefour de quatre galeries. Trois d'entre elles étaient bloquées par des pierres et des gravats. Restait une excavation d'environ 4 mètres de large sur 2,50 mètres de haut. À l'extrémité, à peine éclairé par les lampes des casques, on distinguait un tas de chiffons.

— Quelqu'un a-t-il une lampe plus puissante ? s'enquit George.

On lui tendit un petit projecteur, qu'il alluma, orientant le faisceau vers quelque chose de sombre plus ou moins jeté en boule contre la paroi ; puis il s'aperçut que des traînées noires sur le sol étaient en fait une paire de collants déchirés. Enfin, le cœur sur les lèvres, il comprit que les lambeaux d'étoffe sombres provenaient d'une culotte lacérée.

Il se força à respirer profondément.

— Nous allons tous sortir, maintenant. Celui qui est en queue se retourne, les autres suivent. Je fermerai la marche. (Un instant, tous restèrent immobiles.) Maintenant ! hurla George, évacuant un peu de sa tension.

Enfin, ils repartirent en sens inverse sous son regard furieux, leur démarche assurée, comme une raillerie de sa propre maladresse. Quand ils émergèrent à la lumière du jour, il lui semblait être resté dans la mine pendant des heures. Un coup d'œil à sa montre lui révéla que tout s'était déroulé en quinze minutes. Deux policiers en uniforme venaient juste de prendre position à la limite du bois pour interdire l'accès de la mine aux curieux et aux maladroits.

George s'éclaircit la voix et dit :

— Barry, j'aimerais que votre collègue, Trevor, reste avec moi et prenne quelques photographies. Les autres, je vous serais reconnaissant de bien vouloir rester là jusqu'à ce que le secteur soit convenablement quadrillé. Si vous retournez maintenant au village, la rumeur va se répandre que nous avons trouvé quelque chose et on va se bousculer dans le coin.

Les spéléos murmurèrent leur accord. Barry plongea la main dans un petit sac imperméable suspendu à son cou, en sortit un paquet de cigarettes.

— J'ai comme l'impression que vous ne diriez pas non.

— Merci. (George s'adressa à l'un des deux policiers en uniforme :) Que l'un de vous deux retourne à la caravane prévenir le sergent Clough : il nous faut une équipe complète sur le lieu éventuel du crime. Mais, pour l'amour du ciel, soyez discret. Si quelqu'un pose une question, dites bien que nous n'avons pas trouvé de corps. Faut éviter à tout prix une histoire comme celle de vendredi.

L'un des policiers opina d'un mouvement nerveux de la tête, tourna les talons et partit au pas de course.

— Vous, assurez-vous que personne en dehors de la police ne puisse s'approcher de l'entrée. (George se retourna vers Barry.) Croyez-vous que l'on puisse accéder à la mine par un autre passage ?

Barry eut un haussement d'épaules éloquent.

— Apparemment pas. Mais je peux pas en être certain sans y aller voir de plus près. Il est toujours possible qu'il y ait eu une autre entrée et que quelqu'un l'ait bouchée. C'est une mine, pas un réseau de cavernes. Donc tout porte à croire que l'entrée servait aussi de sortie. Tant qu'on continue de creuser, on risque pas de sortir, sinon les pieds devant. Impossible de jurer qu'elle est là-dedans, mon gars.

Il posa une main sur le bras de George puis s'en alla attendre avec son équipe installée sur les rochers.

Il fallut sept heures pour passer l'excavation au peigne fin. Trevor, le spéléo, avait photographié minutieusement chaque pouce des parois et du sol sans trouver d'autre issue. Et les galeries étaient bloquées depuis longtemps. Aucune trace de corps enterré dans la mine. George ne savait pas si cela devait le déprimer ou l'encourager.

Vers le milieu de l'après-midi, un duffle-coat auquel il manquait un bouton, une paire de collants déchirés avec une telle violence que les deux jambes étaient séparées et une culotte bleu marine étaient expédiés au laboratoire de la police, soigneusement emballés pour permettre l'expertise médico-légale. Mais George n'avait pas besoin d'un expert pour savoir que les taches sur les vêtements humides provenaient d'un être humain.

Il travaillait dans la police depuis assez long-temps pour reconnaître des traces de sang et de sperme.

Deux trouvailles ultérieures se révélèrent encore plus accablantes. Tout d'abord, un morceau de métal déformé, incrusté dans la paroi, sans doute un projectile. Ceci avait conduit à un examen centimètre par centimètre du calcaire fissuré. Et c'est alors que l'on avait découvert, logé dans une crevasse, un deuxième morceau de métal. Cette fois, aucune hésitation : il s'agissait bien d'une balle de revolver.

## Deuxième Partie

## LA LONGUE TRAQUE

*Daily News, vendredi 20 décembre 1963, p. 5*

### Noël déchirant pour la mère de la jeune disparue

DE NOTRE ENVOYÉ SPÉCIAL, DONALD SMART

Cette année, Mrs Ruth Hawkin n'achètera pas de cadeau de Noël pour sa fille, Alison. Mais Philip, le beau-père d'Alison, a rempli sa chambre de paquets bien emballés. Il y a là des disques, des livres, des vêtements, du maquillage.

Mrs Hawkin, une femme de 34 ans et maman d'Alison, ne peut affronter l'épreuve des emplettes de Noël. Neuf jours auparavant, elle souhaitait une bonne promenade à sa fille de 13 ans comme celle-ci quittait la maison familiale dans le petit hameau de Scardale au cœur du Derbyshire pour sortir son chien de berger. Depuis lors elle ne l'a pas revue.

Un membre de la famille nous a confié: « Si on ne retrouve pas Alison, ce sera un bien triste Noël pour tous les gens de Scardale.

Nous sommes une communauté très soudée et le coup a été rude pour tout le monde. Nous sommes tous désorientés par cette disparition. Alison est une jolie fille et personne n'a trouvé de raison qui expliquerait une fugue. »

La police a interrogé des milliers de gens, fouillé les landes et les vallées isolées, dragué les rivières et les réservoirs d'eau, sans trouver trace de la blonde écolière.

Devant deux autres tables familiales de Noël, une chaise restera également vide. Il y a un mois, un jeune garçon de 12 ans, John Kilbride de Smallshaw Lane à Ashton-under-Lyne, n'a pas reparu. On l'a vu pour la dernière fois sur le marché d'Ashton. Enfin, il y a déjà cinq mois, la jeune Pauline Reade âgée de 17 ans, quittait son domicile dans Wiles Street, Gorton, Manchester, pour aller danser. Personne ne sait ce qu'elle est devenue.

# 1

George avait imaginé un autre réveillon quelques mois auparavant : leur premier Noël chez eux en tête à tête. Mais il n'avait pas tenu compte des impératifs familiaux. Anne étant fille unique, ses parents n'avaient pas d'autres invitations pressantes ; quant à ses propres parents, le fait qu'ils soient jeunes mariés les mettait en tête sur leur liste. Comprenant que c'était leur première et leur dernière chance de fêter Noël à deux, Anne s'était efforcée de convaincre les familles que le lendemain ferait tout aussi bien l'affaire, sans résultat. Ils avaient tout juste échappé à la venue de la sœur de George, de son beau-frère et de leurs trois jeunes enfants.

Pourtant, le repas se passa merveilleusement bien. Depuis des semaines, Anne avait tout prévu, tout préparé pour que la fête soit une réussite. Même la disparition d'Alison Carter n'avait pu entamer sa résolution : son premier Noël chez elle devait être exemplaire ! Ce fut le cas. Une fois les cadeaux ouverts – des chaussettes, des chemises, des pull-overs, des cigarettes –, il ne lui restait plus grand-chose à faire sinon remplir à ras bord les verres, du sherry et du mousseux pour les dames et de la bière en bouteille pour les messieurs.

Ils avaient décidé d'un commun accord d'annoncer qu'Anne attendait un enfant après le discours traditionnel de la reine. Les mères, plus excitées l'une que l'autre, prétextèrent de la vaisselle pour disparaître dans la cuisine et prodiguer leurs conseils à la future maman. Le père d'Anne, d'un ton bourru, félicita George puis célébra l'événement en s'installant avec un cigare et un cognac devant la télévision. George et son père, Arthur, restèrent assis à la table de la salle à manger. Leurs relations étaient empreintes d'habitude d'une certaine gêne, mais l'enfant à naître semblait en partie combler la distance qu'un diplôme avait établie entre le fils et son père cheminot.

— Tu parais fatigué, mon gars, dit Arthur.

— Ces deux dernières semaines ont été dures.

— Cette fille disparue, hein ?

George acquiesça.

— Alison Carter. Tout notre temps y est passé et nous ne sommes pas beaucoup plus avancés que le jour de sa disparition.

— Il me semble avoir lu dans les journaux que vous aviez retrouvé des vêtements ?

Arthur réussit à faire un rond de fumée parfait qui s'éleva vers le lustre.

— C'est vrai. Dans une mine de plomb abandonnée. Mais cela prouve seulement qu'elle n'a pas fait une fugue. Comment en déduire ce qui s'est réellement passé et où elle se trouve aujourd'hui ? Bien sûr, nous avons trouvé également deux projectiles dans la paroi calcaire. L'un tellement déformé qu'il est à peine reconnaissable, mais nous avons eu plus de chance avec le second. Il s'était logé dans une crevasse, si bien que les gars du labo l'ont eu presque intact. Reste à trouver le revolver.

Son père goûta son cognac et hocha tristement la tête.

— Pauvre gamine. Il n'y a aucune chance de la retrouver vivante ?

George soupira.

— Personne ne miserait là-dessus. Souvent, ça m'empêche de dormir. Surtout avec Anne enceinte. Ça change tout, non? Je n'y avais pas beaucoup pensé avant. On se dit: j'ai trouvé la fille qu'il me faut, on se marie, on a une famille. Ainsi vont les choses. Mais j'avais jamais pris le temps d'y réfléchir: ça veut dire quoi être un père? Et quand tu sais que tu vas l'être et que tu es au cœur d'une enquête comme celle-là... Tu ne peux pas t'empêcher de penser que ça pourrait être ton enfant...

— Oui, oui... (Son père respira bruyamment par le nez.) Tu as raison, George. Quand on a un enfant, on prend conscience de tous les dangers auxquels il est exposé. De quoi devenir cinglé si tu y penses trop! Faut se dire qu'au tien il arrivera rien. (Il eut un sourire un peu forcé.) Tu t'en es tiré, plus ou moins en un seul morceau.

Les aventures d'enfance de George allaient ressurgir, celles qui avaient failli mal se terminer. Mais une partie de lui-même ne parvenait pas à s'impliquer dans cet échange. Le sort d'Alison Carter continuait de le préoccuper comme une miette en travers de la gorge. Au bout d'un moment, il éteignit son cigare et se leva.

— Si cela ne te dérange pas, pa', je vais m'absenter une petite heure. Mon sergent s'est porté volontaire pour être de garde et je voudrais faire un tour au poste de police pour lui souhaiter un joyeux Noël.

— Vas-y, mon gars. Je vais m'installer à côté du papa d'Anne et faire semblant de regarder la télé. (Il fit un clin d'œil.) Je vais essayer de ne pas ronfler trop fort.

George empocha une boîte de cinquante cigarettes dont une tante lui avait fait cadeau et se rendit au poste en voiture. Tommy Clough ne se trouvait pas à son bureau, sur lequel traînait seulement le rapport concernant les balles trouvées dans la mine. Tommy ne devait pas être loin : sa veste était posée sur le dossier de son siège. George reprit le rapport, maintenant familier, le feuilleta. Le premier projectile était trop écrasé pour que l'on puisse déchiffrer ses secrets, mais il en allait autrement du deuxième :

*La pièce à conviction est une balle en plomb chemisée d'acier à bout arrondi de calibre 38. L'examen du projectile révèle sept rainures et cloisons, les rainures sont larges, les cloisons étroites. Les rainures indiquent que la rotation imprimée au projectile s'exerce dans le sens des aiguilles d'une montre. Les caractéristiques ci-dessus sont celles d'une balle tirée par un revolver Webley.*

La porte s'ouvrit d'un coup et Tommy Clough fit son entrée, les sourcils froncés, déchiffrant un télex.

— Joyeux Noël, Tommy ! dit George et il lui lança la cartouche de cigarettes à travers la pièce.

— Merci, George. (Clough parut surpris.) Qu'est-ce qui t'amène ? Y a la guerre chez toi ?

Il vint s'asseoir à son bureau et inséra le télex dans le rapport.

— J'avais un chapeau en papier sur la tête, je déroulais des papillottes, je mangeais de l'oie et soudain je me suis demandé comment se passait Noël au manoir de Scardale.

Clough déchira la Cellophane, se redressa, repoussa le rapport et tendit la boîte ouverte à George.

— Ah, ça... Ça dépend de l'état de Ruth Hawkin, qui pourrait peut-être changer si on lui montrait ce message...

— Que veux-tu dire ?

Clough prit tout son temps pour allumer une cigarette.

— Comme y'avait pas moyen d'associer Hawkin et le Webley, j'ai envoyé une demande d'information sur les vols de ce type d'armes. Rien de bien intéressant sauf un. À St Albans. Il y a deux ans, un certain Richard Wells a déposé plainte pour un cambriolage chez lui. Parmi les articles volés, un revolver Webley, calibre 38.

À son air satisfait, George comprit que ce n'était pas tout.

— Et ?

— Deux maisons seulement séparent la demeure de Mr Wells de celle de la mère de Philip Hawkin. Une fois par semaine, les deux familles se retrouvaient pour jouer au bridge. Mr Wells conservait ce Webley comme souvenir de guerre. Selon l'inspecteur en charge de l'enquête, il s'en vantait souvent. Il n'a pas arrêté les voleurs. La famille était en vacances, si bien qu'il était impossible de savoir quand le vol avait eu lieu. (Clough sourit:) Joyeux Noël, George.

— Comme cadeau c'est mieux qu'une cartouche de clopes.

— Une balade dans le coin ça te tente ? Juste pour prendre l'air ?

— Pourquoi pas ?

Ils se turent pendant une grande partie du trajet. Comme la voiture s'engageait dans le chemin de Scardale, George demanda :

— Qu'est-ce que tu voulais dire à propos de l'état de Ruth Hawkin ?

— Rien dont nous n'ayons déjà parlé une douzaine de fois. Les témoignages contradictoires, Philip Hawkin contre Ma' Lomas et Charlie. Puis, la mine. Ma' Lomas excepté, tous les gens de Scardale déclarent n'avoir jamais entendu parler de ces vieilles galeries. Mais le livre qui permet de découvrir l'entrée se trouve sur un rayon de la bibliothèque de Philip Hawkin.

— Sans oublier les analyses du labo, murmura George.

Les indices trouvés dans la mine conduisaient inévitablement à la conclusion qu'Alison avait été violée et, sans doute, assassinée. Le sang sur les vêtements était du groupe O, celui de la jeune fille. Grâce à la culotte souillée de sperme, la police savait que l'agresseur était du groupe A, comme Philip Hawkin, de même que 42 % de la population et trois autres habitants de la vallée – deux oncles d'Alison et son cousin Brian. Mais ces trois derniers avaient tous des alibis au moment de la disparition, sauf Philip Hawkin. Un des oncles se trouvait dans un pub à Leed pour la foire au bétail de Noël. Le cousin Brian trayait les vaches en compagnie de son père. Si Alison avait été attaquée par quelqu'un de la vallée, il ne restait plus qu'un seul candidat…

— Cela aurait pu être quelqu'un qui remontait la vallée du Scarlaston depuis Denderdale. Quelqu'un qui l'avait rencontrée à Buxton. Un enseignant, un étudiant. Ou tout simplement un pervers qui l'avait observée dans la cour d'école, énuméra Clough en remontant dans la voiture après avoir refermé la barrière qui barrait le chemin du village.

— Le temps leur aurait fait défaut. Il faut une bonne heure et demie en partant de la route de Denderdale et en suivant la berge de la rivière. Et comment s'y seraient-ils pris dans le noir avec Alison, vivante ou morte ? L'aventure se serait achevée dans la rivière. Évidemment, nous sommes bien d'accord, les éléments dont nous disposons accusent une seule personne. Mais nous n'avons pas de cadavre, aucune preuve concluante. Rien ne nous permet de l'arrêter.

— Alors nous faisons quoi ?

— Si je le savais, soupira George.

Il arrêta la voiture sur le pré à côté du rectangle jaunâtre laissé par la caravane. Le vendredi précédent, le superintendant Martin avait donné l'ordre de la ramener à Buxton, au moment de l'arrêt des recherches. Il ne restait plus un seul endroit à explorer.

George sortit dans l'air glacé du soir. Le village paraissait insensible aux événements. Aucun signe évident que quelque chose avait changé, excepté l'affiche placardée à l'arrière de la cabine téléphonique. Dans les maisons blotties autour du pré communal, quelques lumières brillaient encore. De temps à autre, un chien aboyait. Aucun sapin de Noël derrière les fenêtres, aucune guirlande de houx sur les portes des cottages de Scardale. Apparemment, il n'en avait jamais été autrement.

Ils s'appuyèrent contre le capot de la Zephyr et fumèrent en silence. Quelques minutes plus tard, un coin de lumière jaune se dessina devant l'entrée de Tor Cottage. La silhouette de Ma' Lomas se découpa dans l'embrasure de la porte puis la lueur s'effaça aussi vite qu'elle était apparue. George cligna des yeux. La vieille femme s'approchait déjà d'eux quand il comprit qu'elle n'était pas rentrée chez elle.

— Vous avez pas de chez-vous ? demanda-t-elle.

— Il est de garde, expliqua George.

— Pourquoi vous êtes là ?

— Noël c'est la fête des enfants, paraît-il. Eh bien ! il y a un enfant auquel je n'arrête pas de penser.

— Grand Dieu, un flic qui a du cœur ! s'esclaffa Ma'.

Elle ouvrit son manteau volumineux et sortit de sa poche intérieure une bouteille d'alcool incolore, celui-là même qu'elle avait bu lors de leur première

261

rencontre. D'une autre poche, elle sortit trois gobelets épais.

— J'ai pensé qu'il vous faudrait quelque chose pour pas geler sur place.

— Un acte de charité chrétienne, dit Clough.

Ils la regardèrent placer les trois récipients sur le capot de la voiture et verser trois généreuses rasades. Puis, à chacun, elle offrit cérémonieusement un gobelet et leva le sien pour un toast.

— Et à qui ou à quoi allons-nous porter ce toast ? demanda George.

— Aux preuves qu'il faut que vous trouviez, fit-elle d'une voix aussi glaciale que l'air de la nuit.

— Je préférerais boire à la découverte d'Alison.

Elle secoua la tête.

— Si vous aviez dû la trouver, ce serait déjà fait. Où qu'il l'ait mise, elle est plus de ce monde. Tout ce qui nous reste, c'est l'espoir que vous lui ferez payer.

— Vous pensez à quelqu'un de précis ? questionna Clough.

— Le même que vous, ça m'étonnerait pas, répondit-elle sèchement. (Elle se retourna, fit face au manoir, leva son gobelet :) À la preuve.

George but une gorgée et faillit s'étouffer – plus de 50... Il suffoqua, reprit son souffle :

— Merde, c'est quoi ce truc ? Du carburant de fusée ?

La vieille gloussa :

— Notre Terry l'appelle le feu de l'enfer. Fleur de sureau et groseille à maquereau distillées.

— Nous avons fouillé le village et nous n'avons jamais vu d'alambic, remarqua Clough.

— Vous risquez pas de le trouver. (Elle vida son verre.) Bon, et maintenant ? Comment vous l'attrapez ?

George se força à avaler le reste de ce feu liquide. Quand il eut enfin retrouvé la parole :

— Je ne sais pas si c'est possible, mais je ne renonce pas.

— Vous y risquez pas, répliqua-t-elle avec férocité.

Elle tendit la main pour récupérer les verres vides, leur tourna le dos et reprit le chemin de son cottage.

— Elle nous l'envoie pas dire, constata Clough.

— Souhaitons-lui un joyeux Noël à elle aussi.

Le premier lundi de février, George était à son bureau à 8 heures. Tommy Clough frappa à la porte quelques minutes plus tard, deux tasses de thé à la main.

— Vous avez eu beau temps ? demanda-t-il.

— Mieux qu'on aurait pu l'espérer. Il gelait, mais le soleil brillait tous les jours. Ni l'un ni l'autre nous ne craignons un froid sec et le Norfolk est si plat qu'Anne pouvait parcourir des kilomètres.

Clough s'installa en face de George, alluma une cigarette.

— Tu as l'air en forme. L'air de quelqu'un qui a passé une quinzaine sur la Costa Brava plutôt qu'à Wells-next-the-Sea.

George sourit.

— « Pète-sec » avait donc raison.

Il avait résisté de toutes ses forces quand le super-intendant Martin avait insisté pour qu'il prenne quelques jours de congé après les heures innombrables consacrées à l'enquête sur la disparition d'Alison. Il avait fini par accepter, de mauvaise grâce, quand le conseil était devenu un ordre. Il avait laissé Anne réserver une chambre dans une pension de la station balnéaire du Norfolk. Ils avaient été les uniques pensionnaires choyés par une patronne convaincue du bienfait d'au moins trois bons repas par jour. George avait fait le plein d'énergie et de résolutions pendant cette semaine où il avait mangé à heure fixe, respiré l'air marin, profité de sa femme.

— Il m'a conseillé de suivre ton exemple, admit Clough. Je vais peut-être m'y résoudre maintenant que tu es de retour.

— Quoi de neuf ?

— Eh bien ! j'ai sorti la nouvelle recrue, celle qui vient de Chapel-en-le-Frith. Nous sommes allés entendre Acker Bilk et son Paramount Jazz Band à Pavilion Gardens, vendredi soir. On a passé une bonne soirée. Je pense l'inviter à aller voir le film d'Albert Finney, à l'Opera House. Le titre c'est *Tom Jones*. Il paraît que ce film est parfait pour mettre une jeune personne dans de bonnes dispositions.

Le sourire de Clough se fit légèrement moqueur, sans connotation égrillarde.

George répondit sur le même ton :

— Je ne pensais pas à tes déboires sentimentaux, mais à l'affaire.

— Amusant ! Eh bien ! il s'est passé quelque chose. Dimanche, nous avons reçu un appel de Philip Hawkin. Il regardait, a-t-il dit, une photo pour un concours dans un journal, ce concours où il faut repérer le ballon, mais lui, dans la foule des spectateurs, non loin du but, il était sûr d'avoir repéré Alison. (À travers la fumée Tommy lorgnait George.) Qu'est-ce que tu en dis ?

George ressentit un léger pincement au cœur.

— Continue, Tommy. Je suis tout ouïe.

— Je suis aussitôt allé voir de quoi il s'agissait. C'est un concours du *Sunday Sentinel*. Le match se déroulait à Nottingham. Dès que j'ai examiné la photo, j'ai compris la raison de son appel. Évidemment, cette personne sur la photo était minuscule, mais on notait une ressemblance. J'ai donc appelé le journal et ils m'ont fait un agrandissement. Ils me l'ont envoyé par le train. Je l'ai reçu lundi à l'heure du thé...

Inutile de continuer : son visage révélait la suite de l'histoire. Un examen plus approfondi avait démenti cette ressemblance.

George ferma les yeux un instant, respira.

— Merci, mon Dieu, dit-il doucement.

Il rouvrit les yeux, regarda Clough et sourit.

— Est-ce que nous savons si Philip Hawkin reçoit le *Manchester Evening News* ?

— Bizarrement, moi, je le sais. Kathy Lomas l'a mentionné quand elle nous expliquait leur roulement pour emmener les gosses à l'école. Comme le journal n'arriverait pas avant midi et que Philip aime l'avoir au petit déjeuner, le gars de la presse à Longnor le dépose chaque matin dans une boîte à l'entrée du chemin de Scardale. Et quiconque emmène les enfants à l'arrêt du car rapporte le journal au manoir.

Le sourire de George s'accentua :

— C'est bien ce que je pensais.

Il se releva d'un bond, ouvrit tout grand le tiroir de son fichier, fouilla dans les dossiers et en tira une grande enveloppe en papier Kraft. Il la brandit et, d'un ton triomphal, lança à Clough :

— Voilà sans doute un moyen de pression !

Clough attrapa l'enveloppe au vol. Elle portait la mention : « Pauline Catherine Reade ». Lorsqu'il l'ouvrit, des coupures de presse se répandirent sur le bureau. Il fronça les sourcils à la vue des dates inscrites au crayon rouge sur chaque morceau de papier.

— Tu suis cette affaire depuis le début ?

Il ne dissimulait pas son effarement. L'histoire datait de juillet dernier, quatre mois avant la disparition d'Alison.

George repoussa la mèche de cheveux blonds sur son front et se contenta de dire :

— Je m'intéresse à toutes les affaires qui peuvent être un jour de notre ressort.

— Et qu'est-ce que je dois trouver ? demanda Clough, feuilletant les coupures.

— Tu le sauras quand tu le verras.

George s'adossa au fichier, bras croisés, le sourire figé sur ses lèvres.

Soudain, Clough se raidit. De l'index il tapota un article comme s'il s'était attendu à ce qu'il morde.

— Merde alors ! dit-il à mi-voix.

*Manchester Evening News,*
*lundi 2 novembre 1963, p. 3*

## UNE PHOTOGRAPHIE
### ANÉANTIT LES ESPOIRS D'UNE MÈRE

Pendant quelques heures, Mrs Joan Reade a entretenu l'espoir de retrouver prochainement sa fille après avoir vu une photographie de spectateurs d'un match parue dans la rubrique sportive du *Manchester Evening News*.

Mais cet espoir fut réduit à néant quand le journal fit un agrandissement de cette photographie. Désespérée, elle a déclaré aujourd'hui dans sa maison de Wilestreet à Gorton : « Ce n'est pas Pauline finalement. »

Pauline a disparu de chez elle depuis le 12 juillet. Elle était allée danser mais elle n'est pas revenue.

Paul, le fils âgé de 15 ans de Mrs Reade, avait repéré cette photographie dans les pages sportives de samedi dernier où l'on voyait une partie de la foule des spectateurs à la finale de la coupe de rugby du Lancashire. Il avait cru reconnaître Pauline.

Clough releva la tête :

— Il nous prend pour des imbéciles.

— Tu es sûr que c'est bien Hawkin et pas sa femme qui a remarqué la ressemblance ?

— Il a téléphoné lui-même et en a revendiqué tout le mérite. Quand j'ai demandé à Mrs Hawkin son opinion sur cette ressemblance, elle m'a répondu que la première fois elle était presque sûre mais qu'un deuxième examen l'avait laissée dans le doute. Il parut alors un peu agacé, comme si elle était censée l'approuver et qu'elle ne se conduisait pas en bonne épouse.

George saisit ses cigarettes puis arpenta la pièce tout en soliloquant :

— Nous l'avons poussé à se manifester, à démontrer son innocence. Mais pourquoi maintenant ?...

Clough attendit, conscient que le patron devait fournir lui-même une réponse à son interrogation.

— Parce qu'il s'attendait à ce que nous déclarions forfait, que nous nous décidions à passer à autre chose. Il se demande pourquoi il nous voit à Scardale deux ou trois fois par semaine, pourquoi nous parlons aux gens... Il n'est pas idiot : il se rend compte que nous l'avons dans le collimateur. Sans compter que Ma' Lomas est persuadée de sa culpabilité, et je ne la vois pas dissimuler.

— N'oublions tout de même pas que tout le village lui appartient, qu'ils lui doivent le toit qui les abrite, le pain qui les nourrit ! rappela Clough. Même Ma' Lomas peut y réfléchir à deux fois avant de lui cracher qu'il a violé et assassiné Alison...

D'un simple mouvement de tête, George indiqua qu'il prenait en compte la remarque :

— OK. Mais il ne peut pas ne pas être conscient des soupçons des villageois, il connaît son statut parmi eux. Donc lorsqu'il se rend compte que l'affaire ne va pas en rester là, il décide de jouer à l'homme de bien et il se souvient de l'histoire de Pauline Reade qu'il a lue dans le *Manchester Evening News*.

Il cessa d'arpenter la pièce et vint s'appuyer contre le bureau.

— Qu'est-ce que tu en penses, Tommy ? Est-ce suffisant pour lui faire subir un interrogatoire ?

Tel un poisson rouge, Tommy se pinça les lèvres.

— Je ne sais pas. On va le questionner sur quoi ?

— S'il est un lecteur de l'*Evening News*. Quelle sorte de relation il entretenait avec Alison. La routine, quoi. Lui mettre la pression. Est-ce qu'elle lui en voulait d'avoir pris la place de son père ? La trouvait-il séduisante ? Bon Dieu, Tommy, nous pouvons lui demander quelle est sa couleur favorite. Convoquons-le. La pression, Tommy… voyons ce qu'il en sort. Jusqu'à présent il se la coulait douce, parce que nous n'avions pas de prise sur lui. Nous devions le traiter comme un membre de la famille inquiet ! Nous disposons maintenant d'un angle d'attaque.

Clough se gratta la tête.

— Tu sais ce que je pense ?

— Quoi donc ?

— Je pense qu'ils nous paient pas assez pour porter le chapeau en cas d'échec. L'inspecteur-chef et Pète-sec sont payés pour ça. À ta place, j'irais les voir, je déballerais mon sac et je verrais ce qu'ils me disent.

George se laissa tomber pesamment sur son siège, toute excitation envolée.

— Tommy, tu crois que je raconte des conneries ?

— Non, je crois que tu as raison, qu'Hawkin sait ce qui est arrivé à Alison. Mais est-ce le bon moment pour lui mettre la pression ? Je ne veux pas le rater parce qu'on a été trop gourmand. George, nous nous sommes beaucoup investis dans cette affaire. On a vécu avec elle, dormi, rêvé, respiré pendant sept semaines. On est incapable de distinguer l'arbre de la forêt. Va parler à Pète-sec. Comme ça, si on se plante ils pourront pas nous traîner dans la boue.

George rit jaune.

— C'est ce que tu crois. Si on se plante, on est bon pour diriger la circulation à Derby jusqu'à la retraite.

Clough haussa les épaules.

— Raison de plus pour ne pas commettre d'erreur.

## 2

Clough fit entrer Hawkin dans la salle d'interrogatoires où George était déjà installé, compulsant attentivement un dossier. Quand Hawkin entra, il ne leva même pas la tête. Il continua de lire, le front plissé par la concentration. Cela faisait partie d'une mise en scène soigneusement réglée. Silencieusement, Clough indiqua à Hawkin qu'il devait s'asseoir en face de George. Hawkin, les lèvres pincées, le regard indéchiffrable, obéit à l'invite. Clough empoigna une chaise et la plaça entre Hawkin et la porte. Les cuisses robustes enfourchèrent le siège et le carnet vint s'appuyer sur le haut du dossier. Hawkin respira bruyamment par le nez mais ne dit rien.

George, un instant après, referma le dossier, le plaça soigneusement devant lui et, l'air tranquille, examina Hawkin. Son regard s'attarda sur le manteau coûteux posé à côté, puis la veste en tweed, le pull en cachemire à col roulé, et le pantalon de tissu sergé couleur crème. Il aurait parié un mois de salaire qu'Hawkin avait pioché dans son héritage pour se donner l'air d'un châtelain authentique. Cela détonnait sur un homme que l'on aurait plutôt vu habillé du costume bleu marine bon marché d'un employé de banque.

— Je vous remercie d'avoir bien voulu passer nous voir, fit George, d'un ton neutre.

270

— Ce n'était pas trop difficile. J'avais l'intention de venir à Buxton aujourd'hui, répondit Hawkin la voix traînante, apparemment à l'aise, sa petite bouche triangulaire ombrée d'un sourire.

— Nous sommes toujours heureux de voir des citoyens comprendre qu'il est de leur devoir d'aider la police, constata George benoîtement. (Il sortit son paquet de cigarettes.) Vous fumez, je crois ?

— Merci, inspecteur, mais je préfère les miennes. (Et, avec un léger sourire de mépris, il repoussa les Gold Leaf.) Est-ce que ce sera long ?

— Ça dépend de vous, grommela Clough derrière l'épaule droite de Hawkin.

Hawkin manifesta soudain son irritation :

— Le ton de votre sergent ne me plaît guère.

George le regarda fixement, sans un mot. Quand son vis-à-vis, un peu plus âgé que lui, s'agita sur sa chaise, George déclara d'une voix posée, officielle :

— J'ai quelques questions à vous poser relatives à la disparition de votre belle-fille, Alison Carter, le 11 décembre de l'année dernière.

— Il pourrait y avoir une autre raison ? Je ne me crois pas impliqué dans une affaire criminelle, n'est-ce pas ?

Le rictus trahissait une certaine suffisance, comme s'il détenait un secret bien enfoui.

— La semaine dernière, vous nous avez contactés parce que vous pensiez avoir reconnu Alison au milieu d'une foule, sur une photographie publiée dans un journal.

Hawkin hocha la tête.

— Malheureusement, je m'étais trompé. J'aurais pourtant juré que c'était elle.

— Vous avez l'œil du photographe, nous le savons. Vous ne vous attendiez pas à une erreur ?

— En effet, inspecteur.

Hawkin lui adressa un petit sourire condescendant en prenant son propre paquet de cigarettes. Visiblement, il se détendait, comme George l'avait espéré.

— C'était donc vous et pas votre femme qui avez mis le doigt sur la ressemblance.

Hawkin se rengorgea.

— Ma femme a beaucoup de qualités, inspecteur, mais, à la maison, c'est moi qui fais les remarques. (Soudain, comme s'il se souvenait de la raison de l'interrogatoire, il afficha un air solennel.) Par ailleurs, inspecteur, vous comprendrez que depuis Alison, ma femme n'arrive plus à s'intéresser au monde extérieur. Elle parvient tout juste à maintenir une apparence de normalité à notre vie quotidienne. Je l'y encourage. Rien de meilleur pour son équilibre mental que le train-train routinier, la cuisine, le ménage...

— Je vois que vous prenez la situation à cœur, dit George sans inflexion. (Il enchaîna :) Cette photographie se trouvait bien dans le *Sunday Sentinel* ?

— Exact, inspecteur.

George fronça légèrement les sourcils.

— Quels journaux recevez-vous régulièrement ?

— L'*Express* et l'*Evening News*, le dimanche le *Sentinel*. Mais avec tous les articles dans la presse au moment de la disparition d'Alison, j'ai fait en sorte de recevoir tous les journaux tant vous avez tenu vos conférences de presse. Il fallait bien que quelqu'un vérifie les informations, non ? Je ne voulais pas qu'ils publient des sottises. Je voulais aussi pouvoir en parler à Ruth en premier. J'ai donc pris mes dispositions. (Il fit tomber la cendre de sa cigarette en souriant.) Ils sont terribles, ces journalistes. Je me demande comment vous vous en tirez face à eux.

— Dans notre boulot, les méchants, on connaît ! fit Clough insolemment.

Hawkin pinça les lèvres sans répondre. George se pencha vers lui.

— Ainsi, vous lisez l'*Evening News*?

— Oui, et combien de fois faut-il que je vous le répète? Nous le recevons chaque matin. C'est le seul journal que nous pouvons avoir à l'heure du petit déjeuner. Je suis contraint de m'accommoder de son esprit de clocher.

George ouvrit son dossier. Il en sortit une pochette transparente en plastique qui contenait une coupure de presse. Il la poussa sur la table devant Hawkin qui ne fit aucun geste pour s'en saisir. Seuls ses yeux bougèrent, comme s'ils la parcouraient.

— Je n'ai jamais vu cet article.

— Curieuse coïncidence, qu'en pensez-vous? Une jeune fille disparue, un membre de la famille découvre une personne qui lui ressemble parmi des spectateurs photographiés lors d'un match… Malheureusement, l'espoir ne dure pas, ce n'était qu'une tragique erreur. Ce fait divers est paru dans un journal que vous recevez six jours sur sept.

— Je vous le répète, je n'ai jamais vu ça.

— Difficile de ne pas le voir. C'est en page trois.

— Personne ne lit entièrement l'*Evening News*. Je n'y ai pas fait attention. En quoi cela aurait-il pu m'intéresser?

— Vous êtes le beau-père d'une adolescente, remarqua George doucement. Pour ma part, j'aurais cru que des faits divers concernant des jeunes filles pouvaient vous intéresser. Après tout, c'était pour vous une expérience nouvelle. Vous n'avez pas senti que vous aviez beaucoup à apprendre?

Hawkin écrasa sa cigarette.

— Ruth s'occupait d'Alison sans moi. C'est le rôle d'une mère de prendre soin des enfants.

— Mais vous paraissiez avoir beaucoup d'affection pour cette belle-fille. J'ai vu sa chambre, ne l'oubliez pas. Beau mobilier, tapis neuf. On ne vous accusera certainement pas d'avoir été pingre avec elle, persista George.

Hawkin se renfrogna avant de répliquer :

— Cette fille n'avait plus de père depuis des années. Toutes ces choses que les jeunes considèrent comme allant de soi, elle ne les avait pas eues. J'ai été gentil avec elle par égard pour sa mère.

— Seulement par égard ? intervint Clough. Vous lui avez acheté un tourne-disque, des disques toutes les semaines, tous les succès ; tous ceux que Charlie conseillait, vous les lui trouviez. On peut appeler ça de la gentillesse...

— Merci sergent, interrompit George d'un ton de réprimande. Mr Hawkin, vous étiez vraiment très proches, non ?

— Qu'est-ce que vous entendez par là ? (Hawkin s'empara d'une autre cigarette, réussit à l'allumer après plusieurs tentatives, inhala la fumée comme pour se remettre, reprit sa question restée sans réponse :) Que voulez-vous dire ?... Je vous le répète : je laissais sa mère s'en occuper.

— Mais vous l'aimiez bien ?

Les yeux sombres se plissèrent.

— C'est quoi, cette question ? Si je réponds non, vous en déduirez que je voulais me débarrasser d'elle, si c'est oui vous insinuerez qu'il y avait quelque chose d'anormal dans mes sentiments. Vous voulez la vérité ? Elle m'était assez indifférente. (Il se pencha en avant, arborant le sourire complice de celui qui parle d'homme à homme.) Dites-vous bien que j'ai épousé sa mère pour trois raisons.

« Premièrement, je la trouvais assez séduisante. Deuxièmement, il me fallait quelqu'un pour s'occuper de moi et de la maison et je ne connaissais aucune gouvernante, à peu près convenable, qui aurait accepté de vivre dans un trou comme Scardale. Et troisièmement, je voulais que les gens du village cessent de me traiter comme un extra-terrestre! Je ne l'ai pas épousée parce que j'avais des vues sur sa fille! C'est franchement répugnant!

Il s'adossa à son siège après cette tirade comme s'il défiait George d'ajouter un commentaire.

George le regarda avec une curiosité détachée.

— Je ne me serais jamais permis une telle suggestion, monsieur. Mais il est intéressant de constater que vos propres pensées vous conduisent dans cette direction. Non moins intéressant le fait que lorsque vous parlez d'Alison, vous utilisez toujours le passé.

Ses paroles restèrent suspendues, en attente, aussi visibles que la fumée des cigarettes, tandis qu'une rougeur s'accusait sur les joues de Hawkin; il parvint à se taire, au prix d'un grand effort.

— Comme si vous parliez de quelqu'un qui n'est plus en vie, continua George inexorablement. Comment l'expliquez-vous, monsieur?

— Rien qu'une façon de parler, rétorqua Hawkin. Elle est partie depuis si longtemps... Ça ne veut rien dire. Tout le monde parle d'Alison au passé, maintenant.

— À vrai dire, monsieur, c'est inexact. Je l'ai remarqué au cours de mes visites à Scardale. Ils parlent encore d'elle au présent, comme si elle était partie en voyage et qu'elle reviendrait bientôt. Et pas seulement votre femme, tout le monde. Tout le monde, excepté vous.

George alluma une cigarette, essayant d'afficher une certitude tranquille qu'il ne ressentait guère. Quand lui et Clough avaient mis en place le déroulement de l'interrogatoire, il leur avait semblé impossible de prévoir les réactions de Hawkin. Il avait réussi à le déstabiliser, mais obtenir des aveux était une tout autre affaire.

— Je crois que vous faites fausse route, dit brutalement ce dernier. Et si vous n'avez pas d'autres questions…

Il repoussa sa chaise.

— J'ai à peine commencé, monsieur. (Son air sévère accentuait sa ressemblance avec James Stewart.) J'aimerais revenir à l'après-midi de la disparition. Je sais que nous vous avons déjà interrogé à ce propos, mais je veux maintenant une déclaration en règle.

— Oh, grand Dieu ! explosa Hawkin…

Ce qu'il allait dire fut interrompu par des coups frappés à la porte. L'inspecteur Cragg apparut, les yeux ensommeillés, la mine bien embarrassée.

— Je suis vraiment désolé, chef. Je sais que vous aviez donné l'ordre de ne pas vous interrompre, mais vous avez un appel urgent.

George essaya de ne pas montrer la colère et la frustration qui l'envahissaient. La tension était montée peu à peu et soudain tout s'écroulait.

— Ça ne peut pas attendre, Cragg ? dit-il sèchement.

— Je… je crains que non. Et je crois que cet appel va vous intéresser…

— Qui est-ce ?

Cragg jeta un coup d'œil gêné à Hawkin.

— Je… j'peux pas le dire, chef.

George bondit sur ses pieds, faisant basculer sa chaise au sol.

— Sergent, restez ici avec Mr Hawkin. Je reviens dès que possible.

Il sortit à grandes enjambées, se maîtrisa pour ne pas claquer la porte.

— Mais sacré nom de Dieu! qu'est-ce qui se passe? demanda-t-il, la voix sifflante, dans le couloir qui conduisait à son bureau. J'avais été très clair: pas d'interruption! Vous ne comprenez donc rien à rien, Cragg?

Le jeune inspecteur sautillait derrière lui, attendant l'occasion de glisser un mot:

— Mrs Hawkin, parvint-il enfin à articuler.

George s'arrêta si soudainement que Cragg vint le percuter.

— Quoi? dit-il incrédule.

— C'est Mrs Hawkin. Elle est dans un état terrible. Elle vous demande...

— A-t-elle précisé pourquoi?

George se précipita vers le téléphone.

— Non, chef. Juste que c'était urgent.

— Doux Jésus, marmonna George, décrochant avant même de s'asseoir. Allô, ici inspecteur Bennett.

— Mr Bennett?

La voix se transforma en sanglots.

— C'est vous, Mrs Hawkin?

— Oui... oui... oh, Mr Bennett...

Les sanglots s'élevèrent en un crescendo déchirant.

— Mais que vous est-il arrivé, Mrs Hawkin?

Tout en parlant, il se demanda si elle bénéficiait encore du soutien d'une auxiliaire de police.

— Pouvez-vous venir, Mr Bennett? Pouvez-vous venir tout de suite?

Les paroles étaient hachées par les larmes, les reniflements, les reprises de souffle.

— Votre mari est ici, Mrs Hawkin. Voulez-vous que je le ramène?

— Non! (Elle criait presque.) Juste vous... s'il vous plaît!

— Je viens le plus vite possible. Mrs Hawkin, essayez de vous calmer. Que quelqu'un de votre famille vous tienne compagnie. J'arrive…

Il reposa brutalement le combiné, encore secoué par l'intensité de l'échange. Il ne parvenait pas à imaginer la raison pour laquelle Ruth Hawkin voulait le voir sur-le-champ, mais le choc avait dû être terrible. Aurait-elle découvert le corps ? Il rejeta cette idée avant même qu'elle ait pris forme complètement.

— Cragg ! hurla-t-il en sortant de son bureau. Allez prendre la relève du sergent Clough. Tenez compagnie à Mr Hawkin jusqu'à notre retour. Ne le laissez pas partir. Expliquez-lui poliment que nous avons une urgence et qu'il doit nous attendre. S'il insiste, accompagnez-le et ne vous laissez pas impressionner.

Cragg sembla stupéfait par une telle agitation.

— Et s'il veut prendre sa voiture ?

— Il n'est pas en voiture. Le sergent Clough l'a amené. Allez, Cragg !

George empoigna le manteau de Clough et son propre trench-coat, enfonça son feutre sur sa tête. Dès que Clough émergea de la salle d'interrogatoire, la mine déconfite, George l'attrapa par le bras et l'entraîna dans l'escalier.

— C'est Ruth Hawkin, dit-il avant même que Clough ait pu lui poser la moindre question. Dans un état incroyable. Elle veut que j'aille à Scardale immédiatement.

— Pourquoi ? parvint à dire Clough en courant vers la voiture.

— Je ne sais pas. Elle était trop bouleversée pour pouvoir s'expliquer. Mais elle est devenue hystérique quand j'ai demandé si elle voulait que je revienne avec son mari. C'est sûrement important.

Clough appuya sur l'accélérateur.

— Mieux vaut ne pas traîner alors.

Jamais George n'aurait pensé que l'on puisse se rendre à Scardale en si peu de temps. Clough violait toutes les limitations de vitesse, et, sans aucun respect pour le code de la route, abordait tous les virages beaucoup trop serré. Pendant le trajet, ils échangèrent à peine quelques mots, préoccupés et tendus à la perspective d'un développement imprévu de l'affaire. Comme ils s'arrêtaient sur le pré communal, George parla enfin :

— Il est temps que nous ayons un peu de chance, Tommy. Nous le tenons. Si Ruth Hawkin a vraiment trouvé quelque chose, on peut l'avoir.

Ils parcoururent en courant le chemin du manoir. Avant qu'ils aient pu frapper, la porte s'ouvrit. Ma'Lomas les attendait.

— On a encore fait le boulot à vot' place.

Ruth Hawkin était assise au bout de la table, le visage maculé de larmes mêlées au maquillage, les yeux injectés de sang et gonflés. Kathy lui tenait compagnie. Leurs mains rougies par le travail étaient si crispées que les phalanges paraissaient blanches. Sur la table devant elles béait un petit ballot de tissu à carreaux déchiré, souillé de terre et de poussière, mais également de taches plus inquiétantes, couleur rouille, qui pouvaient être des traces de sang séché.

— Vous avez trouvé quelque chose, constata George venant s'asseoir à côté de Kathy.

Tremblante, Ruth reprit sa respiration :

— C'est une chemise et un… un…

Sa voix se brisa et elle renonça à parler. George prit son stylo et, de la pointe, écarta les plis : une chemise, en coton, dont l'étiquette cousue au col portait le nom du tailleur. Il avait vu Philip Hawkin en porter de semblables. L'objet enveloppé dans le tissu était un revolver. George, bien qu'assez ignorant des armes, aurait parié qu'il s'agissait d'un Webley 38.

— Où avez-vous trouvé ça, Mrs Hawkin ?

Kathy l'examina d'un œil inquisiteur.

— Vous n'avez pas relâché Philip Hawkin ?

— Mr Hawkin nous apporte sa collaboration, dit Clough fermement de l'autre bout de la table où il s'était installé, le calepin ouvert. Il n'est pas encore près de revenir.

Kathy serra très fort les mains de Ruth.

— Tu vois, tout va bien, Ruth, tu peux lui dire.

Celle-ci bafouilla :

— D'habitude, j'attends qu'il soit parti pour la journée avant de faire le ménage de sa chambre noire. Il déteste m'avoir dans les jambes, donc je me fais toute petite en attendant son départ… Je ne sais pas ce qui m'a pris… J'ai pensé que je pourrais nettoyer à fond… je devenais folle de n'avoir rien à faire…

George attendait patiemment. Ruth dégagea ses mains de celles de Kathy pour se couvrir le visage.

— Mon Dieu, j'ai besoin d'une cigarette, murmura-t-elle.

George lui en tendit une et parvint à l'allumer en dépit du tremblement des doigts de Ruth. Il aurait aimé pouvoir prononcer des mots de réconfort, mais les savait inefficaces. Pour cette femme, rien ne serait plus comme avant. Il devait se contenter de rester assis et la regarder fumer jusqu'à ce que son cœur batte un peu moins vite et qu'elle puisse reprendre son récit.

Quand la parole lui revint, on aurait dit qu'elle décrivait un rêve :

— L'établi sur lequel il travaille, une vieille table en réalité, avec des tiroirs… Je l'écarte du mur. C'est un sacré effort. Elle est vraiment lourde. Mais je veux nettoyer derrière, à fond. Je vois ce tissu qui dépasse, enfoncé dans le trou où il y avait eu un tiroir. Je me demande ce que c'est. Je tire...

— Elle hurlait comme un cochon qu'on égorge, intervint Ma' Lomas. Je l'ai entendue de l'autre bout du champ.

George reprit son souffle.

— Il pourrait y avoir une explication raisonnable, Mrs Hawkin.

— Oh ouais, ricana Ma' Lomas, je voudrais bien l'entendre celle-là. Emmenez ça, mon gars, faites analyser le sang. Vous l'avez vu le sang, espèce de grand corniaud. Là où il doit être, là sur le devant de la chemise. Et le revolver. Il est *raisonnable*, le revolver? Vérifiez-le. Je parie qu'il a tiré la balle que vous avez trouvée dans la mine.

Elle hocha la tête, l'air dégoûté.

— Je croyais que votre fine équipe avait fouillé cet endroit?

— Pour son labo, Mr Hawkin avait des objections, répondit George.

— Raison de plus pour y mettre le nez! lança Kathy, furieuse. Vous allez l'arrêter maintenant?

— Auriez-vous un sac en papier pour y mettre la chemise et le revolver?

Ruth lança à Kathy un coup d'œil suppliant. Celle-ci se leva, fouilla dans le placard sous l'évier et en sortit un grand sac en papier brun. George souleva la chemise avec le bout de son stylo, la laissa tomber dans le sac, puis il enveloppa soigneusement le revolver dans un mouchoir propre tiré de sa poche. Il le plaça avec précaution sur la chemise.

— Je dois retourner à Buxton, dit-il tranquillement. Le sergent Clough va rester ici et s'assurer que personne ne pénètre dans le laboratoire. (Il soupira.) J'envoie une équipe qui fera une fouille en règle dès que j'aurai obtenu le mandat de perquisition.

— Mais allez-vous l'arrêter ? insista Kathy.

— Vous serez tenues informées.

Les femmes échangèrent un regard.

— Si vous l'arrêtez pas, feriez mieux de pas le ramener, prévint Ma' Lomas, ça serait pas bon pour sa santé.

George la regarda bien en face :

— Je ferai comme si je n'avais pas entendu cette menace, Mrs Lomas.

Partagé entre l'accablement et l'excitation, il revint à Buxton au volant de la voiture de Clough qui lui était peu familière, se gara avec précaution et reprit le chemin de la salle d'interrogatoires, animé d'une résolution tranquille. Avant d'agir, il aurait dû en parler à l'inspecteur-chef Carver ou au superintendant Martin, mais c'était son affaire. George ouvrit doucement la porte et regarda fixement Hawkin ; ses protestations indignées ne franchirent pas ses lèvres devant l'expression de l'inspecteur.

George respira profondément.

— Philip Hawkin, je vous arrête pour présomption de meurtre.

## 3

George ne perdit pas de temps. Hawkin fut conduit sans ménagement à une cellule, se plaignant de mensonges inventés de toutes pièces, réclamant un avocat. George fit la sourde oreille. Le moment viendrait de s'occuper de Hawkin. S'il avait raison, personne ne lui ferait de reproches. S'il se trompait, il ne serait pas blâmé. Sauf par l'inspecteur-chef Carver, qui n'avait aucune indulgence pour George et se réjouirait de ses ennuis et de sa disgrâce. Mais être en bons termes avec son supérieur était le dernier de ses soucis, pour le moment.

Comme la porte claquait sur Hawkin qui protestait encore, George prit l'inspecteur Cragg à part.

— Cragg, je veux que vous appeliez l'inspecteur-chef de St Albans ; c'est de là que vient Hawkin. Nous savons qu'il n'est pas fiché. Ce que je veux savoir, c'est ce qu'on raconte sur lui. Les rumeurs, les bavardages. Les accusations éventuelles sans preuves suffisantes pour qu'il soit poursuivi.

— Vous parlez d'attentat à la pudeur ?

— Je n'en sais rien, Cragg. Essayez seulement de connaître l'opinion des gars du coin.

Il s'aperçut qu'il tenait encore le sac en papier : dans sa hâte, il avait oublié de le faire étiqueter et de l'envoyer au labo. Il jeta un coup d'œil à sa montre. Presque midi. S'il se dépêchait, il pourrait voir un des juges du tribunal de High Peak. Il n'aurait aucune difficulté à obtenir son mandat de perquisition : tout le monde était désireux d'éclaircir le mystère de la disparition d'Alison Carter et, dans cette ville où l'on considérait les gens venus de l'extérieur comme des étrangers, Hawkin n'avait pas encore eu le temps de se faire des amis influents. Il remplit rapidement le formulaire et sortit en courant, descendit Silverlands et coupa par la place du marché vers le palais de justice. Dix minutes plus tard, il en ressortait avec un mandat lui permettant de perquisitionner le manoir et les bâtiments attenants. À sa sortie du palais, le soleil fit son apparition, l'illuminant d'un pâle rayon hivernal. Il ne put s'empêcher d'y voir un présage.

De retour au quartier général, son sac toujours à la main, il fut soulagé de voir que Bob Lucas avait repris son service. Il était de bon augure de retrouver le sergent qui l'avait conduit à Scardale la première fois. George lui expliqua brièvement ce qui venait de se passer et, après avoir scellé le sac, remplit les demandes d'analyse de la chemise et du revolver. Lucas rassembla une petite équipe de deux policiers et d'un aspirant, les seuls hommes disponibles.

Le véhicule de la police derrière celui de George, ils sortirent de la ville pour s'enfoncer dans la campagne désolée du mois de février. L'annonce de la découverte de Ruth avait déjà fait le tour du village, aussi rapidement que s'était répandue celle de la disparition. Les femmes se tenaient sur le pas des portes, les hommes s'appuyaient contre les murs, et leurs yeux ne quittèrent pas les policiers quand ils contournèrent le manoir pour se rendre au bâtiment où Philip Hawkin assouvissait sa passion. Leur silence était encore plus inquiétant que ces regards.

George retrouva Clough devant la porte de la remise, les bras croisés, une cigarette au coin de la bouche.

— Pas de problèmes ?

— Le plus dur, c'est de se retrouver dehors.

George ouvrit la porte et, pour la première fois, découvrit l'intérieur de la chambre noire de Hawkin. Il était évident que six policiers y tiendraient difficilement.

— Bon, le sergent Clough et moi, nous nous chargeons de cette pièce. Sergent Lucas, vous vous occupez du manoir avec vos hommes. Comme vous le savez il a déjà été fouillé. Mais nous cherchions seulement à savoir si Alison n'avait pas laissé un message, ou s'il n'y avait aucune trace de lutte ou de meurtre aux alentours. Maintenant, nous cherchons des indications sur les rapports qu'Hawkin entretenait avec sa belle-fille. Ou tout ce qui pourrait nous éclairer sur cet homme. Comme nous n'avons pas trouvé de corps, le moindre indice peut nous aider. Commencez par son bureau.

— Compris, chef, dit Lucas férocement. Allons-y, les gars. On va faire le ménage.

Les quatre hommes en uniforme se dirigèrent vers la porte de derrière. À la fenêtre de la cuisine, Kathy Lomas surveillait chaque geste. Elle ne put soutenir le regard de l'inspecteur.

— Alors, Tommy, on se met au travail.

George franchit le seuil et appuya sur un interrupteur. Une lumière rouge inonda la pièce.

— Superbe, marmonna-t-il.

Il jeta un coup d'œil, découvrit un deuxième bouton. Un clic et l'éclairage électrique normal dissipa le rayonnement maléfique. Il examina la pièce, évaluant le travail à accomplir. À l'exception du lourd établi qui, déplacé, formait un angle avec le mur, tout était étrangement ordonné et propre. Deux lourds éviers en pierre qui devaient être là depuis le Moyen Âge étaient surmontés d'une tuyauterie flambant neuve. Il en allait de même de l'équipement photographique.

Au fond de la pièce se dressaient deux grands classeurs métalliques. George empoigna les tiroirs, les secoua : ils étaient fermés à clef.

— Merde alors.

— C'est pas un problème, dit Clough en écartant son chef.

Il tira vers lui un des classeurs, l'écarta du mur, puis le bascula.

— Tu peux me le tenir comme ça ?

George s'appuya contre le meuble, derrière lequel Clough s'agenouilla, bricola une minute ou deux. Il y eut un déclic suivi d'un grognement de satisfaction.

— Et voilà, George. Pas très malin Hawkin, il a oublié de fermer ses tiroirs à clef.

— Je commence par celui-là. Tu vérifies la table et les étagères.

Il ouvrit le tiroir du haut et s'attaqua aux dossiers suspendus, remplis de négatifs, de planches-contacts, de tirages. Il examina rapidement les autres tiroirs et gémit :

— On va jamais s'en sortir.

Clough jeta un coup d'œil à son tour :

— Il y en a des milliers !

— Il va bien falloir toutes les regarder. S'il a pris des photos douteuses, elles sont peut-être mélangées avec les autres.

Il soupira.

— On pourrait peut-être examiner l'autre placard pour avoir une meilleure idée de ce qui nous attend ? demanda Clough.

— Parfait. On s'y prend de la même façon ?

Cette fois, il tira lui-même le meuble et l'inclina, tandis que Clough recommençait de tâtonner sous le classeur.

— Attends, j'ai accroché ma manche. (Une main plongea dans la poche de veste, en retira un briquet; la flamme éclaira le dessous du meuble.) Nom d'un petit bonhomme, murmura-t-il. (Il releva la tête.) Je suis sûr que ça va te plaire, George. Y' a un trou et dans le trou, un coffre!

De surprise, George laissa presque tomber le classeur.

— Un coffre-fort?

— Ouais, ouais. (Clough se dégagea, se redressa.) Déplaçons ce machin et tu verras.

Ils s'arc-boutèrent et parvinrent à pousser le meuble métallique au milieu de la pièce. George s'accroupit. Un carré métallique vert d'environ quarante centimètres de côté avec une serrure en cuivre; la poignée qui dépassait devait trouver place sous le meuble légèrement surélevé.

Il soupira:

— Il va falloir relever les empreintes sur cette poignée et faire attention aux nôtres. Il ne faudrait pas qu'il nous accuse d'avoir planqué ce que nous pourrions y trouver…

— Tu crois ça? On aura de la veine s'il y a une empreinte là-dessus. L'important, c'est le contenu. Il aura pas mis de gants. Et s'il y a des choses dedans, ses empreintes seront partout.

George s'assit sur les talons:

— Tu as sans doute raison. Mais où est la clef?

— Si j'étais lui, je l'aurais sur moi.

George secoua la tête.

— Cragg l'a fouillé quand nous l'avons coffré. Les seules clefs qu'il avait sur lui étaient celles de sa voiture. (Il réfléchit un moment.) Va demander au sergent Lucas s'il aurait trouvé des clefs qui ressemblent à celles d'un coffre. Moi, je continue à chercher.

George s'installa devant l'établi et ouvrit les deux tiroirs. Dans l'un, du matériel : ciseaux, cutters, pinces, pinceaux, tracerets ; dans l'autre, un fouillis : bouts de ficelle, punaises, lime à ongle cassée, rouleaux de ruban adhésif entamés, bougies, ampoules de lampe de poche, boîtes d'allumettes, débris. Pas de clef. George alluma furieusement une cigarette. Il se sentait tendu comme un ressort prêt à casser.

Pendant toute l'enquête, il s'était efforcé à l'objectivité, sachant combien il était facile de succomber à une idée fixe et de faire en sorte que tous les indices viennent renforcer l'hypothèse. Mais il n'avait jamais adopté cette attitude face à Philip Hawkin. Plus la mort d'Alison devenait certaine, plus la responsabilité du beau-père lui paraissait évidente. Sentiment conforté par les statistiques et surtout par l'antipathie que cet homme lui inspirait. Il avait essayé de tordre le cou à ce préjugé, qui allait à l'encontre d'un travail sérieux, mais Hawkin revenait sans cesse le hanter. *Le suspect idéal dans une affaire de meurtre.*

Maintenant, cette idée s'imposait. La certitude s'était mise en place comme une mécanique bien huilée. Il ne restait plus qu'à assembler les preuves en vue de l'inculpation.

George sortit du labo dans l'air froid de l'après-midi déjà sur le déclin. Les lumières du manoir brillaient d'un jaune pâle et des silhouettes se déplaçaient derrière les fenêtres. Il aperçut Ruth Hawkin dans la cuisine et comprit qu'il redoutait le moment où il faudrait lui confirmer ce que tous croyaient déjà. Quelle que soit la résignation à laquelle elle était parvenue, l'annonce que l'enquête devenait criminelle lui briserait le cœur.

Il alluma une autre cigarette et se mit à faire le tour du labo. Que faisait Clough ? Il ne pouvait pas s'écarter des lieux pendant la perquisition, de crainte que, plus tard, la défense ne relève ce point et insinue que quelqu'un aurait pu cacher dans le labo des documents compromettants… Et comment continuer cette fouille, alors que chaque découverte devait être maintenant avalisée par des témoins ?

George se contraignit à respirer profondément, à remuer les épaules afin de soulager cette tension qui lui nouait les muscles du cou.

Comme la lumière s'effaçait à l'ouest de la vallée, Clough réapparut, un grand sourire sur son visage.

— Désolé d'avoir tardé. J'ai dû faire tous les tiroirs. En vain. Puis j'ai remarqué que l'un d'eux fermait mal. Je l'ai tiré à fond et eurêka ! La clef du coffre était fixée derrière par un bout de sparadrap. Le même que celui qui muselait le chien.

La clef se balançait au bout de son doigt.

— Bon boulot, Tommy. (Il prit la clef, rentra dans la pièce et s'accroupit devant le coffre en jetant un coup d'œil au sergent.) J'ai la trouille de l'ouvrir.

— Peur de trouver une preuve ?

— Non, peur de ne pas en trouver ! C'est que je suis convaincu maintenant, Tommy. Trop de petites coïncidences. Hawkin a tué Alison et je veux le voir pendu !

Il enfonça la clef dans la serrure qui tourna sans bruit et ferma les yeux une seconde. L'instant d'avant, il se serait défini comme agnostique ; soudain, il se sentit une âme de croyant.

Il tourna lentement la poignée. À l'intérieur ne se trouvaient que quelques enveloppes en papier Kraft, qu'il souleva presque religieusement et qu'il compta à haute voix pour que Clough, dont le carnet était déjà ouvert, le crayon en suspens, puisse prendre note.

— Six enveloppes marron.

Il les plaça sur l'établi et enfila ses gants en cuir fin et souple.

Les rabats avaient été glissés à l'intérieur. À l'aide de son pouce, il ouvrit une enveloppe contenant des photographies au format 10 x 15. Il les sortit en appuyant sur les bords de l'enveloppe, soucieux d'éventuelles empreintes. Les photos se répandirent sur la table. Il y en avait une bonne demi-douzaine, qu'il sépara du bout de son stylo.

Sur chacune, Alison était nue. Son visage, enlaidi par la peur, avait perdu tout son charme. Son corps exprimait une répugnance à prendre des poses qui, chez une adulte, auraient paru obscènes, et devenaient là tragiquement pitoyables, à moins d'être un pédophile confirmé comme le photographe. Lui, sans doute, les trouvait érotiques.

Clough jeta un coup d'œil par-dessus l'épaule de George.

— Mon Dieu, dit-il, la voix rauque pleine de dégoût.

Muet, George réinséra les photos dans l'enveloppe. La seconde contenait des bandes de négatifs. Grâce à la visionneuse placée sur la table, ils découvrirent que les photos avaient été tirées à partir de ces négatifs. Il y en avait seize au total. Hawkin semblait avoir laissé de côté tous ceux où Alison pleurait.

La troisième enveloppe était pire, les poses encore plus suggestives. Cette fois, le visage paraissait flou, le regard perdu.

— Elle est ivre ou droguée, remarqua Clough.

George, quant à lui, ne pouvait toujours pas articuler un mot. Méthodiquement, il remit les photos dans leur enveloppe, puis vérifia que le quatrième pli contenait bien les négatifs.

Le contenu de la cinquième enveloppe dépassait tout ce que George aurait pu imaginer. Cette fois, les seize négatifs avaient fait l'objet d'un tirage et Hawkin y figurait en compagnie de sa belle-fille. Les scènes se passaient dans la chambre d'Alison et l'apparence ordinaire de ce lieu rehaussait l'obscénité des actes auxquels elle avait servi de cadre. Une toile de fond innocente pour des expériences qu'aucune adolescente ne devrait jamais connaître.

Dans une série de terribles images monochromes, le pénis en érection s'enfonçait dans le vagin, l'anus, la bouche d'Alison et, de ses doigts, Hawkin palpait le corps avec une maîtrise sauvage et répugnante, tandis que son regard triomphant ne quittait pas l'objectif de l'appareil, jouissant de son pouvoir.

— L'ignoble salopard, grogna Clough.

Les mains de George le repoussèrent de l'établi, la chaise alla voler sur le sol. Bousculant le sergent, il parvint à franchir la porte avant que les vagues de nausée secouant son corps ne l'emportent. Les mains sur les genoux, il vomit jusqu'à ce que son estomac vide se noue et ne soit plus que douleur.

Il s'appuya contre le mur et s'effondra. En sueur, des larmes coulant sur son visage, il ne prêtait aucune attention au vent glacé de la nuit et aux rafales de pluie et de neige fondue qui balayaient la vallée.

Mieux aurait valu trouver son cadavre que d'avoir à affronter les images de ce corps violé. De quoi justifier pleinement une fugue. Mais un motif non moins valable pour l'homme qui l'avait souillée, si elle s'était rebellée et si elle avait menacé de tout révéler. D'un revers de main tremblante, il essuya son visage humide et s'efforça de se redresser.

Clough, qui se tenait derrière lui dans l'encadrement de la porte, lui tendit une cigarette déjà allumée. Son visage d'ordinaire rougeaud avait pris la pâleur des nuages nocturnes. George inhala profondément. Une quinte de toux le saisit comme la fumée râpait une gorge déjà irritée par la nausée.

— Tu penses toujours que la peine capitale… est une mauvaise chose ? parvint-il à articuler.

La pluie avait collé ses cheveux, mais il ne réagissait pas aux gouttes froides qui dégoulinaient sur son visage.

— Je pourrais le tuer de mes propres mains, grogna Clough.

Sa voix semblait venir du fond de son être.

— Il faut le garder pour le bourreau, Tommy. Pour ce client-là, nous allons respecter les règles à la lettre. Pas de chute accidentelle, pas question de le placer avec des détenus qui vomissent les criminels pervers. Nous le conduirons au tribunal en parfait état, dit George, la voix rauque.

— Ce ne sera pas facile. Et, en attendant, qu'est-ce qu'on dit à la mère d'Alison ? à la femme… d'un monstre ? «Je voulais que tu saches, ma chérie, que ton mari a violé, baisé ta fille et, sans doute, l'a assassinée » ?

— Mon Dieu, il va nous falloir une auxiliaire et un docteur.

— Elle voudra pas d'une auxiliaire, George. Elle a confiance en toi. Et elle a sa famille autour d'elle. Ils prendront mieux soin d'elle qu'un docteur. Faut seulement qu'on y aille et qu'on trouve la manière de lui dire ça.

— Informons aussi les gars en uniforme. Qu'ils ouvrent l'œil s'ils trouvent des négatifs ou des photos. (Il frissonna tout en s'efforçant de respirer calmement.) Mettons ces clichés à l'abri. Les experts du labo vont vouloir les examiner.

Rentrant à regret dans la chambre noire, ils rassemblèrent les enveloppes au contenu diabolique.

— Confie-les au sergent Lucas. Je ne veux pas les tenir en parlant à Ruth Hawkin. Je vais jeter un dernier coup d'œil ici pour voir si on ne trouve rien de plus. Il va falloir qu'une équipe examine tous les clichés et négatifs de ces armoires. Mais pas ce soir.

Clough disparut dans la nuit. George inspecta la pièce sans rien découvrir qui valût la peine de s'y arrêter. À l'extérieur, le temps était toujours aussi exécrable. Il apposa soigneusement les sceaux de la police sur la porte, en attendant les gardes. Demain il enverrait une équipe fouiller le local à fond et examiner tous les documents photographiques de Hawkin. Il ne manquerait sans doute pas de volontaires.

— J'ai confié les enveloppes à Lucas, dit Clough, sortant au pas de course du manoir.

— Merci. Voici maintenant comment je vais m'y prendre. Tu t'occupes des membres de la famille. Je parlerai à Ruth Hawkin à part. Tu te contentes de leur dire que nous avons trouvé des preuves qu'Hawkin a joué un rôle dans la disparition d'Alison et que nous l'inculpons pour une infraction sérieuse à la loi. Ce sera à Ruth de décider ce qu'elle veut bien leur dire.

— Ils voudront les détails. Surtout Ma'Lomas, prévint Clough.

— Qu'ils viennent donc au palais de justice. Ma préoccupation, c'est Ruth Hawkin. Elle est le témoin clef et elle a le droit de décider ce que sa famille doit savoir. Quant à toi, tu leur en dis le moins possible.

Il redressa les épaules, jeta son mégot dans la nuit et passa la main sur ses cheveux ruisselants, projetant sur Clough une pluie de goutelettes.

— Bon, allons-y.

Ils entrèrent dans le manoir par la porte de derrière et, franchissant le couloir, pénétrèrent dans la tiédeur confinée de la cuisine. Ma' Lomas et Kathy avaient reçu le renfort de la sœur de Ruth, Diane, et de la mère de Janet, Maureen. La peur creusa leurs visages devant la mine sinistre des deux hommes.

— Nous avons découvert de nouveaux éléments, Mrs Hawkin, dit George lentement. J'aimerais vous parler seul à seule. Mesdames, si vous voulez bien accompagner le sergent Clough, il vous donnera des explications.

Kathy ouvrit la bouche, mais ses protestations moururent sur ses lèvres face au regard de George.

— D'accord, allons dans le salon.

Comme elles sortaient, Ruth resta silencieuse. Son visage faisait penser à une porte verrouillée. Les muscles des mâchoires saillaient. Elle ne quitta pas George des yeux une seconde pendant qu'il s'installait en face d'elle. Il attendit que la porte se referme derrière Clough.

— Ce n'est pas facile, Mrs Hawkin. Nous avons les preuves que votre mari s'est livré à des violences sexuelles sur votre fille. Il va être immédiatement inculpé.

Un gémissement s'échappa de ses lèvres sans qu'elle cesse de le fixer. Il changea de position et, d'un geste automatique, chercha ses cigarettes. Devant son refus, il posa le paquet entre eux.

— Si l'on ajoute la chemise tachée et le revolver, la conclusion s'impose : il l'a sans doute assassinée. Je suis vraiment navré, Mrs Hawkin...

— Ne m'appelez plus comme ça ! ânonna-t-elle entre deux sanglots. Je ne veux plus entendre ce nom.

— Je ne l'utiliserai plus et je vais demander à mes collègues d'en faire autant.

— Vous êtes sûr ? (Ses lèvres remuaient à peine.) Jusqu'au fond du cœur... vous êtes sûr qu'elle est morte ?

George aurait aimé se trouver ailleurs que dans cette cuisine, tandis que les yeux de Ruth semblaient s'enfoncer en lui, à la recherche de la vérité.

— Oui. Rien ne me permet de penser autrement et l'accumulation des preuves indirectes me conduit à cette conclusion. Dieu sait que je m'y refuse, mais comment faire ?

Les bras repliés sur sa poitrine, Ruth se mit à se balancer sur sa chaise. Elle renversa la tête sur un cri d'agonie, le hurlement d'un animal blessé. Impuissant, George resta assis, immobile comme une souche. Il savait au fond de lui-même que la toucher était la pire chose qu'il puisse faire.

Le cri s'interrompit ; sa tête, empourprée, les joues flasques, retomba sur sa poitrine. Ses yeux brillaient de larmes, mais elle ne pleurait pas.

— Pendez-le, affirma-t-elle d'un ton péremptoire.

— Oui. (Il alluma une cigarette.) Je ferai tout mon possible.

— Il faut y arriver, George Bennett. Sinon, quelqu'un d'autre se chargera de sa mort et plus cruellement encore que le bourreau...

Sa véhémence parut avoir épuisé ses dernières forces. Elle se détourna et ordonna d'une voix atone :

— Partez, maintenant.

George se leva lentement.

— Je reviendrai demain. Il faudra faire une déposition. Si vous avez besoin de quoi que ce soit, vous pouvez me joindre au poste.

Il déchira une page de son calepin et écrivit son numéro de téléphone personnel.

— Si je n'y suis pas, appelez-moi chez moi, à n'importe quelle heure. Je suis désolé.

Il traversa la pièce en reculant et chercha à tâtons la poignée de la porte. Une fois dans le couloir, il s'appuya contre le mur. Les volutes de la fumée de sa cigarette s'élevaient le long de son bras. Le bruit de voix au bout du vestibule le conduisit à la pièce sombre où les femmes de Scardale harcelaient de questions le sergent Clough.

— Que le valet aille au diable, voici le patron ! annonça Maureen Carter. Vous allez nous le dire quand on le pend, cette ordure de Hawkin ?

— La décision ne m'appartient pas, Mrs Carter. George s'efforçait de ne pas montrer son désarroi.

— Puis-je vous suggérer de consacrer votre énergie à Ruth ? Elle a besoin de votre soutien. Nous allons partir, mais la grange sera gardée pendant la nuit. Je vous serais reconnaissant de veiller sur Ruth et de vous creuser la cervelle : un détail, si minime soit-il, peut nous aider à mener à bien notre enquête.

À sa grande surprise, Ma' Lomas intervint.

— Il a raison, laissons-le tranquille ! Ce n'est qu'un homme et il a eu son content aujourd'hui. Allons-y, les filles. Faut s'occuper de Ruth. (Elle les poussa devant elle puis se retourna pour l'inévitable flèche du Parthe :) Vous êtes sur la bonne voie, mon gars, plus question de s'en écarter, on y veillera. Faut faire front maintenant. (Avec un hochement de tête, elle ajouta :) Je fais pas de compliment au vieux châtelain. Il aurait dû se méfier. Une demi-heure avec Philip Hawkin et on est fixé. Qui se serait épargné ça aurait rien perdu.

La porte se referma derrière elle avec un claquement sec.

En un accord parfait, les deux hommes se laissèrent tomber sur leurs chaises, l'un en face de l'autre, épuisés physiquement et nerveusement.

— Une fois suffit, je voudrais pas remettre ça.

Le soupir s'accompagna d'une bouffée de fumée. Il jeta un coup d'œil autour de lui à la recherche d'un cendrier, mais aucun bibelot ne pouvait remplir cette fonction. Il fit sauter son mégot dans l'âtre vide.

— Y a bien des chances que ça t'arrive encore avant la retraite, rétorqua Clough.

Le téléphone sonna dans le vestibule. À la sixième ou septième sonnerie, quelqu'un décrocha. Un murmure de paroles interrogatives puis des pas. Diane Lomas passa la tête.

— C'est pour l'inspecteur. Un certain Carver.

George réussit à se lever de sa chaise et à se traîner jusqu'au téléphone.

— Inspecteur Bennett…

— À quoi diable jouez-vous, Bennett ? J'ai sur les bras Alfie Naden qui fout le bordel ici. Il prétend que vous êtes en pleine illégalité, que vous avez balancé son client dans une cellule sur un coup de tête, puis que vous l'avez laissé mijoter dans son jus, tandis que vous, vous repartiez à la chasse au dindon !

Et comment l'avocat le plus huppé de la ville avait-il été averti de l'arrestation de Philip Hawkin ? Cragg n'était pas très finaud, mais il n'aurait pas téléphoné au juriste sans son assentiment. Apparemment, Carver n'avait pas tiré de leçon de la mort de Peter Crowther et se conduisait en unique détenteur de la loi. George refréna sa colère.

— Je serai bientôt de retour au poste pour inculper Mr Hawkin.

— De quoi ? Naden prétend que vous avez déclaré à Hawkin qu'il était soupçonné de meurtre. Et vous le prenez où, votre meurtre ?

Quand il était en colère, l'accent des Midlands de Carver revenait en force. Il n'allait pas tarder à exploser. Mais George ne se sentait pas mieux disposé.

Il refoula sa rage et articula calmement :

— Je vais l'inculper pour viol, monsieur. Pour commencer. Cela nous donnera le temps nécessaire pour vérifier auprès du président de la chambre d'accusation si l'inculpation pour meurtre est possible sans le corps de la victime.

Il y eut un lourd silence.

— Vi... ol?

Le mot séparé en deux syllabes témoignait de l'incrédulité de Carver.

— Nous avons des preuves, monsieur, des photographies. Croyez-moi, c'est du solide. Maintenant, si vous voulez bien m'excuser, je vais reprendre la route. Je serai dans votre bureau dans une demi-heure environ et vous les montrerai.

George reposa doucement le combiné et, en se retournant, tomba nez à nez avec Bob Lucas.

— L'inspecteur Carver nous prie de retourner à Buxton. Il faut que j'emporte ces enveloppes. Puis-je vous laisser pour mettre en place une surveillance des lieux?

— Je m'en occupe, chef. Je venais vous dire qu'on a retourné toutes les étagères, feuilleté tous les livres et il n'y a de photos nulle part. On va continuer. Bonne chance. Espérons que Hawkin va rendre les choses plus faciles pour sa femme et lâcher le morceau.

— J'en doute, Bob. Beaucoup trop sûr de lui. Pendant que j'y pense, elle ne veut plus que nous l'appelions Mrs Hawkin. Je pense que Mrs Carter fera l'affaire. Faites passer la consigne.

Il passa la main sur ses cheveux encore mouillés.

— Bon, on y va. Au tour de ce salaud de souffrir.

# 4

Les photographies firent taire Carver. Ce ne serait pas la dernière fois qu'elles auraient cet effet, pensa George. Carver resta là, les yeux fixes, comme s'il voulait effacer ces images et leur substituer celles des cartes postales de Scardale qu'Hawkin vendait aux boutiques de la région. Puis, d'un coup, il se détourna et montra du doigt une feuille de papier.

— Le numéro de téléphone personnel de Naden. Il voudra être présent quand vous interrogerez le prisonnier.

— Vous ne restez pas pour l'interrogatoire, monsieur ? demanda George, quelque peu déconcerté.

— C'est votre affaire depuis le début. Vous irez jusqu'au bout, répliqua Carver froidement. (Il enfila son manteau d'un haussement d'épaules.) Vous et Clough, c'est votre boulot.

— Mais, monsieur...

La phrase de George resta en suspens. Il n'avait jamais rien fait d'aussi délicat, jamais conduit un interrogatoire de cette importance. Le travail revenait à son supérieur, mais il comprit que Carver pensait que l'affaire se présentait mal et ne voulait pas se retrouver dans le mauvais wagon. Il ne lui restait plus qu'à se taire.

— Mais quoi ?

— Rien, monsieur.

— Alors qu'est-ce que vous attendez ? Comment je ferme mon bureau si vous restez là planté comme un piquet ?

— Toutes mes excuses, monsieur.

Il prit la feuille de papier, sortit et gagna la salle des inspecteurs.

— Sergent ! appela-t-il. Prenez votre manteau. On y va.

Surpris, Clough s'exécuta. Carver fit la grimace.

— Où allez-vous ? Vous avez un prisonnier à inculper et à interroger.

— Je vais appeler Me Naden, le prévenir d'être là dans une heure. Pendant ce temps, j'emmène le sergent Clough manger quelque chose. Nous n'avons rien pris depuis le petit déjeuner : comment conduire un interrogatoire de cette importance avec comme seuls carburants la nicotine et la caféine ?

Aucune note d'excuse ne transparaissait dans la voix de George. Carver renifla ironiquement :

— C'est ce qu'ils vous enseignent à l'université ?

— Non, monsieur. C'est le superintendant Martin qui me l'a appris. Il prétend qu'il ne faut jamais envoyer les troupes au combat l'estomac vide. (George sourit.) Maintenant, monsieur, si vous voulez bien nous excuser, nous avons du travail.

Il se détourna, décrocha le combiné. Il pouvait sentir sur son dos le regard brûlant de Carver.

— Allô, Me Naden ? Ici l'inspecteur Bennett, de la police de Buxton. J'ai l'intention d'interroger votre client en détention préventive dans une heure. Il est soupçonné de meurtre et de viol. Je vous serais très obligé de bien vouloir assister à l'interrogatoire, si votre emploi du temps le permet... Parfait, nous nous verrons donc tout à l'heure. Merci.

Il appuya sur la touche et composa un nouveau numéro.

— Anne ? C'est moi...

Il se retourna et, de façon appuyée, fixa Carver qui renifla bruyamment et, à grandes enjambées, prit la direction de l'escalier.

Une heure plus tard, à la minute près, un policier faisait entrer dans la salle d'interrogatoire Me Alfie Naden, l'image même de l'homme de loi provincial et prospère, la panse arrondie sanglée dans un costume trois-pièces irréprochable en laine peignée sombre. Des demi-lunes à monture en or se perchaient sur un nez charnu flanqué de bajoues rubicondes. Sa tête chauve luisait sous l'éclairage et le menton lisse semblait rasé de près pour ce rendez-vous vespéral. À le voir ainsi, on ne se serait pas méfié, s'il n'y avait eu les yeux. Petits et noirs, ils brillaient comme les boutons en verre d'un ours en peluche. Sans cesse en mouvement – sauf quand ils sondaient un témoin –, ils prêtaient attention à tout.

George savait l'adversaire redoutable et il aurait souhaité qu'Hawkin, moins au fait des célébrités de la ville, n'eût pas eu recours à ses services.

Les formalités furent rondement menées. Hawkin restait silencieux, la lèvre dédaigneuse.

George le prévint que ses déclarations pouvaient être retenues contre lui puis enchaîna :

— Suite à votre arrestation préventive de ce matin, sous présomption de meurtre, j'ai obtenu un mandat de perquisition auprès du Parquet d'High Peak.

Il tendit le mandat à Naden qui l'examina attentivement et le rendit avec un bref hochement de tête.

— Mes hommes et moi avons effectué la perquisition cet après-midi au manoir de Scardale. Au cours de cette perquisition, nous avons découvert un coffre-fort enterré dans le sol de la grange que vous avez convertie en laboratoire photographique. Quand ce coffre fut ouvert avec une clef dissimulée dans votre bureau situé dans le manoir, il contenait six enveloppes en papier Kraft...

— Six ? interrompit Hawkin.

— Six. Dans ces six enveloppes se trouvaient des tirages photographiques et des négatifs. Après les avoir examinés, je vous accuse, Philip Hawkin, de viol.

Le discours solennel n'eut pas le moindre effet sur Hawkin dont le visage demeura serein.

Il ne craquera pas, pensa George. De toute façon il préfère la seconde accusation à la première. La potion est amère mais il la boira.

— Serait-il possible de voir ces preuves ? demanda tranquillement M$^e$ Naden.

George jeta un coup d'œil interrogateur à Hawkin :

— Tenez-vous vraiment à ce que votre avocat voie ces photographies ? Je veux dire que M$^e$ Naden est le meilleur. Et, à votre place, je n'aimerais pas qu'il renonce à me défendre.

— Mr Bennett, l'avertit M$^e$ Naden.

— Il ne peut pas me défendre s'il ne sait pas ce que vous autres salauds avez trafiqué, répondit Hawkin.

Son accent affecté avait disparu pour laisser place à la vulgarité.

George ouvrit le dossier placé devant lui. Dans l'heure précédente, Cragg avait inséré photographies et bandes de négatifs dans des étuis en plastique et l'officier de service les avait étiquetés. Le lendemain, ils seraient confiés aux experts du laboratoire médico-légal et des tirages seraient faits à partir des négatifs. Mais, pour le moment, George avait besoin de ses preuves.

Silencieusement, il plaça la première photographie d'Alison devant Hawkin et Naden. Hawkin croisa les jambes et demanda :

— Vous m'avez apporté des clopes ?

Me Naden parvint à détacher ses yeux horrifiés de la photographie et regarda Hawkin comme s'il appartenait à un autre univers.

— Quoi donc ? dit-il à mi-voix.

— Des clopes. Je suis à court.

Naden cligna des yeux plusieurs fois puis déclencha le fermoir de son porte-documents. Il sortit un paquet de Benson & Hedges encore enveloppé de Cellophane et le jeta devant Hawkin qui, ostensiblement, feignit de ne pas regarder les photos que George disposait avec soin devant Me Naden. L'avocat sembla fasciné par cet étalage d'atrocités et, lorsque le dernier cliché fut posé sur la table, Hawkin se racla la gorge.

— Ils les ont truquées. Quand on s'y connaît, on peut faire des montages. Ma belle-fille a disparu. Ils n'ont pas été capables de la retrouver et maintenant ils me chargent pour faire croire qu'ils sont à la hauteur.

— Nous avons également les négatifs, dit George tranquillement.

— C'est pas plus compliqué. On fait d'abord le montage, puis on le photographie et voilà le négatif prêt à être tiré.

— Vous niez donc avoir violé Alison Carter ? demanda George, incrédule.

— Oui, absolument.

— Nous avons également en notre possession une chemise tachée de sang en tout point identique à celles que vous faites confectionner par un tailleur de Londres. Elle était également dissimulée dans votre chambre noire.

Pour la première fois Hawkin parut surpris.

— Quoi ? s'écria-t-il.

— La chemise était imbibée de sang sur le plastron, le bas des manches et les manchettes. Après analyse, le sang devrait être le même que celui que l'on a trouvé précédemment sur les sous-vêtements d'Alison.

— Quelle chemise ? Il n'y avait pas de chemise dans ma chambre noire ! s'exclama-t-il, ponctuant ses paroles d'un mouvement rapide de sa cigarette.

— C'est là que nous l'avons trouvée, de même que le revolver.

Les yeux de Hawkin s'écarquillèrent.

— Quel revolver ?

— Un Webley 38. Identique à celui qui fut dérobé au voisin de votre mère, Mr Wells, il y a deux ans.

— Je n'ai pas de revolver, s'étrangla Hawkin. Là, vous faites une grossière erreur, Bennett. Vous pensez vous en tirer avec votre coup monté, mais vous êtes pas aussi malin que vous le croyez !

Le sourire de George se fit aussi glacial que le vent qui soufflait à l'extérieur.

— Vous êtes en droit de savoir que j'entends présenter ces informations au procureur, afin de vous inculper pour meurtre.

— C'est scandaleux ! explosa Hawkin. (Il s'agita sur sa chaise et se tourna vers son avocat l'air agressif :) Dites-leur qu'ils ne peuvent pas faire ça. Tout ce qu'ils ont, c'est des photos merdiques et truquées. Dites-leur !

Me Naden avait l'air de quelqu'un qui aurait préféré rester chez lui.

— Je vous conseille de ne pas en dire plus, Mr Hawkin. (Hawkin ouvrit la bouche pour protester.) Pas un mot de plus, Mr Hawkin, répéta Naden. (La tonalité coupante de sa voix contrastait avec son apparence bonhomme.) Mr Bennett, mon client ne fera plus aucune déclaration pour le moment. Il ne répondra pas non plus à vos questions. Il me faut maintenant le voir en privé. Par ailleurs, nous vous reverrons demain matin devant les juges.

George contemplait sa machine à écrire. Il lui fallait maintenant rédiger les conclusions sur lesquelles se fondait l'accusation de viol que présenterait l'inspecteur en uniforme chargé des relations avec la Cour. C'était, en fait, une simple requête de maintien en détention provisoire, mais avec Alfie Naden défendant le châtelain de Scardale devant des notables, George ne voulait pas prendre de risques. Et, pour tout arranger, une douleur aiguë battait à sa tempe. Il avait le plus grand mal à s'empêcher de fermer un œil dans l'espoir de soulager cette migraine.

Il soupira, alluma une autre cigarette.

— Raisons pour s'opposer à la liberté sous caution, marmonna-t-il.

Des coups impérieux furent frappés à la porte. À cette heure de la nuit, ce devait être un des policiers de service qui, le prenant en pitié, lui apportait une tasse de thé.

— Entrez !

Le superintendant Martin apparut, vêtu d'un smoking immaculé au lieu de son uniforme habituel.

— Je ne vous dérange pas ?

— Si dérangement il y a, il est le bienvenu, monsieur, répondit George en toute franchise.

Martin s'installa sur la chaise en face de lui et tira une petite gourde plate en argent de sa poche revolver.

— On peut trouver quelque chose qui ressemble à un verre ?

George secoua la tête.

— Pas même une tasse sale. Désolé.

— Peu importe. À la guerre comme à la guerre, dit Martin en buvant une lampée au goulot avant de l'essuyer et de tendre le flacon. Allez-y. Je parierais que vous en avez besoin.

George but avec reconnaissance une gorgée de cognac. Il ferma les yeux pour mieux savourer la brûlure qui rayonnait en lui et lui réchauffait la poitrine.

— J'ignorais, monsieur, que vous aviez des connaissances médicales. C'est exactement ce que le docteur m'avait prescrit.

— J'assistais à un dîner maçonnique. De même que l'inspecteur-chef Carver. Il m'a raconté ce que vous fabriquiez. (Il le regarda dans les yeux.) J'aurais préféré l'entendre de votre propre bouche.

— Les événements... se sont précipités. L'intervention de Hawkin la semaine dernière à propos de cette photographie dans un journal m'avait mis mal à l'aise. Je pensais que cela méritait qu'on s'y intéresse. Mais je n'avais d'autre intention que d'interroger Hawkin pour voir s'il se troublait et, éventuellement, commettait une faute. Au beau milieu de cet interrogatoire, le coup de téléphone de Mrs Hawkin... J'ai bien pensé à venir vous voir avant la perquisition, mais, si je l'avais fait, je n'aurais pas pu arriver à temps au palais de justice. Et vous savez quelles difficultés nous avons parfois à faire signer le mandat. Les magistrats prennent leur temps... Bref, j'ai foncé.

— Et où en sommes-nous exactement ?

— Je l'ai accusé de viol. Il sera au tribunal demain. Je requiers une prolongation de la détention provisoire. Je suis en train de rédiger mes conclusions mais je dois vous dire qu'il a pris Alfie Naden comme avocat et que sa défense consiste à dire que nous avons truqué les photographies, pour prouver que nous n'avons pas complètement échoué dans l'affaire Alison Carter.

— Ça ne tiendra pas la route, grogna Martin. Je crains que nous ne possédions pas le photographe ou l'équipement pour une pareille machination. Et, pourtant, ça risque de soulever des vagues et de remuer de la boue. Il pourrait en profiter d'une façon ou d'une autre. Toujours difficile de prédire comment un jury va se comporter. Et il est plutôt beau garçon, le salaud !

De la poche intérieure de sa veste, il tira une boîte de cigares. Il desserra son nœud papillon et défit le bouton de son col de chemise.

— On se sent mieux. Cigare ?

— Je me contenterai de mes cigarettes, merci.

Martin souffla un panache de fumée bleue.

— Nous avons quoi pour conclure au meurtre ? Faites-moi le topo.

George se laissa aller sur son siège.

— Un, nous savons maintenant qu'il avait des rapports sexuels avec sa belle-fille et qu'il prenait des photos pornos. Deux, l'après-midi de sa disparition, il prétend qu'il se trouvait seul dans sa chambre noire. Mais deux témoins jurent l'avoir vu traverser le champ entre le bois où l'on a retrouvé le chien et le boqueteau où nous avons découvert des signes de résistance d'Alison.

— Suggestif, commenta Martin.

— Trois, le chien vivait dans sa maison. Pour l'avoir muselé sans se faire mordre, il fallait bien le connaître. Nous devons encore faire le tour des pharmacies pour savoir si quelqu'un se souvient de lui avoir vendu ce rouleau de sparadrap. Quatre, tous les habitants du village, excepté Ma'Lomas, prétendent ne pas avoir eu connaissance de cette mine abandonnée. Mais un livre qui précise sa position exacte se trouvait sur un rayonnage du bureau de Hawkin.

— Suggestif mais indirect.

George hocha la tête.

— Toutes nos preuves sont de nature indirecte ou par présomption. Mais, dans le cas d'un meurtre, combien de fois disposons-nous d'un témoignage irréfutable ?

— Certes. Mais voyons la suite.

George prit un temps pour remettre en ordre ses pensées.

— OK. Cinq, le groupe sanguin de Hawkin correspond à celui du sperme sur les sous-vêtements d'Alison. Il y avait également du sang sur ses vêtements et sur l'arbre dans le boqueteau, dans les deux cas, il s'agit du groupe sanguin d'Alison. La présence de corpuscules de Barr indique que le sang était celui d'une femme. Il est donc raisonnable de supposer qu'Alison a tout au moins été blessée sinon tuée par un pervers. Les photographies démontrent que Hawkin est à ranger dans cette catégorie.

« Six, la fausse identification d'Alison dans une photographie de journal est la réplique exacte d'un fait divers paru à propos de la disparition d'une autre fille, Pauline Reade. Je crois qu'il a utilisé ce subterfuge pour jouer au père inquiet et attentionné. En quoi, je dois dire, il a parfaitement échoué jusqu'à présent.

« Sept, dans la mine nous avons trouvé deux balles. L'une provient d'un Webley 38. Un revolver de ce type a été volé dans une maison où Hawkin venait régulièrement en visite, il y a deux ou trois ans et nous avons retrouvé un Webley 38 dissimulé dans la chambre noire, les numéros de série limés. Nous ne savons pas encore si la victime du vol pourra l'identifier, de même que nous ignorons si c'est bien le revolver avec lequel les balles ont été tirées. Mais nous l'apprendrons bientôt.

« Enfin, nous avons la chemise imbibée de sang, identique à celles qu'il commande à un tailleur de Londres, jusqu'à l'étiquette sur le col. Si le sang se révèle du même groupe que celui trouvé sur les lieux – celui d'Alison –, nous pouvons faire le lien entre Hawkin et l'agression. (George leva les sourcils.) Qu'en pensez-vous ?

— Si nous avions le corps de la victime, je dirais qu'on y va. Mais nous n'en avons pas. Nous n'avons aucune preuve établie qu'Alison n'est plus en vie. Le procureur général n'acceptera jamais de poursuivre pour meurtre en l'absence du corps.

— Il y a des précédents, protesta George. Haigh, l'assassin aux bains d'acide. On ne disposait d'aucun cadavre.

— Oui, mais si je me souviens bien, il y avait des signes que l'on s'était débarrassé d'un corps et des traces détectées par les analyses.

— Il y a un autre précédent avec encore moins de preuves. En 1955, un militaire en retraite d'origine polonaise fut condamné pour le meurtre de son associé. Le ministère public soutint qu'il avait donné le corps aux cochons de leur ferme. Les seules preuves dont disposait le procureur étaient les témoignages d'amis et de voisins disant que les deux hommes s'étaient querellés. Il y avait des taches de sang dans la cuisine et l'associé avait disparu sans laisser de trace. Quant à son compte d'épargne, personne n'y avait touché. Nous avons beaucoup plus. Personne n'a déclaré avoir vu Alison depuis sa disparition. Nous avons les preuves qu'elle a été agressée sexuellement et qu'elle a perdu beaucoup de sang. Il est donc peu vraisemblable qu'elle soit encore en vie.

Martin se pencha en arrière. La fumée de son cigare monta par petites bouffées jusqu'au plafond.

— Il y a une grande différence entre « peu vraisemblable » et « sans aucun doute ». Même ce revolver. S'il l'a tuée de près, pourquoi deux balles dans la paroi ?

— Peut-être s'est-elle débattue, échappée, et il a tiré la première pour l'effrayer ?

— C'est possible, mais la défense va se servir de ces deux balles pour semer la confusion dans le jury. Et s'il a tué la fille dans la mine, pourquoi a-t-il déplacé le corps ?

George repoussa une mèche de cheveux de son front.

— Je ne sais pas. Il connaissait peut-être un meilleur endroit pour cacher le corps. Autrement, nous l'aurions déjà trouvé.

— Donc, s'il connaissait un meilleur endroit pour se débarrasser du corps, pourquoi a-t-il laissé dans la mine des traces du viol ?

George soupira. S'il se sentait frustré par les questions de Martin, il savait cependant que ce serait bien pire face aux avocats de la défense.

— Je ne sais pas. Peut-être qu'il n'a pas eu le temps. Il lui fallait être là pour le dîner. Il ne pouvait vraiment pas être en retard. Et, par la suite, il n'a pas eu la possibilité d'y retourner.

— C'est maigre, George.

Martin se redressa et regarda George dans les yeux.

— Ce n'est pas assez. Il va falloir que vous trouviez le corps.

# Troisième Partie

## ÉPREUVES ET PEINES

# DÉTENTION

En quelques instants, tout fut terminé. Jetant un coup d'œil circulaire dans la salle d'audience, George fut frappé par le sentiment de stupeur qui se lisait sur les visages des gens de Scardale, venus en force. Ils se trouvaient là pour apaiser une soif de vengeance primitive, pour voir le méchant dans le box des accusés. Et pour satisfaire à cette exigence, il leur fallait un cérémonial. Mais là, dans cet endroit qui ressemblait davantage à une salle de classe qu'à l'idée qu'ils se faisaient, grâce au cinéma ou à la télévision, de la Haute Cour de Justice du Old Bailey, rien ne pouvait répondre à cette attente viscérale.

Tous les types morphologiques de Scardale se retrouvaient dans les sept hommes et huit femmes présents, depuis le bec d'aigle de Ma' Lomas jusqu'au visage taillé à coups de serpe de Brian Carter. Mais Ruth Carter brillait par son absence.

Les journalistes avaient accouru, moins nombreux qu'en cas de procès criminel. À ce stade, les informations étaient si sévèrement contrôlées que cela ne valait pas le déplacement. Les règles concernant la présomption d'innocence incitaient les rédacteurs en chef à se montrer prudents. Certes, une première accusation était portée contre Hawkin, mais on ne pouvait en aucun cas en déduire qu'il serait poursuivi pour meurtre.

Le prisonnier fut amené dans la salle d'audience où siégeaient trois magistrats, deux hommes et une femme, ainsi que Alfie Naden. Il attendait, prêt à intervenir, de même que l'inspecteur chargé des relations avec le palais de justice. De tous, Hawkin paraissait le plus à l'aise : rasé de près, l'image même de l'innocence, ses cheveux noirs brillant sous les éclairages. Un murmure s'éleva des bancs réservés au public. Un bref rappel à l'ordre de l'huissier le fit s'éteindre.

Le greffier se leva et lut l'acte d'accusation. À peine avait-il achevé que Naden intervenait :

— Messieurs les juges, je voudrais soumettre à votre attention le fait qu'il est du devoir de la cour, selon l'article 39 de la loi sur la protection de l'enfance, de ne pas faire apparaître l'identité des mineurs victimes d'un comportement indécent. Pour nous en tenir à l'esprit de ce texte, il me paraît évident que la cour doit prescrire aux journalistes ici présents de ne pas divulguer le nom de l'accusé, dans la mesure où indirectement serait révélé le nom de la victime, puisqu'il y a un lien de famille dans ces allégations. Je demande en conséquence à messieurs les juges de statuer dans ce sens.

Comme Naden se rasseyait, l'inspecteur prit le relais. Il avait préparé ses interventions avec l'aide de George et du superintendant Martin.

— Je souhaiterais aller à l'encontre d'une telle décision, dit-il gravement. Tout d'abord à cause de l'extrême gravité des faits, par ailleurs, parce que nous sommes persuadés que ce n'est pas la première fois que l'accusé a agressé sexuellement des enfants. Faire connaître son nom peut conduire d'autres victimes à se manifester.

Cette partie de l'argumentation n'était guère plus qu'un coup d'épée dans l'eau : toutes les tentatives de Cragg de faire dire aux inspecteurs de St Albans quels bruits pouvaient courir avaient échoué. George prévoyait d'envoyer Clough sur place mais, pour le moment, ils ne disposaient que d'hypothèses.

— Deuxièmement, continua l'inspecteur, nous sommes convaincus que la victime de cette agression n'est plus en vie et que, par conséquent, elle ne saurait bénéficier de la protection de la cour.

Dans le public, on reprit son souffle. Une des femmes de Scardale émit une sorte de gémissement. Les journalistes se regardèrent, interloqués. Pouvaient-ils faire état de cette déclaration dans la mesure où elle avait été prononcée devant la cour ? Cela irait-il à l'encontre de la loi ? Ou fallait-il attendre que les magistrats se prononcent ?

D'un bond, Naden se leva.

— Messieurs les juges, protesta-t-il, l'air indigné, voilà une suggestion scandaleuse ! Il est vrai que la victime supposée a pour le moment disparu de chez elle, mais lorsque la police suggère qu'elle est morte, elle incite à la calomnie contre mon client. Je vous demande instamment d'ordonner que rien ne puisse paraître dans la presse excepté le fait qu'un homme a été inculpé pour viol.

Les trois magistrats se consultèrent avec le greffier. Les doigts de George tambourinaient impatiemment sur son genou. À vrai dire, il se souciait peu que la presse fasse ou non état du nom de Hawkin. Il voulait simplement pouvoir mener son enquête tambour battant.

Enfin le président s'éclaircit la voix :

— Nous sommes d'accord sur le fait que dans le cadre d'une audience concernant un maintien en détention, la presse n'a pas le droit de donner le nom d'un prévenu. Cependant, cette décision ne saurait nécessairement s'appliquer à des audiences ultérieures.

Naden s'inclina :

— Je vous suis très obligé.

Quand l'audience relative à la mise en accusation fut fixée dans un délai de quatre semaines, Naden se redressa d'un bond.

— Messieurs les juges, je voudrais vous demander de bien vouloir examiner la possibilité d'une remise en liberté sous caution. Mon client est un membre éminent de sa communauté, sans condamnation précédente ni tache sur son honneur. Il dirige un vaste domaine et il est indéniable que son absence sera préjudiciable à ses fermiers.

— Conneries ! beugla une voix du fond de la salle. (George reconnut Brian Carter, le visage rougi par l'émotion.) On se porte beaucoup mieux sans lui !

Le président de la cour se raidit.

— Expulsez cet homme sur-le-champ ! dit-il, scandalisé d'un tel manquement à la dignité.

— De toute façon, je me tire ! hurla Brian, bondissant sur ses pieds avant qu'on ait pu le saisir.

Il fit une sortie fracassante ; la porte claqua, laissant derrière lui un silence stupéfait.

Le président respira profondément :

— Si je perçois encore la moindre agitation, je fais évacuer la salle, affirma-t-il d'un air pincé. Je vous en prie, continuez, maître Naden.

— Merci. Comme je le disais, la présence de Mr Hawkin est indispensable à la bonne marche du domaine de Scardale. Comme vous l'avez entendu, sa belle-fille a disparu et il a le sentiment que sa place est à côté de sa femme pour lui offrir aide et réconfort. Ce n'est pas un criminel irresponsable sans domicile fixe. Il n'a pas l'intention de quitter la juridiction. Je vous demande instamment d'autoriser la mise en liberté sous caution dans ces circonstances exceptionnelles.

L'inspecteur se leva lentement.

— Messieurs les juges, la police s'oppose à cette requête : le prévenu dispose de fonds suffisants pour être tenté de prendre la fuite. Il n'est pas enraciné dans ce secteur, où il s'est installé il y a à peine plus d'un an suite au décès de son oncle. Nous souhaiterions, par ailleurs, éviter des pressions éventuelles. De nombreux témoins à charge sont en effet non seulement ses fermiers, mais encore ses employés et le risque d'intimidation est réel. Enfin, la police considère que le crime est extrêmement grave et il est vraisemblable que des accusations encore plus sérieuses soient formulées ultérieurement.

George se sentit soulagé de voir la femme magistrat approuver d'un hochement de tête chaque argument. Si les deux autres demeuraient dans le doute, il pensa que sa conviction suffirait à les rallier. Comme les juges se retiraient afin de se concerter, un murmure s'éleva du banc de la presse. Le contingent venu de Scardale demeurait assis immobile et silencieux, leurs regards brûlants sur la nuque de Philip Hawkin, qui s'entretenait avec son avocat.

George avait envie d'une cigarette.

Quelques instants plus tard, les magistrats regagnèrent leur estrade.

— La demande de liberté sous caution est rejetée, dit fermement le président. Emmenez le prisonnier.

Comme il passait devant George, Hawkin lui jeta un regard chargé de mépris. George l'ignora. Attendre le bon moment faisait partie de ses principes.

## DEVANT LA COUR

Un homme accusé de viol a été astreint à la détention préventive par décision des magistrats d'High Peak siégeant hier à Buxton. Cet homme, dont le nom ne peut être divulgué suite aux attendus, réside dans le village de Scardale, Derbyshire.

# INCULPATION

Étrange, comme toutes les administrations se ressemblent. George s'était imaginé des locaux aussi imposants que le titre de « Services du Procureur général de la Couronne ». Bien que le bâtiment de style régence dans Queen Anne's Gate n'eût rien de commun avec l'immeuble carré en brique du poste de Buxton, l'intérieur était aménagé et meublé de la même façon. Le magistrat, avec lequel Tommy Clough et lui avaient pris rendez-vous quatre jours après l'audience, résidait dans un endroit tellement semblable à son propre bureau qu'il se sentait presque désorienté. Des dossiers s'entassaient en haut des meubles, des recueils de textes juridiques encombraient la tablette de la fenêtre et le cendrier aurait eu besoin d'être vidé. Le sol était recouvert d'un linoléum identique, les murs peints de la même teinte blanc cassé.

Jonathan Pritchard ne ressemblait pas non plus à l'homme qu'il s'attendait à rencontrer. Il avait dans les 35 ans et une tignasse poil de carotte indisciplinée. Des mèches rebelles pointaient ici et là jusqu'à former une sorte de crête sur un côté de sa tête. Sa physionomie était non moins singulière : les yeux, d'un bleu-gris d'ardoise mouillée, ronds et bien espacés, ornés de longs cils dorés ; le nez long et osseux, orienté vers la gauche ; la bouche de travers. Seule sa façon de s'habiller semblait compatible avec sa fonction. Il portait un impeccable costume sombre trois pièces à fines rayures grises, une chemise d'un blanc étincelant et une cravate aux couleurs de la garde royale parfaitement nouée.

— Ainsi, les avait accueillis le magistrat, se levant d'un bond, vous êtes les gars sans corps ! Allez, asseyez-vous. J'espère que vous avez fait le plein avant de venir. Pas question de trouver une tasse de café acceptable ici.

Il resta debout poliment tant que George et Clough ne furent pas assis puis se laissa tomber sur son siège de bureau délabré. Il ouvrit un tiroir, en sortit un second cendrier qu'il poussa dans leur direction.

— Notre hospitalité s'arrête là, dit-il, l'air attristé. Et maintenant, qui est qui ?

Ils se présentèrent. Pritchard prit note sur le bloc posé devant lui.

— Pardonnez-moi, dit-il, mais n'est-ce pas un peu inhabituel qu'une affaire d'une telle importance soit confiée à un simple inspecteur ? Un inspecteur qui n'est en poste que depuis cinq mois ?

George étouffa un soupir et haussa les épaules.

— L'inspecteur-chef avait la cheville dans le plâtre quand la disparition a été signalée, si bien que j'ai dirigé les opérations sous le contrôle du superintendant Martin. C'est le gradé le plus élevé de la sous-division de Buxton. À mesure que l'affaire prenait de l'importance, le quartier général voulait faire intervenir des inspecteurs plus expérimentés, mais le superintendant entendait que ses propres hommes continuent l'enquête.

— Voilà qui est louable, mais qui n'a pas dû plaire au QG ?

— Cela, je l'ignore, monsieur.

Clough se pencha en avant.

— Le superintendant a servi dans l'armée avec l'actuel chef de la police du comté, si bien que ce dernier savait qu'il pouvait faire confiance à son jugement.

Pritchard hocha la tête :

— J'ai moi-même servi dans l'armée comme juriste. Je connais l'esprit de corps.

De sa poche il sortit une boîte de cigarettes, des *Black Sobranie*, en alluma une. George osait à peine s'imaginer l'impression que ferait Pritchard dans le prétoire s'il se décidait à conduire l'accusation lors de la demande d'inculpation pour meurtre. Dieu merci, les précédents juges ne seraient pas là.

— J'ai lu les documents, poursuivit Pritchard, et examiné les photographies. (Un frisson involontaire le parcourut.) Ce sont certainement les plus répugnantes que j'ai jamais eu à regarder. Je suis persuadé qu'à la seule vue de ces photos nous obtiendrons sans mal l'inculpation pour viol. Ce qu'il nous faut voir maintenant, c'est si nous disposons de suffisamment de preuves pour obtenir également l'inculpation pour meurtre. Le principal obstacle réside assurément dans l'absence de corps.

George ouvrit la bouche, mais d'un doigt levé Pritchard lui fit signe de se taire.

— Considérons maintenant le *corpus delicti* qui n'est pas comme le croient beaucoup de gens le corps de la victime, mais pour ainsi dire le corps du crime. J'entends les éléments essentiels d'un acte criminel et les circonstances dans lesquelles il a été commis. Dans le cas d'un meurtre, le ministère public doit établir qu'un décès est intervenu, que la personne décédée est celle qui est censée avoir été assassinée et que sa mort peut être attribuée à un acte de violence non justifié. Vous comprendrez que la façon la plus simple de répondre à toutes ces exigences est de disposer d'un cadavre, qu'en pensez-vous ?

— Il existe des précédents où la condamnation pour meurtre a été prononcée bien que l'on n'ait pas retrouvé le corps, dit George. Haigh, le meurtrier au bain d'acide et James Camb. Ou encore Michael Onufrejczyk, l'éleveur de porcs. Voici un cas où le président de la Haute Cour de Justice statua que la mort pouvait être établie par un faisceau de preuves indirectes. Et nous en possédons assez pour que cela vaille la peine de poursuivre.

Pritchard sourit :

— Je vois que vous avez étudié les cas les plus remarquables. Je dois reconnaître, inspecteur Bennett, que les éléments de cette affaire me fascinent. Elle présente des difficultés apparemment insurmontables. Cependant, comme vous l'avez judicieusement fait observer, nous disposons d'un ensemble remarquable de preuves indirectes. Pourrions-nous les passer en revue ?

Pendant deux heures, ils examinèrent chaque détail qui paraissait indiquer qu'Hawkin avait bel et bien assassiné sa belle-fille. Pritchard posait les questions, précises et pénétrantes, cherchant à découvrir des failles dans le raisonnement apparemment logique, faisant abstraction de ses réactions personnelles. Mais il paraissait fasciné.

— Nous avons un nouvel élément à ajouter au dossier, conclut Clough. Nous n'avons reçu ce rapport qu'hier, tard dans la soirée. Le sang sur la chemise est du même groupe sanguin que celui d'Alison, et c'est le sang d'une femme, comme pour les examens précédents. Sur la chemise se trouvent en plus des traces de fumée et de poudre comme si on avait utilisé une arme à feu serrée contre la poitrine. Enfin, nous avons la certitude que la chemise appartient à Hawkin.

— Voilà qui apporte de l'eau à votre moulin, sergent. Mais, même sans cette dernière preuve, qu'Hawkin ait tué la fille me paraît ne faire guère de doute. Une question subsiste : pourrons-nous présenter l'affaire de façon suffisamment convaincante devant un jury ?

Pritchard se passa la main dans les cheveux sans autre effet que de les rendre encore plus rebelles. George comprenait maintenant pourquoi il avait choisi de devenir procureur : sous la perruque en crin de cheval, il devait avoir l'air presque normal. Et bien qu'il fût à l'évidence issu de la haute bourgeoisie, son accent n'était pas suffisamment affecté pour s'aliéner un jury.

— Mais il est parvenu à bien dissimuler le corps. Nous ne le trouverons pas, sauf accidentellement. Je ne pense pas que nous disposerons de nouveaux éléments, constata George.

Il s'efforçait de ne pas montrer le pessimisme qu'il ressentait lorsque la nuit, réveillé par le sommeil agité de sa femme, il broyait du noir.

Pritchard pivota sur son siège.

— C'est un défi fascinant, hein ? Je ne me souviens pas d'avoir consulté un dossier aussi excitant depuis longtemps. Quelle bataille en perspective dans la salle d'audience ! Et je ne puis m'empêcher de penser à la satisfaction qu'on éprouverait à faire décoller cette affaire.

— Vous allez vous en charger ? demanda Clough.

— Comme la controverse sera assurément âpre, nous aurons recours à un avocat de la Couronne, à la fois pour l'audience d'inculpation et pour le procès proprement dit. Mais je serai certainement son adjoint, donc chargé de préparer l'accusation. Sans hésiter, je pense qu'il faut aller de l'avant.

Son doigt se leva de nouveau pour un rappel à l'ordre.

— Ce qui ne veut pas dire que vous pouvez foncer. Je dois d'abord présenter l'affaire au procureur général et le convaincre que nous ne nous exposons pas au ridicule en décidant de poursuivre. Je suis sûr que vous savez combien nos supérieurs détestent qu'on se moque d'eux, ajouta-t-il avec un sourire ironique.

— Quand aura lieu l'audience ? s'enquit George.

— Dès la fin de la semaine, annonça Pritchard d'un ton résolu. Il va vouloir y réfléchir à tête reposée mais le temps presse, me semble-t-il. Je vous appellerai au plus tard vendredi.

Pritchard se leva et leur tendit la main :

— Inspecteur, sergent. (Il leur serra la main.) J'ai été ravi de vous rencontrer. Croisez les doigts, hein ?

*Daily News, lundi 17 février 1964, p. 1*

ALISON CARTER A-T-ELLE ÉTÉ ASSASSINÉE ?

La nouvelle ne manque pas de faire sensation : la police accuse de meurtre Philip Hawkin, âgé de 37 ans, dans l'affaire de la disparition de sa belle-fille, l'écolière Alison Carter. Cette accusation revêt un aspect inhabituel dans la mesure où le corps d'Alison n'a pas été retrouvé. Cette jolie blonde de 13 ans n'a plus jamais été revue depuis qu'elle a quitté son domicile dans le hameau de Scardale (Derbyshire) pour promener son chien après l'école, le 11 décembre de l'année dernière.

Hawkin comparaîtra demain devant les magistrats de Buxton qui statueront sur sa mise en accusation.

# DU DÉJÀ-VU

Ce n'est pas la première fois que l'on porte des accusations pour meurtre alors que l'on n'a pas retrouvé de corps. Dans l'affaire John George Haigh, le meurtrier au bain d'acide de triste renom, ne subsistaient de sa victime qu'un calcul biliaire, quelques os et ses fausses dents. Mais ces restes suffirent à démontrer que l'on s'était débarrassé du corps et Haigh fut pendu.

James Camb, steward sur un paquebot assurant la liaison entre l'Afrique du Sud et l'Angleterre, se vit accusé du meurtre d'une passagère, l'actrice Gay Gibson. Il prétendit qu'elle était morte d'une crise cardiaque alors qu'il se trouvait seul avec elle dans sa cabine. Pris de panique, se voyant accusé de meurtre, il avait fait passer le corps par un hublot. Son explication ne parut pas crédible et il fut déclaré coupable.

Une autre affaire s'est produite dans une ferme isolée du pays de Galles où un héros de la guerre d'origine polonaise se vit condamné pour le meurtre de son associé dont il aurait donné le corps en pâture à leurs cochons.

# LA MISE EN ACCUSATION

Le lundi 24 février, George s'éveilla à 6 heures. Il se glissa hors du lit, en s'efforçant de ne pas réveiller Anne, et à pas feutrés descendit au rez-de-chaussée en pantoufles et robe de chambre. Il fit infuser du thé qu'il emporta dans le salon. Tirant les rideaux pour profiter des premières lueurs de l'aube, il eut la surprise de découvrir la voiture de Tommy Clough dans la rue. Le bout incandescent d'une cigarette révélait que son sergent était tout aussi éveillé que lui.

Quelques minutes plus tard, Clough était installé en face de George, une tasse en porcelaine fumante nichée dans l'une de ses grandes mains.

— Je me suis dit que tu serais matinal et d'attaque. J'espère que Hawkin dort aussi mal que nous, ajouta-t-il avec un brin d'amertume.

— Entre Anne et l'audience, je n'arrive plus à me souvenir quand j'ai eu mes huit heures de sommeil, répliqua George.

— Comment va-t-elle?

George haussa les épaules:

— Elle se fatigue très vite. Nous sommes allés voir *The Great Escape* à l'Opera House vendredi soir et elle s'est endormie à la moitié du film. Elle est très nerveuse. (Il soupira.) Ça l'inquiète de ne jamais savoir quand je vais rentrer.

— Les choses vont s'améliorer après le procès, le réconforta Clough.

— Sans doute. Mais j'ai peur qu'il trouve le moyen de s'en tirer. Nous devons abattre nos cartes pour que les magistrats prennent la décision de l'envoyer aux assises. Ensuite il va disposer d'au moins deux mois pour bâtir sa défense, en sachant exactement ce que nous lui reprochons. Nous ne sommes pas Perry Mason, capable de sortir un atout de sa manche au dernier moment.

— Les juristes n'iraient pas de l'avant s'ils ne croyaient pas que nous avons une bonne chance de gagner, lui rappela Clough. Nous avons fait notre part. Il nous reste maintenant à leur faire confiance, ajouta-t-il philosophiquement.

George renifla :

— Et je devrais me sentir rassuré ? Tommy, je déteste ce moment de l'affaire. N'avoir plus rien à faire. Ne pas pouvoir influencer quoi que ce soit. Je me sens complètement impuissant. Et si Hawkin n'est pas condamné... bon, oublions les juristes. Moi j'aurais l'impression d'avoir échoué.

Il se renfonça sur sa chaise et alluma une cigarette.

— Ce serait insupportable, pour toutes sortes de raisons. Nous aurions laissé un tueur en liberté. Et je ne suis pas assez coriace pour ne pas être atteint personnellement. Tu imagines l'inspecteur-chef ? Il rayonnerait, Carver. Et tu vois les gros titres de ce rat d'égout de Don Smart ?

— Allons, George, tout le monde sait combien tu as transpiré sur cette affaire. Si Carver s'en était occupé, on n'aurait même pas eu de preuves du viol. Et les tiennes sont en béton ! Impossible qu'il s'en sorte, même s'il parvient à éviter la condamnation pour meurtre. Et tu peux parier jusqu'à ton dernier sou que, quel que soit le juge, s'il vient à entendre des abrutis de jurés proclamer « non coupable », il s'arrangera pour prononcer la peine maximum en matière de viol. Hawkin est pas près de se balader dans Scardale.

George soupira :

— Tu as raison. J'aurais seulement aimé mieux démontrer le rapport entre Hawkin et le revolver. Nous n'avons pas eu de chance. Un seul homme pouvait identifier ce revolver : son propriétaire, Mr Wells, le voisin de la mère de Hawkin. Et où est-il ? Il passe quelques mois chez sa fille en Australie ! Et pas un seul de ses amis ou de ses voisins n'a son adresse. Ils ne se souviennent même pas d'une date de retour approximative. Bien sûr, la mère de Hawkin connaît sûrement tout ça par cœur, puisqu'elle est la meilleure amie de Mr et Mrs Wells, mais ce n'est pas elle qui se confiera à ces méchants policiers qui veulent faire porter le chapeau à son amour de fils, ajouta-t-il sur le ton cinglant du sarcasme.

Il se leva :

— Je vais me laver et me raser. Tu veux bien refaire du thé ? J'en porterai une tasse à Anne quand je serai habillé. Puis je te paierai un solide petit déjeuner à la cafétéria.

— Excellent programme. Va nous falloir du carburant. La journée sera longue.

La cloche de l'hôtel de ville sonna 10 heures. Les notes graves résonnèrent dans la salle d'audience de l'autre côté de la rue. Jonathan Pritchard, penché sur une pile de papiers, releva la tête, les sourcils interrogatifs. À côté de lui, plongé dans ses notes, se tenait le robuste Desmond Stanley, avocat de la Couronne. Ancien joueur de rugby dans l'équipe première d'Oxford, il était parvenu, malgré la quarantaine, à ne pas prendre trop de poids à force d'exercices. Il s'efforçait de les pratiquer lorsqu'il devait s'occuper d'une affaire. À côté de l'habituelle perruque, de la robe et ses ornements, il emportait dans son sac un jeu d'haltères. Dans tous les vestiaires des tribunaux, il avait fait ses assouplissements, étirements, tractions, levées de poids, avant de prendre position dans la salle d'audience pour y défendre ou poursuivre, selon le cas, les pires criminels que le système juridique pouvait lui offrir.

Malgré tout, il n'avait jamais l'air en bonne santé. Un teint cireux, des lèvres exsangues et des yeux marron foncé larmoyants, qu'il tamponnait de temps à autre avec un mouchoir en soie de couleur éclatante enfoncé en permanence dans sa manche. La première fois que George l'avait rencontré, il s'était demandé si Stanley vivrait assez longtemps pour s'occuper de l'affaire. Pritchard l'avait détrompé :

— Il nous survivra tous. Nous avons de la chance de l'avoir avec nous et non contre nous. Vous pouvez me faire confiance : Desmond Stanley est un véritable requin.

Pritchard se sentit encore plus heureux d'avoir Stanley à ses côtés quand il découvrit l'identité de celui qui allait les affronter. Rupert Highsmith, avocat de la Couronne, avait acquis sa redoutable réputation de spécialiste impitoyable du contre-interrogatoire au début des années cinquante, lors d'affaires de haut niveau. Il n'était alors qu'un jeune avocat, et dix autres années à la barre n'avaient pas émoussé son habileté. Elles lui avaient bien au contraire enseigné de nouveaux stratagèmes qui laissaient son adversaire à terre, si bien qu'en face, de moins qualifiés que lui n'osaient plus convoquer à la barre certains témoins, de peur qu'il ne retournât la situation.

Pour le moment, Highsmith, l'air confiant, le dos bien appuyé sur son dossier, scrutait la foule. La perfection géométrique des lignes de son profil évoquait un jeu de construction. Des collègues du barreau, perfides, murmuraient qu'il avait eu recours à la chirurgie esthétique pour conserver un menton aussi bien dessiné. Il se plaisait toujours à évaluer son public, afin de mieux jauger son futur impact. L'assemblée eut l'air de lui plaire : il était un des rares avocats de la défense capables de briller quand le seul but de l'audience était de décider si le ministère public disposait de suffisamment de preuves contre le prévenu. Le plus souvent, seule l'accusation prenait la parole devant les magistrats, mais Highsmith saisissait toujours la possibilité de montrer son talent le plus vif : le contre-interrogatoire.

Une porte sur le côté s'ouvrit et Hawkin fit son entrée, flanqué de deux policiers. Il n'était pas menotté, conformément aux instructions de George. L'inspecteur était décidé à ne rien tenter qui puisse faire prendre Hawkin en pitié. Il savait, par ailleurs, que la première intervention de la défense serait pour demander que l'on retire les menottes, ce à quoi les magistrats accéderaient probablement : il leur serait difficile de ne pas considérer le propriétaire terrien Hawkin comme l'un des leurs. Et Pritchard avait beaucoup insisté : il ne faudrait en aucun cas laisser à la défense la possibilité de marquer le premier point.

Dix-huit nuits derrière les barreaux n'avaient pas nui à l'apparence de Hawkin. Sa chevelure noire, plus courte que d'habitude – les prisonniers n'ont pas la possibilité de choisir un coiffeur en dehors de la prison –, était toujours aussi lisse et luisante, rejetée en arrière et dégageant son front large et carré. Ses yeux marron foncé examinèrent brièvement les membres de l'assistance, avant de s'arrêter sur son défenseur. Son sourire s'élargit en réponse au rapide salut de la tête d'Highsmith. Hawkin prit son temps pour entrer dans le box, et, ayant soin de ne pas froisser le pantalon de son costume sombre, il s'installa sur le banc.

La porte derrière l'estrade des magistrats s'ouvrit et le greffier bondit sur ses pieds, lançant son: «Veuillez vous lever! La cour!» Les chaises grincèrent sur les dalles quand les trois juges entrèrent. Hawkin fut l'un des premiers à se mettre debout, son attitude témoignant d'un respect que Pritchard remarqua et dont il prit mentalement note. Soit Hawkin était un excellent acteur, soit il était vraiment persuadé que ces magistrats détenaient un pouvoir sur lui qu'ils utiliseraient au mieux de ses propres intérêts.

Lorsque les trois hommes se furent assis, tout le monde les imita, à l'exception du greffier. Il rappela que la cour était en session pour examiner s'il convenait d'engager des poursuites contre Philip Hawkin du manoir de Scardale, à Scardale, dans le comité du Derbyshire.

Desmond Stanley se leva:

— Messieurs les juges, je représente ici le procureur de la Couronne. Philip Hawkin est accusé du viol d'Alison Carter, âgée de 13 ans. Il est également accusé d'avoir par la suite, sans doute le 11 décembre 1963, assassiné ladite Alison Carter.

La seule personne qui souriait encore n'était autre que Don Smart, penché sur son carnet.

Monsieur Loyal brandit son fouet; le cirque retint son souffle.

Après avoir apporté son témoignage et souffert des coups de griffe du contre-interrogatoire d'Highsmith, George s'écarta de la barre des témoins et traversa la salle d'audience envahie par la foule, la tête haute, les pommettes rouges et brûlantes. Demain, il irait s'asseoir pour écouter la suite de l'acte d'accusation. Mais, pour l'instant, il lui fallait une cigarette et une heure de tranquillité. Il s'apprêtait à descendre les marches en courant quand il entendit Clough l'appeler.

Il se tourna à demi :

— Pas maintenant, Clough. Retrouve-moi au *Baker's Arms* à l'heure d'ouverture.

Il se servit du dernier pilastre de l'escalier pour pivoter et se précipita au-dehors.

En moins de quarante minutes, il se retrouvait à bout de souffle sur le sommet arrondi de Mam Tor, là où le calcaire bute contre le grès ; à sa droite s'étendait le White Peak, à gauche le Dark Peak. Le vent lui coupait le souffle et la température tombait encore plus vite que le soleil. George rejeta la tête en arrière et, d'un cri, se délivra de sa frustration accumulée, face aux nuages emportés et aux moutons indifférents.

Il se retourna pour regarder l'échine sombre de Kinder Scout, sa lande inhospitalière qui bloquait la vue vers le nord. Il pivota pour suivre du regard la corniche, Hollins Cross puis Lose Hill Pike et la verrue lointaine de Win Hill. Au-delà, Stanage Edge et Sheffield demeuraient invisibles.

Enfin il fit face à l'est, examinant le vallonnement de Rushup Edge et la descente en pente douce sur Chapel-en-le-Frith. Là, quelque part, gisait Alison Carter, son corps livré à la nature, sa vie brisée.

Il avait fait son possible. À d'autres maintenant. Il devait apprendre le détachement.

Clough veillait sur le reste d'une pinte, dans un coin du *Baker's Arms*. Les gens du pays étaient suffisamment au courant pour les laisser en paix et le patron avait déjà refusé de servir trois journalistes, y compris Don Smart. Devant sa menace de porter plainte à la prochaine session de délivrance des licences de débits de boissons, le patron avait déclaré en riant :

— Ils me donneraient une médaille. Vous n'êtes pas du coin. Nous, on vit ici.

George apporta deux pintes bien pleines.

— J'avais besoin de prendre l'air, dit-il en s'asseyant. Si j'étais resté, je me serais retrouvé en cellule pour avoir fait la peau à un avocat de la Couronne.

— Quelle ordure ! constata Clough, faisant mine de cracher par terre.

— Il prétendrait sans doute ne faire que son travail.

George avala une lampée :

— Ah, ça va mieux. Je suis allé au sommet du Mam Tor pour me rafraîchir les idées. Au moins, maintenant, on connaît la thèse de la défense : j'ai monté un complot contre Philip Hawkin pour assurer ma promotion.

— Les magistrats ne tomberont pas dans le panneau.

— Oui, mais un jury peut-être... dit George amèrement.

— Et pourquoi donc ? Tu es le type même du bon gars. Tandis que, si tu regardes Hawkin, l'alarme se met à sonner. Il a ce physique que les femmes trouvent irrésistible et que les hommes détestent au premier coup d'œil. À moins qu'Highsmith soit capable de réunir un jury exclusivement féminin, cette tactique fera long feu.

— Je souhaite que tu aies raison. Mets-moi donc du baume au cœur. Raconte-moi ce que j'ai raté.

Clough grimaça un sourire :

— Charlie Lomas. Je dois avouer qu'il sait se faire beau. Il a réussi à porter un costume sans avoir l'air saucissonné. Nerveux, mais il n'a pas craqué, il faut le dire. Et Stanley a bien rattrapé le coup après la merde soulevée par Highsmith. Il a fait parler Charlie de la mine de plomb. Il lui a fait expliquer combien c'était impossible pour un étranger de la retrouver. Puis il a affirmé qu'Hawkin, sans être là depuis longtemps, avait pas mal exploré le coin pour ses cartes postales.

George eut un soupir de soulagement :

— Et comment il s'en est tiré avec Highsmith ?

— Pas démordu d'un pouce, pas bougé d'un iota. Il a réaffirmé qu'il avait vu Hawkin se promener dans les champs mercredi, et pas mardi, ni lundi, non plus ! Solide comme un roc ! Il a fait bonne impression sur les juges, ça se voyait.

— Tant mieux…

— Arrête de te ronger les sangs, George. Tu t'es très bien débrouillé. Highsmith a fait tout son possible pour te faire passer pour corrompu, sans résultat. Si on pense au peu de preuves irréfutables dont on dispose, je dirais qu'on s'en tire très bien pour le moment. Et est-ce que tu veux la bonne nouvelle ?

La tête de George se redressa comme tirée par un fil.

— Parce qu'il y a de bonnes nouvelles ?

Clough sourit :

— Ouais, je crois que tu pourrais l'appeler comme ça. (Il prit son temps pour sortir son paquet et allumer une cigarette.) J'ai eu une autre conversation avec le sergent de St Albans.

— Wells est revenu ?

George avait du mal à se maîtriser.

— Pas encore, non.

George se tassa sur son siège, soupira :

— Je retiens mon souffle. Elle vient cette bonne nouvelle ?

334

— Bon, elle est pas trop mauvaise. Notre sergent connaît Hawkin. Il ne voulait pas en causer avant d'en avoir parlé avec un ou deux autres gars et d'avoir leur accord. (Clough vida sa chope.) On remet ça ?

George acquiesça, à la fois amusé et frustré :

— Allez, continue. Puisque ça te plaît de prendre ton temps, paye !

Quand Clough revint, George avait fumé une demi-cigarette avec la concentration d'un homme sur le point de s'installer dans un wagon non fumeur pour un long trajet.

— Eh bien, vas-y ! dit-il impatiemment tout en se penchant pour faire glisser sa pinte jusqu'à lui. J'écoute.

— La femme du sergent Stillman est « Œil de Chouette » dans une troupe d'éclaireuses du coin. Hawkin leur a proposé de devenir leur photographe. Il voulait prendre des photos des campements, des jeux, des défilés, etc., et revendre les photos aux éclaireuses et à leurs familles à prix coûtant. En échange, il a expliqué qu'il voulait faire des portraits des filles pour sa collection personnelle. Tout cela semblait parfaitement correct. Hawkin ne leur était pas inconnu. Lui et sa maman faisaient partie de la congrégation à laquelle la troupe était rattachée. Et il accueillait très volontiers les mères quand il prenait ses photographies...

Clough fit une pause, fronça les sourcils. George se vit contraint de demander :

— Ça s'est mal terminé ?

— Peu à peu, il a noué des relations amicales avec quelques-unes des filles les plus âgées, organisé des séances de pose sans les mères. Il y eut quelques... incidents. La première fois, il nia tout en prétendant que la fille voulait faire son intéressante. La deuxième fois, il prétendit que la fille voulait se venger parce qu'il avait refusé de la photographier. Soi-disant, elle avait pensé aux premières accusations et l'avait menacé de les répéter s'il ne lui donnait pas de l'argent pour s'acheter des bonbons et s'il ne la photographiait plus. Bon, personne ne souhaitait un scandale. Il n'y avait pas vraiment de preuves, donc le sergent Stillman a pris Hawkin à part et lui a suggéré de ne plus voir les jeunes filles, pour éviter tout malentendu.

George émit un léger sifflement :

— Eh bien, je me doutais qu'on trouverait des indices. La pédophilie n'apparaît pas d'un seul coup. Bon travail, Tommy. Nous savons au moins que nous ne nous sommes pas laissé emporter par notre imagination. Hawkin est exactement celui que nous croyons.

Clough approuva de la tête :

— L'ennui, c'est que nous ne pouvons pas utiliser cette histoire devant la Cour. Stillman ne fait état que de commérages...

— Et les filles ?

Clough grogna :

— Stillman ne veut pas me révéler leurs noms : d'après lui, il n'y a jamais eu de plaintes, les mères ne voulant absolument pas que leurs petites filles soient soumises à l'épreuve de la justice. Et si l'outrage aux bonnes mœurs a suffi à les faire fuir, tu peux imaginer leur réaction face à un meurtre qui fait la une des journaux...

George approuva tristement. Inutile de convaincre des gens qui s'efforçaient de protéger leurs gosses, même s'ils avaient déjà été frappés. Quant à lui, qui allait être père, il se sentait tenté pour la première fois de sa vie par le réflexe d'autodéfense. Il ne parvenait pas à comprendre pourquoi Hawkin n'avait pas déjà été condamné. En tant que policier, Stillman avait suffisamment de ressources à sa disposition pour porter des coups à cet homme, physiquement et socialement. Mais il ne l'avait pas fait. Au contraire, il avait renseigné Clough presque à regret.

— Ils ne se comportent pas comme ici, c'est sûr, dit-il d'une voix lasse. Si j'apprenais qu'un pervers a agressé le gosse d'un de mes amis, je ne le laisserais pas filer. Il faudrait que je trouve une façon de le faire payer. Soit légalement, soit...

— Je pensais que tu dénigrais les justiciers de l'ombre, lança ironiquement Clough.

— Quand il s'agit de gosses, ce n'est pas la même chose, non?

Une grande question sans réponse: ils y réfléchirent en silence tout en finissant leurs bières. Quand George revint avec une troisième tournée, il paraissait un peu requinqué.

— On a assez d'éléments, même sans cette histoire de St Albans.

— Je crois que Stillman se sent coupable de pas s'en mêler.

— Parfait. Peut-être que ça l'aidera à nous signaler le retour de Mr et Mrs Wells.

— Je l'espère, George. Même si on gagne aujourd'hui et que le procès a lieu, on est loin d'être sortis de l'auberge.

*Daily News, vendredi 28 février 1964, p. 1*

ALISON: BEAU-PÈRE JUGÉ POUR MEURTRE

Le beau-père d'Alison Carter, l'écolière disparue, sera jugé pour meurtre bien que le corps de cette fillette âgée de 13 ans n'ait pas été retrouvé.

Les magistrats de Buxton ont pris hier la décision de renvoyer Philip Hawkin devant les assises de Derby sous les deux chefs d'accusation : viol et meurtre.

Alison n'a pas été revue depuis qu'elle a disparu du village isolé de Scardale le 11 décembre de l'année dernière.

Au cours des quatre jours de l'audience, sa mère, qui avait épousé Hawkin il y a tout juste un an, s'est présentée comme témoin à charge. Mrs Carter – comme elle souhaite être appelée désormais – a découvert le revolver qui, selon le procureur Desmond Stanley, avocat de la Couronne, aurait été utilisé pour assassiner sa fille.

Hier, la Cour a fait appel à l'expertise du professeur John Hammond qui affirmait que l'absence de sang à l'endroit supposé du meurtre ne signifiait pas nécessairement qu'il n'y avait pas eu meurtre.

Il déclara également que le sang imprégnant une chemise appartenant à Hawkin pouvait être celui d'Alison.

(À suivre p. 2)

# LE PROCÈS

## 1

*High Peak Courant, vendredi 12 juin 1964*

DÉBUT DU PROCÈS LA SEMAINE PROCHAINE

Le procès du propriétaire terrien Philip Hawkin débute lundi aux assises de Derby.

Hawkin est accusé du viol et du meurtre de sa belle-fille, Alison Carter. Au cours de l'audience de mise en accusation devant les magistrats de Buxton en février, sa propre femme se trouvait parmi les témoins à charge.

Personne n'a revu Alison depuis cet après-midi du 11 décembre de l'année dernière où elle était sortie promener dans la vallée son colley Shep après l'école.

Le président du tribunal sera Monsieur le Juge Fletcher Sampson.

La fanfare des trompettes semblait persister dans l'air, tel le miroitement d'un arc-en-ciel. Dans toute sa splendeur d'écarlate et d'hermine, monsieur le juge Fletcher était arrivé au palais de justice du comté, escorté par des policiers à cheval. George Bennett, assis dans une antichambre, fumait devant une fenêtre ouverte. Il imaginait la procession théâtrale jusqu'à la salle d'audience où le magistrat siégerait sous les armoiries de la Couronne. À côté de lui se tiendrait, le premier jour de la tenue des assises, le haut commissaire du Derbyshire en uniforme de cérémonie.

À l'instant, pensa-t-il, ils sont juchés sur leur tribune, contemplant d'en haut les membres du barreau, installés en face d'eux en perruques grises et robes noires, avec parements et jabots d'un blanc lumineux, qui les font ressembler à d'étranges hybrides de pies et de corneilles mantelées. Derrière les hommes de loi, leurs adjoints, juristes et greffiers. Derrière encore, la stalle sculptée où s'assiéra Hawkin, flanqué de deux policiers, rapetissé par les lourdes boiseries et tenu à l'écart par les piques de fer sur la clôture en chêne. Puis les bancs de la presse où se coudoient les novices avides de faire leurs preuves et les vieux chevaux sur le retour qui ont déjà tout vu, tout entendu.

Parmi eux, George voyait flamboyer la rousseur de renard des cheveux de Don Smart. Au-delà des journalistes et au-dessus d'eux, la galerie : dans le public se déclinaient les visages anxieux de Scardale et des regards enflammés.

Sur une aile du prétoire, juste après la barre des témoins, s'installeraient bientôt les personnages les plus importants : les membres du jury. Douze hommes et femmes qui tiendraient dans leurs mains le destin de Philip Hawkin. George s'efforça de ne pas penser à la possibilité qu'ils réduisent à néant tous les efforts pour que l'affaire aille jusqu'au bout. Mais le frisson de peur persista ; cette crainte poignante lorsqu'il essayait la nuit de trouver un sommeil qui trop souvent le fuyait. Il soupira, d'une pichenette jeta son mégot dans la rue en dessous. Il se demanda où se trouvait Tommy

Clough. Ils étaient censés se retrouver au poste à 8 heures, mais Tommy avait laissé un message comme quoi ils se verraient au tribunal. « Probablement à la chasse au jupon, avait dit Lucas en lui adressant un clin d'œil. Fait ce qu'il peut pour pas penser au procès… »

George alluma une autre cigarette et s'accouda à la fenêtre. Maintenant le greffier des Assises lançait sans doute son appel rituel à tous ceux qui représentaient ou avaient affaire avec la justice de sa Majesté la Reine. « Oyez » et « Concluez » lançait-il, puis l'injonction de faire paraître le prisonnier devant la juridiction de la haute cour. « Approchez et prêtez attention » et « que Dieu garde la Reine ! ».

George se souvint d'avoir vérifié le sens de ces formules emphatiques en plongeant avec enthousiasme dans les études juridiques. Le « Oyez » et « Concluez » signifiaient simplement « Écoutez » et « décidez ». Ces mots se trouvaient à l'origine dans le décret royal qui donnait plein pouvoir aux juges et sergents du Roi de statuer en matière de trahison et d'actes félons. En 1964, ce qui paraissait une formule archaïque concédait cependant à certains magistrats le droit de réunir une cour de justice. Quant à l'injonction de faire paraître, elle mettait l'administration pénitentiaire dans l'obligation de conduire devant le tribunal toutes les personnes en instance de jugement dont le nom était inscrit sur le calendrier de la Cour.

Dans la pratique, cela ne s'appliquerait aujourd'hui qu'à Philip Hawkin. Comme c'était la seule affaire de meurtre actuellement devant les assises, il passerait en premier.

Deux jours auparavant, George avait tenté une dernière fois de persuader Hawkin de passer aux aveux. Il lui avait rendu visite derrière les murs sinistres de la prison, et ils s'étaient retrouvés face à face dans une petite pièce guère plus hospitalière que les cellules elles-mêmes. Hawkin avait perdu du poids : George en éprouva une certaine satisfaction. Le principe qu'un homme est présumé innocent tant que sa culpabilité n'a pas été prouvée ne résiste guère à la détention. Hawkin avait déjà eu le temps qu'on lui rende la monnaie de sa pièce. Les gardiens ne se hâtent pas d'intervenir quand un violeur se retrouve confronté à ses crimes. Et ils étaient les premiers à ne pas laisser ignorer aux autres détenus l'identité des pédophiles. L'homme civilisé qu'était George protestait, mais le futur père n'y voyait rien à redire.

Leurs yeux se croisèrent par-dessus la table étroite.

— Vous avez apporté des clopes ? demanda Hawkin nerveusement.

Sans un mot, George plaça entre eux un paquet ouvert de Gold Leaf. Aussitôt Hawkin en saisit une que George lui alluma. Hawkin aspira profondément la fumée et tout son corps se détendit. Il se passa une main dans les cheveux et dit :

— Je serai dehors dans quelques jours. Vous le savez, n'est-ce pas ? Mon défenseur va faire savoir quels salauds corrompus vous êtes. Vous savez que je n'ai jamais tué Alison et je vous ferai rentrer les mots dans la bouche, un par un !

George secoua la tête, admirant presque l'esprit buté de cet homme.

— Des coups d'épée dans l'eau, Hawkin, dit-il, délibérément condescendant. Je suis un flic honnête. Vous savez aussi bien que moi que personne n'a monté de machination contre vous. Pourquoi l'aurait-on fait ? Vous avez tué Alison et nous vous avons arrêté.

— Je ne l'ai pas tuée, au grand jamais, répondit-il et sa voix avait la même intensité que son regard. Vous m'avez bouclé ici et celui qui a enlevé Alison est en liberté et se moque de vous.

De nouveau, George hocha la tête :

— Ça ne marchera pas, Hawkin. Vous êtes un excellent acteur, mais toutes les preuves s'accumulent contre vous.

Il prit à son tour une cigarette et l'alluma nonchalamment :

— Réfléchissez bien. Il vous reste une possibilité.

Hawkin garda le silence, mais inclina la tête sur le côté. Ses lèvres pincées ne souriaient plus.

— Soit vous choisissez la vie, avec une chance de revoir le monde dans une vingtaine d'années, soit c'est la pendaison. À vous de décider. Il n'est pas trop tard pour changer votre système de défense. Vous plaidez coupable et vous vivez. Vous nous contraignez à vous attaquer et vous serez pendu. Jusqu'à ce que mort s'ensuive.

Hawkin ricana :

— Ils ne vont pas me pendre. Même s'ils me jugent coupable, il n'y a pas un juge dans ce pays qui aurait le culot de m'envoyer à la potence. Pas avec le genre de preuves que vous avez.

George se laissa aller en arrière sur sa chaise, sourcils froncés :

— C'est ce que vous croyez. Si un jury est capable de décider que vous êtes coupable, un juge pourrait bien vous faire pendre. Particulièrement un dur à cuire comme Fletcher Sampson. Les libéraux au cœur tendre ne l'effraient pas.

Soudain, d'un mouvement brusque il se pencha vers son vis-à-vis, planta son regard dans le sien :

— Allons, pensez un peu à vous ! Dites-nous où nous pouvons la trouver. Que sa mère puisse avoir un peu de repos. Le juge en tiendra compte. Votre défenseur obtiendra une réduction de peine. Dans dix ans vous serez sorti.

Excédé, Hawkin secoua la tête :

— Vous ne voulez rien entendre, George, dit-il, utilisant le prénom comme une insulte. Je ne sais pas où elle est.

George se redressa, empocha son paquet de cigarettes.

— Comme vous voudrez, Hawkin. Moi, je n'en mourrai pas. J'aurai cette promotion, que vous crachiez ou non le morceau. Parce que nous allons gagner.

En regardant les gens dans la rue vaquer à leurs affaires, sans se soucier du drame qui se jouait dans le prétoire, il aurait bien aimé être aussi confiant qu'il avait tenté de le paraître. Il s'écarta de la fenêtre et se laissa tomber sur une chaise. Sans doute le greffier avait-il déjà lu l'acte d'accusation, auquel Hawkin avait répondu par deux fois : « Non coupable ».

Stanley attendrait que les jurés soient assis, puis il annoncerait les grandes lignes de son réquisitoire. Un moment crucial dans tout procès d'assises, se dit George, celui où les jurés sont le plus impressionnés par ce qu'ils entendent, l'esprit encore reposé et disponible. Si le procureur mettait suffisamment de conviction dans ses réquisitions et énumérait ce qu'il entendait démontrer comme des faits indubitables, la défense allait se heurter à une muraille infranchissable. George était sûr que Stanley en était capable. Il ne pensait pas avoir à témoigner avant le deuxième jour du procès, mais ne pouvait se tenir à l'écart.

Pourquoi Clough n'arrivait-il pas ? Il aurait au moins quelqu'un avec qui partager sa nervosité.

Desmond Stanley se leva.

— Votre Honneur, je représente dans cette affaire le ministère public. Philip Hawkin est accusé du viol d'Alison Carter, âgée de 13 ans. Il est accusé, par ailleurs, d'avoir en une autre occasion, sans doute le 11 décembre 1963, commis un meurtre sur la personne de ladite Alison.

Il prit un temps pour que chacun puisse apprécier la gravité des faits. La salle d'audience était silencieuse, comme si tout le public retenait son souffle pour mieux entendre.

— Mesdames et messieurs du jury, Philip Hawkin est venu s'installer à Scardale à l'été 1962, à la suite de la mort de son oncle. Il héritait d'un domaine important : la vallée tout entière comprenant des terres cultivables et fertiles, un cheptel nombreux composé de gros bétail et de troupeaux de moutons, le manoir de Scardale et huit fermettes qui constituent le hameau proprement dit. Tous ceux qui vivent et travaillent à Scardale dépendent entièrement de son bon vouloir et vous voudrez bien vous en souvenir quand vous écouterez les témoignages de ses employés. Pour paraître comme témoins à charge, ils font montre d'un courage louable en ne tenant pas compte de leurs propres intérêts.

« Peu de temps après son arrivée à Scardale, Philip Hawkin commença à s'intéresser à l'une des femmes du village, Ruth Carter. Mrs Carter était veuve depuis six ans et avait de ce mariage une fille, Alison. Alison avait alors 10 ans. Il faudra vous demander, à mesure que les preuves vous seront présentées, si l'intérêt manifesté par Hawkin portait plus sur la fille que sur la mère. Il est fort possible qu'il ait tenté de dissimuler ses goûts pervers en épousant la mère. Si Alison avait dénoncé son bourreau, qui aurait pu croire un tel récit dans la bouche de la fille d'une femme qui venait de se remarier ? Sans aucun doute, elle eût été accusée d'agir ainsi parce qu'elle n'aimait pas son beau-père ou parce qu'elle était jalouse des sentiments de sa mère. Quels que soient ses motifs, l'accusé n'eut de cesse que Mrs Carter consente à l'épouser.

« Nous affirmons que peu de temps après son mariage, Hawkin commença à abuser de sa belle-fille. Vous verrez des documents photographiques, particulièrement répugnants, qui démontrent non seulement les pratiques obscènes imposées à sa belle-fille, mais qui prouvent également sans la moindre ambiguïté que Philip Hawkin est coupable du viol d'Alison Carter de la façon la plus préméditée et la plus révoltante.

« Le ministère public entend démontrer qu'Alison a été par la suite assassinée par un homme qui devait à son égard tenir le rôle d'un père. Saurons-nous jamais la raison pour laquelle Philip Hawkin décida de la faire taire pour toujours ? Elle avait peut-être menacé de révéler ses pratiques bestiales à sa mère ou aux autorités ; ou peut-être refusé de se soumettre encore à ses affreuses exigences ; ou simplement ne la trouvait-il plus attirante et souhaitait-il s'en débarrasser pour corrompre un autre enfant. Comme je viens de le dire, il est possible que nous ne sachions jamais. Mais ce que nous avons l'intention de démontrer est que Philip Hawkin, quel que fût son motif, enleva Alison sous la menace d'un revolver et abusa d'elle une dernière fois avant de la tuer.

« L'après-midi du 11 décembre de l'année dernière, Alison Carter quitta le domicile familial pour une promenade après l'école en compagnie de son chien Shep. Nous prétendons que Philip Hawkin la suivit dans un bois voisin, où il la contraignit à l'accompagner. Son chien fut retrouvé par la suite dans ce bois, attaché à un arbre, muselé par du spara-drap chirurgical identique à celui qu'Hawkin avait acheté chez un pharmacien la semaine précédente.

« Il l'emmena ensuite dans un coin isolé, une galerie d'une mine depuis longtemps désaffectée et dont les autres habitants de la vallée ignoraient l'existence, à une exception près. En chemin, alors qu'ils traversaient un autre espace boisé, Alison parvint momentanément à se libérer ou tout au moins à se défendre. Comme elle résistait, elle se cogna la tête contre un arbre et Hawkin parvint alors à la transporter jusqu'à la galerie de mine. Les analyses effectuées appuieront notre thèse.

« Une fois que son beau-père fut parvenu à l'ame-ner à cet endroit isolé, où personne ne pouvait le sur-prendre, le voir ni l'entendre, de nouveau il la viola sauvagement. Puis il la tua. Par la suite, il fit dispa-raître le corps. Que celui-ci n'ait pas été retrouvé n'a rien d'étonnant, car le terrain calcaire à l'entour de Scardale est creusé de cavernes et de puits. Mais il n'eut pas le temps de faire disparaître les preuves qui subsistaient. En effet, lorsqu'il revint à son domicile à l'heure du thé, les recherches commençaient déjà.

« Il est indubitable que les coups de feu furent tirés dans cette galerie par un revolver retrouvé plus tard dans les affaires de Philip Hawkin, dans une grange fermée à clef qu'il avait transformée en laboratoire photographique. S'y trouvait également une chemise appartenant à Philip Hawkin imprégnée d'un sang qui n'est pas le sien. D'où nous concluons, ce qu'au-cune expertise médico-légale ne vient contredire, qu'Hawkin a bel et bien assassiné Alison Carter.

« Les preuves qui viennent étayer nos affirma-tions sont en nombre considérable et accablantes et c'est ce que nous avons l'intention de démontrer devant cette Cour. Avec votre permission, Votre

Honneur, j'aimerais appeler mon premier témoin.

Sampson hocha la tête :

— Je vous en prie, continuez, Maître Stanley.

— Merci. J'appelle Mrs Ruth Carter.

Une vague de murmures vint troubler le silence du public. Seuls les villageois de Scardale gardaient leur immobilité, leurs visages fermés. Tous les adultes non appelés à témoigner se trouvaient là, empruntés dans leurs meilleurs habits, mais décidés à voir la justice venger leur Alison.

Ruth Carter traversa le prétoire, regardant fermement devant elle. Pas une fois elle ne succomba à la tentation de tourner son regard vers son mari, dans la stalle des accusés. Elle portait un strict ensemble noir que venait à peine égayer le col blanc de son chemisier et serrait entre ses mains gantées un petit sac à main également noir. Dans le box des témoins, elle prit soin de se placer de manière à ne pas apercevoir Hawkin par inadvertance. Elle prêta serment sans bafouiller, à voix basse mais audible. Stanley se tamponna les yeux et la regarda gravement. Après lui avoir posé les questions habituelles concernant son identité et ses liens de parenté, il en vint immédiatement au vif du sujet :

— Vous souvenez-vous de cet après-midi de mercredi, le 11 décembre de l'année dernière ?

— Je ne l'oublierai jamais, dit-elle simplement.

— Pouvez-vous parler aux magistrats de ce qui est arrivé ce jour-là ?

— Ma fille Alison est rentrée de l'école, elle est venue dans la cuisine où je préparais le thé. Elle est ressortie aussitôt pour promener la chienne. C'était son habitude, sauf quand le temps était trop mauvais. Elle aimait prendre l'air après une journée passée dans une salle de classe. Ses derniers mots ont été : « À tout à l'heure, m'an. » Je ne l'ai pas revue depuis. Elle n'est jamais revenue... (Ruth releva la tête pour regarder les magistrats :) Depuis, je vis un enfer.

La voix bienveillante de Stanley guida Ruth au long des événements de la soirée : le porte-à-porte désespéré dans le village, son appel à bout de nerfs à la police, l'arrivée des policiers au manoir.

— Quelle était l'attitude de votre mari ?

La bouche de Ruth se pinça :

— Il prit la chose à la légère. Il n'arrêtait pas de dire qu'elle le faisait exprès pour nous faire peur... nous serions si contents de la retrouver qu'elle obtiendrait ce qu'elle voudrait...

— A-t-il été d'accord quand vous avez appelé la police ?

— Non, il s'y opposait. Il disait que ce n'était pas nécessaire. Il disait que rien de mal ne pouvait lui arriver dans Scardale, où elle connaissait chaque pouce de terrain et tous les habitants...

Sa voix tremblait et elle sortit un petit mouchoir blanc du sac à main noir. Stanley attendit pendant qu'elle s'essuyait les yeux et se mouchait.

— Votre mari était-il contrarié par votre amour maternel ?

— Je n'ai jamais senti cela. Je trouvais qu'il la gâtait trop. Il était toujours en train de lui offrir des choses. Il lui avait acheté un tourne-disque coûteux et toutes les semaines il lui ramenait des disques de Buxton. Il a dépensé une fortune pour arranger sa chambre, beaucoup plus que pour la nôtre. Il disait toujours qu'il essayait de compenser pour tout ce qu'elle n'avait pas eu et j'étais assez folle pour le croire...

Stanley laissa le temps aux mots de faire leur effet.

— Et qu'est-ce que vous en pensez maintenant ?

— Je pense qu'il achetait son silence. J'aurais dû faire plus attention à la façon dont elle se comportait avec lui.

— Et comment se comportait-elle?

Ruth soupira et baissa les yeux:

— Elle ne l'a jamais aimé. Elle ne voulait jamais se retrouver seule avec lui. À la maison elle boudait souvent, ce qui ne lui arrivait jamais auparavant; pourtant tout le monde me disait qu'elle était la même que d'habitude quand elle était loin de moi et de lui. À l'époque, j'ai cru qu'elle pensait que personne ne pouvait remplacer son papa. Mais je me racontais des histoires... (Elle leva les yeux et fixa le juge d'un regard suppliant:) Quand je l'ai épousé, j'ai cru que je faisais au mieux pour elle comme pour moi. J'ai pensé qu'elle s'y ferait, à la longue.

— Saviez-vous que votre mari prenait des photographies d'Alison?

— Bien sûr, dit-elle amèrement. Il lui demandait tout le temps de poser pour lui. Mais c'est un malin. Neuf fois sur dix, c'était parfaitement innocent et toujours dehors avec du monde autour. Alison posait avec les veaux, Alison près de la rivière. Si bien que je ne me suis jamais inquiétée quand il l'emmenait dans l'une des granges, ou quand il allait faire une *séance* avec elle quand je partais faire les courses... (Elle posa une main sur sa joue comme si elle était terrifiée par ce qu'elle revivait.) Elle a essayé de me dire ce qui se passait, mais j'ai entendu les mots sans comprendre ce qu'ils voulaient dire. Plusieurs fois, elle m'a dit qu'elle détestait les séances de pose, qu'elle ne voulait plus poser pour lui, mais je lui répondais qu'elle était folle, que c'était sa passion et qu'ils pouvaient la partager...

Dans la salle d'audience, les mots avaient le poids des pierres. Pendant tout son témoignage, Hawkin secoua la tête comme s'il ne parvenait pas à comprendre ce qu'elle disait de lui.

— Nous continuons, Mrs Carter ? Votre mari possédait-il un revolver ?

Elle fit signe que oui :

— Il me l'a montré après notre mariage. D'après lui, c'était un souvenir de guerre de son père, mais il n'avait pas de permis alors je ne devais en parler à personne.

— Auriez-vous remarqué quelque chose de particulier sur ce revolver ?

— Oui... la crosse était toute rayée et au bout il manquait même un gros éclat...

Stanley nota, avant d'enchaîner :

— Où gardait-il ce revolver ?

— Il était dans son bureau, dans une boîte en métal fermée à clef.

— Avez-vous vu récemment cette boîte ?

— La police l'a trouvée quand elle a fouillé son bureau le jour de son arrestation. Mais elle était vide.

— Pourrait-on montrer à Mrs Carter la pièce à conviction num... (Il fouilla ses papiers :) Ah, numéro 14.

Le greffier tendit à Ruth le Webley auquel était attachée une étiquette.

— Oui, c'est ça. Comme je vous l'ai dit, il manque un morceau à la base de la crosse.

Hawkin fronça les sourcils et jeta un coup d'œil à son défenseur, Rupert Highsmith, qui lui adressa un signe de tête presque imperceptible.

Stanley poursuivit avec la découverte de la chemise et du revolver dans la chambre noire de Hawkin, l'amenant à raconter cette pénible expérience avec courtoisie et patience. Enfin il parut avoir épuisé ses questions. Mais, en revenant vers son banc, il s'arrêta comme si une idée lui venait à l'esprit :

— Une dernière question, Mrs Carter : avez-vous demandé à votre mari de vous acheter du sparadrap ?

Ruth le regarda comme s'il avait perdu l'esprit :

— Du sparadrap ? Quand nous avons besoin de sparadrap, j'en achète au camion.

— Au camion ?

— Je veux dire au commerçant ambulant qui passe une fois par semaine. À *lui*, je n'ai jamais demandé d'acheter du sparadrap.

— Merci, Mrs Carter. Je n'ai pas d'autres questions, mais vous devez attendre pour savoir si mon excellent confrère n'en a pas à vous poser.

Il retourna s'asseoir. La cloche de l'hôtel de ville avait sonné midi depuis longtemps. Le président Sampson se laissa aller sur son siège et déclara :

— La séance est suspendue. Nous reprendrons à 14 heures.

Avant que la porte se referme derrière le juge, Hawkin fut entraîné hors de son box. Il jeta un regard par-dessus son épaule en direction de sa femme et soudain le masque d'impassibilité glissa, révélant la haine qui le tenaillait. Highsmith le remarqua et il soupira. Il aurait préféré mettre ses talents au service d'une meilleure cause, malheureusement il lui fallait défendre quelqu'un dont il était persuadé, en son âme et conscience, de la culpabilité. On lui demandait souvent ce que l'on ressentait quand on était conscient d'avoir aidé des criminels à échapper au châtiment. Il souriait et disait que c'était une erreur de confondre loi et morale. C'était le travail du procureur que de prouver le bien-fondé de ses accusations, pas celui du défenseur.

Après le déjeuner, il se lança dans son travail de sape, sans faire le moindre effort pour paraître amical. Le visage sévère, il attaqua d'entrée :

— Vous avez été mariée précédemment, Mrs Hawkin ?

Le ministère public avait choisi de passer sous silence le lien qu'elle avait avec l'homme dans le box ; lui allait s'en servir comme d'une arme.

Le front de Ruth se plissa :

— Je ne veux plus porter ce nom-là, dit-elle froidement, mais sans se rebeller.

Les sourcils d'Highsmith se levèrent et il tourna la tête vers le jury :

— Mais légalement c'est votre nom, n'est-ce pas ? Vous êtes bien l'épouse de Philip Hawkin ?

— À ma grande honte, oui, répliqua Ruth. Mais je préférerais qu'on ne me le rappelle pas, et je vous serais reconnaissante de votre courtoisie si vous m'appeliez Mrs Carter.

Highsmith hocha la tête :

— Merci de nous faire apparaître aussi clairement votre position, Mrs Carter, dit-il. Vous voudrez donc bien répondre à mes questions maintenant. Vous aviez connu le mariage avant de faire le serment d'aimer, honorer et obéir à Mr Hawkin ?

— Je suis devenue veuve quand Alison avait 6 ans.

— Donc vous savez ce que signifie « plénitude des rapports conjugaux » ?

Ruth le fusilla du regard :

— Je ne suis pas idiote. Et j'ai été élevée dans une ferme.

— Répondez à ma question, s'il vous plaît.

Sa voix était glaciale.

— Oui, je sais ce que vous voulez dire.

— Et vous avez vécu une vie de femme mariée pleinement satisfaisante avec votre premier mari ?

— Oui.

— Puis vous avez épousé Mr Hawkin. Et de même vous avez connu tous les devoirs du mariage avec lui ?

Ruth soutint son regard, les joues empourprées :

— Il lui arrivait d'en user, mais pas aussi souvent que j'en avais l'habitude, dit-elle, avec un léger frisson de dégoût.

— Donc vous n'avez rien remarqué d'anormal dans les désirs de votre mari ?

— Comme je viens de vous le dire, ça ne l'intéressait pas tant que ça, comparé à mon premier mari.

— Beaucoup plus jeune que Mr Hawkin, bien sûr. Vous est-il arrivé de voir votre mari dans une situation compromettante avec Alison ?

— Je ne comprends pas ce que vous voulez dire.

Il était impressionné. Elle lui tenait tête bien mieux qu'il ne l'aurait cru. La plupart des femmes de son origine étaient si intimidées par son air sévère qu'elles s'effondraient et disaient ce qu'il souhaitait entendre. Il secoua la tête et lui adressa un sourire condescendant :

— Mais si, vous le savez, Mrs Carter. Se rendait-il dans sa chambre au cours de la nuit ?

— Pas que je sache.

— Entrait-il dans la salle de bains quand elle s'y trouvait ?

— Bien sûr que non.

— La faisait-il asseoir sur ses genoux ?

— Non. Elle était trop grande pour ça.

— Bref, Mrs Carter, vous n'avez jamais rien vu ou entendu qui puisse faire naître le moindre soupçon sur les rapports entre votre mari et votre fille.

C'était si manifestement une affirmation que Ruth n'en releva pas les implications. Highsmith jeta un coup d'œil à ses papiers, releva la tête, la pencha de côté.

— Passons au revolver. Vous avez dit à la cour que votre mari gardait un revolver dans une boîte, dans son bureau. En avez-vous parlé à quelqu'un? À un membre de votre famille? À des amis?

— Il m'avait ordonné de n'en rien dire. C'est ce que j'ai fait.

— Nous n'avons donc que votre parole pour croire que le revolver se trouvait là. (Ruth ouvrit la bouche pour parler mais il était lancé:) Et, bien sûr, c'est vous qui avez donné ce revolver à la police, si bien que vous avez eu tout le temps nécessaire pour mémoriser les caractéristiques de cette arme qu'il serait bien difficile d'identifier autrement. Oui, nous n'avons que votre parole pour établir un lien entre votre mari et ce revolver, n'est-ce pas?

— Je n'ai pas violé ma fille, monsieur. Et je ne lui ai pas tiré dessus, parvint à dire Ruth. Je n'ai aucune raison de mentir.

Highsmith marqua un temps, pendant lequel son expression de sévérité se modifia; il était maintenant toute compréhension:

— Mais il vous faut quelqu'un sur qui rejeter la faute, n'est-ce pas Mrs Carter? Par-dessus tout, vous voulez croire que vous savez ce qui est arrivé à votre fille et il vous faut un coupable. Voilà pourquoi vous êtes si prompte à vous rallier à la thèse imaginée par la police. Vous voulez que votre cœur retrouve la paix. Vous voulez rejeter le blâme sur quelqu'un...

Stanley se leva d'un bond:

— Objection! cria-t-il.

Mais il était trop tard. Highsmith murmurait déjà:

— Pas d'autres questions... et il s'assit.

Le mal était fait.

Le président Sampson fronça les sourcils :

— M^e Highsmith, je ne tolérerai pas que la défense se serve des questions posées aux témoins comme excuse pour faire un discours. Vous aurez l'occasion d'exprimer vos convictions face au jury. Veuillez attendre ce moment-là. Maintenant, M^e Stanley, ai-je raison de penser que votre prochain témoin est le principal témoin de la police, l'inspecteur Bennett ?

— Oui, Votre Honneur.

— Je crois qu'il serait bon de l'entendre demain matin. Cette cour doit examiner plusieurs questions de procédure et je souhaite qu'elle le fasse aujourd'hui.

— Comme il plaît à Votre Honneur, dit Stanley en inclinant la tête.

Sur les bancs de la presse, d'un geste triomphant, Don Smart traça un trait sur sa page : il y avait matière à faire la une. Et demain, il verrait George passer le nœud autour du cou répugnant de Hawkin. La porte à peine refermée sur le juge, il se précipita vers le téléphone le plus proche.

Clough n'était toujours pas apparu, bien qu'un huissier ait apporté un message téléphonique du sergent Lucas qui disait : « Clough a été retenu. Il vous verra demain à Derby avant que la cour se réunisse. » George se demanda un instant ce que manigançait le sergent inspecteur. Sans doute une autre affaire, conclut-il. Dans les semaines qui avaient suivi l'arrestation de Philip Hawkin, les deux hommes avaient eu suffisamment de travail pour occuper le temps qui restait en dehors de la préparation du dossier Alison Carter.

En sortant de l'antichambre, George entendit du palier la suspension de séance. Il aperçut Ruth Carter entourée d'amis et de membres de sa famille, mais il s'efforça de ne prêter attention à personne. Maintenant que le procès avait commencé, il était important qu'aucun des témoins ne se parle avant d'être passé à la barre. George se fraya donc un chemin et pénétra dans la salle d'audience. Highsmith et son assistant étaient déjà partis mais Stanley et Pritchard étaient encore installés derrière leur table, en pleine discussion.

— Comment ça s'est passé ? demanda George, s'asseyant à côté de Pritchard.

— Desmond a été merveilleux, dit Pritchard d'un ton enthousiaste. Superbe discours d'ouverture. Le jury était fasciné. Highsmith n'a même pas voulu nous parler au déjeuner. Vous aussi, vous auriez été impressionné, George

— Félicitations, dit George. Comment était Mrs Carter ?

Les deux hommes de loi échangèrent un regard.

— Un peu émotive, dit Pritchard. Elle a craqué deux ou trois fois dans le box.

Il rassembla ses papiers et les rangea dans un classeur.

— C'est plutôt à notre avantage, intervint Stanley. Mais je ne prends aucun plaisir à faire pleurer une dame.

— Elle en a vu de dures, dit George. Je ne peux même pas imaginer ce que l'on ressent le jour où l'on découvre que votre mari est l'homme qui a violé et tué votre enfant.

Pritchard approuva :

— C'est vrai qu'elle tient remarquablement le coup. C'est un bon témoin. Elle ne cède pas d'un pouce et son entêtement même contraint Highsmith à la brutaliser, ce qui ne plaît pas du tout au jury.

— Quel va être son système de défense ? Vous le savez ? demanda George, tout en se levant pour laisser passer Pritchard et Stanley.

— Difficile d'imaginer ce qu'il peut inventer de crédible, sinon tenter de convaincre le jury que la police a monté l'affaire de toutes pièces.

Stanley approuva.

— À mon avis, ce serait une grave erreur. Un jury britannique, comme le public britannique, est chatouilleux quand on s'en prend à la police. (Il sourit.) Ils ont tendance à voir le policier comme une sorte de labrador : noble, loyal, bon avec les enfants, un véritable protecteur. Malgré les preuves du contraire, ils refusent d'admettre que les policiers puissent être corrompus, machiavéliques ou menteurs. Ce serait admettre que nous sommes au bord de l'anarchie. S'il vous attaque, Highsmith va prendre de grands risques.

— Qui pactise avec le diable n'en est plus à un risque près, commenta sèchement Pritchard. Il fera feu de tout bois. Nous ne disposons peut-être que de preuves indirectes, mais si nombreuses qu'Highsmith va devoir concocter une contre-théorie cohérente, seule capable de nous faire trébucher. Il ne pourra pas se contenter de mettre en doute chacune de nos preuves.

George se sentit réconforté par la compétence tranquille des deux hommes de loi.

— J'espère que vous avez raison.

— Nous vous verrons demain, dit Pritchard. Rentrez chez vous, allez retrouvez votre charmante femme et dormez sur vos deux oreilles, George.

Il les regarda sortir puis quitta lentement la salle d'audience déserte. Il n'éprouvait pas la moindre envie de reprendre sa voiture et de conduire de nuit dans les profondeurs vertes du Derbyshire. Il se serait contenté d'un pub tranquille où s'enivrer. Mais sa femme, enceinte de sept mois, avait besoin de sa force, non de sa faiblesse. Avec un soupir, George fouilla sa poche pour retrouver sa clef de contact et revint à la réalité.

## 2

Le deuxième jour, George découvrit Tommy Clough dans la salle des témoins, affalé sur une chaise, une bouteille de soda à ses pieds, une cigarette au coin de la bouche et le *Daily News* sur son sein. Il accueillit son patron d'un signe de tête et agita le journal dans sa direction.

— Ruth Carter a fait bonne impression sur les chacals. J'étais sûr qu'ils allaient la dévorer. Tu vois les titres, du genre : « La femme qui a épousé un monstre », lança Clough, faussement mélodramatique.

— Je suis surpris qu'elle s'en tire aussi bien, admit George. Je m'attendais à ce qu'ils l'accusent d'avoir su à qui elle avait affaire, d'être au courant pour Alison. Oui, moi aussi je pensais qu'ils allaient l'accabler. Je suppose qu'ils ont vu l'état dans lequel elle était. Ce n'est pas le genre de femme à fermer les yeux ou à être complice de ce que ce salaud a fait subir à sa fille.

— J'ai pris le petit déjeuner avec Pritchard dans son superhôtel, confia Clough. Il dit qu'elle aurait pas pu faire mieux, même s'ils l'avaient entraînée depuis des mois. Ça va être dur pour toi maintenant, George.

— Petit déjeuner avec le procureur, Tommy ? On pactise avec les aristos ? Dis-moi donc ce que tu fabriquais hier ?

— Je me disais que t'allais jamais le demander. J'ai reçu un coup de téléphone tard dans la nuit de dimanche. Tu te souviens du sergent Stillman ?

— Celui de St Albans ?

George, soudain sur le qui-vive, se pencha en avant comme un chien de chasse à l'affût.

— Celui-là même. Il m'a appelé pour m'annoncer le retour d'Australie de Mr et Mrs Wells, deux heures auparavant pour être précis. J'ai donc sauté dans la voiture et y suis allé aussitôt. À 8 heures hier matin, je frappais à leur porte. Ils avaient pas l'air très heureux de me voir mais, apparemment, ils étaient au courant.

George, l'air morose, se laissa tomber sur une chaise :

— La mère d'Hawkin.

— Oui, oui, juste comme on le pensait. Elle avait bien une adresse pour réexpédier le courrier. J'ai joué les innocents, expliqué que la description du Webley qu'on lui avait volé correspondait à celle de l'arme d'un crime commis dans le Derbyshire. Je lui ai alors passé une couche de pommade en lui disant combien nous avions admiré la précision de sa description, qui avait d'ailleurs permis l'identification.

George sourit. Il imaginait les manœuvres subtiles de Clough pour coincer Mr Wells et l'empêcher de se défiler.

— Donc, quand tu lui as montré les photographies, il s'est senti obligé de reconnaître l'arme ?

Clough eut un petit sourire :

— T'as pigé. Mais il fallait bien que je lui cause de Hawkin et du procès. Alors là, Wells s'est mis dans tous ses états. Il pouvait pas témoigner contre un ami et un voisin, on avait dû faire erreur, bla, bla, bla.

George alluma une cigarette.

— Comment tu t'en es sorti ?

— J'avais été debout la moitié de la nuit. J'étais pas d'humeur. Je lui ai signifié son arrestation pour entrave à l'action de la police.

George tomba des nues :

— Tu l'as arrêté ?

— Ouais, il commençait vraiment à me courir, dit Clough benoîtement. De toute façon, y'a pas eu besoin d'aller jusqu'au poste, il s'est dégonflé vite fait. D'accord pour témoigner, d'accord pour m'accompagner immédiatement à Derby. Moi, de mon côté, j'étais d'accord pour qu'on ne parle plus de cette arrestation. Il a donné une lampée de cognac à sa femme – sur le point de s'évanouir –, saisi manteau et chapeau et m'a suivi comme un agneau.

À la fois choqué et admiratif, George hocha la tête :

— Un jour, Tommy, un jour… Il est où maintenant ?

— Dans une chambre très confortable au *Lamb and Flag*. J'ai enregistré une déclaration en règle hier à notre arrivée et Mr Stanley veut le faire comparaître en premier ce matin, dit Clough avec son sourire narquois.

— Avant moi ? demanda George.

— Stanley ne veut pas traîner. Il ne veut pas courir le risque que Mrs Wells appelle la mère d'Hawkin pour la prévenir que son mari va témoigner. Et il veut prendre Highsmith par surprise, si c'est possible.

— Mais la mère d'Hawkin assiste au procès.

— C'est vrai, mais je suis prêt à parier ce que tu voudras que Mrs Wells sait comment la joindre.

— Highsmith va déposer une objection. Ce témoin n'était pas sur la liste lors de l'inculpation.

— Je sais. Mais Stanley m'a affirmé que le juge ne fera pas opposition puisque Mr Wells ne se trouvait pas en Angleterre à ce moment-là.

Clough se leva et épousseta la cendre tombée sur son costume de flanelle grise. Il resserra son nœud de cravate et adressa un clin d'œil à George :

— Je ferais mieux d'aller voir comment il se comporte devant la cour.

Richard Wells, fonctionnaire retraité, avait déjà prêté serment quand Clough se glissa au fond de la salle. Il n'avait pas l'air d'un homme à garder un Webley en souvenir de guerre. On le voyait plutôt dans l'intendance. Costume gris, cheveux gris, cravate grise. Même sa moustache faisait grise mine contre les rougeurs étonnantes d'une peau qui avait mal supporté le soleil d'Australie.

Dans son box, Hawkin se pencha vers l'avant, deux rides verticales entre les sourcils. Clough prit un plaisir enfantin à contempler son anxiété évidente. Après les questions d'identité, Stanley enchaîna sur le ton de la conversation :

— Qui connaissez-vous, dans cette salle ?

De la tête, Wells montra le box des accusés :

— Philip Hawkin.

— Où l'avez-vous connu ?

— Sa mère est une de nos voisines.

— Venait-il chez vous ?

— Il accompagnait sa mère à nos soirées de bridge, jusqu'au jour où il a déménagé.

Le regard incertain de Wells se posait tantôt sur le procureur, tantôt sur le prisonnier. En dépit de l'amabilité de Stanley, le rôle de témoin ne semblait guère lui convenir.

— Vous possédiez bien un revolver Webley, calibre 38 ?

— Oui...

— Avez-vous montré ce revolver à Mr Hawkin ?

Wells déglutit :

— Oui...

— Vous le gardiez où, ce revolver ?

Wells parut se détendre quelque peu ; abandonnant son attitude de défense, ses épaules s'affaissèrent.

— Au salon, dans un tiroir du bureau fermé à clef.

— Et c'est là que vous l'avez pris quand vous l'avez montré à Hawkin ?

— Il devait y être...

Chaque mot avait du mal à sortir.

— Mr Hawkin savait donc où vous gardiez votre revolver ?

Wells baissa les yeux.

— Je suppose que oui, marmonna-t-il.

Le juge se pencha :

— Parlez clairement, Mr Wells. Le jury doit pouvoir entendre vos réponses.

Stanley sourit :

— Je vous rends grâce, Votre Honneur. Maintenant, Mr Wells, pourriez-vous nous dire ce qui est arrivé à ce revolver ?

Wells pinça les lèvres un instant puis répondit d'une petite voix tendue :

— On l'a volé. Un cambriolage. Il y a un peu plus de deux ans. Nous étions en vacances.

— Le retour n'a pas dû être très agréable pour vous et votre femme. Vous aviez perdu beaucoup de choses ? demanda Stanley d'un ton compatissant.

Wells hocha la tête :

— Un réveil de voyage en argent. Une montre en or et le revolver. Ils ne sont entrés que dans le salon. La montre en or se trouvait dans le même tiroir que le revolver.

364

— Vous avez fourni une excellente description du revolver à la police. Vous souvenez-vous de ses particularités, indépendamment du numéro de série ?

Wells s'éclaircit la gorge et se lissa la moustache. Son regard vint se poser sur Hawkin dont les rides sur le front se creusaient.

— Un éclat manquait dans la courbure, en bas de la crosse, dit-il, comme à regret.

Stanley se tourna vers un huissier :

— Voulez-vous avoir l'amabilité de montrer la pièce n° 14 à Mr Wells ?

L'huissier prit le Webley sur la table où étaient exposées les pièces à conviction et, traversant le prétoire, l'apporta à Wells. Il le fit tourner de telle sorte que le témoin pût voir les deux côtés de la crosse rayée.

— Prenez votre temps, dit doucement Stanley.

Wells jeta un coup d'œil à la galerie réservée au public. Clough vit les traits de Mrs Hawkin se décomposer sous le choc.

— C'est mon revolver, dit-il d'une voix sans inflexion.

— Vous en êtes certain ?

Wells soupira :

— Oui.

Stanley sourit :

— Merci, Mr Wells, d'être venu ici aujourd'hui. Mais vous voudrez bien rester où vous êtes, mon excellent ami Mr Highsmith a peut-être des questions à vous poser.

Ça pourrait être intéressant, se dit Clough : ses questions risquaient surtout d'aggraver la situation de son client. Hawkin, qui au cours des derniers échanges griffonnait nerveusement, confia le papier à son conseiller juridique. Celui-ci y jeta un coup d'œil rapide, le transmit à l'adjoint d'Highsmith qui, lui-même, le plaça devant son patron.

L'avocat de la Couronne se leva, ses traits durs adoucis par un sourire. Il regarda brièvement le papier puis entreprit de questionner Wells d'une voix encore plus amicale que celle de Stanley.

— Quand votre maison a été cambriolée, vous étiez donc en vacances ?

— Oui, dit Wells d'un ton las.

— Vous laissez la clef à l'un de vos voisins ?

Wells releva la tête, une lueur d'espoir dans les yeux :

— En cas de besoin, Mrs Hawkin a une clef en permanence.

— Mrs Hawkin garde toujours une clef, répéta Highsmith, les yeux fixés sur les jurés pour s'assurer qu'ils avaient bien entendu. La police a relevé des empreintes après le cambriolage ?

— Ils ont essayé, mais le cambrioleur portait des gants. C'est ce qu'ils ont dit.

— Vous ont-ils jamais indiqué qu'ils pensaient à quelqu'un ?

— Non.

— Ils n'ont jamais rien dit qui laissait entendre qu'ils soupçonnaient Mr Hawkin ?

Au moment même où Wells répondait « non », Stanley se leva :

— Votre Honneur, protesta-t-il, non seulement mon savant ami a entrepris de guider le témoin, mais de plus il l'incite à emprunter la voie périlleuse des on-dit.

Sampson approuva :

— Les membres du jury voudront bien ne pas tenir compte de la dernière question et de la réponse. Me Highsmith ?

— Merci, Votre Honneur. Mr Wells, avez-vous jamais soupçonné Mr Hawkin d'avoir cambriolé votre maison ?

— Jamais. Pourquoi Phil aurait-il fait une chose pareille ? Nous étions ses amis.

— Merci, Mr Wells. Je n'ai pas d'autres questions.

Voilà dans quelle direction le vent soufflait, se dit Clough, en se faufilant hors de la salle d'audience. Il se glissa dans la salle des témoins avant la venue de l'huissier. George bondit sur ses pieds, impatient.

— La défense n'a pas récusé le témoin. À mon avis, ils vont plaider qu'Hawkin a acheté le revolver dans un pub, sans se rendre compte qu'il s'agissait de l'arme volée à Mr Wells.

George soupira :

— Et moi, j'ai trouvé le revolver et je l'ai utilisé pour le piéger. Ça ne change rien.

— Mais si, affirma Clough. Le lien entre Hawkin et le revolver est confirmé. Les gens ordinaires n'ont pas de revolver, George, tu t'en souviens ?

Avant que George ait pu répondre, la porte s'ouvrit et l'huissier annonça :

— Inspecteur-chef Bennett ? Ils vous attendent.

Ce fut l'une des plus longues marches de sa vie. Il sentit les regards peser sur lui, le jauger à chaque pas. Quand il atteignit enfin le box des témoins, il se tourna délibérément pour fixer le visage impassible de Philip Hawkin. Il espérait que ce dernier voyait devant lui sa Némésis.

Stanley attendit tandis que le greffier faisait cérémonieusement prêter serment, puis il se leva, en tamponnant ses yeux humides avec délicatesse :

— Pourriez-vous décliner votre identité et votre grade, inspecteur, afin qu'ils soient portés sur le procès-verbal.

— Je suis George Bennett, inspecteur-chef de la police du Derbyshire, en poste à Buxton.

— J'aimerais que nous reprenions au début de l'affaire, inspecteur. Quand avez-vous été informé pour la première fois de la disparition d'Alison Carter ?

Aussitôt, George se revit au poste par cette nuit glaciale de décembre, où il avait entendu le sergent Lucas lui annoncer la disparition d'une fillette à Scardale. Il débuta son témoignage avec la clarté d'un homme qui peut retracer ses souvenirs en leur donnant la force d'une réalité immédiate. Stanley en souriait presque de soulagement d'avoir un témoin d'une telle présence. Son expérience lui avait appris que l'on ne tirait pas toujours le bon numéro avec les représentants de la Loi. Il lui arrivait parfois de leur faire moins confiance à la barre qu'à des individus douteux ! Mais George Bennett avait de la prestance. Les traits bien découpés, il respirait l'honnêteté tout autant qu'une star de cinéma jouant le rôle du bon flic.

Stanley ne perdit pas de temps et, dès la fin de la matinée, en avait terminé avec l'ensemble des premiers rapports sur la disparition d'Alison : la rencontre de George avec la mère et le beau-père, les recherches préliminaires et la découverte du chien attaché dans le bois.

Puis, au cours de l'après-midi, pendant une heure et demie, Stanley, méticuleusement, lui fit décrire tous les éléments essentiels mis au jour par l'enquête : le sang et les lambeaux de vêtements dans le boqueteau ; le livre dans le bureau d'Hawkin qui décrivait les anciennes exploitations minières ; les vêtements souillés et les projectiles dans la galerie de la mine ; la chemise sanglante et le revolver ; les clichés monstrueux et les négatifs retrouvés dans le coffre-fort.

— N'est-ce pas inhabituel d'accuser un homme de meurtre quand le corps n'a pas été retrouvé ? demanda Stanley vers la fin de l'après-midi.

— C'est en effet inhabituel, monsieur. Mais, dans ce cas, nous avons pensé que les preuves étaient si accablantes que nous ne pouvions en tirer d'autre conclusion.

— Et, bien sûr, il existe des précédents : des hommes ont été reconnus coupables de meurtre alors même que le corps de la victime demeurait introuvable. Inspecteur Bennett, étant donné la gravité des accusations, éprouvez-vous encore quelques doutes à propos de votre demande d'inculpation ?

— Quiconque a pu voir les preuves photographiques de ce qu'il a fait subir à sa belle-fille quand elle était en vie ne peut être que convaincu que cette homme ne reculerait devant rien. Donc, je n'éprouve aucun doute.

Pour la première fois, George laissa paraître ses émotions et Stanley fut satisfait de voir que les jurés semblaient impressionnés par cette attitude passionnée.

Il rassembla ses papiers.

— Je n'ai pas d'autres questions.

Jamais il n'avait autant ressenti le manque d'une cigarette, se dit George, en attendant que Rupert Highsmith ait fini de remuer ses papiers et passe à l'attaque. Les questions de Stanley n'avaient rien négligé ni laissé aucun point de détail dans l'ombre, mais il y était parfaitement préparé. Highsmith avait tenté de suggérer au juge de reporter le contre-interrogatoire au lendemain, mais le président Sampson n'était pas d'humeur à attendre.

Highsmith s'appuya négligemment contre la balustrade derrière lui.

— Vous n'oublierez pas que vous êtes toujours sous serment, inspecteur ? Pouvez-vous dire à la Cour quel âge vous avez ?

— J'ai 29 ans, monsieur.

— Et depuis combien de temps êtes-vous officier de police ?

— Presque sept ans.

— Presque sept ans, répéta Highsmith d'un air admiratif. Et vous avez déjà atteint le rang élevé d'inspecteur-chef. Remarquable. Malgré tout, bien peu de temps pour avoir une grande expérience des affaires sérieuses et complexes ?

— J'ai fait mon travail, monsieur.

— Vous bénéficiez d'un plan d'avancement accéléré réservé aux diplômés, n'est-ce pas ? Vos promotions ne sont pas dues à de brillants succès de terrain, mais bien à votre diplôme universitaire qui vous assurait un avancement rapide sans tenir compte de la nature de vos enquêtes : meurtre ou vol à l'étalage. Je me trompe ?

Highsmith fronça les sourcils comme s'il réfléchissait à cette constatation.

George prit une profonde inspiration et expira par le nez :

— Je suis entré dans la police, c'est vrai, en tant que diplômé. Mais il m'a été signifié clairement que si mes résultats ne correspondaient pas à ce qu'ils étaient en droit d'attendre de moi, je ne bénéficierais d'aucun avantage.

— Vraiment ?

Si Highsmith avait utilisé ce ton dans le club de cricket, George l'aurait frappé.

— Vraiment, fit-il en écho.

Puis il se contraignit au silence.

— Est-il habituel de confier à un inspecteur de

fraîche date une affaire de cette importance ? poursuivit Highsmith.

— L'inspecteur-chef ne pouvait se déplacer suite à une fracture de la cheville. Au début, nous n'avions aucune idée de l'ampleur qu'allait prendre l'enquête, si bien que le superintendant Martin m'a demandé de la diriger. Lorsqu'elle est devenue plus sérieuse, il est apparu raisonnable de maintenir la continuité plutôt que de la confier à un inspecteur du quartier général qui aurait dû tout reprendre à zéro. J'étais constamment sous les ordres de l'inspecteur-chef Carver et du superintendant Martin, monsieur.

— Avant cela, aviez-vous déjà eu à enquêter sur une disparition d'enfant ?

— Non, monsieur.

Highsmith leva les yeux au ciel et soupira :

— Aviez-vous déjà été chargé d'une enquête criminelle ?

— Non, monsieur.

Highsmith fronça les sourcils, frotta l'arête de son nez et insista :

— Corrigez-moi si je me trompe, inspecteur, mais c'est bien la première enquête criminelle qui vous ait été confiée ?

— Dont j'ai assumé la responsabilité, oui, mais…

— Merci, inspecteur, contentez-vous de répondre à la question, interrompit sèchement Highsmith.

George lui jeta un regard de frustration. Puis, il trouva la force de sourire à demi, montrant qu'il comprenait la pression à laquelle il était soumis.

— Vous vous êtes fortement impliqué sur le plan personnel, dans cette affaire, n'est-ce pas ?

— J'ai fait mon travail, monsieur.

— Même après l'arrêt des recherches, vous vous êtes rendu à Scardale plusieurs fois par semaine ?

— Environ deux fois par semaine, oui. Je voulais assurer à Mrs Carter que l'enquête continuait et que nous n'avions pas oublié sa fille.

— Vous voulez dire Mrs Hawkin?

L'utilisation par Highsmith de son nom de femme mariée était clairement destinée aux jurés, afin qu'ils n'oublient pas la relation de Ruth et de l'homme dans le box des accusés.

George ne se laissa pas ébranler par cette provocation; il sourit:

— Il n'est pas surprenant qu'elle préfère être appelée par le nom de son précédent mari. Et c'est avec plaisir que nous respectons cette préférence.

— Vous avez même abandonné votre famille, y compris votre femme, enceinte, pour aller à Scardale le jour de Noël.

— En cette période de fête, je ne pouvais m'empêcher de penser combien la disparition d'Alison avait affecté les gens de Scardale. Je m'y suis rendu en compagnie de mon sergent pour une très brève visite, afin de les assurer de notre compassion.

— Les assurer de votre compassion. Comme c'est louable! commenta Highsmith, l'air condescendant. Et vous êtes allé au manoir?

— J'y suis passé, oui monsieur.

— Vous connaissiez le bureau?

— J'y suis entré, oui.

— Combien de fois, diriez-vous?

George haussa les épaules:

— Difficile de le dire avec précision. Avant de procéder à l'arrestation, peut-être quatre ou cinq fois.

— Et vous vous y êtes trouvé seul?

La question avait claqué, cinglante comme un coup de fouet. La stratégie d'Highsmith apparaissait clairement.

— Très brièvement.

— Combien de fois ?

George fronça les sourcils :

— Deux fois, me semble-t-il, répondit-il prudemment.

— Pendant combien de temps ?

Stanley se leva.

— Votre Honneur, c'était censé être un contre-interrogatoire. Mon savant ami semble plutôt décidé à aller à la pêche aux secrets.

Sampson hocha la tête :

— Maître Highsmith ?

— Votre Honneur, l'accusation se fonde sur des preuves indirectes, dont certaines furent découvertes dans le bureau de mon client. Il me semble raisonnable d'établir que d'autres personnes ont eu la possibilité de les y placer.

— Très bien, Maître Highsmith, vous avez la permission de continuer, concéda le juge de mauvaise grâce.

— Combien de temps êtes-vous resté seul dans ce bureau ?

— La première fois, une minute ou deux au maximum. La deuxième, environ une dizaine de minutes avant l'arrivée de Mr Hawkin, dit George à regret.

— Bref, un bout de temps, dit Highsmith comme s'il se parlait à lui-même tout en s'emparant d'un autre carnet dont il feuilleta une page ou deux.

— Pouvez-vous nous dire quels sont vos passe-temps favoris, inspecteur ? dit-il aimablement.

— Passe-temps ? répéta George, pris au dépourvu.

— Vous avez bien entendu.

George jeta un coup d'œil à Stanley pour lui demander conseil, mais le procureur ne put que hausser les épaules.

— Je joue au cricket. J'aime faire des randonnées. Mais je n'ai guère le temps d'avoir des passe-temps, dit-il, l'air stupéfait.

— Vous en avez oublié un, dit froidement Highsmith, et qui n'est pas sans rapport avec notre affaire.

George secoua la tête :

— Je suis désolé. Je ne vois pas de quoi vous voulez parler.

Highsmith souleva quelques feuillets photocopiés :

— Votre Honneur, j'aimerais que ces papiers soient enregistrés comme pièces à conviction de un à cinq. La pièce numéro un provient de la revue du Lycée de garçons de Cavendish, année 1951. C'est le rapport annuel du club photographique de l'école, présenté par son secrétaire, George Bennett. (Il tendit la feuille au greffier de la Cour.) Les autres photocopies proviennent du bulletin d'information du club photographique de l'université de Manchester. Ce sont des articles sur la photographie signés d'un certain George Bennett. L'inspecteur était alors étudiant de premier cycle dans cette université.

Il tendit les autres feuillets au greffier.

— Inspecteur Bennett, niez-vous être l'auteur de ces articles sur la photographie ?

— Bien sûr que non.

— Si bien que vous êtes une sorte d'expert en matière de photographie ?

George plissa le front. Il voyait le piège. S'il niait, il passait pour un menteur. S'il acquiesçait, il fragilisait la thèse de l'accusation.

— Les connaissances que j'ai pu avoir sont un peu lointaines, dit-il prudemment. À l'exception de quelques photos de famille, je ne me suis pas servi d'un appareil photo depuis cinq ou six ans.

— Mais vous sauriez où aller pour savoir comment truquer une photographie.

George était plus au courant que Ruth Carter des tactiques des avocats. Il savait qu'il était dangereux de laisser une déclaration sans réponse.

— Pas plus que vous, monsieur.

— Les photographies peuvent bien être truquées, qu'en pensez-vous ?

— D'après mon expérience personnelle, on est loin d'atteindre un pareil résultat, dit George.

Highsmith immédiatement s'empara de la formule conventionnelle :

— D'après votre expérience ? Êtes-vous en train de dire à la Cour que vous avez eu l'expérience de truquer des photographies ?

George fit non de la tête :

— Non, monsieur. Je faisais allusion à des tentatives de truquage que j'ai pu voir, moi-même je n'ai jamais essayé.

— Mais vous savez indéniablement comment on peut truquer une photographie ?

George prit une profonde respiration :

— Comme je l'ai dit précédemment, ma connaissance de la photographie date un peu. Tout ce que je sais est probablement aujourd'hui dépassé par les progrès techniques.

— Inspecteur, veuillez s'il vous plaît répondre à la question. Savez-vous, oui, ou non, comment on truque une photographie ?

Highsmith faisait mine d'être exaspéré. George comprenait que ce n'était qu'une attitude destinée à donner à ses réponses un caractère évasif, mais il ne pouvait rien faire pour modifier cette impression, à moins de reconnaître qu'il était un as du truquage.

— J'ai quelques connaissances théoriques, oui, mais je n'ai jamais…

— Merci, dit Highsmith, l'interrompant d'une voix sonore. Une réponse simple sera toujours suffisante. Venons-en maintenant à ces négatifs que le ministère public présente comme preuves. Quel type d'appareil faudrait-il pour prendre ces photos ?

Derrière la cloison du box, à l'abri du regard des jurés, les poings de George se serraient, les ongles s'enfonçaient dans la paume.

— Il faudrait un appareil qui puisse faire du portrait. Un Leica ou un Rolleiflex, quelque chose comme ça.

— Possédez-vous un tel appareil ?

— Je n'ai pas utilisé mon Rolleiflex depuis au moins cinq ans, dit-il, se rendant compte à mesure qu'il parlait combien la réponse paraissait mensongère.

Highsmith soupira :

— Je vous avais demandé si vous possédiez un tel appareil, non pas de me dire la dernière fois que vous l'avez utilisé, inspecteur. Avez-vous un appareil de ce type ? Oui ou non me suffira.

— Oui.

Highsmith marqua une pause, feuilleta ses papiers. Puis il releva la tête.

— Vous croyez que mon client est coupable, n'est-ce pas ?

George se tourna vers le jury :

— Ce que je crois n'a pas d'importance.

— Mais vous êtes persuadé de la culpabilité de mon client ? insista Highsmith.

— Je crois aux preuves et oui, je crois que Philip Hawkin a violé et assassiné sa belle-fille de 13 ans, dit George, la voix marquée par l'émotion en dépit de ses efforts pour se maîtriser.

— Et ce sont deux crimes terribles, dit Highsmith. Tout homme de bon sens en serait épouvanté et voudrait conduire devant la justice celui qui s'en est rendu coupable. L'ennui, inspecteur, c'est qu'il n'existe aucune preuve indubitable que l'un ou l'autre de ces deux crimes ait été commis, vous ne croyez pas ?

— S'il n'y avait aucune preuve, les magistrats n'auraient pas envoyé votre client devant les assises et nous ne serions pas là aujourd'hui.

— Mais, pour chaque preuve présentée aujourd'hui devant nous, il existe une autre explication. Et bon nombre de ces explications nous ramènent vers vous. C'est votre obsession, celle que vous éprouvez envers Alison Carter, qui nous a conduits ici aujourd'hui, n'est-ce pas inspecteur ?

Stanley se leva à nouveau :

— Votre Honneur, il me faut protester. Mon savant ami semble déterminé à faire des discours plutôt qu'à poser des questions, à calomnier plutôt qu'à porter des accusations directes. S'il a quelque chose à demander à l'inspecteur Bennett, parfait. Mais si sa seule intention est de faire entendre des insinuations malveillantes au jury, il vaudrait mieux le lui interdire.

Le président Sampson jetait des regards noirs du haut de sa tribune :

— Il n'est pas le seul à faire de beaux discours à contretemps, Maître Stanley. (Il jeta un coup d'œil au jury par-dessus ses lunettes, évoquant une taupe.) Vous devez garder présent à l'esprit que vous êtes ici pour examiner des preuves et qu'il vous revient de ne pas prêter attention aux commentaires des avocats. Maître Highsmith, veuillez continuer, mais tenez-vous-en aux faits.

— Très bien, Votre Honneur. Inspecteur, n'oubliez pas que vous devez répondre par oui ou par non. Êtes-vous un homme ambitieux ?

Stanley intervint à nouveau :

— Votre Honneur, s'exclama-t-il, indigné, cela n'a rien à voir avec l'affaire soumise à la Cour !

— Sa motivation est importante, enchaîna Highsmith. La défense prétend que les preuves contre mon client ont été en grande partie montées de toutes pièces. La motivation de l'inspecteur Bennett devient dès lors pour la défense une question d'importance.

Sampson réfléchit un instant puis décida :

— J'autorise la question.

George respira profondément :

— Ma seule ambition est d'apporter ma contribution pour que justice soit faite. Je crois que quelque part dans ce pays se trouve le corps d'une jeune fille soumise aux traitements les plus dégradants avant d'être tuée et je crois que le coupable se trouve dans ce box. (Highsmith tenta de l'arrêter, mais il continua sans se laisser démonter :) Je suis ici pour tenter d'assurer qu'il paie pour ce qu'il a fait et non pour promouvoir ma carrière.

Il s'arrêta brusquement.

Simulant le dégoût, Highsmith hocha la tête :

— Oui ou non, voilà ce que j'avais demandé. (Il soupira :) Je n'ai pas d'autres questions, dit-il.

Son visage, tourné non dans la direction du juge mais dans celle du jury, reflétait un mépris dont sa voix ne témoignait pas.

George quitta le box des témoins. Il ne pouvait plus éviter un regard qu'il s'était efforcé d'ignorer pendant tout son témoignage : Hawkin le fixait et dans ses yeux se lisait un sentiment de triomphe. Son sourire habituel était revenu et il était assis dans son box avec le même naturel que s'il s'était trouvé chez lui. Une envie de meurtre dans le cœur, George quitta le prétoire à grands pas. Derrière lui, il entendit la voix du président reporter les débats au lendemain. Il se précipita au long du couloir jusqu'aux toilettes, claqua le verrou derrière lui et se pencha sur la cuvette juste à temps. Le vomi brûlant éclaboussa la porcelaine, l'odeur âcre lui donna à nouveau la nausée.

D'une secousse brutale, il tira la chaîne puis s'appuya contre le mur, une sueur froide sur le visage. Il revécut ce moment terrible dans la salle d'audience où il avait ressenti l'horreur de ce que les insinuations d'Highsmith pouvaient lui coûter. Il suffirait de quelques jurés crédules ou ayant une dent contre la police pour qu'Hawkin sorte libre, emportant avec lui la carrière de George et sa réputation. C'était une idée insupportable, du genre à provoquer les cauchemars au cœur de la nuit ou des états de panique à tordre les boyaux. Il avait tout misé sur cette accusation. Mais, pour la première fois, il s'apercevait qu'il pouvait être l'agent de sa propre destruction. Rien d'étonnant à ce que Carver ait été si magnanime dans son insistance à laisser George s'occuper de l'affaire. On ne lui avait pas offert la coupe de poison, il l'avait lui-même arrachée des mains d'autrui.

Mais qu'aurait-il pu faire d'autre ? Debout dans cette odeur de désinfectant qui lui irritait la gorge et lui faisait larmoyer les yeux, il comprit qu'il n'avait jamais eu véritablement le choix.

Quand il émergea, Clough l'attendait, la cigarette habituelle au coin de la bouche.

— Je connais un bon pub dans Ashbourne Road. On descend quelques pintes au passage ?

Il avait bien choisi son partenaire.

# 3

Pendant le reste de la semaine, George resta assis au fond de la salle d'audience, s'arrangeant toujours pour arriver quelques minutes après le début des débats et se faufilant vers la sortie dès que la cour se levait. Il se savait ridicule mais ne parvenait pas à se débarrasser de l'idée que tous les yeux étaient fixés sur lui, se demandant s'il était corrompu ou, pire encore, s'ils en étaient déjà tous convaincus. Il ne supportait pas cette pensée qu'on puisse le prendre pour l'un de ces flics qui ont décidé une fois pour toutes d'inculper quelqu'un sans se soucier des preuves. Mais il ne parvenait pas à se tenir à l'écart.

Le troisième jour vit l'entrée en scène des témoins de Scardale. Charlie Lomas parvint à reproduire son sans-faute, impressionnant le jury par sa franchise et l'émotion qu'il ressentait face à la disparition de sa cousine.

Vint ensuite Ma' Lomas, vêtue pour l'occasion d'un manteau couleur rouille, des brins de bruyère blanche épinglés sur le col. Elle reconnut que son nom était Hester Euphemia Lomas. Il était évident que la cour ne l'impressionnait pas : elle répondit aux magistrats de la même façon qu'elle aurait pu parler à George dans sa salle à manger. Elle exigea une chaise et un verre d'eau, puis les ignora. Stanley la traita avec une courtoisie exagérée, n'obtenant en retour que de l'indifférence.

— Et vous êtes absolument certaine que c'était Mr Hawkin que vous avez vu traverser le champ ? lui demanda-t-il.

— J'ai besoin de lunettes pour lire, répondit la vieille femme, mais je peux encore distinguer une crécerelle d'un épervier à cent yards.

— Comment pouvez-vous être sûre que c'était mercredi ?

Elle lui jeta un coup d'œil exaspéré :

— Parce que c'est le jour où Alison a disparu. Quand quelque chose comme ça arrive, tout ce qui s'est passé ce jour-là reste gravé en mémoire.

Stanley ne trouva rien à redire à cette réponse. Puis il l'interrogea sur sa connaissance de la mine de plomb décrite dans le livre du bureau du manoir de Scardale.

— Le châtelain Castleton vous parlait-il souvent de l'histoire locale ? demanda-t-il.

— Ouais, bien sûr, dit-elle comme si cela allait de soi. Je le connaissais depuis qu'il était tout petit. C'était pas l'homme à jouer au seigneur avec ses tenanciers, ah non, pas l'ancien châtelain ! On s'installait souvent tous les deux pour bavarder, lui et moi. On disait toujours que quand on serait partis, la moitié de l'histoire de la vallée s'en irait avec nous. Il était toujours à me dire qu'il fallait que j'écrive, mais j'allais pas m'embarrasser de choses comme ça.

— Mais vous saviez donc où trouver le livre ?

— Bien sûr. On l'a bien des fois regardé, l'ancien châtelain et moi. J'ai pu mettre la main dessus tout de suite.

— Pourquoi n'avoir pas parlé plus tôt de cette mine de plomb à la police ? demanda Stanley d'un ton apparemment détaché.

Elle se gratta la tempe d'un doigt déformé par l'arthrite :

— Je sais pas vraiment. Il m'arrive d'oublier que tout le monde connaît pas la vallée comme moi. Souvent depuis, ça me tient éveillée à me demander si ça aurait changé quelque chose pour la pauvre Alison. (Elle poussa un soupir.) Ça me contrarie vraiment.

— Je n'ai pas d'autres questions, Mrs Lomas, mais mon collègue, M<sup>e</sup> Highsmith, va vouloir vous en poser. Vous voulez bien rester où vous êtes ?

Avant de s'asseoir, Stanley s'inclina devant la matriarche.

Cette fois, Highsmith prit son temps pour se lever.

— Mrs Lomas, commença-t-il. Ce doit être dur pour vous de voir le neveu de votre vieil ami dans le box des accusés.

— J'aurais jamais cru être contente que le châtelain Castleton soit mort, dit-elle d'une voix basse. Ça lui aurait brisé le cœur. Il aimait Alison comme si c'était sa petite-fille.

— Sans doute. Si vous me permettez de vous ennuyer avec quelques questions, je vous en serais reconnaissant.

Elle releva la tête et George, assis au fond de la salle, perçut l'éclat mauvais dans son œil. Il grimaça.

— Les questions me dérangent pas ! affirma-t-elle avec brusquerie. Dire la vérité fait fuir le diable. J'ai rien à craindre de vos questions, alors, questionnez !

Highsmith parut momentanément pris de court. Elle avait fait preuve de docilité en répondant aux questions de Stanley, il n'était pas préparé à une Ma' Lomas d'humeur combative.

— Comment pouvez-vous être certaine d'avoir vu Mr Hawkin traverser le champ cet après-midi-là ?

— Comment je peux en être certaine ? Parce que je l'ai vu. Parce que je le connais. La façon dont il regarde, la façon dont il marche, les habits qu'il

porte. Y a personne dans Scardale avec qui on pourrait le confondre, dit-elle d'une voix indignée. J'suis
peut-être vieille mais j'ai toute ma tête !

Des rires étouffés s'élevèrent des bancs de la
presse et les gens de Scardale se permirent quelques
sourires contenus. Ma' allait le remettre à sa place,
ce juriste débarqué de Londres.

— Tout cela est évident, madame, parvint à dire
Highsmith.

— Vous avez pas à m'appeler « madame », Ma'
suffit.

Highsmith cligna des yeux. La mine de son crayon
cogna sèchement sur le bloc-notes qu'il tenait à la
main.

— Ce livre dans le bureau du manoir. Vous dites
que vous saviez exactement où le trouver ?

— La mémoire est bonne, mon gars, dit Ma' sarcastique.

— Il était donc à l'endroit où il devait être ?

— Et où donc il aurait dû être ? Bien sûr qu'il
était là où il devait.

Highsmith contre-attaqua :

— Personne ne l'avait déplacé ?

— Je peux pas dire ça, hein ? Comment je peux le
savoir ? C'était pas difficile de le remettre à la bonne
place : ces étagères sont pleines. Quand on sort un
livre, ça laisse un espace. Alors on le remet au même
endroit. Automatique... ajouta-t-elle méprisante.

Highsmith sourit :

— Mais rien n'indiquait que quelqu'un l'avait fait.
Merci, Mrs Lomas.

Le juge se pencha :

— Vous êtes libre de partir maintenant, Mrs Lomas.

Elle regarda Hawkin et lui adressa un sourire
triomphant de pure malice. George fut soulagé de
voir qu'elle tournait le dos au jury.

— Oui, je sais. C'est plus qu'il peut en dire, hein ?

Elle effectua une sortie majestueuse en reine de son village qu'elle était et s'installa à la place que sa famille avait gardée pour elle.

Le jour suivant fut consacré à l'audition de témoins divers. Le tailleur de Hawkin était venu de Londres confirmer que la chemise souillée dissimulée dans la chambre noire faisait partie d'un lot que l'accusé avait fait faire sur mesure moins d'un an auparavant. Un vendeur de la pharmacie Boots révéla qu'il avait vendu à Philip Hawkin deux rouleaux de sparadrap qui correspondaient à la fois à la bande muselant le chien d'Alison et au bout qui fixait la clef du coffre au fond du tiroir dans le bureau.

Un spécialiste des empreintes vint dire que celles de Philip Hawkin se trouvaient sur les photographies et les négatifs trouvés dans le coffre, mais que par ailleurs il n'y en avait pas sur le Webley. Il avait été également impossible d'en relever sur la couverture du livre.

Le dernier témoin de la journée était l'expert en balistique. Il confirma que l'une des balles tirées dans la galerie provenait bien du calibre 38 découvert par Ruth Carter dans la chambre noire de son mari.

Pendant tous ces témoignages, Highsmith posa peu de questions et essaya plutôt de démontrer qu'il existait face à chaque argument de l'accusation une autre explication. N'importe qui, prétendit-il, aurait pu se procurer une chemise appartenant à Hawkin. On pouvait, par exemple, l'avoir dérobée sur la corde à linge du manoir.

Hawkin n'avait peut-être pas acheté le sparadrap pour son propre usage mais avait été chargé de cette commission. Sans doute on trouvait ses empreintes sur les clichés et les négatifs, mais c'était parce que les policiers les lui avaient jetés sur la table de la salle d'interrogatoire avant qu'ils ne soient recouverts de plastique, avant l'arrivée de son avocat au poste. Et la seule personne sur laquelle se fondait le lien entre le revolver et Hawkin était, bien sûr, sa femme qui cherchait si désespérément une explication à la disparition de sa fille qu'elle était prête à se retourner contre son mari.

Les jurés demeuraient impassibles, sans montrer de réactions qui puissent préjuger de leur décision.

Le troisième jour s'acheva et la Cour ajourna la séance jusqu'au lendemain.

Le vendredi matin, les idées noires de George prirent un autre tour à la lecture d'un article du *Daily Express*.

### CHIENS POLICIERS SUR
### LA PISTE D'UN ENFANT

Huit policiers, avec l'aide de deux chiens dressés, ont fouillé les bas-côtés de la voie de chemin de fer, les jardins publics et les bâtiments abandonnés à la recherche d'un jeune écolier myope, Keith Bennett, disparu de chez lui depuis près de trois jours.

Un officier de police nous a confié : « Si nous ne le retrouvons pas aujourd'hui, les recherches seront intensifiées. Nous ne savons pas ce qui a pu lui arriver. Nous n'envisageons pas encore l'hypothèse d'un acte criminel, mais nous ne voyons aucune explication à sa disparition. »

Le jeune Keith, âgé de 12 ans, d'Eston Street, Chorlton-on-Medlock, Manchester, a disparu dans la nuit de mardi alors qu'il allait rendre visite à sa grand-mère.

Son domicile se situe dans un secteur de Manchester où déjà plusieurs meurtres ont été commis et où des personnes disparues n'ont pas été retrouvées.

## UN ENFANT CASANIER

On a retrouvé chez lui ses lunettes à verres épais – l'un cassé – sans lesquelles il a du mal à voir.

La mère de Keith, Mrs Winifred Johnson, une femme de 30 ans, qui a cinq autres enfants et attend son septième dans deux semaines, pleurait lorsqu'elle nous a parlé de son fils.

Elle nous a dit : « Il n'a jamais rien fait de semblable auparavant. Il aime être à la maison. Il voit à peine sans ses lunettes. »

Sa grand-mère, Mrs Gertrude Bennett – âgée de 63 ans, domiciliée à Morton Street, Longsight, Manchester – a déclaré : « Nous ne mangeons plus, nous ne dormons plus, nous ne faisons plus rien tant nous nous faisons du souci pour lui. »

L'équipe de recherche est composée d'un sergent, cinq brigadiers et de deux maîtres-chiens. Ils fouillent dans un rayon d'un kilomètre autour de la maison de Keith.

George regarda fixement le journal. La pensée qu'une autre mère puisse connaître les affres qu'avait vécues Ruth Carter le brûlait. Mais, tapie dans un autre coin de son esprit, l'idée se fit jour malgré lui que cela ne pouvait tomber à un meilleur moment. Pour tout membre du jury qui lirait cet article, l'angoisse de Winifred Johnson ne ferait que renforcer sa conscience des souffrances endurées par Ruth

Carter et diminuerait d'autant la possibilité de croire en Hawkin.

Une soudaine vague de honte le submergea. Comment pouvait-il être aussi insensible ? Comment pouvait-il penser à exploiter la disparition d'un autre enfant ? Dégoûté de lui-même, George froissa le journal et le jeta dans la corbeille à papier.

Cet après-midi-là, comme il montait les escaliers du palais de justice, il vit une silhouette familière qui attendait près de la porte. Impeccable dans son uniforme de cérémonie, le superintendant Martin tortillait ses gants de cuir noir et souple. Comme George approchait, il le regarda.

— Inspecteur, l'accueillit-il, son visage indéchiffrable. Un mot, s'il vous plaît.

George le suivit dans un couloir latéral jusqu'à une petite pièce qui sentait la transpiration et le tabac. Il referma la porte derrière eux et attendit.

Martin alluma une de ses cigarettes sans filtre et dit brusquement :

— Je veux que vous soyez de retour dans votre bureau la semaine prochaine.

— Mais, monsieur... protesta George.

Martin leva la main :

— Je sais, je sais. L'accusation doit achever son travail aujourd'hui et, la semaine prochaine, c'est le tour de la défense. Je veux donc que vous rentriez à Buxton.

George se redressa et adressa un regard enflammé à son supérieur :

— C'est mon affaire, monsieur.

— Je sais. Mais vous connaissez aussi bien que moi le système de défense que va adopter Highsmith. Il n'a pas le choix. Et je ne veux pas que l'un de mes gradés reste assis dans une salle d'audience à s'entendre vilipender par quelque baratineur de juriste qui se moque du mal qu'il peut faire à un homme correct.

La nuque de Martin vira à l'écarlate, signe d'une colère prochaine. Il se mit à arpenter la pièce.

— Sauf votre respect, monsieur, je peux encaisser tout ce qu'il me balancera.

Martin s'immobilisa et examina George :

— Voyez-vous ça. Eh bien ! même si vous en êtes capable, je ne veux pas vous voir aux mains de la presse. Et si vous n'avez pas envie de vous mettre à l'abri pour votre bien, vous devriez le faire pour votre femme. Ce sera déjà assez dur pour elle de lire des comptes rendus qui vous accuseront des pires forfaits, sans avoir en plus à contempler votre photo, l'air sinistre, à la sortie ou à l'entrée du palais comme si vous étiez celui que l'on jugeait.

George se passa une main dans les cheveux :

— J'ai droit à un congé.

— Et je vous interdis de le prendre, dit Martin brutalement. Vous vous tiendrez à l'écart de Derby jusqu'à la fin du procès. C'est un ordre.

George se détourna, alluma une cigarette. Il était difficile de ne pas voir dans son bannissement comme une vengeance divine suite à sa réaction face à la disparition du petit garçon.

— Au moins, dit-il d'une voix presque indistincte, laissez-moi assister au verdict.

Le professeur John Patrick Hammond récita les titres et distinctions qui faisaient de lui un des plus grands experts légistes du nord de l'Angleterre. Son nom, à côté de ceux de Bernard Spilsbury, Sydney Smith et Keith Simpson, enflammait l'imagination du public, persuadé qu'à partir de quelques traces ces hommes de science pouvaient remonter jusqu'au coupable. C'était Pritchard qui avait tenu à faire intervenir dans l'affaire un expert de renom. «Quand la position est précaire, mieux vaut faire appel à l'artillerie lourde!» avait-il dit, et le superintendant Martin d'approuver.

Hammond était un petit homme méticuleux, à la tête trop grosse pour le corps. Il compensait cette apparence légèrement ridicule par des manières graves, volontiers solennelles. Les jurés l'aimaient parce qu'il pouvait traduire le jargon scientifique en langage de tous les jours, comme s'il leur parlait d'égal à égal. Stanley eut le bon sens de poser un minimum de questions et de laisser le professeur s'exprimer.

Hammond s'assura que les jurés comprenaient parfaitement les points essentiels. Le sang sur l'arbre dans le boqueteau, sur les sous-vêtements déchirés dans la mine, et sur la chemise souillée était celui d'une personne du sexe féminin du groupe sanguin O, le même que celui d'Alison. La quantité de sang sur la chemise indiquait une blessure grave. Le sperme sur le sous-vêtement avait été sécrété par un éjaculateur de groupe sanguin A. L'accusé était un éjaculateur de groupe sanguin A.

Il expliqua ensuite que les examens avaient fait apparaître des traces de brûlure sur la chemise qui correspondaient aux traces laissées par un revolver tenu très près du corps et avec lequel on aurait tiré. Hammond en fit la démonstration en tenant la chemise tout contre lui. George remarqua que Ruth s'était pris la tête à deux mains. Kathy Lomas mit son bras autour d'elle pour la protéger.

— Comme vous pouvez le voir, Votre Honneur, expliqua Hammond, le résidu de poudre se trouve sur la manchette droite et également sur le devant de la chemise, côté droit. Si quelqu'un portant cette chemise avait braqué un revolver de très près, voici exactement le résultat que l'on serait en droit d'attendre. Il ne peut y avoir d'autre explication d'après ces taches de brûlure et de frottement.

Highsmith se leva pour le contre-interrogatoire avec un sentiment de légère frustration. L'affaire jusque-là ne lui avait pas permis de se montrer au mieux de sa forme. Il y avait si peu à quoi s'accrocher et chaque fois la prise se révélait fragile. Mais là il pouvait enfin s'attaquer à du concret.

— Professeur Hammond, pouvez-vous nous dire quelle proportion de la population est du groupe sanguin A ?

— Environ quarante-deux pour cent.

— Et quel pourcentage de cette population représentent les éjaculateurs dont le groupe sanguin est présent dans les autres fluides corporels ?

— Approximativement quatre-vingts pour cent.

— Pardonnez-moi, les mathématiques n'ont jamais été mon point fort. Quel pourcentage de la population représentent les éjaculateurs du groupe sanguin A ?

Les sourcils de Hammond tressautèrent :

— Environ trente-trois pour cent.

— Nous pouvons donc dire que ces taches de sperme auraient pu être laissées par un tiers de la population mâle de ce pays ?

— Le chiffre est correct, en effet.

— Plutôt que de désigner spécifiquement mon client, vous pouvez donc déclarer, au mieux, que ces analyses ne l'innocentent pas.

Ce n'était pas une question et Hammond garda le silence.

— Venons-en à la chemise souillée. Existe-t-il un élément indiquant que c'était l'accusé qui portait cette chemise quand un coup de feu fut tiré tout près d'elle ?

— Du point de vue de l'analyse médico-légale, non.

Hammond paraissait parler à contrecœur, comme chaque fois qu'il était forcé d'admettre que la science ne pouvait répondre à toutes les questions.

— Donc, n'importe qui aurait pu porter cette chemise ?

— Oui.

— Et la personne portant la chemise n'était pas nécessairement celle qui a laissé son sperme sur d'autres vêtements ?

Hammond réfléchit un instant :

— Je considère cette assertion comme peu vraisemblable bien que du domaine du possible.

— La quantité de sang sur les autres vêtements était moins importante. Pourrait-elle correspondre au saignement qui intervient quand il y a déchirure de l'hymen ?

— C'est impossible à dire. Certaines femmes perdent beaucoup de sang avec leur virginité. D'autres n'en perdent pas. Mais si les taches de sang sur la chemise proviennent de là, alors cette femme faisait une hémorragie à pronostic fatal.

— Et pourtant il n'y avait pas de sang à l'endroit supposé du crime. Si quelqu'un avait été abattu d'un coup de feu dans cette mine, tout aurait dû être éclaboussé de sang ? Sur le sol une mare, des éclaboussures sur les parois, des taches sur la voûte ? Comment est-ce possible qu'il n'y eût pas de sang, excepté sur les différents vêtements ?

— Me demandez-vous de formuler une hypothèse ? demanda le professeur qui se raidissait.

— Je vous demande si, étant donné votre expérience, il serait possible que quelqu'un fût tué par une arme à feu dans cette caverne sans que le lieu soit taché de sang, articula Highsmith, lentement et clairement.

Hammond fronça les sourcils, réfléchit un instant, les yeux tournés vers le plafond. Enfin il dit :

— Oui, ce serait possible.

C'était au tour d'Highsmith de froncer les sourcils, mais avant qu'il ait pu parler, Hammond continua :

— Supposons, par exemple, que la fille soit tenue serrée, le revolver enfoncé dans ses côtes. Une balle à la trajectoire ascendante ferait éclater le cœur mais elle pourrait se loger derrière l'omoplate. Si la balle ne ressortait pas, il n'y aurait pas de projection de sang extérieur par la blessure frontale. Dans le cas où elle serait tenue très serrée, le saignement du dos serait également absorbé par la chemise et se confondrait avec celui de l'entrée de la balle.

Highsmith se reprit rapidement :

— Donc, dans tous les scénarios possibles pour expliquer ce meurtre supposé, vous n'en trouvez qu'un qui puisse expliquer l'absence de sang dans la mine ?

— Nous supposons toujours que la fille a été tuée dans la caverne ? Oui, je ne puis fournir que cette explication.

— Une possibilité parmi des douzaines, voire des centaines. Ce n'est pas ce que l'on peut appeler un scénario très vraisemblable, n'est-ce pas ?

Hammond haussa les épaules :

— Ce n'est pas mon propos.

— Merci, professeur.

Highsmith s'assit. Il avait glané plus qu'il n'espérait. Il était confiant : grâce à la science, il allait pouvoir semer la confusion dans le jury et éventuellement le conduire à considérer l'acquittement comme une solution raisonnable.

392

— L'accusation n'a plus de témoins, annonça Stanley comme le professeur rassemblait ses papiers et quittait le box des témoins.

— Les débats reprendront la semaine prochaine, décréta le président Sampson.

# 4

*Manchester Guardian, lundi 22 juin 1964*

### ENFANT DISPARU : UNE PISTE

La nuit dernière, les recherches menées par la police pour retrouver un jeune garçon presque aveugle disparu depuis cinq jours se sont déplacées à la suite de la déclaration d'un de ses camarades de classe : « Il se vantait d'avoir quelque part une cachette supersecrète. » Les recherches rayonnaient autour du domicile de Keith Bennett, un jeune garçon de 12 ans, dans Eston Street, Longsight, Manchester. Elles se portent maintenant sur le parc proche. Un porte-parole de la police a déclaré : « Le garçon peut avoir une cachette et amasser des provisions. Mais, où qu'elle soit, c'est vraiment une bonne cachette. »

L'URSS admet que ses satellites dans l'espace peuvent espionner ses ennemis ; l'Inde perd son leader : une crise cardiaque abat Nehru ; bruit de sabres dans la Rhodésie de Ian Smith ; lutte au couteau entre The Searchers, Millie et The Four Pennies, pour être en tête des ventes de la Pop Music – mais George ne s'intéressait qu'aux comptes rendus du procès. Comme il s'efforçait de tenir les journaux loin du regard d'Anne, elle achetait ses propres exemplaires. Il lui fallait fréquenter les autres femmes de gradés et elle était résolue à savoir ce que l'on disait de son homme. Ainsi elle serait à même de le défendre si l'une d'entre elles était assez sotte pour ne pas respecter la solidarité nécessaire en période de crise.

Le seul témoin de la défense – indépendamment d'Hawkin lui-même – était son ancien employeur qui lui accorda le satisfecit habituel. Il ne montrait guère de passion pour la cause d'Hawkin, mais il témoigna cependant qu'il n'avait jamais entendu dire du mal de l'ex-dessinateur.

Quand Hawkin fut appelé dans le box des témoins, la presse se déchaîna. Le lendemain matin, les gros titres fleurirent : UN COUP MONTÉ PAR LA POLICE, CRIE L'HOMME ACCUSÉ DE MEURTRE – PREUVES FABRIQUÉES DE TOUTES PIÈCES – MENSONGES, MENSONGES ET MENSONGES ENCORE, DIT LA DÉFENSE. LE TUEUR D'ALISON COURT TOUJOURS, ENTEND LA COUR. George, assis dans son bureau, contemplait amèrement les pages étalées devant lui. Et qu'importe que dès le lendemain elles enveloppent les *fish and chips*, ces saletés ne s'effaceraient pas complètement. Quelle que soit l'issue de l'affaire, il demanderait sa mutation.

Hawkin, tous les articles en faisaient foi, s'était magnifiquement défendu, clamant son innocence chaque fois qu'il était possible et Highsmith avait fait en sorte que les occasions ne manquent pas. Pas une preuve contre laquelle il n'ait trouvé une parade, plus ou moins convaincante. Il avait fait face au jury, l'air franc et honnête.

Il avait même reconnu que le revolver était bien en sa possession, mais qu'il ne l'avait pas dérobé à Richard Wells. Selon lui, il l'avait acheté à un ancien camarade de travail qui, hélas ! était aujourd'hui décédé. Il avait toujours eu envie d'avoir un revolver, avait-il confessé sans honte et l'homme avait offert de lui vendre cette arme avant qu'il ait entendu parler du cambriolage. Par la suite, il avait fait le lien, mais s'était tu, par crainte d'être accusé du vol. Oui, il avait montré le revolver à sa femme. Il avait aujourd'hui affreusement honte de son comportement, avait-il ajouté. Selon les journaux, il n'avait pas manifesté la moindre peur au cours de son témoignage. Hawkin avait répété plusieurs fois que, bien qu'il eût été trahi par la police, il faisait encore pleine confiance à la justice de son pays et au bon sens d'un jury britannique.

— Il en passe une couche, grogna George en lisant le compte rendu détaillé signé Don Smart dans le *Daily News*.

La tête de Clough apparut dans l'entrebâillement de la porte :

— Si tu veux mon avis, il en fait trop. Les jurés n'aiment pas qu'on leur passe de la pommade. Ou alors, faut le faire de telle sorte qu'ils s'en rendent pas compte. Mais il leur fait de la lèche à donner la nausée.

— C'est bien de me remonter le moral, Tommy, soupira George. J'aurais aimé être présent au contre-interrogatoire de Stanley.

— Il fera sûrement du meilleur boulot s'il sait que t'es pas là.

*Manchester Evening News, mercredi 24 juin 1964*

ENFANTS DISPARUS : 2 MÈRES ATTENDENT

Deux femmes aux yeux tristes, qui connaissent toutes deux les souffrances d'une mère dont l'enfant a disparu, se sont rencontrées aujourd'hui à Ashton-under-Lyne pour la première fois.

Mrs Sheila Kilbride et Mrs Winifred Johnson se sont assises à la même table dans le
HLM de Mrs Kilbride à Ashton pour parler de
leurs fils qui n'ont pas été retrouvés.

John Kilbride, disparu de chez lui depuis
la fin novembre, avait 12 ans. De même que
Keith Bennett d'Eston Street (Chorlton-
on Medlock, Manchester) dont la mère est
Mrs Johnson et qui n'a pas réapparu depuis
sept jours.

Tous deux sont les aînés de familles nombreuses. Tous deux ont disparu sans laisser
de trace.

## UN CAUCHEMAR

Mrs Kilbride et Mrs Johnson ont bavardé
tranquillement avec l'air de femmes qui ne
parviennent pas tout à fait à croire à ce
qui leur arrive.

Mrs Kilbride a dit : « Le temps passe, mais
c'est toujours comme un cauchemar. » Oui, a-
t-elle répété, le temps passe et on apprend
à vivre avec les faux espoirs et les sus-
penses insupportables chaque fois qu'une
voiture s'arrête devant la porte.

Mais les nuits sans sommeil se prolongent
de même que les jours de profond désespoir.

Elle a dit à Mrs Johnson : « Faut pas bais-
ser la tête. Nous sommes comme vous une
grande famille, et nous nous apercevons
aujourd'hui que nous ne mentionnons presque
plus le nom de John. »

## MYSTIFICATEURS

Mrs Kilbride a lancé une mise en garde
contre les personnes dérangées et les mys-

tificateurs de tout poil qui ne peuvent causer que du chagrin. « J'ai appris à me méfier de tous ceux qui me rendent visite, dit-elle. S'ils prétendent être policiers ou journalistes et que je ne les connais pas, je leur demande leur carte. » Mrs Kilbride, l'épouse d'un travailleur du bâtiment, a sept enfants, John y compris. Mrs Johnson, dont le mari est un menuisier au chômage, en a six et attend un bébé au début de juillet.

## LA CHASSE AUX DISPARUS

La police continue de rechercher les garçons. La description de Keith a été communiquée dans toute la Grande-Bretagne. Un porte-parole a déclaré à Manchester : « Nous sommes évidemment inquiets. C'est une affaire inhabituelle dans la mesure où cet enfant n'a jamais fugué auparavant et qu'il a laissé ses lunettes, sans lesquelles il peut à peine voir. Il n'avait qu'un shilling en poche. D'habitude nous retrouvons très vite ce genre d'enfant. Nous n'avons aucune piste mais nous faisons tout ce qui est en notre pouvoir. »

# 5

Extraits des minutes du procès intenté à Philip Hawkin. Réquisitoire de Desmond Stanley, avocat de la Couronne, représentant le ministère public.

Mesdames et messieurs du jury, j'aimerais vous remercier de votre patience tout au long de ce procès éprouvant, car il est toujours douloureux de voir l'enfance profanée et tel était le cas dans cette affaire. Je m'efforcerai d'être aussi succinct que possible, mais il me faut d'abord répondre aux suggestions lancées par mon savant ami au cours de ses interventions au nom de la défense.

Vous avez vu et entendu par vous-mêmes l'inspecteur George Bennett. Vous avez également vu et entendu l'accusé, Philip Hawkin. Je sais que l'inspecteur Bennett est un officier de police d'une intégrité irréprochable, mais vous n'avez pas l'avantage de le connaître comme moi. Si bien qu'il faut vous appuyer sur les faits dont vous disposez. La bonne réputation de l'inspecteur Bennett l'a précédé dans cette Cour. Nous avons entendu Mrs Carter, l'épouse de l'accusé, le louer. Puis nous avons entendu Mrs Hester Lomas et Mr Charles Lomas dire avec chaleur le soutien qu'il avait apporté aux villageois de Scardale qui avaient perdu l'une de leurs enfants, et décrire le dévouement infatigable avec lequel il a entrepris de découvrir ce qui était arrivé à Alison Carter.

De l'autre côté, Mr Hawkin est, de son propre aveu, un homme capable d'acheter illégalement une arme à feu et de la garder dans une maison où une très jeune fille habitait.

Ce sont des faits, mesdames et messieurs. Pas des suppositions, des faits. Et, malgré les suggestions de mon savant ami, il existe bien d'autres faits dans cette affaire. C'est un fait que Philip Hawkin est le propriétaire d'un revolver Webley de calibre 38 qui a fait feu dans une grotte isolée où l'on a découvert des vêtements identifiés comme appartenant à Alison Carter par sa propre mère. C'est un fait que Philip Hawkin possède un livre qui décrit en détail l'emplacement de cette caverne dont tout le monde avait oublié l'existence à l'exception d'une femme âgée. C'est un fait que Philip Hawkin est capable d'avoir sécrété le sperme trouvé sur les sous-vêtements d'écolière déchirés d'Alison Carter.

C'est un fait que le revolver de Philip Hawkin était enveloppé dans une chemise imprégnée de sang et dissimulée dans la chambre noire de Philip Hawkin, dans une remise où n'entre personne sinon l'accusé. C'est un fait que cette chemise appartient à Philip Hawkin. C'est un fait que le sang sur cette chemise, cette quantité de sang, aurait pu provenir d'Alison Carter. C'est un fait qu'il existe une explication parfaitement raisonnable de l'absence de sang dans la caverne.

Qui plus est, c'est un fait que les photographies obscènes d'Alison Carter et les négatifs dont elles furent tirées portent en de nombreux endroits les empreintes de Philip Hawkin et non pas celles de l'inspecteur Bennett. C'est un fait que plusieurs de ces photographies ont été prises dans la chambre d'Alison Carter et non pas empruntées à quelque magazine pornographique. C'est un fait que Philip Hawkin disposait de tout l'équipement nécessaire pour prendre ces photographies et les développer. L'inspecteur Bennett possède peut-être un appareil, mais il n'a pas de chambre noire à sa disposition dans le fond de son jardin. Il ne possède pas de bacs de développement, d'agrandisseur, de stock de papier de tirage, il n'a aucun des équipements nécessaires à la réalisation d'une contrefaçon de cette importance. Et, plus simplement, où aurait-il trouvé le temps de s'y consacrer ?

C'est un fait que les photographies étaient bien cachées dans un coffre-fort dont la clef était dissimulée dans le bureau de Philip Hawkin. C'est un fait que Hawkin a fait poser ce coffre quand il a transformé la remise en laboratoire photographique.

Les faits, mesdames et messieurs, ne manquent pas dans cette affaire. Ces faits sont des preuves et les preuves, de façon accablante, nous font apparaître une conclusion unique. Qu'il n'y ait pas de corps ne signifie pas qu'il n'y ait pas eu de crime. Et il est bon que vous sachiez que l'on ne vous demande pas de prendre une décision sans précédent. Des jurys ont précédemment condamné des hommes accusés de meurtre alors que le corps n'avait pas été retrouvé. Si vous êtes convaincus, sur la base des preuves qui vous ont été apportées et par votre propre appréciation des témoignages que vous avez entendus, si vous êtes convaincus donc que les crimes de viol et de meurtre ont bien été commis contre Alison Carter par l'accusé, vous devez alors faire votre devoir et revenir avec un verdict de culpabilité.

Il y a, comme je l'ai déjà dit, une logique indéniable dans tous les événements de cette affaire.

Philip Hawkin est arrivé à Scardale et, pour la première fois de sa vie, il a eu pouvoir et richesse à sa disposition. Pour la première fois de sa vie, il a découvert la possibilité de satisfaire ses appétits pervers pour les jeunes filles.

Afin de dissimuler ses véritables désirs, il a fait la cour à Ruth Carter, une femme devenue veuve six ans plus tôt. Non seulement il sut se montrer persuasif et attentionné, mais il semblait par ailleurs accepter volontiers la perspective de prendre en charge l'enfant d'un autre homme. En secret, il n'était pas si détendu, l'impatience le tenaillait à la pensée que s'il pouvait convaincre la mère qu'il s'intéressait à elle et non pas à sa séduisante fille, il aurait gagné. Et il réussit. Dès lors l'enfance d'Alison Carter s'acheva.

Quand elle devint la belle-fille de Philip Hawkin, elle devint également sa proie. Vivant sous le même toit, elle ne pouvait pas s'échapper. Il prit d'elle des photos pornographiques. Il lui fit connaître la débauche. Il la viola. Il la sodomisa. Il la contraignit à la fellation. Il la terrorisa. Nous le savons parce que nous avons vu cela de nos propres yeux sur des photographies qui ne présentent aucune indication d'avoir été truquées mais tous les signes de la réalité. Images hideuses, viles, dégradantes et, sans l'ombre d'un doute, l'histoire de ce qui est véritablement arrivé à Alison Carter dans les mains de son beau-père.

Comment cela a-t-il basculé, nous ne le saurons jamais, puisque l'accusé a refusé la possibilité d'alléger les souffrances de Mrs Carter et de nous dire ce qu'il avait fait de sa fille et pourquoi il l'avait fait. Alison – peut-être n'en pouvait-elle plus – l'avait menacé de tout dire à sa mère ou à un autre adulte. Peut-être s'était-il lassé d'elle et voulait-il s'en débarasser. Peut-être une atroce débauche s'est-elle mal terminée. Quelle que soit la raison – et il n'est pas difficile d'imaginer un motif dans un cas aussi affreusement barbare que celui-là – Philip Hawkin décida de tuer sa belle-fille. Si bien que, dans une caverne sombre, humide, il la viola une dernière fois puis appuya sur la gâchette de son Webley et assassina cette malheureuse écolière de 13 ans.

Puis lorsqu'il dut répondre de ses actes infâmes, il eut l'effronterie de tenter d'échapper au châtiment en salissant la réputation d'un officier de police intègre.

Philip Hawkin avait le devoir de protéger Alison Carter. Au lieu de quoi il utilisa sa position pour lui imposer ses désirs pervers et, quand les choses se gâtèrent, d'un coup de feu il la tua. Puis il se débarrassa de son corps, s'imaginant que sans un corps, il n'y aurait pas de poursuite, que sa culpabilité ne pourrait pas être établie.

Mesdames et messieurs du jury, vous pouvez être guidés par ces preuves et lui donner tort. Philip Hawkin s'est rendu coupable de ce dont on l'accuse et je vous demande instamment, lorsque vous aurez délibéré, de revenir dans cette cour avec le seul verdict possible.

# 6

Mesdames et messieurs du jury, dans ce prétoire,
la tâche la plus importante vous revient. Entre vos
mains repose la vie d'un homme accusé du viol et
du meurtre de sa belle-fille. C'est le travail de l'accusation que de prouver au-delà de tout doute raisonnable qu'il a commis ces crimes. C'est le mien
que de vous faire apparaître tous les points de leur
dossier où ils n'y sont pas parvenus. Je suis persuadé que, lorsque vous aurez entendu ce que j'ai à
dire, vous ne serez plus à même d'affirmer en votre
âme et conscience que Philip Hawkin ait commis
un crime quel qu'il soit.

L'accusation doit tout d'abord montrer qu'un crime
a réellement eu lieu. Par conséquent, cette affaire présente dès le départ quelques problèmes inhabituels.
Il n'y a pas de plaignant. Alison Carter est absente, si
bien qu'elle ne saurait se plaindre d'un viol, pas plus
qu'elle ne pourrait identifier son agresseur – si tant
est qu'il existe puisque l'accusation a été dans l'inca-
pacité de présenter une tierce partie à laquelle Alison
se serait plainte d'avoir été agressée. Personne n'a été
témoin du viol supposé. Philip Hawkin n'est pas rentré chez lui avec des meurtrissures et des écorchures

404

montrant qu'il y avait eu lutte. La seule preuve du viol repose sur les photographies. Je reviendrai plus loin sur ces photographies. Je me contenterai de dire pour le moment que vous devrez réfléchir au fait qu'un appareil photographique peut assurément mentir.

Vous pouvez penser que la découverte de sous-vêtements identifiés comme ayant appartenu à Alison, tachés de sang et de sperme, est une preuve de viol. Pas nécessairement, mesdames et messieurs. L'activité sexuelle se manifeste sous des formes diverses. Pour déplaisant qu'il soit pour vous d'avoir à y réfléchir, souvenez-vous que parmi ces aberrations existe le port de sous-vêtements d'écolière par des femmes plus âgées afin de satisfaire des fantasmes masculins. Il peut également y avoir recours à des simulacres de violence. Par conséquent, ces pièces à conviction ne sont pas en elles-mêmes des preuves.

Ce qui nous amène à la deuxième accusation, celle de meurtre. De nouveau, il n'y a pas de témoins. L'accusation s'est révélée incapable de présenter un témoin qui puisse jurer que Philip Hawkin est un homme violent. Pas un seul témoin ne s'est avancé pour dire que Philip Hawkin a eu un comportement autre que normal à l'égard de sa belle-fille. Et, non seulement il n'y a pas de témoins, mais il n'y a pas de corps. Non seulement il n'y a pas de corps, mais il n'y a pas de sang non plus à l'endroit présenté comme celui du crime. Ce sont les premiers coups de feu dans l'histoire de la science médico-légale qui n'ont laissé aucune trace à l'endroit même où l'on affirme qu'ils ont été tirés. Si l'on s'en tient aux affirmations de l'accusation, Alison Carter peut tout aussi bien avoir fait une fugue et survivre quelque part en marge de la société. Le sang fait défaut, le corps fait défaut, comment peuvent-ils accuser Philip Hawkin de meurtre ? Comment osent-ils l'accuser de meurtre ?

Tout ce qu'ils ont, c'est une chaîne de preuves indirectes. Il est bien connu qu'une chaîne est solide dans la mesure où tous ses maillons le sont. Mais que dire d'une chaîne dont tous les maillons sont fragiles ? Examinons ces preuves, maillon après maillon et éprouvons leur robustesse. Je suis convaincu, mesdames et messieurs, qu'une fois ce travail fait, vous verrez qu'il vous sera impossible de déclarer Philip Hawkin coupable de l'un ou l'autre de ces terribles crimes dont il est accusé.

Vous avez entendu deux témoins affirmer que l'après-midi de la disparition d'Alison, ils ont vu Philip Hawkin dans le champ entre le bois où le chien d'Alison fut retrouvé et le boqueteau où plus tard on découvrit qu'une agitation s'était produite. Je ne suggère absolument pas que ces deux témoins mentent. Je pense qu'ils se sont tous deux convaincus qu'ils ne disent rien d'autre que la vérité.

Cependant, je voudrais rappeler que, dans une petite communauté agricole telle que Scardale, un après-midi d'hiver est très semblable à un autre. Il ne serait pas difficile de confondre mardi et mercredi. Maintenant, représentez-vous combien tous les habitants de Scardale ont subi le choc de la disparition d'Alison. Si quelqu'un en position d'autorité, tel un gradé de la police, suggérait avec conviction qu'une faute a été commise, et que corriger cette faute aiderait à résoudre l'énigme, serait-ce si étonnant que les témoins se conforment à cette suggestion ? D'autant plus que cela consisterait à reporter la faute sur quelqu'un d'extérieur à leur propre communauté, sur quelqu'un qu'ils perçoivent tous comme un étranger, leur nouveau châtelain qu'ils n'apprécient guère. N'oublions pas, mesdames et messieurs, que si Philip Hawkin va à la potence, Scardale et tout ce qui en dépend passeront dans les mains de sa femme, qui est l'une des leurs.

Venons ensuite au témoignage considéré comme une preuve de Mrs Hawkin. Et quoi qu'elle en dise, n'oublions pas qu'elle demeure Mrs Hawkin. Vous pourriez croire que le simple fait qu'elle est prête à témoigner contre son mari est suffisamment éloquent. Après tout, qu'est-ce qui pourrait pousser une épouse de fraîche date, moins de dix-huit mois, à témoigner contre son mari, sinon une preuve manifeste ? Le fait qu'elle ait apporté des preuves contre lui, alors même que l'argumentation de l'accusation est si faible, ne nous révèle-t-il pas quelque chose sur l'accusé ?

Non, mesdames et messieurs, ce n'est pas le cas. Ce que ce comportement nous révèle, c'est qu'il n'y a rien de plus fort pour une femme que le lien de la maternité.

La fille de Mrs Hawkin ne réapparaît pas le mercredi 11 décembre. Elle est dans tous ses états. Elle est perdue. Elle est égarée. La seule personne qui semble lui apporter un peu d'espoir est un jeune inspecteur qui s'empare de l'affaire avec passion. Il est toujours là. Il est compatissant et dévoué. Mais il n'obtient aucun résultat. Peu à peu, il se persuade que le mari de cette femme pourrait avoir joué un rôle dans cette disparition. Et il entend que sa théorie devienne une réalité. Imaginez l'effet sur une femme dans l'état d'instabilité mentale où se trouve Mrs Hawkin. Assurément, elle est influençable. Et ce qu'il lui dit devient une certitude. Parce qu'elle veut des réponses. Parce qu'elle ne veut plus de cette terrible incertitude. Mieux vaut faire porter la faute à son mari que de vivre dans la peur constante de ce qui a pu arriver à sa fille.

C'est pourquoi, mesdames et messieurs du jury, vous devez considérer le témoignage de Mrs Hawkin avec le plus grand scepticisme.

Quant aux preuves dites physiologiques, aucune d'entre elles n'accable Philip Hawkin. Environ six millions d'hommes dans ce pays ont en commun avec Philip Hawkin le même groupe sanguin et avec celui, quel qu'il soit, qui a laissé des taches de sperme dans cette mine de plomb. Comment cette constatation pourrait-elle le désigner ? Il y a quatre cent vingt-trois volumes dans le bureau du châtelain Castleton et rien n'indique que le seul livre qui donne des détails sur la mine de plomb ait été touché par une autre main que celle d'Hester Lomas ou de l'inspecteur Bennett. Comment cela pourrait-il indiquer sa culpabilité ? La pharmacie Boots de Buxton vend entre vingt et trente rouleaux de sparadrap chaque semaine, dont deux à Philip Hawkin, qui vit dans une communauté rurale, où les coupures et les écorchures sont loin d'être inconnues. Et cela démontrerait qu'il est à la fois violeur et meurtrier ?

Non, bien sûr que non. Mais pour faibles que soient tous ces maillons, on ne saurait nier que, si on les jette ensemble du même côté de la balance, elle semble pencher à l'encontre d'Hawkin. Alors si ce n'est pas son comportement à lui qui a produit cet effet indéniable, qui en est l'agent ?

Il existe un aspect de ce travail que tout avocat déteste. Alors que nos policiers, dans leur grande majorité sont honnêtes et incorruptibles, de temps en temps, les choses se passent mal. De temps en temps, il nous revient de dénoncer les brebis galeuses. Et pire encore, me semble-t-il, que le policier qui s'écarte du droit chemin par cupidité est celui qui se prend pour la loi et veut l'administrer de ses propres mains.

Ce n'est pas la scélératesse de Philip Hawkin qui nous a conduits dans cette salle d'audience, mais bien le zèle de l'inspecteur George Bennett. Voulant à toute force expliquer la disparition d'Alison Carter, il fut amené à infléchir le cours de la justice. Il ne saurait y avoir d'autre explication. Ce qu'un homme peut faire quand il est aveuglé par une certitude, même une certitude entièrement fallacieuse, est particulièrement horrible.

Quand nous examinons l'ensemble des preuves accessoires, il apparaît à l'évidence qu'un seul homme avait le mobile, les moyens et la possibilité de mettre en place le piège où tomberait Philip Hawkin. Un gradé jeune et inexpérimenté, sous le coup de la frustration face à son échec dans cette affaire. Il a dû sentir sur lui le poids des regards de ses supérieurs et la résolution lui est venue de trouver un coupable et de le faire condamner.

George Bennett est resté seul dans le bureau de Mr Hawkin plus d'une fois, assez longtemps assurément pour trouver un revolver, pour examiner un livre, même pour découvrir la cachette d'une clef de coffre-fort. George Bennett bénéficiait de la confiance de Mrs Hawkin et il pouvait errer à son aise dans le manoir de Scardale, bien avant de disposer d'un mandat de perquisition. Qui était mieux placé que lui pour s'emparer d'une des chemises de Mr Hawkin ? Il gagna la confiance des villageois. Qui était mieux placé que lui pour persuader Mrs Lomas et son petit fils qu'ils avaient fait erreur sur le jour où ils avaient vu Mr Hawkin se promener dans son propre champ ?

Et pour finir les photographies. George Bennett a un passe-temps en commun avec Philip Hawkin. Il ne se contente pas de prendre des photos de vacances avec un appareil à quatre sous comme nous. Il fut le secrétaire du club photo de son école, il a écrit des articles sur la photographie quand il était étudiant, il possède un appareil approprié. Il sait ce qui est possible dans le domaine de la photographie. Il connaît les truquages. Philip Hawkin possède des douzaines de photographies d'Alison dans ses dossiers, dont beaucoup prises sur le vif. Sur certaines, elle est en colère ou troublée. Il possède également des photographies de lui-même. Avec de tels matériaux et l'accès à cette pornographie confisquée que l'on trouve dans beaucoup de commissariats, George Bennett était à même de fabriquer ces photographies, censées être des pièces à conviction.

Au pire, nous avons dévoilé une affreuse conspiration née de la certitude arrogante d'un homme de connaître ce qui est juste. Au mieux, nous avons démontré que l'accusation ne dispose pas de preuves susceptibles d'emporter la conviction au-delà de tout doute raisonnable. Mesdames et messieurs, je place le sort de Philip Hawkin entre vos mains. Et j'ai la ferme conviction que vous voudrez bien l'acquitter des deux chefs d'accusation. Je vous remercie.

EXTRAITS DES MINUTES DU PROCÈS INTENTÉ À PHILIP HAWKIN. CONCLUSIONS DE MONSIEUR LE JUGE FLETCHER SAMPSON, PRÉSIDENT DU TRIBUNAL, AU JURY.

Mesdames et messieurs du jury, c'est la tâche du ministère public que de prouver sans qu'il y ait place pour le doute que l'accusé est coupable conformément à l'accusation. C'est la tâche de la défense de découvrir les faiblesses dans leur argumentation qui pourraient éventuellement conduire à ce doute. Certains d'entre vous s'attendent peut-être à ce que je vous indique maintenant si je crois que l'accusé est innocent ou coupable. Mais ce n'est pas mon rôle. C'est votre responsabilité et vous ne devez pas chercher à vous y dérober. Mon rôle est de veiller à ce que les règles soient respectées et de m'assurer que justice sera rendue en toute équité. C'est donc ma tâche de résumer l'affaire et de vous conseiller sur des points de droit.

L'affaire que nous avons devant nous présente une difficulté spécifique en cela qu'Alison est absente, vivante ou morte. Si elle était vivante, la deuxième accusation tomberait d'elle-même, mais son témoignage serait capital quant à la première, celle de viol. Si l'on avait découvert son corps, nos experts médico-légaux auraient su faire parler ce corps et nous auraient apporté de nombreuses conclusions. Mais elle n'est pas là pour nous fournir son témoignage, si bien que nous sommes contraints de nous fier à d'autres éléments de preuve.

Tout d'abord, il me faut vous dire que l'accusation ne doit pas nécessairement disposer d'un cadavre pour poursuivre pour meurtre. Des hommes ont été jugés coupables de meurtre alors que l'on n'avait pas trouvé de corps. Je vous donnerai deux exemples qui dans une certaine mesure correspondent à cette affaire.

Une actrice du nom de Gay Gibson revenait d'Afrique du Sud à bord d'un paquebot quand d'autres passagers s'aperçurent de sa disparition. On fouilla le navire, le capitaine lui-même entreprit des recherches. On ne trouva aucune trace de miss Gibson. Un steward du nom de James Camb se trouva soupçonné parce qu'il avait été vu par l'un de ses collègues sortir de la cabine de miss Gibson au milieu de la nuit. Il fut arrêté à l'arrivée du vaisseau au port et il reconnut s'être trouvé dans cette cabine. Il prétendit qu'elle l'avait invité afin de le séduire.

Il prétendait ensuite qu'au cours du rapport sexuel elle avait succombé à une crise cardiaque.

Au cours de cette crise, elle avait eu des convulsions et lui avait griffé le dos et les épaules. Toujours selon son récit, il fut pris de panique et, poussant son corps par le hublot, l'avait précipité en pleine mer. L'accusation affirma qu'il l'avait étranglée pendant qu'il abusait d'elle et prétendit que, si les événements avaient été conformes à ses déclarations, rien ne l'aurait empêché d'avoir recours au médecin du bord quand elle avait eu cette crise. James Camb fut déclaré coupable de meurtre.

Nous avons ensuite l'affaire de Michael Onufrejszyk, un Polonais, qui s'était illustré au cours de la Seconde Guerre mondiale, installé par la suite dans une ferme du pays de Galles, dont il partageait la propriété avec un compatriote, Stanislaw Sykut. Une vérification de routine des résidents étrangers installés sur le sol britannique conclut à l'absence de son associé. Onufrejszyk prétendit qu'il lui avait vendu sa part et qu'il était retourné dans son pays d'origine.

Cependant, après enquête, on s'aperçut qu'aucun des amis de Sykut n'avait entendu parler de tels projets. Aucune opération n'avait eu lieu sur son compte en banque et l'ami, qu'Onufrejszyk disait lui avoir prêté l'argent nécessaire à la transaction, nia avoir été contacté. Par la suite, des témoignages firent état d'une querelle et de menaces proférées. On découvrit des traces de sang dans le bâtiment de ferme pour lesquelles il n'existait aucune explication satisfaisante.

Au cours du procès, l'accusation prétendit qu'Onufrejszyk avait jeté le corps de son partenaire à ses cochons, ce qui expliquait la disparition du cadavre. Au jugement en appel, le Président de la Haute Cour de Justice en personne statua qu'il était possible de démontrer le fait qu'il y avait eu mort par des moyens autres que celui de disposer d'un cadavre.

412

Ainsi voyez-vous, d'après la loi qui régit ce royaume, il n'est pas nécessaire que l'on ait trouvé un corps pour qu'un jury décide qu'il y a eu meurtre. Si vous êtes convaincus que les preuves présentées par l'accusation sont suffisantes et qu'elles conduisent inexorablement à une seule conclusion, vous êtes dans votre droit de revenir avec un verdict de culpabilité. De même, si la défense est parvenue à ébranler vos certitudes, vous devez décider que l'accusé n'est pas coupable.

Maintenant venons-en aux preuves présentées...

# LE VERDICT

George faisait semblant de lire un rapport sur un vol avec effraction dans une épicerie quand le téléphone sonna :

— Le jury s'est retiré, annonça sobrement la voix de Clough.

— J'arrive, dit George en raccrochant brutalement le combiné.

Il bondit sur ses pieds, empoigna manteau et chapeau et sortit en courant de son bureau. Il courut jusqu'à sa voiture, se jeta derrière le volant. Au moment où il faisait crisser les pneus au passage de l'entrée du parking, il aperçut le superintendant Martin à la fenêtre de son bureau. Il se demanda s'il avait reçu le même message que lui.

Faisant rugir le moteur, il traversa la ville, s'engagea sur l'ancienne voie romaine, toute droite au milieu des champs verdoyants bordés de murets de pierre sèche et blanche et, telle une lame tranchant un couvre-pied en patchwork, il fila. Pied au plancher, l'aiguille du compteur grimpa, franchit la barre des 110 km/heure, dépassa la ligne fatidique des 150. Chaque fois qu'un obstacle apparaissait devant lui, d'un long coup de Klaxon il le forçait à se ranger sur le bas-côté.

Il n'eut pas un regard pour la beauté paisible de cet après-midi d'été. Ses yeux fixaient la route. Il dépassa le carrefour de Newhaven et fut contraint de ralentir lorsque la vieille chaussée romaine fit place à la route départementale plus accidentée, aux virages serrés et aux chicanes destinées à réduire la vitesse. Il n'avait qu'une seule image en tête : celle de ces dix hommes et deux femmes enfermés dans la salle des délibérations. Enfin, il parvint à franchir la petite ville de marché d'Ashbourne et de nouveau la route s'ouvrit devant lui.

Seraient-ils parvenus à une décision à son arrivée ? Il n'arrivait pas à y croire. Il avait beau se dire qu'il avait fourni suffisamment de munitions à Stanley pour abattre Hawkin en flammes, il savait que le tir de barrage d'Highsmith avait causé des dégâts.

Comme il tournait dans la rue latérale près des bâtiments du palais de justice, une voiture libéra une place non loin de la porte d'entrée. « Un bon présage », marmonna George tout en se garant. Se précipitant à l'intérieur, il fut tout surpris de trouver les lieux presque déserts. Les portes de la salle d'audience étaient ouvertes et elle était vide à l'exception d'un huissier assis sur une chaise, lisant le *Mirror*.

George s'avança jusqu'à lui :

— Le jury est toujours en train de délibérer ?

L'homme leva la tête :

— Oui.

George se passa la main dans les cheveux :

— Savez-vous où je pourrais trouver le procureur et ses adjoints ?

L'huissier fronça les sourcils :

— Ils doivent être dans la salle du *Lamb and Flag*, de l'autre côté de la place. La cantine est fermée. (Il l'examina, les sourcils toujours froncés :) Vous étiez là la semaine dernière ? dit-il d'un ton accusateur. Vous êtes l'inspecteur Bennett.

— Exact, répondit George la voix lasse.

— Votre copain a suivi les débats aujourd'hui, poursuivit l'huissier. Celui qu'a l'air d'un pilier de rugby.

— Vous savez où il est allé ?

— Il m'a dit de vous dire, si je vous voyais, qu'il était avec tout le monde au *Lamb and Flag*. C'est le seul endroit d'où vous pouvez être sûr d'entendre l'annonce du retour du jury.

— Merci, dit George par-dessus son épaule comme il se précipitait hors de la salle.

Il traversa la place pour gagner l'auberge, un ancien relais de poste. En entrant, il trébucha presque sur les jambes de Clough. Le sergent inspecteur était à demi allongé dans un fauteuil recouvert de chintz dans le hall de la réception, un grand verre de scotch à la main et une cigarette à moitié consumée sur un cendrier à pied placé près de lui.

— J'espère que les motards t'ont pas attrapé, dit Clough, se redressant, allez, prends-toi un siège.

Il montra d'un geste la demi-douzaine de fauteuils qui faisaient le gros dos au-dessus de petites tables rondes, encombrant l'espace devant le comptoir de la réception. Les housses décorées de motifs de roses chou vertes et rosées contrastaient violemment avec les rouge vif et les bleus de la traditionnelle moquette Wilton, mais aucun des deux hommes n'y prêta attention.

George s'assit.

— Comment t'es-tu débrouillé ? demanda-t-il, montrant le verre du doigt. Le bar n'est pas ouvert avant au moins une heure.

Clough lui adressa un clin d'œil :

— J'ai fait la connaissance de la réceptionniste quand j'ai amené Wells de St Albans. Tu en veux un ?

— Je ne dirais pas non.

Clough alla s'accouder au comptoir en bois verni,

se pencha. George perçut un murmure de voix puis le sergent fut de retour.

— Elle va en apporter un.

— Merci, comment c'était le résumé des débats ?

— Très impartial. Pas de quoi exciter la cour d'appel. Le juge a exposé les preuves, un point c'est tout. Quand il parlait de toi, on aurait cru à un moment que tu étais une pucelle à qui on a fait du tort. Puis il a déclaré qu'il fallait qu'il y ait un menteur et que c'était à eux de décider. Il a beaucoup parlé de la différence entre un doute fantaisiste et un doute raisonnable. Je dois dire que les jurés avaient un air sinistre quand ils sont sortis.

— Merci d'être venu, dit George.

— Ce fut intéressant.

— Je sais, mais c'est ton jour de repos.

Clough haussa les épaules :

— Ouais, mais Pète-sec m'avait pas banni, moi.

George sourit :

— Parce qu'il n'y a pas pensé. Dis voir, où sont tous les journalistes ?

— En haut, dans la chambre de Don Smart autour d'une bouteille de Bell's. C'est un des gars de la presse locale qui a tiré la paille la plus courte. Il est là-bas devant le prétoire, prêt à téléphoner dès que les jurés se manifestent. Les juristes sont tous dans le salon de réception. Jonathan Pritchard fait les cent pas comme un futur père dans le couloir de la clinique.

George soupira :

— Je sais ce qu'il ressent.

— Puisqu'on en parle, comment va Anne ?

Tout en allumant une cigarette, George haussa les sourcils :

— Contrariée par ce qu'elle lit dans les journaux, puis il y a aussi cette chaleur. Elle dit qu'elle a l'impression de traîner un sac de patates dans son ventre.

(Il mordilla son pouce.) Entre l'accouchement qui ne saurait tarder et ce procès, je ne sais plus trop où j'en suis.

Il se leva d'un bond et s'approcha d'une fenêtre. Le regard fixé de l'autre côté de la place, il dit :

— Qu'est-ce que je vais faire s'ils annoncent « non coupable » ?

— Même s'il s'en tire pour le meurtre, ils le rateront pas pour le viol, dit Clough calmement. Ils ne vont pas croire que tu as truqué ces photos. Highsmith se sera fatigué pour rien. Je pense que le pire qui puisse arriver, c'est qu'ils décident que tu as perdu la tête quand tu as vu ces photos. Et alors, tu aurais décidé de l'accuser de meurtre.

— Mais Ruth avait découvert le revolver avant que je trouve ces photos, protesta George, regardant Clough d'un air de reproche.

— « C'est toi qui le dis », voilà ce que peut penser le jury, fit observer Clough. Écoute, ils vont pas lui donner le bénéfice du doute. Crois-moi, ils vont se décarcasser pour le déclarer coupable dans les deux cas. Allez, tu l'as ton whisky ! Assieds-toi et arrête de te battre les flancs ! Tu me rends nerveux, ajouta-t-il, essayant de dissiper les idées noires de George par ses plaisanteries.

George vint prendre son verre, puis retourna à la fenêtre. Il marqua une pause devant une estampe victorienne aux couleurs criardes représentant une chasse. Il la fixait sans la voir.

— Depuis combien de temps ça dure ? demanda-t-il.

— Une heure et trente-sept minutes, répondit Clough jetant un coup d'œil à sa montre.

Soudain le téléphone de la réception sonna. George se retourna d'un coup. Son regard se posa sur la jeune femme derrière le comptoir.

418

— Oui, oui. Vous pouvez me répéter votre nom ? (Elle consulta le registre de l'hôtel.) Mr et Mrs Duncan. À quelle heure arrivez-vous ?

Avec un soupir de frustration, George reprit son examen des bâtiments de l'hôtel de ville.

— Je n'ai jamais compris pourquoi les jurés traînent autant, gémit-il. Ils devraient voter et se rallier à la majorité. Pourquoi faut-il un vote unanime ? Combien de criminels sortent libres parce qu'un juré têtu ne s'est pas laissé persuader ? Ce ne sont pas tous des cerveaux, là-dedans, hein ?

— George, ils peuvent délibérer pendant des heures. Toute la nuit et demain si ça se trouve. Alors pourquoi tu t'assieds pas ? Tu bois ton whisky, tu fumes tes clopes, sinon on va se retrouver tous deux à l'hôpital de Derby pour hypertension.

George soupira encore, profondément, et se traîna jusqu'à son fauteuil.

— Tu as raison. Je sais que tu as raison. Mais j'ai les nerfs à vif.

Clough sortit un paquet de cartes de sa poche de veste :

— Tu joues au cribbage ?

— On n'a pas le tapis, objecta George.

— Doreen, appela Clough. C'est possible d'avoir le tapis de cribbage qui est dans le bar ?

Doreen leva les yeux au ciel et, exaspérée, proféra l'exclamation universelle : « Ah, les hommes ! », l'accompagna d'un geste, puis disparut par une porte au fond.

— Tu l'as bien dressée, commenta George.

— Faut toujours qu'elles s'attendent à plus, voilà ma devise.

Clough battit les cartes puis distribua. Doreen revint et glissa le tapis de cribbage entre eux.

— Merci, tu es un amour.

Elle fit :

— Tut ! tut ! prends garde à qui tu appelles mon amour.

Elle rejeta la tête en arrière et, vacillante sur ses hauts talons, elle retourna derrière son comptoir.

— Je me méfie, dit Clough, juste assez fort pour qu'elle l'entende.

En temps normal, le badinage aurait amusé George, mais aujourd'hui il l'agaçait. Il se força à se concentrer sur les cartes dans sa main, mais chaque fois que le téléphone sonnait, il sursautait comme un homme piqué par une guêpe.

Ils jouèrent dans un silence tendu, interrompu seulement par le décompte des points et le claquement d'un briquet comme l'un ou l'autre allumait une cigarette. Vers 18 h 30, ils avaient fumé près de vingt cigarettes et avalé chacun quatre double scotches. Comme ils parvenaient au terme d'une partie, George se leva :

— J'ai besoin de prendre l'air, dit-il. Je vais faire le tour de la place.

— Je te tiens compagnie, dit Clough.

Ils laissèrent leurs verres et leurs cartes sur la table. Clough dit à Doreen qu'ils allaient revenir.

C'était une chaude soirée d'été, le centre de la ville maintenant déserté à l'exception de quelques passants sortis tardivement de leur bureau. Il était encore trop tôt pour les spectateurs de cinéma et les deux hommes avaient presque la place pour eux seuls. Ils s'arrêtèrent sous une statue de George II et, appuyés contre le socle, ils fumèrent encore une cigarette.

— Je ne me suis jamais senti aussi tendu de toute mon existence, constata George.

— Je comprends ce que tu veux dire.

— Toi ? Tu as l'air aussi détendu que l'animal

appelé paresseux, celui qui n'a que trois doigts, le railla George.

— En apparence, George. Là-dedans, mon estomac fait des nœuds. (Il haussa les épaules.) J'arrive mieux à le cacher que toi. Tu disais que tu savais pas ce que tu ferais si Hawkin s'en tirait. Moi, je sais ce que je ferai. Je rendrais ma carte et je chercherais un boulot où j'attrape pas d'ulcères.

Il jeta son mégot d'un geste rageur, croisa les bras sur sa poitrine. Sa bouche n'était plus qu'un trait.

— Je… je m'en serais pas douté, bafouilla George.

— De quoi ? Que ça me travaillait autant ? Tu crois que tu es le seul à pas dormir à cause d'Alison Carter ? demanda Clough, agressif.

George se frotta le visage de ses deux mains, repoussa ses cheveux en désordre.

— Non. Je ne crois pas.

— Personne d'autre se bat pour elle, dit Clough en colère. Et, s'il sort libre de cette cour ce soir, nous l'aurons laissé tomber.

— Ça, je le sais, murmura George. Et il y a autre chose, Tommy.

— Quoi donc ?

George, secouant la tête, se détourna :

— Je ne peux pas croire à de pareilles pensées, quant à les dire à haute voix. Mais…

Clough attendit, puis il dit :

— Quelle pensée ?

— Plus je lis dans les journaux que je suis censé être un tordu de flic qui a fait porter le chapeau à Hawkin, plus je m'interroge : qu'est-ce que j'aurais pu imaginer pour mieux ficeler l'affaire ? dit-il amèrement. Tu vois à quel point cette saloperie me travaille.

Avant que Clough ait pu répondre, toute une troupe s'échappa du *Lamb and Flag*, menée par les juristes, leurs robes battant autour d'eux comme des ailes noires. Derrière se précipitaient les journalistes, certains enfilant encore leur veste ou enfonçant leur chapeau sur leur tête. Clough et George se regardèrent, en avalant une profonde goulée d'air.

— Le moment est venu, dit George doucement.

— Ouais. Après toi, patron.

La place s'anima d'un coup. Les Carter, les Crowther et les Lomas arrivèrent de l'ouest où un patron de bar avait compris qu'il y avait de l'argent à gagner en restant ouvert tant que Scardale se jetterait sur le thé et les chips. La mère d'Hawkin venait du sud en compagnie de Mr et Mrs Wells de St. Albans. Tous convergèrent vers l'entrée latérale où le goulet d'étranglement les contraignit à se serrer les uns contre les autres. George aurait pu jurer que Mrs Hawkin profita de l'occasion pour lui donner un coup de coude dans les côtes mais il n'en était plus là.

Enfin, ils parvinrent à gagner leur place. Comme ils s'installaient, tel un vol d'oiseaux se posant sur les arbres au coucher du soleil, Hawkin fut amené par les deux policiers qui s'étaient tenus à ses côtés depuis le début du procès. Il paraissait morose et plus fatigué que la semaine précédente, remarqua George. Hawkin regarda autour de lui, parvint à adresser un petit signe de la main à sa mère dans la tribune du public. Il vit George, ne lui sourit pas cette fois-ci, se contentant d'un regard froid, indéchiffrable.

Dans un raclement de pieds, l'assistance se remit debout quand le juge entra, resplendissant dans sa robe écarlate parée d'hermine, accompagné du chef de la police. Vint enfin le moment que tous redoutaient pour des raisons différentes. Les jurés entrèrent, les uns après les autres, s'efforçant de ne regarder personne. George, la bouche sèche, essaya en vain d'avaler sa salive. L'axiome voulait qu'un jury qui refuse de regarder l'accusé revient avec un verdict de culpabilité. Par expérience, George pensait qu'aucun jury ne regarde l'accusé quand il revient dans le prétoire. Quel que soit le verdict, il semblait qu'il y avait quelque chose de honteux dans le fait d'avoir décidé du sort d'un concitoyen. Le porte-parole élu du jury, un homme dans la quarantaine, visage mince, joues roses, lunettes à monture d'écaille, demeura debout tandis que les autres membres s'asseyaient. Son regard resta fixé sur le juge.

— Membres du jury, vous êtes-vous mis d'accord sur le verdict ?

Le porte-parole hocha la tête :

— Nous sommes d'accord.

— Que répondez-vous à la première question ?

— Coupable.

Un soupir collectif s'éleva, un murmure. George sentit le nœud se défaire au fond de son estomac.

— À la deuxième question ?

Le porte-parole s'éclaircit la voix :

— Coupable.

Le murmure se fit plus fort, remplit l'air comme un bourdonnement d'abeilles, le soir, autour d'une ruche. George ne ressentait aucune honte du plaisir que lui donnait le spectacle du visage décomposé d'Hawkin. Toute couleur effacée de ses traits élégants, il ne restait qu'une esquisse tracée à l'encre. Sa bouche s'ouvrait, se fermait comme s'il ne parvenait plus à respirer.

George chercha des yeux Ruth Carter dans le groupe exultant de Scardale. À cet instant, elle se tourna vers lui, les yeux remplis de larmes, mais la bouche ouverte exprimait le soulagement. Il vit ses lèvres former le mot : « merci », puis elle se détourna et se laissa aller dans les bras compatissants des femmes de sa famille.

— Silence ! tonna le greffier.

Les murmures se turent peu à peu et tout le monde se tourna vers la tribune du juge. M. le président Fletcher Sampson arborait une mine sinistre.

— Philip Hawkin, avez-vous quelque chose à dire avant que la sentence soit rendue conformément à la loi ?

Hawkin se leva. Il empoigna la rambarde du box. Il s'humecta les lèvres puis, avec une intensité désespérée, il dit :

— Je ne l'ai pas tuée, au grand jamais. Votre Honneur, je suis un homme… innocent.

Il aurait aussi bien fait de se taire tant ses mots parurent n'avoir aucun effet sur Sampson.

— Philip Hawkin, le jury par son verdict considère que vous avez violé votre belle-fille Alison Carter, une jeune fille qui n'avait que 13 ans, et que vous l'avez ensuite assassinée. Que vous ayez utilisé une arme à feu pour ce faire me permet de prononcer la sentence que la loi prescrit et que la justice requiert.

Dans un silence devenu absolu, il s'empara du carré de tissu noir, le disposa avec soin sur sa perruque. Hawkin vacilla légèrement mais le policier à sa droite l'empoigna par le coude et le contraignit à rester debout.

Le président Sampson consulta une fiche posée devant lui où était inscrite la formule rituelle et fatale, puis relevant la tête il planta son regard droit dans les yeux affolés du tueur d'Alison Carter.

— Philip Hawkin, *Vous serez reconduit à l'endroit d'où vous venez, puis mené au lieu d'exécution prévu*

*par la loi, là, vous serez pendu par le cou jusqu'à ce
que mort s'ensuive et votre corps sera inhumé dans la
fosse commune de la prison où vous étiez précédemment incarcéré. Puisse le Seigneur avoir pitié de votre
âme.*

Le silence s'appesantit dans le prétoire. Puis une
voix de femme cria :

— Non !

— Gardes, emmenez le prisonnier, ordonna
Sampson.

Ils durent presque le porter. Il ne semblait plus
capable de marcher. George pouvait comprendre
cette réaction : lui-même se demandait si ses jambes
pourraient le porter. Soudain il se retrouva au
milieu d'un groupe de gens qui voulaient tous lui
serrer la main. Charlie Lomas, Brian Carter, même
Ma' Lomas le congratulaient. La réserve, la distance
un peu méprisante qu'il en était venu à associer aux
villageois de Scardale avaient disparu avec le jugement et la sentence. Le visage de Pritchard se précisa devant ses yeux :

— Téléphonez à votre femme et dites-lui que
vous restez ce soir à Derby ! cria-t-il. Nous offrons
le champagne.

— Chaque chose en son temps, intervint Ma'
Lomas. Il boit d'abord un coup avec Scardale.
Venez, George, on vous quitte pas tant que vous avez
pas trinqué avec chacun d'entre nous. Et amenez
avec vous votre grand bœuf de sergent.

La tête lui tourne, son estomac se contracte,
George se laisse emporter dans la nuit. Il triomphe
alors que tout était contre lui. Il rend à Alison justice comme elle le lui demandait. Il a défié ses supérieurs, défié les principes du droit anglais et les viles
calomnies de la presse. Il a gagné.

# AU LIEU D'EXÉCUTION

Dans la soirée du jeudi 27 août 1964, deux hommes anonymes, une petite valise à la main, descendirent à la gare de Derby. Une voiture de police les attendait pour les conduire jusqu'à la cellule où Philip Hawkin était assis, sous la surveillance constante de deux gardiens.

Ce soir-là, le plus âgé des deux visiteurs fit glisser le guichet bien huilé qui lui permettait de voir dans la cellule du condamné. Il découvrit un homme de taille un peu au-dessus de la moyenne, apparemment dépouvu de toute once de chair superflue, qui marchait d'un mur à l'autre nerveusement, une cigarette allumée entre les doigts. Rien n'infirma les calculs qu'il avait déjà faits d'après les mesures qu'on lui avait transmises : « Cinq pieds, dix pouces ; neuf stones dix. »

Une chute de sept pieds conviendrait parfaitement.

Hawkin ne dormit pas de la nuit, et en consacra une partie à écrire à sa femme. Selon Clough, à qui Ruth Carter montra la lettre, il continuait de clamer son innocence.

*Quels que soient les torts que je t'ai causés, je ne suis pour rien dans la mort de ta fille bien-aimée. J'ai commis bien des péchés et des fautes dans ma vie, mais pas le meurtre. Je ne devrais pas être pendu pour quelque chose que je n'ai pas commis, mais mon sort est scellé maintenant parce que d'autres personnes ont menti.*

*Qu'elles portent la responsabilité de ma mort.*

*Je ne te fais pas grief de t'être laissé prendre à leurs mensonges. Quand je te dis que je n'ai pas la moindre idée de ce qui est arrivé à Alison, crois-moi. Je n'ai rien à perdre maintenant, excepté ma vie qui me sera enlevée demain matin, je n'ai donc plus aucune raison de mentir.*

*Je suis désolé de n'avoir pas été un meilleur mari.*

De l'autre côté de la ville, à moins de cinq miles de distance, George Bennett ne dormait pas non plus. Il fumait devant la fenêtre ouverte de sa chambre, dans la maison devenue leur foyer depuis sa mutation, un mois plus tôt. Mais ce n'était pas le sort de Philip Hawkin qui l'empêchait de dormir.

La veille, à 19 h 53, Anne s'était raidie sur sa chaise en poussant un cri de douleur. Elle s'était levée, chancelante, soutenue aussitôt par George. Il n'arrêtait pas de penser que la date présumée était dépassée de deux semaines. Tout le monde lui avait répété, sans le rassurer, que le premier enfant arrivait souvent en retard. À sa grande surprise, un liquide clair avait coulé le long des jambes de sa femme. Trébuchante, elle était parvenue à descendre les escaliers et s'était assise au bas de l'escalier, l'assurant que c'était parfaitement normal, mais qu'il fallait la conduire sur-le-champ à l'hôpital. La petite valise était prête dans l'entrée.

Fou d'inquiétude, George aida Anne à se hisser dans la voiture, repartant en courant chercher la valise. Puis il conduisit à tombeau ouvert dans les rues tranquilles, sous les regards réprobateurs de respectables jardiniers et admiratifs de jeunes qui traînaient sur les trottoirs. Quand ils atteignirent l'hôpital, Anne criait de douleur toutes les deux minutes.

Avant même de comprendre ce qui se passait, Anne disparaissait dans le monde étranger du service de la maternité, endroit où un homme sans stéthoscope ne saurait être admis. Malgré ses protestations, George fut conduit fermement vers une salle d'attente. Une infirmière-major – digne de l'ex-régiment du superintendant Martin – lui déclara que, n'étant d'aucune utilité à sa femme, il serait aussi bien chez lui, plutôt que dans les jambes du personnel médical.

Étourdi, éberlué, George se retrouva sur le parking sans trop savoir comment il y était arrivé. Qu'était-il censé faire ? Anne avait lu assidûment quantité d'ouvrages sur les compétences d'une future mère, mais personne n'avait expliqué son rôle à George. Une fois le bébé né, il y verrait plus clair. Distribution de cigares à tous les collègues du bureau, visite au pub en l'honneur de l'enfant. Mais comment occuper l'attente ? Et combien de temps allait-il attendre ?

Avec un soupir, il s'installa dans sa voiture. Quand il parvint à son élégante maison mitoyenne, identique à celle de Buxton, mais sans l'avantage d'un jardin allant jusqu'au coin de la rue, il empoigna le téléphone.

— Ça va prendre encore quelques heures, lui dit sèchement une infirmière. Vous feriez mieux de dormir et de nous appeler demain matin.

George raccrocha. Il ne connaissait pas encore suffisamment ses collègues pour se permettre d'en appeler un et lui suggérer d'aller boire une bière. Il allait se décider pour la bouteille de whisky dans le buffet quand le téléphone sonna. En sursautant, il faillit laisser échapper un des verres en cristal qu'ils avaient reçus en cadeau de mariage. «Nom de Dieu!» s'exclama-t-il comme il décrochait.

— Sale temps, George?

Les inflexions ironiques de Clough lui firent l'effet d'un baume.

— Je viens d'emmener Anne à la maternité, mais à part ça je vais bien. Qu'est-ce que je peux faire pour toi?

— Je suis libre demain et j'ai pensé venir dans le coin, m'assurer que le salopard monte bien à la potence. On pourrait sortir après et se payer une bonne cuite. Mais j'ai l'impression que tu es pris.

George s'accrocha au téléphone comme un homme qui se noie à une bouée:

— Viens donc. J'ai besoin de compagnie. Ces infirmières vous traitent comme si les hommes ne devaient surtout pas s'occuper des bébés.

Tommy eut un léger rire:

— Il y a une solution, mais tu es un homme marié et je ne voudrais pas polluer tes chastes oreilles. Je serai là dans une heure environ.

George occupa son temps en allant au pub acheter quelques bouteilles de bière pour compléter le whisky. À la fin du procès, impressionnés par l'importance de l'événement, ils n'avaient pas beaucoup bu.

Un peu après minuit – et après le quatrième appel de George à la maternité –, Clough alla s'allonger dans la chambre d'amis. Mais ce ne furent pas ses légers ronflements qui tinrent George éveillé. Lorsque la nuit interminable laissa enfin l'aube se lever, il en était arrivé à confondre dans son esprit les épreuves subies par Alison Carter et celles que son imagination lui peignait des douleurs de l'enfantement.

Lorsque le ciel blanchit à l'est, il somnola, recroquevillé comme un fœtus dans un coin du lit.

Le réveil sonna à 7 heures, le réveillant en sursaut. Était-il père ? Il courut presque, manqua tomber dans l'escalier, se rua sur le téléphone. Le ton était le même, bien que l'accent fût différent. Pas de nouvelles. Et le message sous-jacent : arrêtez de nous déranger.

Les mèches en désordre, les yeux larmoyants, Clough apparut en haut de la rampe :

— Des nouvelles ?

George secoua la tête :

— Aucune.

— C'est bizarre, remarqua Clough en bâillant. Des contractions maintenant...

— Pas vraiment. Elle avait déjà deux semaines de retard. À en croire un de ses livres, l'anxiété peut provoquer des contractions. Et des raisons d'être anxieuse elle n'en a pas manqué. Je rentrais à n'importe quelle heure, dernièrement elle a dû lire tous les articles sur l'homme assez corrompu pour envoyer un innocent à la potence, ça a recommencé lors de l'appel et, maintenant, elle pense à celui que l'on pend parce que j'ai fait mon devoir. (Il remonta l'escalier. Ses cheveux ébouriffés suivaient à chaque mouvement de tête.) C'est un miracle qu'elle ne l'ait pas perdu.

Clough lui mit la main sur l'épaule :

— Allez, viens. On s'habille. Je te paie le petit déjeuner. Il y a un café pas très loin de la prison.

George se raidit :

— Tu vas à la prison ?

— Pas toi ?

George parut surpris :

— Non, à mon bureau. On doit m'appeler quand tout sera fini.

— Tu ne viens pas ? Ils seront tous là, les Lomas, les Carter, les Crowther. Ils veulent te voir.

— Tu crois ? dit George avec une trace d'amertume dans la voix. Eh bien ! ils devront se contenter de toi, Tommy.

Clough haussa les épaules :

— Si j'avais contribué à envoyer un homme à la potence, j'en assumerais les conséquences.

— Je suis désolé. Je ne me sens pas d'attaque. Je te paie le petit déjeuner à la cantine, après tu pourras y aller si ça te chante.

— Ouais, parfait.

George se détourna et se dirigea vers la salle de bains.

— N'aie pas honte, George, dit doucement Clough. Rien n'est pire qu'une exécution, pas même d'annoncer à une mère que son enfant est mort. On doit continuer, c'est tout. Bon, j'y vais, tant pis pour le petit déjeuner. Je te retrouverai plus tard. On sort ce soir et on en prend une sérieuse.

8 h 59 : George regardait la grande aiguille de sa montre tressauter sur le cadran. Le prêtre devait avoir achevé son intervention. Dans quel état était Hawkin ? Terrifié, certainement. Peut-être essayait-il de se montrer digne ?

L'aiguille s'immobilisa sur le douze et l'église proche fit résonner le premier coup de 9 heures. Les doubles portes de la cellule s'ouvraient tout grand. Hawkin franchissait les derniers mètres de son existence. Le bourreau liait l'entrave de cuir autour de ses poignets.

Deuxième coup. Le bourreau précède Hawkin, son assistant le suit ; ils marchent d'un pas aussi régulier que possible ; ces tueurs officiels font comme s'il s'agissait d'une promenade dans un parc.

Troisième coup. Hawkin est sur la trappe maintenant, les pieds sur un battant qui va se dérober et emporter sa vie.

Quatrième coup. Le bourreau fait face au condamné, tend les bras pour le maintenir tandis que son assistant s'accroupit et entrave les jambes d'Hawkin.

Cinquième coup. Le sac en toile de lin apparaît comme par magie. Le bourreau l'enfile sur la tête d'Hawkin avec l'aisance que donne la pratique. Maintenant tout s'accélère parce que l'on n'a plus à regarder l'homme : dans une minute il sera mort. Ses yeux ont cessé d'implorer avec ce regard fixe, muré par la panique de l'animal condamné. Le bourreau enfonce un peu plus le sac, lisse le tissu autour du cou pour qu'il ne se prenne pas dans la boucle de la corde.

Sixième coup. Le bourreau place la corde, vérifiant que l'œilleton en cuivre – qui a remplacé le nœud coulant traditionnel – est placé derrière l'oreille d'Hawkin. Ainsi la fracture et la dislocation interviendront presque immédiatement, ce qui fait théoriquement de la pendaison un processus rapide et relativement indolore.

Septième coup. Le bourreau se recule, fait signe à son assistant, qui retire la cheville de sécurité. Puis, sans attendre, le bourreau tire sur le levier.

Huitième coup. Le plancher de la trappe se dérobe. Hawkin plonge vers sa mort.

Neuvième coup. C'est fini.

George sent la sueur sur ses lèvres. Il voit sa main trembler en cherchant à s'emparer d'une cigarette. Des gestes humains sans importance qu'Hawkin ne peut plus faire, ni Alison Carter.

Il respire : il s'aperçoit qu'il retenait son souffle. Il se frotte la figure, sa main sur la peau rêche ; il éprouve comme un sentiment de gratitude.

Quand le téléphone sonne, il bondit.

En quelques minutes, Philip Hawkin a quitté le monde des vivants et Paul George Bennett y est entré.

Tommy Clough et George ne burent pas ensemble ce soir-là.

# LIVRE DEUX

# Deuxième Partie[1]

*Brookdene, 14 Green Close, Cromford, Derbyshire*

*10 août 1998*

*Chère Catherine,*

*Le propos de cette lettre est pour nous deux d'une très grande importance. Ce n'est pas facile à écrire, d'autant plus que je ne puis fournir aucune explication. Je ne peux que m'excuser et espérer que vous me garderez la confiance manifestée au cours des six derniers mois alors que nous travaillions ensemble à votre livre,* Au lieu d'exécution.

*Catherine, il faut renoncer à sa publication. Je vous supplie de tout faire pour que ce livre ne paraisse jamais. Je sais que vous n'avez remis que très récemment le manuscrit à la maison d'édition : le travail ne doit donc pas être trop avancé. Mais peu importe : vous devez absolument leur faire comprendre qu'il faut tout arrêter.*

*Cette demande doit vous sembler pure folie, particulièrement parce qu'elle n'est pas motivée. Tout ce que je puis dire, c'est que je viens de recevoir des informations qui font que ce livre ne peut plus se prétendre le récit fidèle de l'affaire Alison Carter. Il m'est impossible de vous dévoiler ces informations, car elles impliquent d'autres personnes que moi. Je crains qu'en cas*

---

1. La deuxième partie du livre deux apparaît avant la première partie, selon une structure romanesque voulue par l'auteur (*Note de l'éditeur*).

de publication l'affaire ne connaisse une grande médiatisation qui pourrait, en retour, avoir de terribles – terribles – conséquences sur des innocents. Je vous supplie de ne pas les accabler ainsi, car ils n'ont rien fait qui le mérite.

Je dois rester la seule personne à subir les conséquences de mes erreurs. Je sais que nous devrons rembourser l'avance consentie par l'éditeur et j'ai l'intention de le faire, votre part comprise. Vous méritez d'être dédommagée pour le travail que vous avez accompli et je ne voudrais pas ajouter l'insulte à la blessure en vous contraignant à rendre l'argent déjà perçu.

Je sais qu'il est terrible de demander une pareille chose à un écrivain professionnel, mais je vous supplie d'oublier ce livre, d'oublier cette affaire, de laisser derrière vous l'histoire d'Alison Carter et de Philip Hawkin. Vous avez les qualités nécessaires à la découverte de la vérité mais, au nom de votre tranquillité d'esprit, je vous prie instamment d'abandonner ce projet, même si cet abandon doit être douloureux.

Catherine, je sais que vous allez essayer de me convaincre de renoncer à cette décision, mais elle est définitive. Si, vous-même, vous n'abandonnez pas ce livre, je me verrais contraint d'avoir recours aux moyens légaux en vigueur pour vous l'interdire. Je serais navré d'en arriver là car, conscient de l'amitié qui s'est développée entre nous au cours de ce travail, il me serait difficile de la briser. Mais c'est la mesure de ma résolution que d'être disposé à sacrifier notre amitié pour empêcher que ce livre voie le jour.

Je suis bien plus désolé que je ne puis l'exprimer. Des événements récents ont bouleversé ma vie et je ne parviens plus à remettre de l'ordre dans mes pensées. Je ne suis certain que d'une chose : ce livre ne doit pas paraître.

Cordialement,
George BENNETT

## Première Partie

## 1

*Février 1998*

Même sous un pâle soleil hivernal, la contrée de White Peak prenait un relief saisissant. Le bleu glacial du ciel contrastait avec le vert terne des champs, sur lesquels le muret de pierres grises paraissait avoir déteint. Et le gris se retrouvait en d'innombrables variations ; le blanc cassé des falaises de calcaire, avec leurs stries gris tourterelle, gris navire-de-guerre, gris anthracite ; les tonalités plus sombres des granges et des bâtiments de ferme dispersés dans le paysage ; la couleur mate des toits d'ardoise éclaboussés du blanc de la gelée aux endroits privés de soleil ; le gris sale des moutons sur la lande. Et, cependant, le vert de l'herbe et le bleu du ciel demeuraient les couleurs dominantes.

Le coupé rouge vif glissant sans à-coup sur l'étroite route de campagne était aussi voyant qu'un perroquet dans une forêt anglaise. Comme la chapelle méthodiste apparaissait sur la droite, la femme blonde au volant freina doucement. La voiture ralentit tandis qu'elle rétrogradait en apercevant un panneau de signalisation dont elle ne se souvenait pas. Une flèche indiquait la courbe serrée d'un chemin sur la gauche et portait la mention : « Scardale 1 mile ».

Enfin, pensa-t-elle. Cette signalisation imprévue était un rappel opportun que le monde avait changé. Aujourd'hui, même le voyageur le moins bien renseigné pouvait trouver Scardale. Et, si elle rencontrait le succès, beaucoup rechercheraient cette indication. Avec un frisson d'excitation, elle s'engagea dans le virage. Elle se souvenait vaguement des côtes et des creux soudains de cette route en zigzag, de sorte qu'elle continua au ralenti. Abritée du soleil par les hauts murs de pierre calcaire, la route était encore recouverte d'une couche de givre, à l'exception de quelques traces de circulation révélant le noir du bitume. Ce ne serait pas de bon augure, se dit-elle, si son projet commençait par un dérapage et des tôles froissées.

Lorsque les murs de pierre laissèrent la place à des parois surplombantes de craie grisâtre, Catherine Heathcote n'éprouva aucune émotion particulière, mais elle fut surprise de ne pas découvrir de barrière en travers de la route, marquant la séparation entre le domaine public et l'enclave privée. Les seuls signes de l'ancienne frontière étaient les deux montants de pierre et la claie métallique sur laquelle les larges pneus de sa voiture tressautèrent.

Rien dans le paysage n'avait changé de façon significative. Tor et Scardale Crag dominaient encore la vallée. Les moutons paissaient tranquilles ; seules les exigences de la mode avaient imposé un troupeau de la race dite de Jacob parmi les habituelles brebis des landes. Certes, les arbres des boqueteaux paraissaient dans l'ensemble plus vénérables, mais ils n'étaient pas laissés à l'abandon : aux endroits où des troncs avaient été abattus par la main de l'homme ou le mauvais temps, des plantations nouvelles s'élevaient. Cependant l'impression de quitter le monde ordinaire persistait. On entrait dans un univers parallèle, pensa Catherine. Et, en dépit des changements, elle se revoyait enfant, les yeux écarquillés sur la banquette arrière quand la voiture s'enfonçait dans ce territoire à l'écart. Ils étaient allés à la découverte des mystérieuses sources du Scarlaston par un bel après-midi d'été.

Les vrais changements se manifestèrent quand elle se gara sur le pré communal. Dans les années suivant l'exécution d'Hawkin, Scardale avait connu une prospérité nouvelle. Elle se remémora ce qu'elle avait appris lors de son premier article sur le meurtre d'Alison Carter. C'était un dossier commandé à la suite d'une autre affaire où l'on n'avait pas retrouvé le corps et qui avait, elle aussi, défrayé la chronique. Les recherches de Catherine dans les archives de la presse régionale et les questions posées à des amies de sa mère, lors de parties de bridge, lui avaient révélé qu'au moment où Ruth Hawkin avait hérité de la vallée et du village, elle avait décidé de prendre de la distance. Elle avait vendu le manoir et engagé un fidéicommis pour gérer la terre et les fermes. Les fermiers avaient eu la possibilité de racheter leur maison et certaines, au cours des années, avaient été vendues à des gens venus de l'extérieur. Mais il avait été impossible de retrouver la trace de Ruth Hawkin et elle s'était dérobée à toutes les demandes de rencontre transmises par l'intermédiaire de l'avoué gestionnaire du fidéicommis.

Inévitablement, le processus mis en route par Ruth avait conduit à l'embellissement du site. Fenêtres et portes brillaient de neuf, des jardinets jouxtaient les maisons et, même en hiver, des crocus précoces, des iris nains et des perce-neige ajoutaient des taches de couleur au paysage. Des voitures de tourisme encombraient le pré communal, où précédemment on ne voyait que quelques Land Rover cabossées et l'Austin Cambridge du châtelain. Une cabine en Plexiglas avait remplacé le vieux pilier rouge qui abritait le téléphone public, mais la pierre dressée avait gardé la même inclinaison. En dépit de tous ces changements, par un après-midi aussi froid que celui-là, elle pouvait encore imaginer Scardale tel qu'il était quand elle l'avait découvert enfant puis dans son adolescence.

Elle avait 16 ans. Deux ans et demi s'étaient écoulés depuis le meurtre d'Alison Carter. Le petit ami de Catherine possédait un scooter. Elle l'avait persuadé de l'emmener à Scardale au printemps, pour qu'ils puissent voir de leurs propres yeux l'endroit du crime. Une curiosité malsaine, elle le reconnaissait aujourd'hui avec un peu de honte, mais elle était à cet âge où l'on s'efforce de violer les tabous. Ils n'avaient pas eu le cran de se frayer un chemin dans la broussaille – ni des chaussures à la hauteur – afin de découvrir la vieille mine désaffectée, mais leurs jeux amoureux maladroits dans les bois lui avaient fait ressentir un frisson particulier en pensant à la réputation de l'endroit.

C'était aussi, elle en prenait maintenant conscience, une façon d'exorciser son sentiment d'horreur suite au procès de Philip Hawkin. Sans doute, la plupart des détails avaient été obscurcis par la phraséologie journalistique, mais Catherine et tous ses amis savaient que quelque chose de terrible était arrivé à Alison Carter, ce dont on les menaçait à mots couverts s'ils accompagnaient des inconnus. Mais le destin tragique d'Alison, quel qu'il fût, était plus terrifiant encore parce qu'il était le fait d'une personne connue et à laquelle elle aurait dû pouvoir se fier. Pour Catherine et ses amis, tous issus d'un milieu protégé de classe moyenne, l'idée que la maison familiale ne signifiait pas nécessairement la sécurité les avait profondément bouleversés.

Dans la vie plus quotidienne, l'événement leur avait valu des contraintes accrues, que ce soit par l'entremise de leurs parents ou de leur propre fait. Ils avaient été chaperonnés, escortés à en étouffer, alors que ces années 1960, pour tant d'autres jeunes Britanniques, représentaient une époque de libération. Le destin d'Alison avait recouvert l'adolescence de Catherine d'une obscurité jusqu'alors insoupçonnée et elle n'avait jamais pu oublier ni l'affaire ni la victime. Plus que tout autre facteur, cette impression avait influencé sa décision de fuir Buxton dès qu'elle le pourrait. L'université à Londres, puis la rubrique des chiens écrasés dans une agence de presse, enfin un vrai poste de journaliste lui avaient permis de rompre les liens avec son passé, à mesure que sa vie se peuplait de nouveaux visages, abordait de nouveaux domaines et ne laissait traîner aucun regret derrière elle.

Comme elle s'élevait dans l'échelle sociale, Catherine se demandait souvent quel aurait pu être le futur d'Alison. Non que cela l'obsédât. Un simple contrecoup de cette curiosité naturelle qui affecterait tout journaliste ayant grandi non loin d'une affaire aussi étrange et déconcertante.

Maintenant, miraculeusement, elle serait celle qui retirerait le passé de son linceul, révélant la véritable histoire. Et ce n'était que justice, pensait-elle. Quel journaliste serait plus qualifié ?

Catherine descendit de voiture, ferma sa veste molletonnée, serra son foulard autour de son cou. Elle traversa le pré jusqu'au sentier qui, elle le savait, la conduirait à travers le petit bois où l'on avait retrouvé Shep et, de là, jusqu'à la source du Scarlaston.

Comme l'herbe couverte de givre craquait sous ses pieds, elle ne pouvait s'empêcher de comparer sa promenade à celle qu'elle avait faite, dix ans auparavant. Un brûlant après-midi de juillet, la fournaise du soleil dans un ciel d'un bleu cuivré, les arbres offrant un abri bienvenu. Catherine et un couple d'amis avaient loué une maison à Dovedale pour les vacances, comme base de randonnées dans les Peaks. Ils avaient remonté le Scarlaston de Denderdale à Scardale. En sueur après leur expédition, ils avaient appelé un taxi depuis le téléphone du pré communal et, en l'attendant, ils s'étaient assis sur un mur et avaient échangé les derniers potins sur leurs collègues de Londres. Catherine n'avait pas même mentionné le nom d'Alison. Par superstition, elle ne voulait pas partager cette histoire avec d'autres journalistes.

Mais elle ne croyait pas parvenir à convaincre George Bennett de rompre un silence de trente-cinq ans. Si elle n'avait jamais pu oublier Alison Carter, elle n'avait pas programmé pour autant d'écrire le livre dévoilant les dessous d'une des plus intéressantes affaires criminelles du siècle.

Elle n'y pensait certainement pas quand, à l'automne précédent, elle se trouvait à Bruxelles. Catherine savait, par expérience, que les meilleurs sujets vous viennent quand on ne les attend pas. Et elle n'éprouvait maintenant plus aucun doute : ce serait la meilleure histoire de toute sa carrière.

# 2

*Octobre 1997-février 1998*

Il pleuvait à torrents, sans la moindre interruption, ce qui aurait été supportable si elle s'était trouvée dans un bar, derrière une vitre, un irish-coffee fumant dans les mains, s'amusant des silhouettes bousculées par le vent courant derrière leur parapluie. Mais faire le pied de grue, un mercredi après-midi pluvieux, dans un bureau de la Communauté européenne, avec vue sur d'autres cubes en béton, le tout pour attendre qu'une commissaire suédoise se souvienne de leur rendez-vous, voilà qui n'avait rien de bien excitant. Et ça ne correspondait pas à ce qu'elle avait imaginé en projetant ce petit voyage sur les terres de l'Europe.

Bien que Catherine fût responsable de la rubrique «célébrités» dans un magazine féminin, elle n'avait jamais perdu son goût pour les articles de fond qui avaient assis sa réputation. Elle aimait de temps en temps échapper aux tensions de la vie de bureau et à ses médiocres intrigues. Sous prétexte de ne pas perdre le contact avec l'aspect créatif de son métier, et de se rendre compte des nouvelles difficultés des rédacteurs, elle programmait à intervalles réguliers un «dossier» qui lui permettait de faire des recherches, des interviews et finalement d'écrire l'article.

Elle avait décidé d'une série d'interviews de femmes occupant des postes importants dans l'Union européenne, sans prévoir les aléas de la bureaucratie ni le mauvais temps. Les réunions s'éternisaient et personne n'était jamais à l'heure. En soupirant, Catherine décrocha le téléphone dans la salle de conférence et appela son ange gardien, un attaché de presse britannique du nom de Paul Bennett. Elle s'était attendue à quelqu'un de désinvolte, voire dédaigneux, comme beaucoup d'officiels, mais elle avait été agréablement surprise. Une fois découvert qu'ils avaient tous deux grandi dans le Derbyshire, leurs rapports en furent encore facilités et Paul avait jusqu'alors aplani la plupart des difficultés.

— Paul ? C'est Catherine Heathcote. Sigrid Hammarqvist brille par son absence.

— Quel bordel ! lança-t-il exaspéré. Accordez-moi une minute, s'il vous plaît.

Une musique classique agressa son oreille. Catherine aurait parfois souhaité être capable de reconnaître une œuvre musicale, mais elle n'était pas certaine que cela lui fût de quelque secours dans la situation présente. Elle se contenta de repousser le combiné sur son épaule pour amortir le son et être capable d'entendre Paul quand il reviendrait en ligne. Deux minutes s'écoulèrent.

— Catherine ? Je crains que les nouvelles ne soient mauvaises, ou bonnes, c'est selon. Tout dépend de votre opinion de Mrs Hammarqvist. Elle a dû partir pour Strasbourg, une réunion. Sa secrétaire m'a juré ses grands dieux que vous pourrez la voir demain à 11 heures, si cela vous va ?

— À moi de dire : « Quel bordel ! », dit Catherine avec une ironie désabusée. J'espérais pouvoir reprendre la navette ce soir.

— Désolé, dit Paul. Les Scandinaves ont tendance à considérer les journalistes comme la dernière roue du carrosse.

— Ce n'est pas votre faute. Merci d'avoir fait votre possible. Et je gagne une soirée à Bruxelles, la ville du soleil !

Paul se mit à rire :

— En effet. Mais ça m'ennuie de vous laisser en carafe. Si vous n'avez pas d'autre projet, pourquoi ne feriez-vous pas un saut à notre appartement pour boire un verre ?

— Non, je vous remercie, ne vous faites pas de souci pour moi, répondit Catherine sur le ton de l'insouciance professionnelle.

— Ce n'est pas par devoir que je vous invite, insista-t-il. J'aimerais que vous fassiez la connaissance d'Helen.

Elle se souvint que c'était sa compagne, interprète et traductrice auprès de la Commission.

— Je suis sûre que c'est ce dont elle a besoin après une journée dans la tour de Babel, dit-elle ironiquement.

— C'est une lectrice fidèle de votre revue et elle va me tuer si elle apprend que j'ai laissé passer une pareille occasion de boire un verre ensemble, ou même plusieurs. Et, elle aussi, c'est une fille du nord de l'Angleterre, ajouta-t-il, comme si cela coupait court à tout argument.

Et, de fait, elle s'était retrouvée à 19 heures en train d'embrasser la joue d'Helen Markiewicz. Ce qui n'était pas une coutume du Derbyshire, avait-elle pensé sardoniquement, en examinant la compagne de Paul. Cette dernière avait, en effet, l'air d'une de ces femmes qui constituaient la cible de son magazine. La trentaine, des cheveux noirs à la coupe courte et gonflante, une frange retombant sur le grand front, un visage en forme de cœur, des sourcils droits et noirs, de hautes pommettes et un sourire resplendissant. Son maquillage était léger mais réussi, celui que les pages de mode recommandaient aux femmes exerçant une profession libérale. Il lui semblait l'avoir déjà vue. Était-ce dans les couloirs du siège de l'Union européenne qu'elle parcourait depuis quelques jours ? On ne pouvait manquer de la remarquer, même inconsciemment. Elle comprenait pourquoi Paul était si désireux de la lui faire connaître.

Comme il remplissait généreusement les verres de vin rouge, les deux femmes s'enfoncèrent aux deux extrémités d'un canapé accueillant.

— Paul m'a raconté que Mrs Hammarqvist vous a posé un lapin, dit Helen, avec dans la voix de légères traces de l'accent du Yorkshire. Le patient s'est armé de courage pour une visite chez le dentiste et voilà qu'il est rentré chez lui.

— Elle n'est pas si méchante que cela, protesta Paul.

— Tu ne te souviens pas de la façon dont elle a traité la mère de Grendel ? lui répondit-elle en aparté.

— Je suis sûr que Catherine saurait lui tenir tête.

— Oui, elle ne risque rien, chéri, c'est sûr. (Helen adressa un sourire à Catherine :) Vous a-t-il dit que je suis une de vos fans, une vraie, c'est pas du baratin, je me suis même abonnée.

— Vous m'impressionnez, sourit Catherine. Mais dites-moi, comment vous êtes-vous rencontrés ? Est-ce une « euro-romance » ?

— Méfie-toi, Helen, elle pense déjà à un article pour le futur numéro sur la Saint-Valentin.

— Ce n'est pas toi qui ramènerais du travail à la maison, le taquina-t-elle. Oui, nous nous sommes rencontrés à Bruxelles. Peu de gens ici parlent avec l'accent du nord de l'Angleterre. Voilà ce qui nous a rapprochés aussitôt.

— Et elle m'avait séduite au premier coup d'œil. Elle n'allait pas m'échapper, ajouta Paul, avec un coup d'œil possessif à Helen.

— D'où êtes-vous, Helen ?

— Sheffield, répliqua-t-elle.

— Il y a la chaîne des Pennines entre nous. J'ai grandi à Buxton.

Helen hocha la tête :

— Ma sœur est dans ce coin. Connaissez-vous un endroit appelé Scardale ?

Le nom fit sursauter Catherine :

— Oui, je connais…

— Ma sœur s'y est installée, il y a deux ans.

— Vraiment ? Pourquoi Scardale ?

— Ça s'est fait comme ça. Ma tante a vécu avec nous pendant des années et hérité d'une maison là-bas. Un parent éloigné de son défunt mari, cousin au deuxième degré, quelque chose dans ce genre. À la mort de ma tante, la maison revint à ma mère. Elle mourut à son tour il y a trois ans et nous laissa la maison, à moi et à Jan. Elle avait toujours été louée, mais Jan ne jurait que par la campagne. Elle décida donc de mettre un terme au bail et de s'y installer. Moi, je n'aurais pas supporté de vivre au bout du monde, mais elle adore ça. Il faut dire que son travail l'amène à se déplacer souvent. Voilà pourquoi elle ne s'en lasse pas, peut-être.

— Que fait-elle ?

— Elle est consultante pour des multinationales. Depuis quelques années, elle établit des évaluations du profil psychologique des cadres supérieurs. Elle gagne bien sa vie. Cela vaut mieux quand il faut chauffer cette énorme baraque.

Une seule maison à Scardale pouvait correspondre :

— Elle vit au manoir de Scardale ? demanda Catherine.

— Je constate que l'endroit ne vous est pas inconnu, constata Helen en riant. C'est bien ça. Mais comment se fait-il que vous ayez une telle connaissance de ce petit trou perdu ?

— Helen, dit Paul, une note d'avertissement dans sa voix.

Catherine eut un sourire contraint :

— Il y a eu un meurtre à Scardale quand j'étais ado. Une fille enlevée et assassinée par son beau-père. Elle avait le même âge que moi.

— Alison Carter ! s'exclama Helen. Vous connaissez l'affaire Alison Carter ?

— Je suis surprise que vous-même vous la connaissiez. Vous n'étiez pas encore née quand l'affaire a fait les gros titres.

— Oh, nous savons tout de l'affaire Alison Carter, n'est-ce pas, Paul ? dit Helen, l'air moqueur.

— Non, Helen, ce n'est pas le cas, dit Paul, l'air un peu fâché.

— OK, tu as sans doute raison, dit-elle d'une voix plus calme, comme pour se faire pardonner, et elle posa la main sur son bras. Mais nous connaissons quelqu'un qui, lui, connaît toute l'affaire.

— Laisse tomber, Helen. Catherine ne s'intéresse pas à un meurtre qui remonte à plus de trente ans.

— Là vous vous trompez, Paul. Cette histoire m'a toujours fascinée. Comment se fait-il que vous soyez au courant ?

Elle regarda Paul qui fronçait les sourcils. Soudain la lumière se fit. Quand ils s'étaient rencontrés, la légère ressemblance avait fait ressurgir un souvenir, puis son nom, un nom qui figurait en première place dans l'enquête. Ce ne pouvait pas être une coïncidence.

— Je sais... vous ne seriez pas le fils de George Bennett, par hasard ?

— C'est bien ça, dit Helen d'une voix triomphante.

Paul prit l'air méfiant :

— Vous connaissez mon père ?

Catherine fit non de la tête :

— Seulement par son rôle dans l'enquête. Il a fait un boulot magnifique.

— Ouais, peut-être, c'était avant que je sois né, et papa n'est pas du genre à parler de son travail.

— C'était une affaire très importante. Les juristes en herbe doivent encore l'étudier dans tous les cas où l'on n'a pas retrouvé le corps de la victime. Et jamais cette affaire n'a fait l'objet d'un livre. On ne trouve que les comptes rendus des journaux de l'époque et les précédents légaux enfouis sous la poussière. Je suis surprise que votre père n'ait pas songé à écrire ses mémoires.

Paul haussa les épaules, passa une main dans ses cheveux blonds parfaitement coupés :

— Ce n'est pas le genre. Je me souviens d'un journaliste venu un jour à la maison. Je devais avoir 16 ans. Ce gars a dit qu'il avait couvert l'affaire autrefois et il souhaitait la coopération de mon père pour en faire un livre, mais papa l'a envoyé se faire voir. Il a dit à maman que la mère d'Alison avait assez souffert à l'époque et qu'elle ne méritait pas qu'on en reparle.

Aussitôt, l'instinct du journaliste chez Catherine fut sur le qui-vive :

— Mais elle est morte, la mère d'Alison. Elle est morte en 1995. Il n'y a plus aucun obstacle maintenant. (Elle se pencha en avant, soudain saisie par l'excitation :) J'aimerais beaucoup écrire ce qui s'est véritablement passé dans l'affaire Alison Carter. Cette histoire doit être connue. Les articles de l'époque n'ont fait que du racolage douteux en embellissant la véritable nature des sévices sexuels dont s'est rendu coupable Philip Hawkin. C'est une affaire d'importance. Pas seulement sur le plan légal, mais par la façon dont elle a affecté la vie de tant de gens.

Elle fut surprise de voir Helen lui venir en aide :

— Catherine a raison, Paul. Tu sais combien certains journalistes sont dépourvus de scrupules et comme ce genre d'affaire a tendance à resurgir. Si ton père ne raconte pas sa version des faits, un pisse-copie en mal de renommée saisira cette chance après sa mort, quand il n'y aura plus personne pour contredire son interprétation sensationnelle des événements. Et avec Jan sur les lieux du crime, pour ainsi dire, Catherine pourrait se plonger dans l'atmosphère de l'endroit.

Paul leva la main, feignant d'être vaincu. Il était évident qu'Helen avait le pouvoir de transformer sa méfiance en enthousiasme.

— Très bien, très bien les filles. Vous avez gagné. J'en parlerai au vieux. Je lui dirai que j'ai trouvé l'oiseau rare, une journaliste digne de confiance, et qui veut faire de lui une vedette. Qui sait, je profiterai peut-être de son rayonnement. Bon, qui a envie d'aller se balader jusqu'à la Brasserie Jacques, déguster des moules ?

Une semaine plus tard, de retour à Londres, son téléphone avait sonné. Le fils avait su convaincre le père mieux que personne. George Bennett allait participer à un tournoi de golf des officiers de police à la retraite, non loin de Londres, et il souhaitait la rencontrer.

Pour ce rendez-vous, Catherine avait fait très attention à sa tenue. Son seul tailleur-pantalon de

452

chez Armani, des talons plats. Il lui fallait tous les atouts dans son jeu et elle était d'accord avec sa rédactrice en chef : rien de mieux que la coupe italienne pour qu'une femme se sente sûre d'elle. Elle dut contenir son impatience pour appliquer avec soin la crème teintée hydratante, le fard à paupières et le rouge à lèvres dont elle avait besoin pour être persuadée de faire bonne impression. Chaque année qui passait, il lui en fallait un peu plus. Certaines de ses collègues, ayant encore l'intention de se marier, avaient eu recours à la chirurgie esthétique. Catherine savait par expérience qu'il était bien plus difficile de retenir quelqu'un une fois la nouveauté émoussée que de trouver un homme désireux de partager quelques plaisirs clandestins et éphémères. Non qu'elle eût l'intention de jeter son dévolu sur George Bennett. Mais cela ne gâterait rien s'il se sentait flatté qu'elle se fût mise en frais pour lui.

Il était bel homme et elle fut d'autant plus satisfaite de ses efforts. Chevelure blond argenté, sourire modeste, un regard où se lisait encore la bienveillance malgré trente ans passés dans la police. Comme Robert Redford, George Bennett était un homme dont les meilleurs moments se trouvaient derrière lui, mais personne ne pouvait le regarder sans prendre conscience de sa splendeur passée.

À la grande stupéfaction de Catherine, George Bennett était disposé à parler, sans doute pour plusieurs raisons. Il se contenta d'en donner une : maintenant que Ruth Carter n'était plus de ce monde, elle n'en souffrirait pas. Mais elle soupçonna que la retraite lui pesait. Quand il avait quitté la police à 53 ans, il était parvenu au grade de superintendant, puis, jusqu'à l'année dernière, avait travaillé comme consultant en sécurité pour plusieurs sociétés dans l'Amber Valley.

Mais comme sa femme, par suite d'une arthrite anky-losante, il avait de plus en plus de mal à se déplacer. N'étant à l'évidence pas homme à se tenir à l'écart du monde, il n'appréciait guère l'obscurité dans laquelle s'enfonce une personne âgée. Catherine se dit que sa suggestion venait au meilleur moment.

Quatre mois plus tard, ils avaient signé un contrat avec un éditeur. Catherine avait négocié et obtenu un congé de six mois. Et elle arrivait à Scardale, enfin actrice du drame qui avait marqué son adolescence.

# 3

*Février 1998*

George Bennett examinait son reflet sur la vitre. Au-delà flottait le fantôme du jardin, adoucissant les rides qu'avaient creusées les trente-cinq dernières années. La disparition d'Alison Carter avait été la première enquête à lui donner des nuits d'insomnie, mais il y en avait eu bien d'autres depuis. Or voilà qu'elle revenait lui dérober le sommeil par une nuit d'hiver glaciale. Cinq heures et demie du matin, et impossible de sombrer dans l'oubli.

La bouilloire siffla et il reprit conscience de la fluorescence froide de la cuisine. Il versa l'eau bouillante dans la théière et pressa le sachet de thé avec une cuillère jusqu'à en extraire toute l'amertume. Trop d'années de fréquentation des cantines de la police lui avaient laissé le goût de ce thé à l'orange chargé de tanin. Il prit le lait dans le réfrigérateur, en versa juste assez pour refroidir le breuvage, afin de le boire immédiatement. Puis il s'assit à la table. Se drapant plus étroitement dans sa robe de chambre, il s'empara du paquet de cigarettes et en alluma une.

Le jour était venu du premier entretien avec Catherine Heathcote, et il éprouvait déjà des regrets. Il avait toujours évité de parler de l'affaire. La naissance de Paul avait représenté pour lui un nouveau départ, la possibilité d'oublier les souffrances de

Ruth. Non sans difficultés : les occasions de se souvenir étaient nombreuses. Mais il était parvenu à tenir son serment de se taire.

Aucun de ses collègues n'avait compris la raison de son silence sur une enquête qu'ils auraient considérée comme un triomphe dont on pouvait se vanter à la moindre occasion. Seule Anne avait vraiment compris ce que cette obstination dissimulait : le sentiment d'un échec personnel. Bien qu'il eût réussi à rassembler assez de preuves pour faire pendre le coupable, George était tourmenté par la conviction qu'il n'avait pas agi assez rapidement. Ruth Carter avait vécu d'interminables semaines, déchirée par l'incertitude et les faux espoirs, cramponnée à l'idée que sa fille était encore en vie. Et Philip Hawkin avait bénéficié de plus de jours de liberté qu'il n'en méritait. Il avait continué de manger les repas que sa femme lui préparait, dormi la nuit tandis qu'elle gémissait, parcouru ses terres, certain d'en demeurer le propriétaire, convaincu d'échapper à la justice. George se reprochait d'avoir permis à Hawkin de jouir de cet interlude paisible.

C'est ainsi qu'il était parvenu à résister à toutes les tentatives de le faire parler, rejetant les offres de plusieurs écrivains. Même Don Smart, ce renifleur de cadavres, avait cru avoir le droit de frapper à sa porte. Cette demande-là, pensa George avec un sourire amer, n'avait pas été difficile à repousser.

Et, ô ironie, l'amour paternel qui lui avait permis d'aller de l'avant le conduisait maintenant à sa perte. Quand Paul leur avait parlé de la sœur d'Helen, installée à Scardale, il avait compris que si son fils était aussi épris, tôt ou tard George devrait retourner sur la scène du crime. Ce n'était pas encore le cas. Mais le divorce d'Helen serait bientôt prononcé et le couple n'attendrait pas longtemps pour se marier. Ce qui voudrait dire qu'il lui faudrait rencontrer la sœur, la seule famille qui lui restait, et qu'il ne pourrait éviter Scardale.

Dans cette perspective, l'intervention de Paul en faveur de Catherine Heathcote lui avait semblé un signe du destin. Tout conspirait pour le contraindre de penser à Alison Carter. Il avait cru qu'il n'y aurait aucun mal à rencontrer cette journaliste, ne serait-ce que pour voir s'il pouvait avoir confiance en elle. Il l'avait tout d'abord prise pour un de ces écrivaillons superficiels de Fleet Street, puis ils avaient parlé de l'impact qu'avait eu la disparition d'Alison sur la vie de Catherine. Il ne trouverait jamais quelqu'un d'aussi prêt pour écrire ce récit.

Le bruit familier de pas hésitants dans l'escalier interrompit ses pensées. Il releva la tête pour voir Anne apparaître, encore ébouriffée de sommeil.

— Je t'ai réveillée, ma chérie ? demanda-t-il, tendant la main vers la bouilloire pour la remettre en marche.

— Ma vessie m'a réveillée, dit-elle avec une ironie un peu lasse, se déplaçant lentement pour atteindre la chaise en face de lui. Et le lit était froid de ton côté, alors je me suis dit qu'un peu de compagnie ne te ferait pas de mal.

George se leva, mit dans un bol quelques cuillerées de la poudre maltée et chocolatée qu'appréciait Anne.

— Tu as peut-être raison, dit-il tout en versant l'eau.

Il revint à sa chaise, fit glisser le bol jusqu'à elle. Elle l'enserra de ses doigts déformés par l'arthrite, les réchauffant pour soulager la douleur.

— Tu appréhendes cette journée ? demanda-t-elle.

Il fit oui de la tête.

— Comme tu t'en doutes, j'aimerais ne pas avoir accepté.

— Tu ne serais pas l'homme que tu es si ça ne te faisait rien, dit-elle avec tendresse. Tu ne peux pas t'empêcher de vouloir que l'on rende justice à Alison.

Il eut une légère toux de dérision :

— Tu me vois meilleur que je ne suis, ma chérie. Si je regrette ce rendez-vous, c'est parce que j'ai peur que l'on découvre la façon stupide dont je me suis comporté avec Philip Hawkin.

Anne hocha la tête d'exaspération :

— Tu es le seul à penser ça, George. Aux yeux de tous, tu étais le héros du jour. S'ils avaient eu les clefs de Scardale, ils te les auraient données sur-le-champ quand le jury est revenu avec son verdict.

— Peut-être. Mais tu sais bien que je ne me fie pas aux jugements d'autrui et, à mes yeux, je leur ai fait faux bond. Je faisais partie d'un système qui a laissé tomber Alison, un système qui a fait la sourde oreille quand une fillette a voulu parler des sévices sexuels qu'elle subissait.

Anne pinça les lèvres d'impatience :

— N'importe quoi. À l'époque, personne ne voulait entendre parler de violences sexuelles infligées aux enfants. Et sûrement pas dans le cercle familial. Si tu veux te sentir en faute en ce qui concerne Ruth Carter, libre à toi. Mais je ne supporterai pas que tu prennes sur toi les péchés d'une société d'il y a trente-cinq ans. C'est se vautrer dans la culpabilité, George Bennett, et tu le sais.

Il sourit :

— Je te l'accorde. J'aurais peut-être dû en parler beaucoup plus tôt. C'est bien ce que nous répètent les cyclistes dopés ! Vaut mieux que ça sorte, ça fait du bien. Si on le garde pour soi, bonjour la psychose !

Anne lui rendit son sourire :

— Y compris cette paranoïa de te croire responsable de tous les torts du monde.

Il se passa la main dans les cheveux :

— Il y a autre chose. Pour le bien de Paul et d'Helen, il faut que mes fantômes trouvent le repos. Un de ces jours, il faudra aller à Scardale rencontrer la sœur d'Helen, et Scardale, c'est mon cauchemar. Ça doit changer, ou je vais tout gâcher. Et je ne veux surtout pas nuire au bonheur de mon fils. Parler à quelqu'un d'extérieur de tout ce foutoir pourrait changer quelque chose.

— Entièrement d'accord, chéri, et je suis contente que tu te sois finalement décidé à en parler. C'est arrivé à un moment important de notre vie. J'ai souvent dû me retenir d'évoquer des souvenirs que je voulais partager, parce qu'en parlant du temps où j'étais enceinte, je te rappellerais l'affaire Hawkin. Ah, je ne serais pas mécontente que tu te confies à Catherine Heathcote. Pour moi, ce sera l'occasion de parler de souvenirs que j'ai dû garder pour moi. Et pas seulement à toi, mais à Paul aussi. C'est égoïste de ma part, mais ça me plairait beaucoup.

Les yeux de George s'écarquillèrent de surprise :

— Je n'avais aucune idée que tu prenais les choses comme ça, protesta-t-il. Comment ai-je pu ne pas le sentir ?

Anne sirota son breuvage :

— Parce que je ne me laisse pas aller, chéri. Mais maintenant que tu es complètement à la retraite, le moment est venu d'avoir la force d'examiner sans peur notre vie commune. Nous avons encore un futur, George. Nous ne sommes pas vieux, selon les critères du jour. La chance nous est offerte de faire la paix avec notre passé, et pour toi de voir que ce que tu as fait était bien, était juste. Ça change tout.

Elle tendit le bras et posa sa main déformée sur la sienne.

— Le temps est venu, George. De te pardonner et d'oublier.

Son soupir vint de très loin :

— Bon, j'espère que Catherine Heathcote est indulgente. (Il bâilla.) Parce que je ne vais pas être dans une forme éblouissante à 10 heures, à moins de dormir encore un peu.

Il étreignit la main d'Anne.

— Merci, mon amour.

— De quoi ?

— De m'avoir rappelé que je ne suis pas le monstre que je crois parfois être.

— Tu n'es pas un monstre. Excepté quand tu te réveilles avec une gueule de bois ! Tout se passera bien, George, dit-elle d'une voix apaisante. Le passé ne peut plus nous réserver de surprises, tu ne crois pas ?

# 4

*Février-mars 1998*

En s'éveillant pour la première fois dans le cottage qu'elle avait loué à Longnor, Catherine éprouva un moment de panique. Elle ne parvenait plus à se souvenir où elle se trouvait. Elle aurait dû être allongée à son aise dans une chambre chaude avec de hautes fenêtres à guillotine. Et voilà que son nez était glacé et qu'elle était recroquevillée sous une couette qu'elle ne connaissait pas. La seule lumière filtrait de derrière un mince rideau placé devant une petite croisée, dans un mur de plus d'un pied d'épaisseur.

Puis la mémoire lui revint, avec un frisson d'excitation qui balaya presque son irritation de se retrouver dans l'atmosphère glaciale de cette maudite fermette louée pour six mois. Les propriétaires avaient eu l'air ravi de sa proposition. Elle comprenait maintenant pourquoi. Une personne sensée n'aurait jamais loué cette glacière en hiver, pensa-t-elle en sautant du lit, frissonnante, ses longues jambes exposées à l'air. Il lui faudrait trouver un moment pour s'acheter un pyjama chaud et une bouillotte, sinon elle ne sortirait pas de Longnor sans retrouver les engelures de son enfance. Elle pesta contre les propriétaires avec cette richesse de vocabulaire propre à un journaliste et s'enfuit de la chambre.

La salle de bains lui offrit un refuge bienvenu. Un radiateur soufflant installé sur le mur lui envoya immédiatement de l'air chaud et la vapeur s'élevant de la douche était une vraie bénédiction. Le salon-cuisine se réchaufferait rapidement lui aussi, grâce à un chauffage au gaz efficace. Mais la chambre... un vrai purgatoire. Dorénavant, décida-t-elle, elle emporterait ses vêtements dans la salle de bains.

En s'habillant, elle se rappela n'avoir plus jamais dormi dans un endroit aussi froid depuis son enfance à Buxton, avant l'installation du chauffage central. Elle avait alors 15 ans. Soudain, alors qu'elle avait à demi enfilé son sweater, elle s'immobilisa. Puisqu'elle allait tenter de recréer Scardale en 1963, elle ne pouvait trouver meilleur endroit. Alison Carter était accoutumée à la gelée qui se déposait sur les vitres, à l'intérieur de sa chambre. Elle connaissait aussi la tiédeur d'une cuisine accueillante avant que sa mère ait échangé ce mode de vie contre celui du manoir. Catherine n'avait pas prévu que ses recherches impliquent un tel degré d'authenticité, mais puisqu'on le lui offrait sur un plateau, elle n'allait pas chipoter. Par ailleurs, sa demeure était à moins de cent mètres de celle de Peter Grundy. Le constable de Longnor à la retraite ne manquerait pas d'être une mine de renseignements. Et il lui assurerait ses entrées, car elle savait combien l'accueil dans un pub se révélait parfois glacial, si l'on vous considérait comme une bête curieuse. Et elle n'envisageait pas de passer six mois seule dans son coin. Même si l'on ne bavardait que des prix du bétail à la foire de Leek !

En prenant son petit déjeuner – sandwich au bacon arrosé de café noir –, elle feuilleta les photocopies des coupures de presse qu'elle avait laborieusement découvertes dans les archives, à

Colindale. Elles ne lui seraient pas d'une grande utilité aujourd'hui, mais revoir son sujet ne nuirait pas, bien au contraire, et lui permettrait de mieux élaborer le plan de ses entretiens avec George Bennett. Ils s'étaient mis d'accord sur une interview de deux heures chaque matin, ce qui donnerait à Catherine le temps de transcrire ses déclarations et ne dérangerait pas trop la vie familiale des Bennett. Elle ne voulait surtout pas qu'ils se lassent de ses constantes intrusions. Rien ne tarirait plus son travail de mémoire que cette lassitude.

Une demi-heure plus tard, sa voiture émergeait d'un tunnel d'arbres en plein centre du village de Cromford. Suivant les instructions de George, elle tourna à droite près de l'étang du moulin, grimpa une côte, prit à gauche le virage de l'allée qui conduisait à sa maison. Comme elle coupait le moteur, la porte de devant s'ouvrit. George s'y découpait, la main levée pour la saluer. Avec son pantalon gris foncé, son cardigan bleu marine, son polo gris clair, il avait l'air d'une gravure de mode pour hommes d'un âge respectable. Il ne lui manquait plus qu'une pipe serrée entre les dents. Jimmy Stewart découvrant la banlieue dans *A Wonderful Life* pour les sexagénaires...

— C'est un plaisir de vous voir, Catherine, lança-t-il.

— Plaisir partagé, répondit-elle. (Elle frissonna en traversant le vestibule bien chauffé.) J'avais oublié à quel point le temps peut devenir glacial à cette époque de l'année.

— Cela me ramène en arrière, dit-il la guidant jusqu'à un salon qui ressemblait à ceux que l'on expose dans les magasins de mobilier.

Tout était élégant, à la mode, mais dépourvu d'âme. Même les reproductions de Monet paraissaient fades dans leur cadre, placées là par nécessité plus que par goût. Pas un seul journal ne déparait l'ordre impeccable de la pièce qui sentait le parfum floral d'intérieur. Ce salon ne dévoilait rien de la personnalité de ses propriétaires.

— Le froid vous cinglait ainsi la nuit de la disparition d'Alison, continua George. Si bien que j'ai espéré dès le début qu'elle avait été enlevée, vous savez. Nous aurions eu au moins une chance de la retrouver. Elle ne pouvait pas survivre à une nuit en plein air par ce temps, j'en étais persuadé.

George lui désigna un fauteuil qui paraissait à la fois ferme et confortable :

— Installez-vous.

Il choisit une chaise en face d'elle. Catherine constata qu'il avait pris automatiquement le siège à contre-jour. Elle se demanda si c'était une déformation professionnelle ou plus simplement sa position favorite. Elle serait mieux à même de juger après plusieurs séances.

— Alors, dit George, comment voulez-vous vous y prendre ?

Avant qu'elle ait pu répondre, une femme âgée entra dans la pièce. Sa chevelure courte et argentée encadrait un visage prématurément creusé par la douleur. Elle se tenait avec cette maladresse raide de quelqu'un pour qui le mouvement n'est plus qu'une cruelle nécessité. Même de l'autre côté de la pièce, Catherine voyait les doigts noueux et déformés par les bosses disgracieuses de l'arthrite. Mais le sourire demeurait généreux, donnant de l'éclat à son regard bleu.

— Vous devez être Catherine, dit-elle. Je suis ravie de vous rencontrer. Je suis Anne, la femme de George. Mais je ne veux pas vous déranger pendant vos entretiens, excepté pour vous demander si vous voulez du thé ou du café.

464

— Ravie de faire votre connaissance. Merci de m'avoir permis d'envahir votre maison, dit Catherine en se demandant quelles seraient les chances d'avoir un café potable dans un foyer anglais habité par deux personnes d'âge respectable. Je prendrai du thé, s'il vous plaît, très léger, sans sucre ni lait, dit-elle, certaine de ne prendre aucun risque.

Elle ne méritait pas deux mois de mauvais café !

— Va pour le thé, dit Anne.

— Et Mrs Bennett, poursuivit Catherine, vous ne nous dérangerez pas. Vous pouvez rester ici quand vous voudrez. Et je vous serais reconnaissante si vous acceptez de bavarder avec moi, j'aimerais me faire une idée de ce que peut être la vie de la femme d'un policier quand son mari enquête sur une affaire aussi exigeante.

Anne sourit :

— Tout à fait d'accord pour bavarder. Mais les interviews, ce n'est pas mon affaire. Ma présence lui enlèverait tous ses moyens et, par ailleurs, je suis assez occupée. Et, maintenant je vais préparer du thé.

Anne sortie, Catherine prit son magnétophone dans son sac, le plaça sur la table entre eux.

— J'enregistre les entretiens. De cette façon, je commettrai moins d'erreurs. S'il y a quelque chose que vous souhaitez dire seulement pour mon information, précisez-le, s'il vous plaît. De même, s'il y a quelque chose dont vous n'êtes pas sûr. De cette façon je pourrai établir une liste des points que je dois vérifier.

George sourit :

— Tout ça me paraît très sensé. (Il sortit un paquet de cigarettes de sa poche, l'alluma et prit un cendrier dans le tiroir de la table basse non loin de lui.) J'espère que ça ne vous gêne pas. J'ai beaucoup réduit ma consommation depuis que j'ai arrêté de travailler, mais je n'arrive pas encore à m'en passer.

— Pas de problème. Je n'ai plus fumé depuis douze ans environ, mais je me considère encore comme un fumeur en sursis plutôt qu'un fumeur repenti. Dans une soirée, vous me trouvez toujours dans le groupe des fumeurs. Ce sont généralement les gens les plus intéressants, ajouta-t-elle avec un sourire qui n'était pas seulement flatteur. (Elle se pencha, appuya sur le bouton « enregistrement ».) Nous n'entrerons sans doute pas dans le vif de l'affaire aujourd'hui. J'aimerais commencer par votre passé, sans que ça apparaisse nécessairement dans le livre, mais il est important de me représenter qui vous êtes et comment vous êtes devenu celui dont je dois présenter le travail avec suffisamment de perspicacité, voire d'empathie. C'est également une façon d'entrer imperceptiblement dans l'histoire : je me doute que vous devez avoir le trac de reprendre tous les détails de cette affaire après tant d'années. Je voudrais que vous vous sentiez à l'aise, même si vous avez sans doute plus l'habitude de poser des questions que d'y répondre. Ça vous va ?

George sourit :

— C'est parfait. Je vous dirai avec plaisir tout ce que vous voulez savoir. (Il marqua une pause comme Anne entrait dans la pièce. Elle avançait avec lenteur, portant un plateau sur lequel étaient posés deux bols.) Je dois vous dire une chose. Sans elle, trente ans et des poussières dans la police du Derbyshire m'auraient conduit tout droit à l'asile d'aliénés. Elle est mon équilibre, ma force.

Anne fit une grimace en posant le plateau sur la table :

— Quel baratineur, George Bennett ! Ce qu'il veut dire c'est : Anne me prépare à manger, répond au téléphone à ma place et tient ma maison.

Elle regarda Catherine en souriant. De petites piques habituelles, à l'évidence.

— Elle a attendu de souffrir d'une arthrite pour me demander de lever un petit doigt dans la maison, ajouta George.

— Il fallait agir, dit-elle plus sèchement. Autrement la retraite eût signifié la mort, pour toi. Et maintenant assez de blabla. Dis à Catherine ce qu'elle a besoin de savoir. J'apporterai des biscuits puis je vous reverrai quand vous aurez fini.

Ainsi fut mise en place cette organisation régulière des journées tout au long des mois de février et de mars. Chaque matin, Catherine relisait les coupures de presse couvrant le moment dont ils allaient parler. Après le petit déjeuner, elle se rendait à Cromford, et en conduisant elle réfléchissait aux questions qui permettraient de cerner la vérité au plus près.

Elle guidait George avec doigté, revenant parfois en arrière pour mieux saisir un détail particulier, une précision sur le temps, une odeur, le paysage. Elle ne pouvait s'empêcher d'être impressionnée par sa volonté de ne rien omettre. Il était doté d'une mémoire presque photographique de chaque élément de l'affaire Alison, bien qu'il prétendît qu'il n'en allait pas de même pour ses enquêtes ultérieures.

— Je pense que j'étais obsédé par Alison, avait-il suggéré au début des entretiens. Oh, je sais que c'était ma première affaire importante et j'étais décidé à montrer que j'étais à la hauteur, mais il y avait quelque chose d'autre. Ce n'était pas sans rapport probablement avec le fait qu'Anne était enceinte. La pensée que ça aurait pu arriver à mon enfant me tourmentait et me forçait à aller de l'avant.

« C'est sans doute la raison de mon obstination. Pour Tommy Clough, je ne sais pas, mais dès le début, il s'est investi entièrement. Il a même fait plus d'heures que moi : seule son obstination face à la mauvaise volonté de la police du Hertfordshire a permis d'obtenir la preuve cruciale du lien entre Hawkin et le revolver qui a servi à tuer Alison.

« Cela peut paraître étrange, mais après la pendaison d'Hawkin, je ne l'ai jamais revu. Tommy était encore à Buxton, mais j'avais été muté à Derby. Deux ou trois fois, on a pris rendez-vous pour boire un verre, mais le boulot nous en a empêchés. Puis deux ans après le meurtre environ, il a démissionné et quitté la région.

— Où est-il allé ? demanda Catherine.

Elle avait déjà posé la même question à Peter Grundy, mais avec un haussement d'épaules, il lui avait répondu que personne ne savait. Comme Alison, Tommy semblait avoir disparu.

Mais George était au courant.

— Il se trouve dans le Northumberland. Un petit village sur la côte. Il a travaillé pendant des années comme garde pour la société royale protectrice des oiseaux, mais il a pris sa retraite maintenant. Il ne s'est jamais marié. Il n'a pas quelqu'un comme Anne pour le pousser à continuer. Nous nous envoyons des cartes à Noël. Nos rapports s'arrêtent là, mais je crois être le seul dans la police avec lequel il a gardé un contact. Je peux vous donner son adresse. Il acceptera peut-être de parler d'Alison. Au fond, j'en doute mais, après tout, vous avez bien réussi avec moi, non ?

George sourit. Et ainsi les fils s'assemblèrent à mesure que les matins passaient. Lorsqu'elle quittait George, Catherine prit bientôt l'habitude de s'arrêter dans un pub à Ashbourne où la cuisine était bonne. Vers 14 heures, elle se retrouvait chez elle. L'après-midi et le début de la soirée étaient consacrés à la transcription des bandes, une tâche qu'elle jugea bien vite d'un ennui profond, malgré sa fascination pour les matériaux qu'elle réunissait peu à peu. Toutes les demi-heures, elle se permettait un bref coup de téléphone ou elle s'occupait de son courrier, pour ne pas devenir folle.

Son travail terminé, elle faisait chauffer un des repas tout préparés achetés au supermarché lors de son expédition hebdomadaire à Buxton. Puis elle passait une heure devant le feu avec son propre magazine ou celui d'un concurrent, armée d'un carnet de notes. Enfin la journée s'achevait par une visite au pub où, le plus souvent, elle offrait un verre à Peter Grundy. Elle ne regrettait pas ce petit investissement : il lui avait déjà permis de mieux comprendre la vie à Scardale, de découvrir les différentes familles et, par ailleurs, elle appréciait sa compagnie.

Elle s'apercevait que ce mode de vie lui convenait. Le travail exerçait sur elle une sorte de fascination, la faisant pénétrer dans un monde à la fois familier et différent. Plus elle s'imprégnait de l'atmosphère de l'affaire, plus son respect pour George grandissait. À l'origine, elle n'avait aucune idée de la lutte qu'il avait dû mener pour faire paraître Hawkin devant la justice, à la fois contre la routine policière et le monde extérieur. George modifiait peu à peu la piètre opinion qu'elle avait de la police.

Elle n'était pas revenue sans appréhension si près de chez elle, éprouvant une peur presque superstitieuse que la vie étouffante dont elle avait eu tant de mal à s'évader ne l'engloutisse à nouveau. Au lieu de cela, elle avait découvert une paix étrange dans le rythme régulier des jours et des nuits. Non qu'elle veuille vivre ainsi le reste de son existence, se secouait-elle. Elle avait sa propre vie, après tout. Ce n'était qu'un interlude agréable, rien d'autre.

Et qu'est-ce que cela pourrait être d'autre ?

*Avril 1998*

Catherine avait oublié combien le printemps était tardif dans cette région. Pour quiconque vivait dans les Peaks du Derbyshire, avril venait adoucir les rigueurs de l'hiver. Des bulbes, qui s'ouvraient un bon mois plus tôt à douze miles de là dans la plaine du Cheshire, perçaient enfin la terre. Les arbres tentaient de faire surgir leur feuillage et l'herbe tondue par les moutons retrouvait sa couleur verte.

À Scardale, les premières feuilles se défroissaient dans les bois quand la voiture de Catherine entra dans le village. Elle avait achevé à regret ses entretiens avec George et se lançait dans la deuxième phase de son projet. Elle n'avait jamais eu l'intention de se contenter d'écrire les mémoires de George Bennett, mais prévu dès le début d'interviewer autant de témoins que possible, sans penser que bon nombre d'entre eux ne seraient pas disposés à lui confier leurs souvenirs. À sa grande surprise, presque tous les Carter, Crowther et Lomas avaient refusé sans ambages de participer au projet.

Sauf la tante d'Alison, Kathy Lomas. Peut-être cela n'en serait-il que mieux: selon George, Kathy avait été plus proche de Ruth Carter que personne d'autre. Pour cette seule raison, Catherine aurait voulu lui parler. Mais son empressement aujourd'hui avait une autre raison.

Bien qu'Helen eût préparé le terrain avec sa sœur, Catherine n'avait encore jamais pénétré dans le manoir de Scardale. L'autorisation était venue par l'entremise d'une lettre de l'avoué de Janis Wainwright l'informant que sa cliente voyagerait pour affaires à la fin de l'hiver et au début du printemps et que, lorsqu'elle travaillait chez elle, elle préférait ne pas être dérangée. Comme miss Wainwright ne savait rien sur l'affaire Alison Carter, la meilleure solution, selon l'avoué, serait de visiter le manoir pendant une absence de sa propriétaire.

Catherine avait accepté avec reconnaissance la suggestion de l'homme de loi. Enfin elle allait découvrir de l'intérieur l'héritage de Philip Hawkin. Et elle disposerait d'un guide qui pourrait lui montrer l'ancienne chambre d'Alison, le bureau d'Hawkin et lui décrire leur aspect d'autrefois.

Elle se demandait quel genre de femme elle allait rencontrer. George Bennett lui avait fait le portrait d'une femme arrogante, volontiers acariâtre, sans aucun respect pour la police et qui l'avait constamment harcelé. Peter Grundy, lui, l'avait décrite comme une personne hantée par ce qui aurait pu être.

Il lui avait également fourni des détails sur la vie de Kathy Lomas. La tante d'Alison était aujourd'hui une femme seule. Son mari était mort cinq ans auparavant sous les sabots d'un taureau furieux. Son fils, Derek, après des études à l'université de Sheffield, travaillait comme géologue pour les Nations unies. Kathy, maintenant sexagénaire, élevait des moutons des Shetland et confectionnait des pulls haut de gamme sur une machine qui, à en croire la femme de Peter Grundy, possédait un tableau de bord plus imposant que celui de la navette spatiale.

Cousines germaines, Kathy et Ruth Carter avaient moins d'un an de différence. Elles étaient devenues épouses et mères presque en même temps. Derek était né trois semaines après Alison. L'histoire des deux familles était inextricablement enchevêtrée. Si Catherine ne pouvait obtenir de Kathy Lomas ce qui lui manquait, il y avait peu d'espoir de le trouver ailleurs, et si elle était aussi désagréable que George le prétendait, il lui faudrait faire preuve de tact.

Catherine gara sa voiture devant Lark Cottage, la maison du XVIII<sup>e</sup> où Kathy vivait depuis son mariage, quinze ans avant la disparition d'Alison. La femme qui ouvrit la porte était encore droite et robuste, ses cheveux gris acier épinglés en un gros chignon. Avec ses joues rubicondes, elle ressemblait à Mrs Bunn, la femme du boulanger dans *Happy Families*. Seul le regard, froid, critique, démentait cette apparence joviale. Catherine se sentit soupesée, évaluée et pas seulement en valeur marchande.

— C'est donc vous l'écrivain, l'accueillit Kathy, s'emparant d'un anorak dépenaillé accroché à une patère. Je pense que vous voulez d'abord voir le manoir ?

Le ton indiquait qu'il n'y avait qu'une seule réponse possible.

— C'est une excellente idée, Mrs Lomas, dit Catherine, contrainte de suivre son aînée qui déjà traversait le pré communal. Je vous suis très reconnaissante de bien vouloir me consacrer un peu de votre temps.

Elle se sentit aussitôt furieuse contre elle-même de se répandre ainsi en formules creuses.

— C'est pas à vous que je le donne, dit Kathy sèchement. C'est le souvenir d'Alison qui m'intéresse. J'y pense souvent. C'était une fille qui promettait. J'imagine la vie qu'elle aurait eue si ça s'était passé autrement. Je la vois travailler avec des gosses. Enseignante ou docteur. Quelque chose de solide, de positif. Puis je reviens à la réalité.

Elle marqua une pause à la porte du manoir. Elle adressa à Catherine un regard lourd de chagrin.

— Si je pouvais remonter le temps et changer une chose dans toute mon existence, ce serait cette soirée de mercredi, dit-elle avec amertume. Je la quitterais pas des yeux, Alison! Oh perdez pas votre temps à me dire que j'y suis pour rien. Je sais que Ruth Carter est allée à la tombe en se demandant comment elle aurait pu changer les choses et moi j'irai à la tombe tout pareil avec les mêmes questions.

«Aujourd'hui ma vie me semble remplie de regrets. Qu'est-ce qu'on dit, déjà? Si tous les «si j'avais su» étaient des rois et des reines, on aurait tous des royaumes! Ah j'ai eu le temps de me repentir de ce que j'avais pas fait ou pas dit. L'ennui, c'est que le seul endroit où demander pardon c'est le cimetière. Voilà pourquoi je veux bien vous parler, miss Heathcote.

Elle déverrouilla la porte et fit entrer Catherine dans la cuisine. Apparemment, les considérations financières n'étaient pas intervenues dans sa rénovation. Les placards et le vaisselier offraient une patine indiquant l'authentique. Les plans de travail mariaient le marbre et le bois vernissé, comme le double coffrage du réfrigérateur-congélateur et celui du lave-vaisselle. Catherine jeta un coup d'œil à la petite pile de journaux sur un coin de la table de cuisine. Celui sur le dessus portait la date de l'avant-veille. Janis Wainwright n'était pas absente depuis longtemps, pensa-t-elle. En dépit de cela, la cuisine avait cette apparence vide d'un endroit longtemps inoccupé.

— Je parie qu'elle n'était pas comme ça en 1963, dit-elle sèchement.

Enfin, Kathy Lomas parvint à sourire :

— Vous ne vous trompez pas.

— Peut-être pourriez-vous me dire à quoi elle ressemblait ?

— Je crois que je vais d'abord nous faire une tasse de thé, esquiva Kathy.

— Je remercie Mrs Wainwright de m'avoir permis de voir cet endroit. Savez-vous que sa sœur est fiancée au fils de George Bennett ?

— Ouais, le monde est petit, c'est bien vrai.

Elle remplit la bouilloire.

— J'ai rencontré Helen à Bruxelles, continua Catherine. Une femme charmante. Dommage que sa sœur ne soit pas là.

— Elle est souvent partie. Je crois pas qu'elle aimerait être mêlée à cette histoire de meurtre, dit Kathy, sur le ton de la réprimande.

Elle sortit deux gobelets d'un placard, les posa sur un plan de travail. Catherine s'approcha de la fenêtre d'où l'on apercevait le pré communal. Elle imaginait les heures insoutenables que Ruth avait passées à tendre l'oreille, guettant le pas de sa fille.

Comme si elle lisait ses pensées, Kathy déclara :

— Quand je regardais ces policiers qui grouillaient sur le pré et autour, quelque chose en moi est devenu dur comme de la pierre. Je risque pas d'oublier. Les cauchemars sont là pour me le rappeler. J'peux toujours pas voir un uniforme dans le village sans avoir envie de vomir.

Elle se détourna pour préparer le thé.

— Cette nuit a tout changé, n'est-ce pas ? demanda Catherine, mettant discrètement en marche le magnétophone dans sa poche.

— Ouais. Je suis seulement contente qu'on ait eu un flic comme George Bennett de notre côté. S'il avait pas été là, ce salaud d'Hawkin s'en serait peut-être tiré. C'est une autre raison pour laquelle j'ai accepté de vous parler. Il est grand temps qu'on reconnaisse les mérites de Bennett avec tout ce qu'il a fait pour Alison.

— Vous êtes une des rares personnes dans Scardale qui semble être de cet avis. La plupart des gens de votre famille voient pas les choses comme ça. À part Janet Carter et Charlie, qui est à Londres, tous les autres ont refusé de me parler, fit observer Catherine, espérant encore que Kathy pourrait être de quelque secours pour inverser le mouvement.

— Ouais, bon, ça les regarde. Ils ont leurs raisons et je peux pas dire que je les blâme de pas vouloir farfouiller encore là-dedans. Y en a pas un qui a de bons souvenirs de ce temps-là. (D'une théière en terre cuite, elle versa le thé dans deux gobelets assortis.) Donc, vous voulez savoir à quoi ça ressemblait ?

Elles passèrent une heure à aller de pièce en pièce. Tandis que Kathy se lançait dans la description de chaque endroit, comment c'était meublé, décoré, Catherine s'efforçait de récréer en elle une vision du passé. Elle était surprise de ne rien ressentir de sinistre. Catherine s'était imaginé que les événements conduisant à la mort d'Alison avaient imprégné les murs du manoir de Scardale et que des spectres y demeuraient encore. Mais rien de tel. Ce n'était qu'une vieille demeure joliment restaurée et qui, malgré tout l'argent dépensé, n'atteindrait jamais à quelque distinction. Même la grange que Philip Hawkin avait utilisée comme laboratoire ne présentait aucun caractère particulier. On l'utilisait maintenant comme cabane à outils et dépôt de vieux meubles, ni plus ni moins.

Néanmoins, l'heure fut riche d'enseignements pour Catherine, lui permettant de replacer sa connaissance des événements dans des lieux. Quand

476

Kathy Lomas la reconduisit à Lark Cottage, pour l'interview proprement dite, Catherine lui fit part de son point de vue.

— C'est sûr, vaut mieux que ça se mette en place, observa Kathy. Et maintenant, qu'est-ce que vous voulez me demander?

Le témoignage de Kathy n'apporta finalement que peu de faits nouveaux. Sa valeur reposait d'abord sur la connaissance intuitive qu'elle était capable de transmettre des personnes impliquées dans l'affaire. À la fin de l'après-midi, Catherine sentit qu'elle s'était suffisamment approchée de Ruth Carter et de Philip Hawkin pour pouvoir écrire sur eux de façon convaincante. Ce qui en soi valait le déplacement.

— Vous allez voir Janet, remarqua Kathy, comme Catherine écrivait les références sur la dernière cassette.

— En effet. Elle m'a dit qu'elle préférait dans la soirée.

— Ouais. Elle travaille à plein temps et préfère se garder les week-ends pour elle et Alison.

Cathy se leva, rangea les tasses.

— Alison? cria presque Catherine.

— Sa gamine. Notre Janet s'est jamais mariée. Gâché sa jeunesse avec un homme marié. Puis elle est tombée enceinte quand elle avait 35 ans. Elle aurait dû en savoir plus long. Un Américain, je crois, rencontré dans un hôtel là-bas dans le sud à une conférence. Bref, il était reparti depuis longtemps dans son Cincinnati avant que Janet s'aperçoive qu'elle était grosse. Elle a élevé l'enfant toute seule.

— Et elle l'a appelée Alison?

— Ouais. Comme je vous ai dit: on l'a pas oubliée à Scardale. Mais elle a encore eu de la chance. Sa mère a fait la nourrice gratis et elle, elle a pu continuer de jouer à la carriériste.

Dans la voix de Kathy résonnait une curieuse note d'amertume. Catherine se demanda si elle acceptait mal l'envol de ses propres enfants hors du nid sans lui donner la possibilité d'être une grand-mère disponible ou si elle méprisait Janet pour son comportement.

— Que fait-elle ?

— Elle dirige une agence d'une société de crédit immobilier à Leeds.

Kathy jeta un coup d'œil par la fenêtre dont les rideaux n'étaient pas encore tirés en dépit de l'obscurité extérieure. Les phares d'une voiture apparurent au bout du chemin.

— Ce doit être elle. Vous feriez mieux d'y aller.

Catherine se remit sur ses pieds, de nouveau déstabilisée par les sautes d'humeur de Kathy qui passait de façon imprévisible de la confidence à l'impolitesse.

— Votre aide m'a été très utile...

Les lèvres minces de Kathy se pincèrent.

— Ça arrive, dit-elle. C'était intéressant. Ouais, intéressant. Je vous ai dit des choses que j'avais oubliées. J'avais oublié que je les savais. Et on le lit quand, ce livre ?

— Il ne sera pas publié avant juin, j'en ai peur. Mais je veillerai à ce que vous receviez un exemplaire.

— Vous oubliez surtout pas, ma fille. Je veux pas voir un journaliste venir me poser des questions sur un livre que j'aurais pas lu.

Elle ouvrit la porte, s'écarta pour laisser passer Catherine.

— Dites à Janet qu'elle me doit une demi-douzaine d'œufs.

Avant d'avoir atteint le bout de l'allée, la porte s'était refermée et Catherine, trébuchant dans l'obscurité, tourna à droite, passant devant Tor Cottage, où Charlie Lomas avait vécu avec sa grand-mère, emprunta sur sa gauche l'autre allée conduisant à Shire Cottage où Janet avait grandi en compagnie de trois autres enfants. Selon Peter Grundy, ses parents lui avaient vendu la maison trois ans auparavant, quand ils avaient décidé de prendre leur retraite en Espagne à cause du climat. Catherine ne parvenait pas à s'imaginer que l'on puisse désirer vivre dans la maison où l'on a grandi. Elle n'avait pas été malheureuse, enfant, mais elle était déjà prête à s'enfuir à Londres, vers la liberté, la réussite, dès que la chance lui sourirait.

Quelle que soit la raison qui avait poussé Janet Carter à rester à Scardale, Catherine comprit que ce n'était sans doute pas par sentimentalité. Dans Shire Cottage, tout le rez-de-chaussée avait été aménagé en loft, en ne conservant que la cheminée. Comme c'était l'un des cottages les moins anciens de Scardale – sans doute de l'époque victorienne, expliqua Janet –, les plafonds étaient plus hauts et, les cloisons une fois abattues, l'impression d'espace était saisissante. À une extrémité de la salle était installée une cuisine fonctionnelle : l'inox des équipements ménagers reflétait les différentes teintes de gris des pierres brutes des murs. De l'autre côté, le lieu de vie où tout n'était que couleurs vives, tentures murales indiennes et petits tapis. Au milieu, une longue table en pin semblait servir à la fois pour les repas et le travail, car devant elle une adolescente était installée, le regard fixé sur l'écran d'un ordinateur. Elle leva à peine la tête quand Janet fit entrer Catherine.

— Quelle merveille ! s'exclama Catherine malgré elle.

— Épatant, hein ? (Les années avaient accusé le caractère félin du visage de Janet ; de petites rides apparurent au coin de ses yeux en amande quand elle sourit, ravie.) Tout le monde est surpris. C'est beaucoup plus conventionnel à l'étage, mais je voulais que tout soit différent ici.

— Janet, c'est stupéfiant. Je n'ai jamais rien vu de comparable dans un vieux cottage. Vous seriez d'accord pour un reportage photographique dans mon magazine ?

— Vous me versez des droits ? demanda immédiatement Janet avec un sourire rapace.

Celui de Catherine fut plus réservé :

— Le magazine pourrait se débrouiller. Je suis désolée de ne pas pouvoir le faire pour notre entretien. Mais les éditeurs… ne sont pas très généreux.

Elle n'avait pas l'intention d'écorner son avance sur droits au profit de quelqu'un comme Janet, manifestement intéressée. Elle se demanda quelle réduction cette dernière avait obtenue quand elle avait racheté le cottage à ses parents.

Elles s'installèrent sur un petit sofa. Janet versa du vin rouge dans des verres épais, désignant sa fille d'un geste vague de la main :

— Ne faites pas attention à Alison. Elle n'entendra pas un mot de notre conversation. Elle revient de l'école, met un plat tout préparé dans le micro-ondes et s'isole devant son écran. Elle a le même âge que nous avions, Ali et moi, en 1963. Quand je regarde Alison, je ressens toutes les angoisses que ma mère a dû éprouver, bien que ma vie soit fort différente de la sienne…

« Tout a changé le jour de la disparition d'Ali, se souvint Janet, s'installant confortablement à la façon d'une femme qui se prépare à une longue conversation. Je ne me rendais sans doute pas compte à l'époque de la terreur que cet événement inspirait à ma tante et à mes parents. Il a fallu que j'aie mon propre enfant. Moi, je ne savais qu'une chose : Ali n'était plus là. Il ne me venait pas à l'esprit que j'étais moi-même en danger. Mais pour les adultes, comme on dit, en plus du souci qu'ils se faisaient pour Ali, il y avait cette peur terrible qu'il puisse y avoir d'autres victimes, qu'aucun de leurs enfants n'était en sécurité.

« À cette époque, les enfants n'avaient aucune idée de l'actualité. Nous ne lisions pas les journaux, nous ne regardions pas les informations, tout ce qui nous intéressait c'étaient les groupes de pop et les stars. Nous ne savions donc pas qu'il y avait eu deux autres cas de disparition, à Manchester. Ce qui nous frappait de plein fouet, c'étaient les restrictions de liberté. Et, à Scardale, c'était encore plus dur.

Catherine approuva de la tête :

— Je comprends ce que vous voulez dire. L'effet fut le même à Buxton. On nous a traités brusquement comme de la porcelaine. Partout où nous allions, un adulte devait nous accompagner. Maman ne me laissait même plus sortir le chien dans le bois de Grin Low. C'était bizarre d'imaginer le danger si près de chez soi. Mais pour vous, c'était sans doute bien pire, la peur, l'angoisse étaient devant votre porte.

— À qui le dites-vous ! s'exclama Janet. Nous, nous avions l'habitude de parcourir la vallée en toute liberté. En été, on était toujours dehors et même en plein hiver, on escaladait les collines, on suivait le Scarlaston jusqu'à Denderdale ou on se baladait dans les bois. Comme Derek, Ali et moi, on avait pratiquement le même âge, on ne se quittait guère. Et, d'un seul coup, il n'y avait plus que Derek et moi, coincés à la maison. Comme des prisonniers. Ce qu'on a pu s'ennuyer !

— Les gens oublient quelle corvée c'était d'être un jeune ado au début des années 1960, remarqua

Catherine, se souvenant du rôle que l'ennui avait joué dans cette période de sa vie.

— Spécialement dans un endroit comme Scardale, dit Janet. Vous alliez à l'école et toutes les copines vous racontaient ce qu'elles avaient vu à la télé, au cinoche, avec qui elles avaient dansé à la kermesse paroissiale. Nous n'avions rien de tout cela. Et elles se payaient notre tête parce que nous, les mômes de Scardale, nous n'avions pas la moindre idée de ce qui se passait dans le monde. On nous traitait comme des demeurés. Vous avez dû voir ça à l'école de Buxton.

— Je suis allée une année au collège d'High Peak, j'étais dans la classe au-dessus de la vôtre. Autant que je me souvienne, les enfants de Scardale n'étaient pas les seuls en butte aux plaisanteries. Nous, les enfants de la ville, nous étions des monstres pour les gosses des villages avoisinants.

— Je vois. Rien de plus cruel que les enfants entre eux. Et comparé à ce qui nous est arrivé après la disparition d'Ali, les noms d'oiseaux étaient le cadet de nos soucis. Quand je me rappelle les semaines qui ont suivi, le souvenir le plus marquant que j'en garde, c'est d'être assise dans ma chambre avec Derek. Nous écoutions Radio Luxembourg devant un de ces vieux postes encombrants qui diffusaient plus de parasites qu'autre chose. Et on gelait. C'était bien avant le chauffage central. Nous gardions nos manteaux dans la chambre. Aujourd'hui encore, certaines chansons me rappellent cette époque. *Needles and Pins* des Searchers, *Anyone Who had a Heart* de Cilla Black, *World Without Love* de Peter et Gordon et *I Want To Hold Your Hand* des Beatles. Chaque fois que je les entends, je me retrouve sur mon dessus-de-lit rose en chenille tandis que Derek est assis par terre, le dos appuyé contre la porte, les bras autour des genoux. Et Ali n'est pas là.

« Tant de choses paraissent naturelles quand vous êtes enfant. Vous passez toutes vos journées avec la même personne et il ne vous vient jamais à l'esprit qu'un jour elle ne sera peut-être plus là. En un sens, c'est une chance pour moi que vous écriviez ce livre. Des disparus, nous en avons tous, et rien pour prouver qu'ils ont existé, sauf les souvenirs dans notre tête. Au moins, je vais pouvoir prendre votre livre et m'assurer qu'Ali était bien là. Pas bien long-temps, mais elle était là.

# 6

George Bennett s'arrêta pour reprendre sa respiration, les mains sur les hanches en aspirant l'air
douceâtre et humide. Son fils l'attendait en contemplant la vue spectaculaire du haut des Heights of
Abraham; sur la colline en face, le château de Riber
se découpait au-dessus de la gorge profonde creu-
sée par la rivière Derwent. Ils avaient emprunté le
téléphérique de Matlock Bath jusqu'au sommet et
suivaient maintenant la crête boisée, se dirigeant
vers un sentier en lacets par lequel ils redescen-
draient peu à peu vers la rivière.

Paul ne comptait plus les promenades faites avec
son père. Dès qu'il avait été assez grand pour pouvoir le suivre, George l'avait emmené en randonnée
dans les vallées et sur les sommets du Derbyshire.
Certaines de ces balades étaient gravées dans sa
mémoire, telle la fois où il avait escaladé le Mam
Tor un jour avant son septième anniversaire.
D'autres semblaient s'être effacées de sa mémoire
mais resurgissaient au cours de ses rares visites à
la famille avec Helen. Quand il rentrait chez ses
parents, comme ce week-end, il aimait encore se
promener sur les collines avec son père, mais
George préférait maintenant emprunter des itiné-
raires permettant d'éviter escalades abruptes et

descentes rapides, dans lesquelles il se lançait plus jeune.

Paul se retourna pour faire face à son père, qui ne haletait plus, quoiqu'il fût encore cramoisi à la suite de l'effort.

— Ça va ? demanda-t-il.

— Très bien, répondit George, se redressant et venant à côté de Paul. Je ne suis plus tout à fait aussi jeune, mais l'effort est récompensé par la vue.

— C'est une des choses qui me manquent vraiment depuis que j'habite Bruxelles. J'ai été trop gâté d'avoir grandi avec de pareils paysages à ma porte. Maintenant, pour trouver une vraie colline, il faut des heures de voiture. Alors on essaie de ne plus y penser. Et on va au gymnase mais ça ne remplace pas… tout ça.

D'un geste il engloba l'horizon.

— Au moins en salle il ne pleut pas, dit George, montrant les nuages et le halo de pluie dans la vallée. Dans une demi-heure environ.

Il se remit en marche. Paul lui emboîta le pas.

— Je ne suis pas sorti autant que je l'aurais souhaité ces temps derniers. Après la matinée passée avec Catherine, un peu de jardinage, et quelques autres activités domestiques, j'avais juste le temps de faire un parcours au golf.

Paul sourit :

— À cause de moi.

— Non. Je ne me plains pas. Je dirais même que je suis content que tu m'aies convaincu. J'ai trop longtemps gardé tout ça pour moi, en pensant que j'aurais du mal à affronter ces souvenirs. (Il eut un petit rire.) Dire que j'ai toujours conseillé à mes hommes de faire face à leurs peurs, de se remettre en selle, et moi je faisais tout le contraire.

Paul hocha la tête :

— Tu m'as toujours appris à regarder le croque-mitaine dans les yeux.

— Oui, oui, si tu choisis le terrain de rencontre, dit George avec une ironie désabusée. Enfin l'affaire Alison Carter ne m'a pas dévoré, après tout. Catherine m'a facilité la tâche. Je dois reconnaître qu'elle avait bien fait son travail de recherche. Nous nous sommes souvent arrêtés sur des détails précis et j'ai peu à peu pris conscience que, compte tenu des circonstances, je n'avais pas fait du trop mauvais boulot.

Ils arrivèrent à un tournant dans le sentier et George s'arrêta pour faire face à son fils.

Il respira profondément :

— Il y a une chose que je veux te dire avant que tu la lises dans le livre. Ni ta mère ni moi ne t'en avons parlé. Quand tu étais petit, nous nous sommes tus parce que nous craignions de t'effrayer. Tu sais comment sont les gosses : l'imagination toujours prête à faire d'une souris une montagne. Puis quand tu as été plus grand, nous n'avons jamais trouvé le bon moment.

Paul sourit, un sourire teinté d'incertitude.

— Mieux vaudrait en finir alors. Dis-le-moi maintenant.

George prit une de ses cigarettes, parvint à l'allumer malgré la légère brise qui se glissait le long de la pente.

— Philip Hawkin a été pendu le jour de ta naissance, dit-il enfin.

La stupéfaction effaça le sourire de Paul :

— Mon anniversaire ?

George approuva :

— C'est bien ça. J'ai reçu la nouvelle de ta naissance juste après la pendaison.

— Voilà pourquoi tu as toujours accordé autant

d'importance à mon anniversaire ? Pour tenter de te cacher que tu ne pourrais jamais oublier l'autre ? dit Paul, incapable de dissimuler combien la nouvelle le blessait.

— Non, non, protesta George. Ça ne s'est pas passé comme ça. Non, ta naissance était un signe des dieux que je pouvais enfin aller de l'avant, rejeter Alison Carter dans le passé, repartir. Ton anniversaire ne me faisait pas du tout penser à la pendaison, ce n'est pas ça... écoute... j'ai l'impression de parler comme un de ces manuels américains sur l'auto-analyse... ta naissance m'a donné un sentiment de renouveau. Une promesse.

Les deux hommes se regardèrent. Sur le visage de George se lisait une attente : celle que son fils le croie. Un moment de silence s'écoula, puis Paul s'avança, enlaça son père en une étreinte maladroite.

— Merci de me l'avoir dit, marmonna-t-il, conscient soudain de l'amour qu'il portait à son père, bien qu'entre eux les contacts physiques eussent été rares. (Il laissa retomber ses bras avec un sourire :) Je comprends pourquoi tu ne voulais pas que je découvre ça dans le livre de Catherine.

George sourit à son tour :

— À en juger par tes réactions, tu l'aurais mal pris.

— Probablement, reconnut Paul. Mais je vois aussi pourquoi tu ne me l'as pas dit enfant. J'aurais eu des cauchemars, c'est sûr.

— Eh oui ! tu as toujours eu une sacrée imagination, dit Paul. (Il se détourna pour écraser sa cigarette, jeta un coup d'œil à Paul par-dessus son épaule :) Encore une chose : si tu veux bien, la prochaine fois que tu viens avec Helen, on pourrait peut-être faire un saut à Scardale voir sa sœur.

Le sourire de Paul s'élargit :

— Helen serait contente. Très contente. Merci, pa', ton offre me fait vraiment plaisir. Ça n'a pas dû être facile pour toi.

— Oui, oui, bien, dit George avec brusquerie. On repart, mon gars, sinon la pluie va nous noyer.

De retour à Londres, Catherine s'attendait à éprouver du soulagement après la vie à l'écart menée à Longnor. À sa grande surprise, la ville qui avait été la sienne pendant plus de vingt ans lui parut étrangère : trop bruyante, trop sale, trop agitée. Même son appartement à Notting Hill auquel elle tenait tant semblait beaucoup trop grand pour une personne seule. Ses pastels aux teintes froides, son mobilier moderne paraissaient dépourvus de substance comparés aux murs de pierre épais et aux meubles dépareillés de la fermette du Derbyshire.

L'idée de ces mondanités, de ces soirées qui remplissaient ses moments de loisir, était également devenue étrangère. Elle se força cependant à organiser un dîner avec quelques amis : elle ne pouvait pas se permettre de rompre avec le monde du travail, se dit-elle fermement. Et, par ailleurs, après deux autres interviews, une rencontre avec l'éditeur qui lui avait commandé son livre et une discussion animée avec un producteur de documentaires télévisés voulant à toute force consacrer une émission à ses recherches, elle pensait avoir bien gagné un moment de détente.

La première de ces interviews avait été celle de Charlie Lomas – il voulait désormais qu'on l'appelle Charles –, seul personnage de son livre, à part bien entendu Alison elle-même, à apparaître dans différents articles de l'époque. Elle avait découvert deux portraits de lui dans la presse mais aucun ne mentionnait les événements traumatisants de 1963.

Il est vrai que la raison de l'interview n'avait rien à voir avec Scardale. Plutôt que de rester dans la vallée à perpétuer les traditions familiales, Charles avait quitté Scardale au cours de l'hiver 1964. Il s'était rendu en stop à Londres où il avait trouvé du travail comme garçon de courses d'une maison de disques à Soho, à une époque où le pays tout entier dansait sur le rythme du Mersey Beat. En quelques mois, son accent du Nord lui avait valu de chanter dans un groupe. Bientôt il organisait leurs tournées et, en moins de cinq ans, il était devenu un agent bien rémunéré.

Au moment où Catherine était parvenue à retrouver sa trace, il était à la tête d'un empire international de production et s'occupait encore d'une demi-douzaine des plus célèbres rockers du Royaume-Uni. À sa demande – écrite – d'interview, il avait faxé son accord en précisant qu'il était persuadé que sa famille avait une dette envers George Bennett et que c'était la meilleure façon de l'acquitter.

Quand sa secrétaire la fit entrer dans son bureau au cinquième étage, avec vue sur Soho Square, Catherine se sentit interdite. Chevelure argentée soigneusement entretenue dégageant un grand front, mains manucurées, joues lisses rasées de frais, jean bien coupé et chemise à la mode, il était difficile d'imaginer le fermier que Charles Lomas aurait pu devenir. Mais il apparut rapidement qu'il avait hérité de sa grand-mère l'art de raconter des histoires. Avant d'avoir pu se résigner à en venir à Alison, il régala Catherine de ragots sur le monde musical pendant au moins une demi-heure.

À la troisième question sur Alison, il répondit enfin :

— Cette fille ne s'en laissait pas compter, dit-il d'un ton admiratif. Si elle était en pétard avec vous, elle le disait bien haut. Avec elle, on savait où on en était. Tandis que Janet, elle était double, devant vous la douceur même et dans votre dos une garce. Elle n'a pas changé, paraît-il. Mais Ali s'en souciait comme d'une guigne. Voilà pourquoi je ne crois pas qu'on ait réussi à la séduire. Pour embarquer Ali, fallait le faire de force, c'était pas la petite fille impressionnable.

« Dès le début, j'ai voulu faire tout ce que je pouvais pour aider. J'ai participé aux battues et c'est moi, bien sûr, qui ai découvert l'endroit de la bagarre. Je me souviens encore du choc. On avait déjà mis en place le ratissage à ce moment-là, surtout ceux qui vivaient dans la vallée. On connaissait si bien le terrain que la moindre chose inhabituelle nous sautait à la figure, pas comme les flics qu'ils avaient pêchés partout dans le pays.

« Quand je repère la broussaille qui n'est pas comme elle doit être, je ressens comme une main qui me plonge dans la poitrine, m'agrippe le cœur et les poumons et presse à m'en couper le souffle et le sang. Quand, après coup, je raconte ça à Grand Ma', la première chose qu'elle me dit c'est : "Hawkin se balade là-dedans plus que n'importe qui."

« Et je lui dis que j'ai vu le châtelain dans le champ entre le bois du Scarlaston et le boqueteau l'après-midi même de la disparition d'Alison. "T'en causes pas, elle me dit. Ça viendra à son temps et heure de le dire à ce flic, quand y fera attention. Tu parles trop tôt et la chose est enterrée sous les bavardages."

« Deux jours plus tard, elle me dit d'en causer à l'inspecteur Bennett dès que l'occasion se présente. Elle allait jeter un coup d'œil au champ pour voir si elle trouverait pas quelque chose qui nous avait échappé. (Il eut un sourire d'affection :) Quelle sacrée comédienne! Elle ressemblait tant à une sorcière qu'elle avait convaincu la moitié du comté qu'elle avait le don de double vue, le pouvoir de jeter des sorts et celui de parler aux animaux. En réalité, elle avait l'esprit plus aiguisé qu'un cent de couteaux. Elle pigeait tout de suite ce qui avait échappé à n'importe qui.

« Quand j'y repense, je crois qu'elle voulait seulement attirer l'attention sur le champ entre le bois et le boqueteau pour que, quand je ferai ma révélation à l'inspecteur Bennett, elle prenne immédiatement de l'importance. Nous avions probablement tort de garder pour nous cette information mais souvenez-vous, nous menions une vie très isolée à Scardale. Nous n'avions aucune idée de qui étaient ces étrangers. Allaient-ils vraiment essayer de retrouver Ali ou se contenteraient-ils de faire porter le chapeau à un quelconque péquenot en l'accusant du crime ? Et comme Mr Bennett vous l'a probablement raconté, à ce moment-là j'étais le péquenot de service. Un vrai paquet d'os, et les hormones me travaillaient. Pas beau à voir, je peux vous l'assurer. Alors bien sûr ils m'ont questionné.

Catherine hocha la tête :

— George m'en a parlé. Ça n'a pas été très agréable ?

Charles fit un signe d'assentiment :

— J'étais dans un état... D'un côté enragé parce qu'ils voulaient pas voir qu'on était tous solidaires, de l'autre terrifié qu'ils me fassent porter le chapeau. Je pensais plus qu'à trouver une façon de leur montrer que j'aurais pas touché un cheveu d'Alison, sans leur raconter ce que Grand Ma' m'avait interdit de dire pour le moment.

« Bien sûr, quand j'ai repensé par la suite à ce choix du moment opportun, j'ai eu un soupçon : Grand Ma' voulait tirer d'affaire le mystérieux oncle

Peter. Oh, à l'époque, je ne le connaissais pas. J'ai découvert son existence en lisant la presse locale. Étonnant, n'est-ce pas : la génération d'avant gouvernait Scardale comme un fief médiéval, jusqu'à bannir les indésirables. Mais, même banni, Peter faisait encore partie de la famille. Et Grand Ma' a toujours affirmé que le sang est plus épais que l'eau. Elle a donc utilisé l'atout qu'elle gardait dans sa manche pour détourner l'attention de Bennett d'un homme dont elle était sûre qu'il était incapable de faire du mal à Alison.

« J'ai sans doute une part de responsabilité dans ce qui s'est passé par la suite. Ce n'est pas très confortable, je l'admets. (Il soupira.) Ma seule excuse, c'est qu'en dix-neuf ans j'avais jamais eu l'idée de tenir tête à Grand Ma' et le moment était mal choisi pour commencer…

La découverte de l'entrée de la mine de plomb était demeurée gravée dans la mémoire de Charles. Bien que Catherine éprouvât quelques difficultés à voir l'adolescent fougueux d'autrefois dans le manager manucuré d'aujourd'hui, quand il parla de sa découverte, toute la passion et l'enthousiasme de la jeunesse resurgirent.

— Quand 'man est venue me trouver ce matin-là pour me dire qu'on avait besoin de moi pour retrouver une vieille mine, j'en suis tombé sur le cul. Je croyais pas qu'un tel endroit puisse exister. J'avais passé toute mon existence à Scardale et personne m'en avait jamais parlé et, par-dessus le marché, je croyais maîtriser chaque pouce de la vallée.

« C'est pas parce que vous habitez un endroit que vous le connaissez bien. Prenez mon cousin Brian, sûrement au fait de chaque brin d'herbe de ses prés, de chaque pas qu'il fait sur le chemin de sa maison à son étable, chaque pouce du terrain jusqu'à son coin de pêche favori sur le bord du Scarlaston. Mais son savoir s'arrête là. Il a pas l'instinct de l'exploration, moi si. Quand j'étais gosse, j'y consacrais toutes les heures où j'étais pas à l'école ou à travailler dans les champs. La première fois que j'ai escaladé la falaise, j'avais 7 ans. Je faisais la montée et la descente de Shield Tor au moins deux fois par semaine, rien que pour le plaisir. J'aimais chaque pouce de Scardale.

Un instant, son visage se ferma comme si son imagination lui montrait ce qu'il avait abandonné.

— Scardale me manque, dit-il soudain. (Puis son visage s'éclaircit, et il reprit le fil de ses souvenirs:) Voyez-vous, je ne parvenais pas à comprendre comment cette mine pouvait exister sans que je le sache. Mais à ce moment-là, on était déjà désespérés, prêts à tout tenter.

«Quand j'ai trouvé l'entrée, j'étais abasourdi. Je n'avais jamais suivi la base de la falaise tout du long. En été, il y a trop de végétation, et en hiver ça paraît inaccessible à cause des éboulis qui bouchent la vue quand on est du côté de la rivière. En fait, il y a pas beaucoup à escalader et le livre indiquait exactement l'endroit. Mais ce qui me chiffonnait encore plus, c'est que *quelqu'un* avait pénétré un secret de Scardale, et pas moi. M'apercevoir que mon prétendu savoir était incomplet me déboussola complètement. Je n'avais plus confiance dans mon propre jugement. De quoi être secoué.

«Bizarrement ça m'a plutôt aidé par la suite. Je ne me fais jamais avoir quand on me passe la brosse à reluire. J'ai une sainte méfiance des flatteurs. Je sais maintenant combien on peut se tromper sur quelqu'un que l'on croit connaître par cœur. C'est cinglé d'imaginer que quelques rencontres suffisent. Je l'ai pas ressenti à l'époque, mais au moins j'ai retiré ce petit avantage de ce qui est arrivé à Ali. (Il passa une main sur sa mâchoire.) Je dois vous dire tout de même que si ça pouvait la ramener, je préférerais avoir des jugements à chier.

Pour des informations complémentaires sur les acteurs du drame, Charles se révéla moins utile que Kathy ou Janet. Il eut un sourire d'excuse :

— J'ai toujours été un rêveur. Je me racontais des histoires, je m'inventais des façons de m'enfuir de Scardale et de changer le monde. La moitié du temps, j'étais pas conscient de ce qui se passait autour de moi et quant aux rapports entre les adultes, c'était un mystère pour moi. Je savais seulement que je ne paraissais pas vouloir ce que n'importe qui voulait à Scardale. (Il prit une profonde respiration, regarda Catherine droit dans les yeux :) Il a fallu que je vienne à Londres pour comprendre. Je suis gay, voyez-vous. Je connaissais même pas le mot pendant mon adolescence. Je savais seulement que j'étais différent. Vous comprenez maintenant que je suis pas la personne à qui demander si j'avais remarqué quelque chose de bizarre dans le couple Ruth et Phil. (Il sourit :) À mes yeux, tous les rapports entre adultes étaient foutrement bizarres.

# 7

*Mai 1998*

Comme elle faisait durer un gin tonic au premier étage du *Lamb and Flag* de Covent Garden, le portable de Catherine sonna.

— Catherine Heathcote, dit-elle.

Elle craignait que Don Smart décommande leur rendez-vous.

— Catherine ? C'est Paul Bennett. Papa m'a dit que vous étiez à Londres, c'est bien ça ?

— Exact. J'y suis retournée quelques jours pour parler du livre à différentes personnes.

— Je suis à Londres, moi aussi. Je rentre à Bruxelles demain matin mais je me demandais si nous ne pourrions pas nous retrouver pour dîner ce soir ?

Ils se donnèrent rendez-vous pour 19 heures. Mise de bonne humeur par la perspective de ce dîner, elle releva la tête et découvrit un homme au visage émacié, l'air incertain, à l'autre bout de la salle. Il paya sa pinte, puis s'approcha d'elle.

— Catherine Heathcote ?

— Don Smart ?

Elle se leva à demi, lui tendit la main quand il s'installa sur la chaise en face d'elle. Elle ne l'aurait pas reconnu d'après la description de Bennett. Le roux s'était changé en blanc grisâtre. Il était rasé de près et, sur sa peau sèche et distendue, les taches de son décolorées n'étaient plus que les marques de l'âge. Les yeux rusés de renard qui avaient fait si forte impression sur George avaient perdu de leur vivacité, avec les veinules rouges, le blanc teinté d'un jaune souffreteux.

— Malin de nom, malin de nature, « smart » pour tout dire, affirma-t-il.

Il n'était plus crédible.

— Merci d'avoir bien voulu me parler, se contenta-t-elle de répondre.

Il but une lampée de sa chope.

— Vous me demandez de me couper la gorge. En toute justice, cela aurait dû être mon livre. J'ai assuré la couverture de cette histoire depuis la page 1 jusqu'au procès inclus. Mais George Bennett a toujours refusé de collaborer. Je suppose que je lui rappelais trop son échec.

— Son échec ?

— Il voulait désespérément retrouver Alison vivante. Pour lui, ce n'était pas une consolation qu'elle fût probablement morte avant même le coup de téléphone. Je crois que, par la suite, il a toujours été hanté par sa mort. Voilà pourquoi il refusait de me parler. Dès qu'il me regardait, il avait l'impression d'avoir fait faux bond à Ruth Carter.

Il plongea la main dans sa poche, en sortit un paquet de cigarettes :

— Vous fumez ?

Elle fit signe que non.

— Je me contente d'en offrir aux pigistes aujourd'hui, dit-il en en allumant une avec un soupir de plaisir. Tous les autres ont arrêté. Dans les foutues salles de rédaction y'a même plus de fumée. Alors, Catherine comment ça se passe pour *mon* livre ?

Elle sourit :

— C'est intéressant, Don.

— Je m'en serais douté, dit-il amèrement. Dès le premier jour, dès la première page, j'ai su que George Bennett était un sujet en or. Cet homme était un vrai bull-dog. Impossible qu'il abandonne Alison. Pour tous les autres flics, c'était jamais qu'un boulot de plus. Bien sûr, ils éprouvaient un peu de pitié pour la famille. Et je parierais que ceux qui étaient eux-mêmes des pères serreraient un peu plus fort leurs filles, au retour des battues sur la lande.

« Mais avec George, c'était autre chose. Pour lui, c'était une croisade. Et le monde entier aurait-il renoncé que George aurait continué avec la même passion, comme si c'était sa propre fille. J'ai passé beaucoup de temps à le suivre dans son enquête sans jamais vraiment comprendre ce qui le poussait. C'était une sorte d'affaire personnelle.

« Pour moi c'était pain béni. Le boulot dans l'agence pour le Nord du *News* était ma première collaboration avec un quotidien national et je guettais l'occasion de me propulser au siège dans Fleet Street. Je venais de couvrir en partie pour le *News* les disparitions de Pauline Reade et de John Kilbride et je me suis dit que si je pouvais établir le lien avec celle d'Alison Carter, j'aurais mes colonnes à la une.

— Et vous les auriez eues, reconnut-elle.

L'amertume refit son apparition :

— George n'a pas marché, évidemment. Il était résolu à ne pas laisser l'affaire Alison aux inspecteurs qui enquêtaient déjà sur les deux premières disparitions. Je ne sais pas si c'était affaire d'intuition ou pure tête de lard, mais la suite montra qu'il avait raison. Bien sûr, aucun d'entre nous ne pouvait se douter de l'existence de Ian Brady et Myra Hindley, mais George paraissait savoir d'instinct que Alison constituait un cas à part et que c'était à lui de s'en occuper.

— Mais finalement, vous avez rejoint Fleet Street grâce à George ? demanda Catherine.

— Aucun doute là-dessus. J'ai pondu des trucs qui ont marché. Quand je pense à l'histoire épatante de la médium... le gros lot. Mais l'ironie de l'affaire, c'est que j'ai pas écrit une ligne sur les révélations des célèbres meurtres des landes...

Soudain Smart digressa : il revécut son travail de journaliste pour différents journaux nationaux, son retour au *News* en tant que rédacteur en chef adjoint. Mais il avait perdu son poste trois ans auparavant, à la suite d'une compression de personnel, et ne travaillait plus que trois nuits par semaine à la révision des dépêches.

— Les journalistes indépendants, ils connaissent plus le boulot. Ils ont donc besoin de quelqu'un de compétent à la permanence de nuit. Mais l'affaire Alison Carter n'a pas fait que m'aider : toutes ces disparitions d'enfants m'avaient dégoûté d'en avoir. Malheureusement, ma femme d'alors ne partageait pas cette idée. On peut donc dire que mon mariage a capoté par suite de l'affaire. Ce qui s'est passé dans ce petit village du Derbyshire une nuit de décembre a eu des conséquences que personne ne pouvait prévoir.

« C'est souvent le cas quand l'affaire reste sans solution. Personne ne peut savoir ce qui s'est vraiment passé et la vie de chacun passe au microscope. Toutes sortes de secrets surgissent au grand jour. Et souvent, c'est pas joli à voir.

— Aucun regret sur la façon dont vous avez couvert l'affaire ? demanda Catherine.

Il eut un sourire condescendant :

— Catherine chérie, j'étais l'un des meilleurs. Je le suis toujours, d'ailleurs. Mon boulot comportait deux exigences. D'abord, je devais fournir à mon rédacteur de bons reportages exclusifs pour que nos lecteurs fidèles ne nous lâchent pas et pour en attirer de nouveaux. Deuxièmement, j'étais là pour aiguillonner la police, pour pas qu'ils se la coulent douce.

« S'il fallait se les mettre à dos, eh bien j'ai les épaules larges. On a failli en venir aux mains, George Bennett et moi, après mes papiers sur la voyante. J'avais dégoté l'idée dans un magazine américain. Nos tabloïds d'alors étaient beaucoup plus collet monté que maintenant et une ou deux des publications américaines présentaient ces effets de choc.

« J'avais pris l'habitude d'y récupérer des idées. Celle de la voyante est un bon exemple. Il y avait eu un meurtre dans le désert de l'Arizona, soi-disant résolu par une médium. Ça me tournait dans la tête au moment où on a commencé de chercher Alison. Quand j'en ai parlé à mon rédacteur, il a adoré ! Je savais que la police britannique n'aurait jamais admis avoir eu recours à un médium, donc ma seule chance de trouver quelqu'un ayant cette réputation était de chercher à l'étranger.

« Un de mes amis travaillait pour l'agence Reuters. Je l'ai convaincu de consulter leur fichier et j'ai trouvé madame Charest. Je ne l'ai jamais rencontrée et ça n'aurait pas servi à grand-chose parce qu'elle ne parlait pas un mot d'anglais. Tout s'est passé par l'entremise d'un interprète. Bien sûr, je n'ai pas cru à une seule de ses révélations, mais ça faisait de la sacrée bonne copie.

« George a jugé ma conduite irresponsable. Il croyait que je ne m'intéressais qu'à ma réussite. Il ne voyait pas l'autre aspect. Moi aussi je voulais que l'on retrouve Alison, mais les informations ne vivent pas longtemps, si on ne trouve pas de combustible pour entretenir la flamme. Pour que le nom et la photo d'Alison Carter continuent d'apparaître dans la presse, il me fallait un autre angle d'attaque. Et je fis coup double avec ma voyante. Elle me rendait service et, en même temps, Alison Carter continuait de faire la une.

« Dans son cas, ça ne servait plus à grand-chose, mais ç'aurait pu être le cas, ajouta-t-il, l'air satisfait de lui-même.

— Elle se trompait, n'est-ce pas, votre Mme Charest ?

Don Smart eut un sourire narquois et Catherine vit devant elle le renard que George lui avait décrit.

— Et alors ? On s'est arraché le journal. Si vous pouvez faire à moitié aussi bien, Catherine, vous vendrez peut-être quelques exemplaires de plus que ce que vos amis et famille achèteront.

La rencontre avec Don Smart avait laissé un mauvais goût dans la bouche de Catherine, que même un verre d'un excellent bourgogne dans le bar à vin de Garrick Street ne parvint pas à dissiper.

— C'est une telle merde d'égocentrique, confia-t-elle à Paul. Il est de l'espèce qui a fait des torchons des tabloïds britanniques et il en est fier !

— Vous comprenez maintenant pourquoi pa' n'a jamais voulu lui parler. Je dois dire que j'ai été surpris quand il a accepté votre proposition. Mais maintenant je suis heureux de m'être laissé convaincre par vous et Helen. Le travail qu'il a fait avec vous semble avoir renouvelé son espérance de vie. Je ne l'ai jamais vu aussi en forme depuis des années, comme si au cours de ce travail il s'était libéré du passé.

— Je l'ai ressenti également. C'est étrange, mais avant de me lancer dans ce projet d'écriture, j'étais très nerveuse. Je n'avais jamais rien fait d'aussi ambitieux et je ne savais pas si j'étais capable d'un effort aussi prolongé. Maintenant, c'est comme si je devais accomplir une mission en racontant correctement cette histoire. Et comme je prenais conscience de l'importance que George y attribuait, cela ne faisait que renforcer ma volonté de mener l'entreprise à bien.

— Je suis très impatient de le lire, dit Paul. Bien que, pour être honnête, j'ai aussi quelque appréhension. Après tout, il s'agit de mon père, de sa vie quand je n'étais pas encore là. Un peu comme espionner quelqu'un.

Il baissa la tête, l'air impassible :

— La plus grande partie, voyez-vous, représentera une véritable découverte pour moi. Pa' ne fait pas partie de ces hommes qui rasent tout le monde avec leurs histoires de guerre. Je ne pense pas qu'il ait mentionné Alison Carter avant la venue de ce journaliste. (Cette fois il releva la tête, souriant à un souvenir :) Mais le week-end dernier, il ne pensait plus qu'à ça. Il m'a raconté toutes sortes de choses dont il n'avait jamais parlé. Pourtant nous nous sommes toujours bien entendus.

« Curieusement ce projet semble nous avoir rapprochés. Comme si le travail accompli avec vous lui avait permis de comprendre mon travail. Il m'a posé toutes sortes de questions sur mes journées, sur mes rapports avec les journalistes, en quoi ils sont différents, comment ils conçoivent leur rôle. Comme s'il comparait avec ce qu'il a fait avec vous.

« Et pour ma mère aussi, cela a été profitable. Quand je lui posais des questions sur leur vie au début, on avait l'impression qu'elle marchait sur des œufs. Elle devait toujours surveiller ce qu'elle disait de peur de blesser papa. Seulement, je ne comprenais jamais pourquoi. (Il fit une grimace.)

« Je pensais qu'ils ne voulaient pas en parler de peur que je croie qu'ils étaient plus heureux sans moi ! Cette entreprise a eu tant d'effets bénéfiques sur ma famille que je souhaiterais presque avoir volé votre idée et travailler sur ce livre avec lui.

Catherine rit :

— Il n'aurait jamais pu être aussi sincère avec vous qu'il l'a été avec moi. Connaissant votre père comme je le connais aujourd'hui, il aurait sans cesse minimisé ses succès pour ne pas avoir l'air de se vanter.

— Et j'aurais fait de lui un héros, dit Paul tristement. Enfin, il me semble moi-même être obsédé par ce projet. J'ai l'impression d'en parler tout le temps. Si je ne me méfie pas, Helen va bientôt en avoir la tête farcie. Mais j'y pense : Helen veut un des premiers exemplaires sortis des presses pour le donner à sa sœur. Cela intéressera Jan de savoir ce qui s'est passé dans sa maison.

Catherine fit la grimace :

— Peut-être qu'elle ne sera pas aussi ravie d'y vivre dans son splendide isolement quand elle aura découvert toute l'histoire. Cette lecture ne sera pas apaisante.

— Mieux vaut connaître la véritable histoire plutôt que d'entendre les bavardages et les rumeurs.

— Eh bien ! je ferai en sorte qu'elle ait la vérité. J'y suis absolument décidée. (Catherine leva son verre :) À la vérité !

Paul fit écho :

— À la vérité ! Mieux vaut qu'elle sorte du puits !

## 8

*Mai, juin, juillet 1998*

Catherine quitta la A1 et se retrouva aussitôt sur une départementale étroite entre des champs fertiles et des bois épais, la mer apportant une touche lumineuse dans le lointain. Pour une raison qu'elle ne parvenait pas à définir, la perspective de rencontrer Tommy Clough paraissait plus excitante que celle d'interviewer d'autres personnages secondaires. En partie, sans doute, parce que George et Anne en parlaient avec beaucoup d'affection ; pourtant, cela faisait bien trente-cinq ans qu'ils ne s'étaient pas vus. Mais Clough lui semblait de plus en plus énigmatique.

À en croire George, son sergent au premier abord avait l'air tout d'une pièce ; un homme dur, éventuellement brutal. Il paraissait être, beaucoup plus que George, le policier tel qu'on l'imaginait à cette époque, copain avec tous les collègues et toujours au courant des potins qui circulent dans une salle de police. Dans son travail, il était efficace et son pourcentage de réussite plus élevé que la moyenne. Bref, il était exactement à la place qui lui convenait. Mais il avait démissionné deux ans après la conclusion de l'affaire Alison Carter pour devenir le gardien attitré d'une réserve d'oiseaux dans le Northumberland. Il avait tiré un trait sur son passé, choisi la solitude.

Aujourd'hui, âgé de 68 ans et retraité, il vivait encore dans le nord-est de l'Angleterre. Anne avait raconté à Catherine qu'elle lui avait rendu une visite d'une heure, profitant de la fois où elle avait conduit Paul à une journée porte ouverte de l'université de Newcastle. Tommy Clough passait ses journées à observer et photographier les oiseaux et, dans la soirée, il les dessinait. En arrière-fond, son amour pour le jazz contribuait à l'isoler du monde. Selon Anne, c'était une vie paisible et solitaire, contrastant curieusement avec les quinze ans consacrés à la poursuite des criminels.

La route descendait en serpentant jusqu'à destination, un groupe de maisons – trop petit pour porter le nom de village – à quelques milles au sud de Seahouses. Elle éprouvait à la fois de l'excitation et de l'appréhension en soulevant le lourd heurtoir de cuivre sur la porte d'une maisonnette de pêcheur.

Elle aurait reconnu Tommy Clough n'importe où grâce à la photographie que George lui avait confiée. Une toison bouclée recouvrait encore son crâne, mais le châtain s'était mué en blanc argenté. Dans le visage tanné par les intempéries, les yeux brillaient du même éclat et la bouche n'avait pas perdu son sourire. Bien qu'habillé d'un pantalon ample en velours côtelé et d'une blouse de pêcheur, le corps massif paraissait bien musclé. Dans sa jeunesse on l'avait comparé à un taureau, maintenant avec ses boucles blanches il ressemblait plutôt à un bélier de Derby, pensa-t-elle en lui rendant son sourire.

— Mr Clough ?

— Miss Heathcote, je suppose. Entrez.

Il s'écarta pour la laisser pénétrer dans une pièce luisante de propreté mais d'un confort spartiate. Les murs étaient recouverts de dessins d'oiseaux à l'encre, quelques-uns avec des taches de couleur, d'autres entièrement noir et blanc sur un papier glacé. De la musique en sourdine : Catherine reconnut les *Romances for Saxophone* de Branford Marsalis.

Elle examina les dessins près d'elle.

— Ils sont magnifiques, constata-t-elle et elle le pensait, ce qui était rarement le cas quand elle s'efforçait de mettre des interviewés à l'aise en louant leurs goûts.

— Ils ne sont pas trop mal, dit-il. Asseyez-vous donc, vous prendrez bien un thé ? La route est longue depuis le Derbyshire.

Il disparut dans la cuisine, revint avec un plateau chargé d'une théière, d'un cruchon de lait, d'un sucrier et de deux tasses marquées du sigle de la société protectrice des oiseaux.

— Je n'ai pas de café, dit-il. Une des promesses que je me suis faites quand j'ai quitté la police, c'était de ne plus boire de cet affreux café instantané. Il n'y a pas un seul torréfacteur potable dans le coin. Je me contente donc de thé.

— Je n'ai rien contre le thé, dit Catherine avec un sourire. (Sans savoir pourquoi, elle se sentait en confiance avec cet homme.) Merci d'avoir accepté de me recevoir.

— C'est George qu'il faut remercier, dit-il, soulevant la théière et l'agitant doucement pour mieux répartir l'infusion. J'ai décidé il y a déjà longtemps que c'était à lui de savoir si le moment était venu d'en parler. Bien sûr, nous avons mené l'enquête main dans la main pour ainsi dire, mais je ne travaille pas comme lui. Il a le sens de l'organisation, moi, je serais plutôt un franc-tireur. Ma version à moi sera forcément différente et moins logique que la sienne.

« Cette affaire Alison Carter fut pour moi l'occasion de me remettre en question. J'étais entré dans la police parce que je croyais à l'idée de justice. De la façon dont ça s'est goupillé, je n'étais plus si sûr qu'on pouvait faire confiance au système. Je pense qu'à la fin tout est rentré dans l'ordre et que justice fut faite, mais d'extrême justesse. Tout aurait pu basculer et les mois de travail, et surtout la vie d'une jeune fille, n'auraient pas pesé lourd.

« S'il n'était pas certain que la police puisse remplir sa fonction, qui est aussi sa seule justification, je ne voyais plus très bien ce que j'y faisais. (Il secoua la tête et émit un petit rire moqueur tout en versant le thé:) Écoutez-moi bien, mes frères: la pensée à méditer pour aujourd'hui. On croirait entendre un prédicateur. George Bennett ne me reconnaîtrait pas. J'étais un joyeux luron, vous savez. Pintes de bière, clopes, rigolades, grosses blagues, c'était moi. Oh, je ne faisais pas semblant non plus. Il y avait quelque chose en moi qui prenait la vie comme ça. J'en remettais peut-être un peu, sans doute.

« Mais je suis aussi le genre de gars qui aime bien cogiter. Et quand Alison Carter a disparu, mon imagination s'est emballée. J'avais l'esprit rempli de différents scénarios, tous pires les uns que les autres. Je pouvais les tenir à distance pendant le travail, mais quand je n'étais plus de service, ces cauchemars venaient me torturer et me tenir éveillé. Je buvais beaucoup. C'était mon seul moyen de dormir un peu.

« J'ai souvent remercié Dieu de l'acharnement de George à mener cette enquête. Un travail constant, des fichiers à éplucher, des témoins potentiels à interroger. Même après que nous étions censés avoir mis l'affaire au frigo. Sans vraiment avoir reçu d'ordre, je suis devenu son homme de main. J'avais l'impression de me rendre utile. Mais bon Dieu que c'était dur de tirer quelque chose des gens de Scardale!

« Vous connaissez ce film des années 1970, *The Wicker Man* ? Edward Woodward joue le rôle d'un flic qui va enquêter sur une mystérieuse île écossaise, suite à la disparition d'une jeune fille : et le voilà embarqué dans les rites païens des indigènes. À vous donner le frisson ! On pressent des pratiques perverses, des croyances bizarres. Eh bien ! c'est un peu ce qu'on ressentait à Scardale en 1963, à cela près que nous revenions dans le monde normal à la fin de la journée. Et personne n'a tenté de lever sur nous le couteau du sacrifice, ajouta-t-il avec un rire un peu gêné, comme conscient d'en avoir dit plus que ce que l'on était en droit d'attendre d'un policier terre à terre.

— Et, bien sûr, le mystère a été résolu. Mieux qu'Edward Woodward dans le film.

Il ajouta du lait à son thé et en but une grande gorgée.

— Anne m'a confié qu'aucun de vos voisins ne sait que vous avez été officier de police, observa Catherine.

— Ce n'est pas parce que j'en ai honte, dit-il sérieusement en se levant pour changer le disque.

Un autre air de saxophone résonna en sourdine. Cette fois il lui était inconnu ; elle resta silencieuse sachant que Tommy reprendrait la parole quand il le jugerait bon.

Il se rencogna sur son siège :

— Simplement les gens vous regardent d'une certaine façon quand ils savent que vous avez été flic. Je voulais l'éviter. Je voulais que la page soit blanche. Je me disais que si je pouvais effacer mon passé, Alison Carter me laisserait peut-être tranquille. (Sa bouche se tordit en ce qui ressemblait plus à une grimace qu'à un sourire.) Eh bien non, ça n'a pas marché. Vous êtes là, je suis en face de vous, et il faut tout réexaminer.

« J'y pensais la nuit dernière, en remettant mes souvenirs en ordre. Et c'est toujours aussi net que ça l'était la première fois. Je suis aussi prêt que je pourrai l'être. Allez-y. Posez vos questions.

Tommy Clough avait été le maillon manquant dans l'histoire que voulait raconter Catherine. Sa façon singulière de voir les choses avait colmaté des brèches dans sa compréhension des événements, et d'une certaine façon lui avait permis d'assembler en une image cohérente toutes ces données dispersées, jonchées comme les pièces colorées d'un kaléidoscope. Il lui avait permis de voir en profondeur aussi bien l'homme George Bennett que le policier. Il l'avait mise à même d'apprécier des éléments de l'histoire restés obscurs. Elle avait enfin compris ce que sous-tendait le refus de coopérer de la part des villageois face à la police. Elle pouvait voir beaucoup plus clairement la structure du livre.

De retour à Longnor, elle s'attela à la longue et complexe tâche d'élaboration du plan. Avec comme bruit de fond le murmure de l'imprimante, elle entassait des piles de papier tout autour de la salle de séjour : les transcriptions de sa longue série d'entretiens avec George, des piles séparées pour ses notes et les transcriptions de ses autres témoins, un tas de coupures de presse, les photocopies des minutes du procès, une autre pile encore, bien régulière celle-là, des ouvrages verts de la collection Penguin consacrés aux grands procès ; ces livres achetés d'occasion lui fourniraient peut-être quelques indications et références au cours de son travail.

Catherine avait décroché les fades aquarelles des hauts lieux touristiques du Peak District choisies par les propriétaires. Elle les avait remplacées par des photographies de Scardale, avec quelques-unes des cartes postales signées Philip Hawkin. Sur un autre mur figuraient les photographies agrandies des personnages clefs, Alison elle-même, ou un George au visage sévère, en imperméable et chapeau de feutre : c'était un instantané pris par un photographe à la sortie d'une conférence de presse. Sur le troisième étaient épinglées les cartes d'état-major de la région.

Deux mois durant, elle consacra une bonne partie de son temps à s'immerger dans Scardale. Elle se levait à 8 heures et travaillait jusqu'à midi et demi. Puis elle prenait sa voiture pour franchir les sept miles la séparant de Buxton, se garait près de Poole's Cavern, traversait à pied le bois jusqu'à la lande au-dessus et se rendait au Solomon's Temple, une Folie victorienne d'où l'on pouvait voir l'ensemble de la ville. Elle redescendait ensuite sous les ombrages feuillus des bois de Grin Low et revenait à sa voiture en empruntant Green Lane pour passer devant la maison de son enfance. Son père était mort cinq ans auparavant et sa mère avait vendu la maison afin de passer ses derniers jours dans une maison de retraite du Devon, dont le climat plus tempéré convenait mieux aux gens âgés.

Beaucoup d'anciens camarades d'école devaient encore habiter dans le voisinage mais, en partant à Londres, Catherine s'était débarrassée de son passé comme une couleuvre abandonne sa peau. En matière d'amitié, elle n'avait pas été précoce. Enfant unique, elle avait trouvé plus de charme à des pays imaginaires qu'au monde confiné de l'adolescence. Elle n'avait commencé à se lier avec ses semblables que dans son travail, et aucun paradis enfantin ne venait lui faire regretter cette période. Elle s'était attendue à rencontrer des visages à demi familiers dans le supermarché où elle s'approvisionnait mais rien de tel ne s'était produit. Elle recherchait plutôt dans son passé des indications qui l'aideraient à mieux endosser la peau d'Alison, à mieux ressentir et sa vie et sa mort.

Après sa promenade quotidienne, elle retournait à Longnor et, avant de se remettre au travail, déjeunait rapidement de pain, de fromage et de salade. À 18 heures, elle débouchait une bouteille de vin et regardait les nouvelles à la télé, puis travail de nouveau jusqu'à 21 heures, elle mangeait alors une pizza ou un plat tout préparé. Le reste de la soirée elle faisait son courrier, lisait quelque roman de gare pour se distraire. Parfois, elle discutait au téléphone avec son éditeur, lui précisant où elle en était dans la rédaction, ou avec le producteur de documentaires pour des questions d'emploi du temps. C'est tout ce dont elle était capable.

Pour la première fois de sa vie, elle se retrouvait à l'écart du travail grégaire de la salle de rédaction et d'une vie sociale active, et non sans une profonde stupéfaction, elle découvrait que la compagnie de ses semblables ne lui faisait pas défaut. Elle était devenue, se disait-elle non sans ironie, ce qu'elle aurait appelé un véritable pisse-froid !

Quand le téléphone sonna un après-midi et qu'elle reconnut la voix de George Bennett, ce fut comme s'il parlait une langue étrangère. Elle ne parvenait plus à comprendre.

— Désolée, George. J'étais très loin quand vous m'avez appelée. Vous pouvez répéter ce que vous venez de me dire ?

— J'espère ne pas avoir interrompu l'élan créatif à un moment crucial.

— Non, non, rien de tel. Que puis-je pour vous ?

Catherine avait repris le contrôle : elle était redevenue la professionnelle efficace.

— Paul arrive pour quelques jours avec Helen la semaine prochaine. Voulez-vous venir dîner vendredi ?

— J'en serais ravie. J'aurai achevé le premier jet à la fin de cette semaine. Je vous l'apporterai pour que vous puissiez le vérifier quand ils seront retournés à Bruxelles.

— Vous avez travaillé dur, constata George. Ce sera un grand moment pour moi. Donc, vendredi à 19 heures. À bientôt, Catherine.

Elle raccrocha le combiné, contempla les photographies sur son mur. Elle avait fait presque tout ce qu'elle pouvait pour les faire revivre. Maintenant, tel Philip Hawkin, elle n'avait plus qu'à attendre le verdict.

# 9

*Août 1998*

Elle remit cérémonieusement à George l'épaisse enveloppe.

— Première esquisse, dit-elle. Ne soyez pas indulgent, George. J'ai besoin de savoir ce que vous pensez vraiment.

Elle le suivit dans le salon où Paul et Helen étaient installés sur le canapé.

— Un événement à célébrer, dit George. Catherine a apporté le livre.

Helen sourit :

— Bravo Catherine. Vous n'avez pas perdu de temps.

Catherine haussa les épaules :

— Je reprends mon travail dans trois semaines. Retrouver les tâches du journalisme, les articles à récrire, établir les contrats, voilà de quoi remplir mes journées.

Avant que la discussion se poursuive, Anne fit son entrée avec un plateau chargé de verres et d'une bouteille de champagne.

— Bonjour, Catherine. George a dit qu'il y avait une célébration en route, alors nous avons pensé aux bulles.

Paul eut un sourire :

— Ce n'est pas la première fois cette semaine. Le divorce d'Helen a finalement été prononcé. Nous avons donc décidé de nous marier. Quelques bouteilles ont scellé cette décision l'autre soir.

Catherine traversa la pièce et se pencha pour embrasser Helen sur les deux joues :

— C'est une grande nouvelle ! dit-elle avec enthousiasme. (Elle se retourna vers Paul pour l'embrasser également.) J'en suis ravie pour vous deux.

George prit le plateau, le posa :

— Nous sommes également très heureux. C'est devenu une année millésimée !

Il déboucha le champagne, remplit les coupes.

— Un toast, dit-il, faisant passer les verres. Au livre !

— Et au bonheur du jeune couple, ajouta Catherine.

— Non, le livre, le livre ! protesta Paul. Pour que nous puissions ouvrir une autre bouteille. Il faudra que vous veniez au mariage, ajouta-t-il. Après tout, sans vous, nous n'aurions jamais pu convaincre Pa' d'aller à Scardale rencontrer la sœur d'Helen.

— Parce qu'il y est allé ?

Catherine ne pouvait cacher son étonnement. C'était son seul échec au cours de ses recherches : elle n'avait pas pu persuader George de retourner au village et de parcourir le terrain en sa compagnie.

George prit un air légèrement penaud :

— Nous n'y sommes pas encore allés. Mais nous déjeunons lundi avec Janis.

Catherine leva son verre en direction de Paul :

— Vous avez réussi encore une fois. J'ai tout essayé pour le convaincre de m'accompagner, sans résultat.

Paul sourit :

— Vous avez préparé le terrain.

— Bon, peu importe à qui revient le mérite, je suis heureuse que vous y alliez, dit Catherine, et je suis sûre, George, que vous ne trouverez aucun mauvais souvenir aux aguets dans le manoir de Scardale.

— Que voulez-vous dire ?

— Ils ont été jetés aux orties. À en croire Kathy Lomas, pas une seule pièce ne ressemble à ce qu'elle était en 1963. Ce n'est pas seulement affaire de décoration : il y a eu un réaménagement complet. Des murs ont été abattus, une chambre à coucher est devenue une salle de bains et ainsi de suite. Si vous fermez les yeux au long du trajet et ne les ouvrez qu'à l'intérieur du manoir, je vous garantis qu'aucun souvenir ne redressera la tête, ajouta-t-elle avec un sourire.

— J'aimerais pouvoir vous croire. Mais j'ai le sentiment que je n'échapperai pas aussi facilement au passé.

— Qu'en savez-vous, George ? intervint Helen. Les maisons ont une atmosphère, vous ne croyez pas ? Dans certains endroits, dès que vous êtes entré le lieu est amical, accueillant. Ailleurs, vous pourrez bien dépenser tout l'argent que vous voudrez, la maison demeure hostile et froide. Eh bien ! le manoir de Scardale fait aujourd'hui partie des demeures où l'on se sent chez soi. C'est ce que m'a dit Jan la première fois qu'elle l'a visité. Elle m'a téléphoné pour me dire qu'elle avait immédiatement senti que c'était la maison qu'il lui fallait. Et je partage cette sensation. Chaque fois que j'y ai séjourné, j'ai dormi comme une souche. J'étais chez moi. S'il y a eu des fantômes, ils sont partis depuis longtemps.

— Tu auras peut-être une surprise agréable, mon chéri, dit Anne d'un ton rassurant.

Cependant le doute était encore visible sur le visage de George.

— Je l'espère, dit-il.

— Cessez de vous faire du souci, George. Si ce qu'il reste des Carter, des Crowther, des Lomas a vent de votre retour dans la vallée, ils vont sûrement dérouler le tapis rouge et décorer leurs maisons, dit Catherine. Le seul danger qu'encourent votre santé et votre bien-être c'est celui d'une hospitalité excessive.

— Puisqu'on en parle, dit Paul en sautant sur ses pieds, je crois que le moment est venu d'ouvrir une deuxième bouteille.

— Juste une petite chose, George, dit Catherine avec son plus charmant sourire. Si vous réussissez à survivre à votre retour dans la vallée, accepteriez-vous de vous y rendre en ma compagnie ?

— Je croyais que vous aviez terminé le livre, dit-il du ton de celui qui cherche une excuse pour refuser.

— Seulement la première mouture. Nous avons encore le temps de le compléter.

George soupira :

— Je suppose que je vous dois bien cela. Très bien, Catherine. Si je sors vivant de Scardale, j'y retournerai avec vous. Promis.

# Troisième Partie

## 1

*Août 1998*

Catherine regardait fixement la lettre, sans comprendre. D'abord elle avait cru à une plaisanterie. Mais elle avait abandonné bien vite cette idée. George Bennett était à sa façon un gentleman, et un homme d'une trop grande gentillesse pour se permettre une plaisanterie aussi cruelle. Elle relut en se demandant s'il souffrait d'une dépression. Sa visite à Scardale et l'épreuve de revivre l'affaire pouvaient expliquer cet effondrement qui avait atteint certaines personnes à l'époque. Elle rejeta cette hypothèse : George était bien trop sain d'esprit pour perdre la tête trente-cinq ans après, quel que soit le traumatisme. Et il avait remarqué lui-même à plusieurs reprises que cela avait été beaucoup plus facile qu'il ne le craignait.

Catherine ne savait plus à quel saint se vouer. L'indignation la brûlait et, telle une indigestion, lui nouait l'estomac. Elle était en train de prendre son petit déjeuner quand le courrier était arrivé. Elle attendait une lettre de son éditeur avec ses commentaires et ses suggestions, pas cette catastrophe. Sa première réaction fut d'empoigner le téléphone mais elle avait à peine composé les trois premiers numéros que déjà elle raccrochait violemment. Des années de journalisme lui avaient appris combien il est aisé de se débarrasser de quelqu'un au téléphone par de fausses promesses. Dans un cas comme celui-là, la confrontation s'imposait.

Elle abandonna sur la table le café à demi bu et le toast à demi mangé. Quarante minutes plus tard, elle prenait le virage près de l'étang du moulin sans avoir un seul instant cessé d'enrager. La seule chose dont elle était consciente, c'était le coup bas que lui portait George sans parvenir à comprendre ce qui l'avait provoqué. Jamais le moindre signe ne lui avait montré qu'il était capable d'un tel comportement. Elle était persuadée qu'ils étaient devenus amis ; comment un ami pouvait-il la traiter ainsi ?

Au fond d'elle-même, Catherine savait que le livre était à elle plus qu'à lui, qu'il n'avait donc aucun droit de le lui reprendre. Revoyant les clauses du contrat, elle ne redoutait pas sa menace d'une action en justice, mais s'effrayait des conséquences que pourrait avoir son refus sur les ventes et surtout sur sa réputation. Si la personne qui connaissait tous les dessous de l'affaire reniait son travail, elle lui ferait un tort irréparable. Elle n'accepterait jamais cette situation sans se battre. Si George avait renoncé à leur amitié, il fallait qu'elle trouve en elle la force d'en faire autant.

Elle engagea sa voiture dans l'allée, mais les deux voitures des Bennett y étaient garées. Elle dut continuer sa route et parvint enfin à s'arrêter dans un chemin qui escaladait la colline. Elle revint à grands pas vers la maison et, toujours aussi en colère, remonta l'allée.

Le tintement de la sonnette résonna comme dans une maison vide. Mais dans le cas où George s'était rendu au village à pied, il devait y avoir au moins

Anne à la maison. Avec son arthrite, elle ne pouvait se déplacer sans sa voiture. Catherine se décida à redescendre les marches du perron pour faire le tour de la villa, se disant qu'ils étaient peut-être dans le jardin pour profiter du soleil. Là encore, elle connut l'échec. Il n'y avait rien en vue qu'une pelouse bien tondue et des parterres de fleurs dignes d'un parc floral.

Comme elle revenait devant la villa, elle envisagea une autre hypothèse. Si Paul et Helen avaient loué une voiture, il était possible qu'ils aient emmené Anne et George pour la journée. Cette pensée ne fit qu'accroître sa détermination d'affronter George. Si elle devait attendre jusqu'au soir, tant pis. Elle se tenait dans l'allée, se demandant encore si elle devait surveiller la maison de sa voiture ou feuilleter les magazines du marchand de journaux non loin de l'étang du moulin quand elle s'entendit appeler.

La voisine se tenait sur le pas de sa porte, l'air surpris.

— Catherine ? répéta-t-elle.

— Bonjour Sandra, dit Catherine, trouvant en elle la force de sourire, un sourire professionnel. Sauriez-vous par hasard où sont partis George et Anne ?

Sandra la regarda, bouche bée :

— Vous ne savez pas ? demanda-t-elle enfin, incapable de dissimuler complètement le plaisir de savoir quelque chose que l'autre ignorait.

— Que devrais-je savoir ? demanda-t-elle froidement.

— J'aurais cru que vous étiez au courant. Il a eu une crise cardiaque.

Catherine la regarda incrédule :

— Une crise cardiaque ? Vraiment ?

— Une ambulance l'a emmené d'urgence à l'hôpital ce matin, expliqua Sandra, presque avec délectation. Bien sûr, Anne l'a accompagné. Paul et Helen ont suivi dans leur voiture.

Consternée, Catherine s'éclaircit la gorge :

— Vous avez des nouvelles ?

— Paul est revenu chercher quelques affaires de son père dans la matinée et nous avons échangé deux mots. George est en soins intensifs. Paul dit qu'il a été à deux doigts d'y passer, mais les docteurs lui ont affirmé que c'était un battant. Ça, nous le savions tous.

Catherine ne parvenait pas à comprendre pourquoi cette femme faisait preuve d'une telle satisfaction en lui donnant ces nouvelles. Elle se refusait à croire que c'était seulement le plaisir de savoir quelque chose que Catherine ne savait pas, mais elle ne trouvait aucune autre explication.

— Quel hôpital ? demanda-t-elle.

— Celui de Derby, qui possède un service de réanimation cardiaque.

Catherine remontait déjà la pente pour retrouver sa voiture.

— Ils ne vous laisseront pas le voir, lança Sandra derrière elle. Vous n'êtes pas de la famille. Ils ne vous laisseront pas entrer.

— Nous verrons bien, dit résolument Catherine à mi-voix.

Les craintes qu'elle ressentait pour George se manifestèrent d'abord, de façon prévisible, sous forme d'une colère incoercible. Comment osait-il la priver de la satisfaction d'apprendre ce qui clochait en cherchant à la fuir, quitte à en mourir ?!

Sa rage ne s'apaisa que sur la route de Derby. Elle prenait conscience de la terrible nuit qu'ils avaient dû passer, tous, Anne, Paul, Helen et, bien sûr, George pris au piège d'un corps qui se refusait à fonctionner comme il le devait. Elle ne pouvait rien imaginer de pire pour un homme comme lui. Même à 63 ans, il se savait en forme ; l'esprit plus vif que la plupart des officiers en service qu'elle avait rencontrés. Il pouvait encore remplir la grille de mots croisés du *Guardian* trois fois sur quatre, ce dont elle était parfaitement incapable ! Travailler à ses côtés avait suscité un sentiment de respect, mais également d'affection. Elle ne supportait pas la pensée qu'il puisse être diminué par la maladie.

Il ne fut pas difficile de trouver l'unité intensive de soins. Catherine franchit une double porte, et se retrouva dans une salle d'attente déserte. Elle appuya sur la sonnette placée sur le comptoir de la réception et attendit. Deux minutes plus tard elle appuya encore. Une infirmière surgit d'une des trois portes qui donnaient sur la salle.

— Que puis-je pour vous ? demanda-t-elle.

— Je voudrais avoir des nouvelles de George Bennett, dit Catherine avec un demi-sourire d'anxiété.

— Vous êtes de la famille ? demanda automatiquement l'infirmière.

— Je travaillais avec George. Je suis une amie de la famille.

— Malheureusement, nous ne pouvons autoriser de visite qu'aux proches parents, dit-elle d'une voix où n'apparaissait aucune nuance de regret.

— Je comprends parfaitement. (Catherine sourit de nouveau.) Mais peut-être pourriez-vous dire à Anne, je veux dire à Mrs Bennett que... que je suis là. Peut-être pourrions-nous aller quelque part prendre une tasse de thé, si cela lui convient ?

L'infirmière lui rendit son sourire pour la première fois :

— Je le lui dirai. Quel est votre nom ?

— Catherine Heathcote. Y aurait-il un endroit où je puisse rencontrer Mrs Bennett ?

L'infirmière lui montra l'indication «Cafétéria» et, comme elle se détournait, Catherine la rappela:

— Et George? Vous ne pouvez rien me dire? Dans quel état est-il?

Cette fois, la voix de l'infirmière s'adoucit:

— Il est dans un état que nous appelons critique mais stationnaire. Les vingt-quatre heures à venir seront cruciales.

Catherine revint vers les ascenseurs, tout étourdie. Se trouver là lui faisait prendre conscience de la réalité, qu'elle n'avait pas perçue dans les paroles de Sandra. Quelque part derrière ces portes fermées, George était relié à des machines et des moniteurs. Mais si son corps était frappé, qu'en était-il de son esprit? Se souviendrait-il de lui avoir envoyé cette lettre? En aurait-il parlé à Anne? Cette dernière se comporterait-elle comme si elle n'était au courant de rien, non seulement dans son propre intérêt, mais également pour épargner à la famille un souci supplémentaire?

Catherine trouva la cafétéria et s'installa à une table devant un verre d'eau minérale. Elle était tellement plongée dans ses pensées qu'elle ne s'aperçut pas immédiatement de la présence de Paul. Il ressemblait à cet instant à son père de façon saisissante, presque surnaturelle. Elle avait passé tant de temps à contempler sur son mur la photographie de George à un âge comparable qu'elle avait l'impression que l'image s'était animée, abandonnant l'imperméable et le chapeau mou au profit du jean délavé et du polo. Il se laissa tomber sur une chaise comme si ses jambes ne pouvaient plus le porter.

— Je suis vraiment désolée, dit Catherine.

— Je sais, soupira-t-il.

— Comment est-il?

Paul haussa les épaules:

— Il n'est pas bien. Les médecins disent qu'il a eu

une attaque massive. Il n'a pas encore repris conscience, mais ils ont l'air de croire qu'il peut se remettre. Mon Dieu...

Il se couvrit le visage de ses mains, manifestement épuisé.

Anxieuse, Catherine regardait ses épaules se soulever comme il s'efforçait de retrouver le contrôle de lui-même. Enfin, il put continuer:

— Son cœur s'est arrêté dans l'ambulance et je pense qu'ils craignent pour le cerveau. Ils prévoient de lui faire passer un scanner mais leur pronostic est réservé.

Son regard se porta sur la table. Catherine recouvrit sa main de la sienne dans un geste simple de compréhension.

— Que s'est-il passé? demanda-t-elle doucement.

Il soupira de nouveau:

— Je n'arrête pas de penser que c'est de notre faute. La mienne et celle d'Helen, je veux dire... (Il s'interrompit.) Cela vous ennuierait que nous sortions? Cette atmosphère m'oppresse, comme si ma tête était bourrée de coton. Un peu d'air frais ne me fera pas de mal.

Dans l'ascenseur, ils gardèrent le silence. Catherine montra de la main une rangée de bancs de l'autre côté du parking et ils s'y assirent, regardant sans le voir un parterre de rosiers parfaitement alignés. Paul pencha sa tête de côté et respira profondément.

— Pourquoi la crise cardiaque de votre père serait-elle de votre faute? demanda enfin Catherine.

La main de Paul passa dans ses cheveux.

— Quand nous sommes allés à Scardale, quelque chose l'a beaucoup troublé. Je ne sais pas vraiment quoi... Il n'a rien dit, mais j'ai bien vu qu'il était extrêmement tendu en arrivant chez Jan. Puis, quand nous sommes entrés, j'ai presque cru qu'il allait s'évanouir. Il était pâle, il transpirait, comme ces gens qui ont une terrible migraine. Il semblait absent. Il dit à peine un mot à Jan. Il n'arrêtait pas de regarder autour de lui comme s'il s'attendait à ce que des fantômes sortent des boiseries.

— A-t-il fait allusion à ce qui l'avait bouleversé ? De son doigt Paul frotta l'arête de son nez.

— Je pense que c'était seulement le choc de se retrouver là. Il y a trop pensé, c'est évident, en plus avec le travail que vous avez fait tous les deux… (Ses épaules s'affaissèrent.) C'est entièrement de ma faute. J'aurais dû comprendre qu'il n'exagérait pas quand il disait qu'il ne voulait vraiment pas y retourner.

— Vous n'aviez aucune raison de croire que cette visite pouvait lui faire du mal, dit Catherine d'un ton apaisant. Vous ne devez pas vous sentir coupable. Les crises cardiaques ne se produisent pas comme ça. C'est au cours d'une vie que les conditions nécessaires se sont réunies. Dans le cas de votre père, des années de travail irrégulier, trop de cigarettes, trop de mauvais repas dévorés sur le pouce. Ce n'est pas votre faute.

L'amertume persistait sur le visage de Paul :

— L'emmener à Scardale a été le déclic.

— Pas nécessairement. Vous venez de me dire que vous n'avez rien remarqué de particulier.

— Oui, je sais. J'ai revu la visite dans ma tête un grand nombre de fois. Nous avons déjeuné dans le jardin. Il a très peu mangé, ce qui ne lui ressemble pas du tout. Il a mis cela sur le compte de la chaleur, et de fait, il faisait chaud. Après le repas, Jan a emmené 'man visiter le jardin. Elles ont pris leur temps, comparé leurs observations, promis d'échanger des boutures, pendant que papa faisait le tour du pré communal, mais il était de retour dix minutes plus tard. Ensuite il est resté assis sous le châtaignier, les yeux dans le vague. Nous sommes partis vers 15 heures parce que ma mère voulait faire un saut à la foire artisanale de Buxton. Nous étions de retour vers 18 heures.

— Et George n'a parlé de rien?

Paul secoua négativement la tête:

— De rien. Il avait une lettre à écrire, a-t-il dit, et il est monté dans sa chambre. Helen et maman préparaient une salade pour le repas du soir. Je tondais la pelouse. Il est redescendu environ une demi-heure après, a annoncé qu'il se rendait à la poste principale à Matlock pour être sûr que sa lettre parte au courrier. Il n'y a pas de levée le soir dans le coin. J'ai trouvé cela un peu bizarre mais il a toujours eu horreur de remettre les choses au lendemain.

Catherine respira profondément. Ce n'était pas honnête de laisser Paul se demander pourquoi cette lettre était si importante pour son père.

— La lettre m'était adressée, dit-elle.

— À vous? Et que pouvait-il bien vous écrire?

La stupéfaction de Paul était évidente.

— Je pense qu'il voulait éviter de me faire face, qu'il ne se sentait pas d'attaque pour me convaincre.

— Je ne comprends pas.

Paul fronçait le sourcil.

— Votre père voulait que je renonce à la publication du livre. Sans aucune explication.

— Quoi? Mais c'est absurde!

— Comme ça l'était pour moi. C'est la raison de ma visite à Cromford ce matin. Puis la voisine m'a annoncé la nouvelle.

Paul foudroya Catherine du regard:

— Et vous êtes venue jusqu'ici pour vous disputer avec lui? Quelle délicatesse, Catherine!

Elle secoua violemment la tête:

— Non, vous vous méprenez, Paul ! Quand j'ai appris ce qui était arrivé à George, j'ai d'abord pensé à lui, à vous tous. Je voulais seulement vous offrir mon aide, quelle qu'elle soit.

Paul resta silencieux, réfléchissant à ce qu'elle venait de dire. Ses yeux reflétaient le doute.

— Au cours de ces derniers six mois, je me suis prise d'affection pour vos parents. Quel que soit le problème avec le livre, cela peut attendre. Croyez-moi, Paul, c'est pour votre père que je me fais du souci.

Les doigts de Paul tambourinaient sur le banc. Il ne possédait pas, à l'évidence, le sang-froid de son père.

— Écoutez, Catherine : je m'excuse de vous avoir rabrouée. La nuit a été dure. J'ai du mal à remettre mes idées en ordre.

Elle vint effleurer son bras de sa main :

— Je sais. S'il y a quelque chose que je puisse faire pour vous aider, dites-le-moi, s'il vous plaît ?

Paul poussa un profond soupir :

— Vous pouvez faire quelque chose pour moi. Je veux savoir ce qui a déclenché cette crise. Ce qui s'est passé hier. Si je veux l'aider, il faut que je sache. Il y a quelque chose, j'en suis sûr. Vous connaissez mieux que quiconque les rapports de papa avec Scardale, vous découvrirez peut-être la raison. Pourquoi son cœur l'a-t-il lâché ?

Catherine sentit la tension qui l'habitait se détendre quelque peu. Elle avait déjà décidé de mener sa propre enquête, mais l'approbation de Paul lui facilitait la tâche.

— Je ferai de mon mieux, dit-elle. Rien ne s'est produit dans la soirée qui explique ce bouleversement ? Après s'être rendu à la poste, bien entendu.

Paul fit un signe négatif :

— Nous sommes allés au pub. Nous nous sommes installés dans le jardin du pub et nous avons bu une bière en parlant de choses et d'autres. (Il marqua un temps, fronça les sourcils.) Oui, il était mal à l'aise, distrait. Deux ou trois fois, j'ai dû lui répéter quelque chose parce qu'il ne suivait pas la conversation.

— Quelle est l'opinion d'Helen ? A-t-elle remarqué quelque chose d'anormal dans son comportement ?

— Elle est d'accord avec moi : il semblait n'avoir plus toute sa tête. Elle pense qu'il était dans cet état dès notre arrivée à Scardale. Elle l'avait remarqué, mais si on ne le connaissait pas très bien, ce n'était pas évident. Si sa sœur a été déconcertée par son silence, elle n'en a pas parlé à Helen.

— George n'aurait rien fait qui puisse offenser Janis, remarqua Catherine. Quel que soit son état, c'est un homme d'une extrême courtoisie.

Paul s'éclaircit la gorge :

— Oui, sans doute, c'est tout lui. (Il jeta un coup d'œil à sa montre :) Il est temps que je retourne le voir.

— Quand devez-vous rentrer à Bruxelles ? demanda Catherine se relevant.

Il haussa les épaules :

— Nous étions censés être de retour après-demain. Mais nous n'allons pas partir maintenant, c'est évident. Je dois attendre pour voir comment il va.

— Je vous tiens compagnie jusqu'à l'hôpital.

Comme ils approchaient de l'entrée, Paul s'exclama :

— Mais c'est Helen !

Et il se mit à courir.

L'entendant venir, Helen se retourna vers lui ; une canette de Coca-Cola près des lèvres. Son visage s'éclaira d'un sourire auquel il ne prêta pas attention.

— Est-il arrivé quelque chose à pa'? s'écria-t-il.

— Non, j'avais seulement besoin de respirer un peu.

Elle mit le bras autour de sa taille, le serra contre elle dans un geste protecteur.

— Rien de neuf? demanda Catherine.

Helen secoua la tête:

— État stationnaire. Paul, je crois que nous devrions persuader votre mère de venir prendre une tasse de thé et de manger quelque chose.

Elle adressa à Catherine un sourire d'excuse:

— Vous savez... Anne n'a pas quitté son chevet depuis son arrivée en salle de réanimation. Elle va aller au bout de ses forces.

— Je vous libère, dit Catherine.

Paul lui prit la main:

— Découvrez ce qu'il a vu. Ou entendu. Ou quel souvenir l'a frappé, dit-il. Je vous en prie.

— Je ferai de mon mieux, répondit Catherine.

Elle les regarda rentrer dans l'hôpital, heureuse d'avoir quelque chose à faire pour soulager le fardeau de culpabilité dont Paul s'était chargé. Que cela puisse également servir ses propres intérêts était devenu une considération secondaire, elle s'en apercevait maintenant avec surprise. George Bennett avait pris une place qu'elle n'avait pas jusqu'alors soupçonnée. Et cela ne faisait que renforcer son idée que le livre paraisse pour lui rendre justice. Ce service-là, elle pouvait le lui rendre.

# 2

*Août 1998*

La raison de son changement d'attitude se trouvait à Scardale, Catherine en était persuadée. Il avait vu quelque chose, mais quoi ? Comment une visite si brève avait-elle pu provoquer un pareil séisme ? Catherine aurait compris si, en relisant son brouillon, il avait découvert la nécessité de faire des modifications, mais sa volte-face demeurait incompréhensible en l'absence de quelque chose d'extraordinaire. Et si tel était le cas, comment se faisait-il que le reste de la famille ne s'en soit pas aperçu ?

Dans la chaleur de cet après-midi d'août, il était difficile de reconnaître le hameau hivernal sinistre qu'elle avait revisité en février. L'été avait été humide et l'herbe poussait dru, tandis que les arbres offraient trop de variétés de vert pour qu'un peintre puisse les reproduire. Sous leurs ombrages, même les fermettes dépourvues de tout pittoresque prenaient des airs romantiques. On ne distinguait aucune trace d'obscurité, aucun signe des événements tragiques d'il y avait trente-cinq ans.

Catherine se gara devant le manoir, à côté d'un break Toyota d'un modèle datant de quelques années. Janis Wainwright devait être chez elle. Dans sa voiture, elle réfléchit un moment. Elle n'allait pas frapper à la porte et demander tout de go : « Qu'est-il arrivé hier à George Bennett pour qu'il ne veuille plus entendre parler de la publication du livre ? Qu'est-ce qui s'est passé de si terrible dans votre maison qu'une crise cardiaque l'ait frappé la nuit suivante ? » Mais que pouvait-elle faire d'autre ?

Peut-être pourrait-elle demander à Kathy Lomas si elle avait vu George ? Elle se retourna sur son siège dans la direction de Lark Cottage, mais la voiture de Kathy était invisible. Exaspérée, Catherine sortit de son coupé. Quand rien ne marchait, il fallait recourir à la technique éprouvée du journaliste : mentir à demi. Elle emprunta donc l'allée étroite jusqu'à la porte de la cuisine et souleva le lourd heurtoir en cuivre. Elle le laissa retomber, entendit le choc sourd résonner dans la maison. Une minute s'écoula, puis la porte s'ouvrit soudain. Éblouie par le soleil, Catherine parvint à peine à distinguer la silhouette d'une femme dans l'intérieur sombre.

— Que puis-je pour vous ? dit celle-ci.

— Vous devez être Janis Wainwright. Je connais votre sœur, Helen. Je m'appelle Catherine Heathcote. Vous avez eu l'amabilité de me permettre de visiter votre maison pour m'aider à écrire le livre que je consacre à l'affaire Alison Carter.

Sans pouvoir en jurer, Catherine eut l'impression que la femme se renfrognait à mesure qu'elle parlait.

— Je m'en souviens, dit-elle d'une voix sans timbre.

— Je me demandais s'il serait possible de jeter un autre coup d'œil à votre maison.

Les yeux de Catherine commençaient à s'adapter à la pénombre de la cuisine. Janis Wainwright avait vraiment l'air troublée, se dit-elle.

— Le moment est mal choisi. Venez une autre fois. J'arrangerai la chose avec Kathy, dit cette der-

nière très vite, les mots se bousculant dans sa pré-
cipitation.

— Seulement le rez-de-chaussée. Je ne vous
dérangerai pas.

— Je suis en plein travail, dit-elle fermement.

La porte commença de se refermer. Instinctive-
ment, Catherine s'avança pour empêcher la fermeture complète. C'est alors qu'elle vit ce que George
Bennett avait découvert le jour d'avant. Elle recula
en titubant, prête à tomber.

— Parlez à Kathy, dit la voix de Janis Wainwright.

Comme venu de très loin, Catherine entendit le
cliquetis de la serrure, puis le bruit d'une barre que
l'on mettait en place. Hébétée, elle revint à sa voiture, trébuchant comme une somnambule.

Elle croyait maintenant comprendre pourquoi
George avait écrit la lettre. Mais, si elle ne s'était pas
trompée, elle ne pourrait pas l'expliquer immédiatement à son fils. En tout cas, rien qui puisse la
convaincre de renoncer au livre. Pour l'instant, elle
prenait conscience que, dans l'affaire Alison Carter,
il devait y avoir une vérité que ni elle ni George
n'avaient pressentie. Elle était d'autant plus résolue
à dire cette vérité à laquelle elle avait porté joyeu-
sement un toast en compagnie de Paul, un soir à
Londres.

Catherine resta assise dans sa voiture, inconsciente
de la chaleur étouffante. Maintenant que le premier
choc s'était dissipé, elle ne parvenait plus à croire à
ce qu'elle avait vu. Plus rien n'avait de sens. Ses yeux
l'avaient trompée. Mais, si elle l'admettait, il fallait
aussi l'admettre dans le cas de George. La ressemblance était remarquable, à vous donner le frisson. Si
c'était seulement affaire de ressemblance, elle aurait

pu l'attribuer à une coïncidence bizarre et ne pas en tenir compte. Mais même dans le cas d'un sosie, comment expliquer la présence d'une cicatrice caractéristique ?

Comme elle l'avait appris aussi bien dans les coupures de presse qu'au cours des interviews, Alison Carter possédait un signe particulier : une ligne blanche d'environ un pouce de long qui traversait en diagonale le sourcil droit. Elle partait de l'œil et atteignait le front. Au cours de l'été suivant la mort de son père, Alison était tombée dans la cour de l'école, brisant la bouteille de lait qu'elle portait. Un éclat de verre lui avait entaillé le visage. La cicatrice, à en croire sa mère, était beaucoup plus visible quand sa peau était hâlée par le soleil. Comme celle de Janis Wainwright.

La migraine, venue sans crier gare, broya la tête de Catherine. Elle fit demi-tour et conduisit lentement pour rentrer à Longnor. Il semblait n'y avoir qu'une seule explication possible, et celle-là était du domaine de l'impossible ! Alison Carter était morte. Philip Hawkin avait été pendu pour meurtre. Mais si Alison Carter était morte, qui était donc Janis Wainwright ? Comment soutenir qu'une femme qui aurait pu être le clone d'Alison et qui vivait dans le manoir de Scardale n'avait aucun rapport avec les événements de 1963 ? Mais, dans ce cas, pourquoi sa sœur n'en savait-elle rien ?

Catherine gara sa voiture, se rendit chez le marchand de journaux. Elle acheta un paquet de Marlboro légères et une boîte d'allumettes. De retour dans son cottage, elle se versa un verre de vin si glacé qu'il lui irrita les dents. Retour à la réalité, se dit-elle. Elle n'avait pas fumé depuis douze ans. La cigarette lui fit tourner la tête, mais la sensation lui parut agréable. La nicotine se mêla à son sang et, à cet instant, c'était la chose la plus normale du monde.

Elle fuma la cigarette presque avec recueillement puis, s'installant avec du papier et un crayon, elle prit quelques notes. Au bout d'une heure, elle conservait deux propositions :

Proposition 1 – Si Alison Carter n'était pas morte, elle ressemblerait trait pour trait à Janis Wainwright.

Proposition 2 – Alison Carter est Janis Wainwright.

Elle avait également un plan d'action. Si elle ne se trompait pas, il ne s'agissait plus de récrire et de polir pour mener son livre à bien. Mais cela lui convenait. Si Alison Carter était encore en vie, *Au lieu d'exécution* aurait tout à y gagner. Et d'une façon ou d'une autre, elle rallierait George à son point de vue, une fois qu'il serait suffisamment remis pour examiner toutes les implications.

Elle devait tout d'abord téléphoner à Londres à son assistante à la rédaction.

— Beverley, c'est Catherine, dit-elle s'efforçant de faire passer dans sa voix une énergie qu'elle ne ressentait pas.

— Salut ! comment ça se passe dans la brousse ?

— Quand le soleil brille comme aujourd'hui, pas de comparaison possible avec Londres.

— Je vous attends avec impatience. C'est une maison de fous, ici. Vous ne devineriez jamais ce que Rupert projette pour le numéro de Noël...

— Pas maintenant, Bev, dit Catherine fermement. J'ai un travail urgent à vous confier. Il me faut un informaticien capable, à partir d'une photographie de jeunesse, de faire apparaître le vieillissement. De préférence dans mes parages.

— Ça a l'air intéressant.

Vingt minutes plus tard, son assistante la rappelait. Elle avait trouvé un homme du nom de Bob Kershaw et son numéro de téléphone à l'université de Manchester.

Catherine consulta sa montre. Il était presque 16 heures. Si Bob Kershaw n'avait pas décidé de fuir le stress de la vie urbaine, il devait être encore au travail. Cela valait la peine de passer un coup de fil, décida-t-elle.

À la troisième sonnerie, une voix féminine répondit :

— Vous demandez Bob Kershaw ?

— Bob est-il là ?

— Désolée, il est en vacances. Il sera de retour le 24.

Catherine soupira.

— Puis-je prendre un message ? demanda la femme.

— Merci, mais ce sera trop tard.

— Je pourrais peut-être vous aider ? Je suis l'assistante de Bob, Tricia Harris.

Catherine hésita, puis elle se souvint qu'elle n'avait rien à perdre.

— Pouvez-vous reproduire sur ordinateur un phénomène de vieillissement ?

— Certainement. C'est mon domaine de recherche.

Quelques minutes plus tard, l'affaire était conclue. Tricia n'avait rien de plus urgent ce soir-là que de regarder la télé et, maladie commune aux jeunes diplômés, ses revenus étaient maigres. Catherine agita la promesse d'une prime substantielle et elle fut aussitôt disposée à travailler ce soir-là et à l'attendre pendant que Catherine arrivait avec ses photographies d'Alison prises par Philip Hawkin.

Dès son arrivée, Tricia fit un scanner des deux photos, puis s'affaira avec son clavier et sa souris.

Catherine la laissa faire, sachant combien elle détestait que des gens regardent par-dessus son épaule pendant qu'elle travaillait. Elle se retira au bout de la pièce où une fenêtre était ouverte et alluma sa cinquième Marlboro. Elle arrêterait demain, pensa-t-elle. Ou quand elle aurait découvert ce que diable il se passait. Et le plus tôt serait le mieux.

Environ une heure après et trois autres cigarettes, Tricia l'appela. Elle sortit trois feuilles de l'imprimante et les étala devant Catherine :

— Celle sur la gauche est ce que j'appelle le meilleur scénario possible, dit-elle. Stress minimal, bien nourrie, bien bichonnée, environ trois kilos au-dessus du poids idéal. Celle au milieu est dans la moyenne et plus caractéristique : stress accru, pas autant d'attention portée à son apparence, le poids est resté convenable. La troisième c'est le scénario catastrophe : la sale vie, la nourriture de merde. Fume trop ; très mauvais pour les rides et la ligne, vous savez ? ajouta-t-elle avec un sourire malin adressé à Catherine. Elle est un peu en dessous du poids normal.

Le doigt de Catherine se tendit vers la photographie du milieu. Elle s'en saisit. Mis à part la coloration des cheveux, ce pouvait être une photographie de la femme qui lui avait ouvert la porte au manoir de Scardale. La chevelure de Janis Wainwright était argentée, avec quelques rappels de blond. Alison Carter, vieillie par l'ordinateur, était encore blonde avec quelques mèches grises aux tempes.

— Stupéfiant, murmura Catherine.

— C'est ce que vous attendiez ? dit Tricia.

Catherine ne lui avait presque rien dit, se contentant d'expliquer qu'elle travaillait sur un article concernant une héritière disparue depuis longtemps qui un beau jour réclamait son héritage.

— Cela confirme ce dont j'avais peur, dit Catherine. Nous avons affaire à une femme qui n'est pas ce qu'elle prétend.

Tricia fit la grimace :

— Pas de pot !

— Mais non, dit Catherine sentant l'excitation lui faire battre le cœur. Non, bien au contraire.

# 3

*Août 1998*

Sa voiture l'emportant loin de Manchester, Catherine sentait le sang couler plus brûlant dans ses
veines, comme chaque fois qu'elle se savait sur le
point de toucher au but. Elle était si énervée qu'elle
en avait oublié le point de départ de cette excitation. Qu'un homme fût étendu dans un hôpital,
dépendant de machines pour survivre, devenait
pour le moment sans rapport avec la question qui
la préoccupait. Trop tendue pour manger, elle continua sa route jusqu'à Longnor en échafaudant toutes
sortes d'hypothèses.

La première chose à faire était de découvrir la véritable identité légale de Janis Wainwright. Qu'elle eût
une existence reconnue, elle n'en doutait pas. Sans
cela, il lui aurait été difficile d'être propriétaire ou de
faire carrière. Il fallait donc vérifier auprès de l'état
civil les registres des naissances, des mariages et des
décès. Il existait des agences auxquelles les journalistes avaient souvent recours.

Elle alluma son ordinateur et commença de taper
sa demande qui serait transmise par e-mail à
l'Agence de recherches légales spécialisée dans ce
genre d'enquête, portant soit sur un individu ou sur
une société d'affaires.

Catherine était raisonnablement sûre que Janis ne s'était jamais mariée. Helen n'avait, par ailleurs, mentionné aucun mari. De même, en vérifiant la lettre que son avoué lui avait envoyée suite à sa demande de visite du manoir, il avait écrit : « miss Wainwright ». Et, bien sûr, Helen elle-même avait été mariée une première fois, ce qui expliquait son nom de famille différent.

Par conséquent, on devait pouvoir trouver un certificat de naissance au nom de Janis Wainwright. Il lui fallait aussi des détails sur Helen. Et parce que, comme tout bon journaliste, elle avait le doute chevillé en elle, elle demanda une vérification des actes de décès pour savoir s'il existait un enregistrement de la mort d'une certaine Janis Wainwright dans la période comprise entre la date de naissance et la disparition d'Alison en décembre 1963. À partir des éléments fournis par le certificat de naissance, il serait possible de retrouver les actes de mariage des parents de Janis, éventuellement leurs propres certificats de naissance. Ainsi elle saurait s'il existait des recoupements entre Janis Wainwright et Alison Carter.

Elle envoya sa requête ainsi rédigée en spécifiant qu'elle voulait les résultats à la fois affichés sur son écran et envoyés par la poste. Elle n'aurait au mieux les premières réponses que tard dans la soirée du lendemain, et n'avait aucune idée sur la façon dont elle allait occuper son temps pendant cette attente.

Puis elle se souvint de George. Se sentant coupable de l'avoir tenu à l'écart de ses préoccupations immédiates, elle appela l'hôpital. Une infirmière des soins intensifs lui dit que son état était toujours stationnaire. Bouleversée, elle raccrocha. La pensée du sort de George la préoccupait, mais ce qui avait déclenché la crise cardiaque était porteur d'une histoire comme elle n'en avait jamais rencontré dans sa vie de journaliste. Elle se connaissait assez bien pour comprendre ce que cela signifiait pour elle. Catherine s'était toujours plus consacrée à son travail qu'à l'un de ses semblables. Du point de vue de la plupart des gens, c'était une existence fort triste, mais pas selon Catherine : elle pensait qu'il était encore plus triste de mettre toute sa vie au service d'un seul homme, alors qu'ils vous laissaient inévitablement tomber ! Certes, on pouvait prendre beaucoup de plaisir aux relations humaines et elle en profitait. Mais jamais un même individu ne lui avait procuré longtemps cet élan d'excitation qu'elle trouvait dans un reportage exclusif parfaitement mené.

Elle se versa un autre verre pour se donner le temps de réfléchir au coup qu'il lui fallait maintenant tenter. En achevant son verre, elle en trouva un.

Trois heures plus tard, Catherine prenait une chambre dans un hôtel quatre étoiles de Newcastle. L'un des secrets du bon journaliste, avait-elle découvert, était de savoir quand il faut tantôt se dépêcher d'agir, tantôt se mettre l'esprit en repos. Son désir impérieux de démêler les fils de l'intrigue était tempéré par la sagesse de l'expérience. Se présenter à l'improviste à la porte de quelqu'un tard le soir n'était pas une bonne idée. Cette démarche serait inévitablement associée à l'annonce de mauvaises nouvelles avant même qu'elle ait ouvert la bouche.

Mais, le matin, les gens étaient plus optimistes. Bien avant l'invention du facteur, porteur de bonnes nouvelles, tout le monde savait cela. À l'époque où elle travaillait encore comme reporter, chaque fois qu'il était possible, elle avait préféré apparaître tôt dans la matinée.

Catherine s'endormit devant le film diffusé par la télé de sa chambre et ne s'éveilla qu'après 9 heures, heureuse d'avoir bien dormi, compte tenu de toutes les idées qui lui passaient par la tête. Elle commença par appeler l'hôpital. Peu de changements, lui dit-on, cependant le prognostic était plus optimiste. Elle essaya de téléphoner chez les Bennett, mais n'obtint que le répondeur sur lequel elle laissa un message d'espoir avant de raccrocher.

Une heure plus tard elle suivait l'autoroute A1. Elle était à mi-chemin de l'allée menant au cottage quand la porte s'ouvrit.

— Catherine, dit Tommy, son large visage plissé d'un sourire. C'est un plaisir inattendu. Passez par la maison, on va s'installer derrière.

Elle le suivit. Ils traversèrent le living-room et la cuisine toujours aussi impeccables, se retrouvèrent dans son paradis de fleurs et de buissons odoriférants qu'il avait choisis avec soin, lui avait-il expliqué à sa précédente visite, pour attirer les oiseaux et les papillons. Le jardin bruissait, ce jour-là, du bourdonnement des abeilles et les ocelles de papillons multicolores frémissaient au coin de l'œil de Catherine pendant leur conversation.

Tommy lui offrit une chaise en bois puis s'assit sur le banc d'où on voyait à la fois le jardin et, au-delà, la mer.

— Qu'est-ce qui vous amène? demanda-t-il une fois installés.

Elle soupira:

— Je ne sais pas par où commencer, Tommy. De toute façon, je vais mal m'y prendre. (Elle baissa les yeux, regarda le sol.) Vous êtes au courant pour George?

Sa voix résonna, inquiète.

— Que s'est-il passé?

Catherine lui rendit son regard:

— Il a eu une crise cardiaque. Grave, d'après ce que je sais. Il est à l'hôpital royal de Derby, en soins intensifs. Il est inconscient depuis le début de la matinée d'hier. Selon Paul, il a fait un arrêt cardiaque dans l'ambulance qui le conduisait à l'hôpital.

— Et vous avez fait tout ce chemin pour venir me le dire? Catherine, c'est bien d'avoir pensé à moi. (Il lui tapota la main:) Je vous suis reconnaissant.

— Je suis désolée d'être porteuse de mauvaises nouvelles.

Elle était satisfaite de jouer pour l'instant le rôle de l'amie compatissante.

Il haussa les épaules:

— À mon âge, on s'y attend un peu. Comment Anne le prend-elle? Elle doit être anéantie.

— Elle n'a pas quitté son chevet. Paul est là également, avec sa fiancée. Ils sont avec elle.

— Pauvre Anne. Elle a consacré toute sa vie à George. Et, avec son arthrite, elle ne pourra pas jouer les infirmières à plein temps, si on en arrive là.

Tommy soupira, secoua la tête. Son regard se portait au loin sur le scintillement bleu de la mer du Nord.

Catherine sortit son paquet de Marlboro:

— Cela vous gêne si je fume?

Ses sourcils broussailleux se levèrent:

— Je ne savais pas que vous fumiez, mais je vous en prie.

Il se leva, se rendit à la cabane à outils dans un coin du jardin. Il en revint avec un dessous de pot en terre cuite.

— Vous pouvez l'utiliser comme cendrier. Prenez votre temps.

Tommy s'adossa au mur, les chevilles croisées, les mains enfoncées dans les poches de son pantalon de velours côtelé.

— Lundi, George s'est rendu à Scardale. La nuit suivante, il a eu cette attaque, dit-elle simplement.

Tommy écarquilla les yeux.

— Vous êtes arrivée à emmener George à Scardale ?

— Pas moi. Je n'y suis jamais parvenue. Mais Paul, oui. Paul leur avait rendu visite avec sa fiancée. Ils projettent de se marier cette année. Il se trouve que la sœur d'Helen, Janis, s'est installée au manoir de Scardale, il y a deux ou trois ans. Ils avaient prévu d'emmener George et Anne déjeuner chez elle. George n'était pas à l'aise, mais une fois là-bas, d'après son fils, il s'est conduit de façon bizarre.

— C'est-à-dire ?

— Selon Paul, il paraissait très tendu. Il n'avait pas d'appétit. Il s'est contenté de faire le tour du pré du village, puis il est resté assis dans le jardin, sans parler à personne. Toujours d'après Paul, il demeura à la fois comme égaré et tendu le reste de l'après-midi et dans la soirée.

Catherine marqua une pause pour remettre en ordre ses idées. Face à Tommy, elle devait veiller à sa façon de raconter l'histoire. Il avait le don de percevoir les sous-entendus.

— Juste avant son infarctus, il m'a écrit, me demandant de mettre un terme au projet de livre. Sans raison, si ce n'est qu'il avait eu des informations nouvelles et qu'il fallait donc détruire le livre. Naturellement, j'ai parlé de cette lettre à Paul. J'étais déjà convaincue que George devait avoir vu quelque chose à Scardale qui lui avait – comment dire ? – ouvert de nouvelles perspectives ou remis en question un aspect du livre. Et Paul était parvenu à une conclusion semblable. Il est accablé par un sentiment de culpabilité. Comme il a persuadé George de retourner à Scardale, il se croit responsable de la crise cardiaque de son père. Et il m'a demandé si je pouvais tenter de découvrir ce qui avait motivé la lettre. Donc… (Elle haussa les épaules :) Je dois trouver les réponses.

— Vous auriez fait un excellent flic, commenta-t-il sèchement.

— Venant de vous, je ne suis pas sûre que ce soit un compliment.

Elle joua avec sa cigarette puis résolument l'éteignit.

— Oh, je n'ai que du respect pour ceux qui peuvent faire un boulot trop dur pour moi, dit-il mettant dans sa voix un regret qu'il ne ressentait pas, elle en était certaine. Et où êtes-vous allée chercher vos réponses ? Je crois pouvoir le deviner.

— Et vous auriez trouvé. Je suis allée à Scardale. Je pensais demander à la sœur d'Hélène la permission de jeter un autre coup d'œil au manoir, pour voir si j'y trouvais une indication de ce qui avait bouleversé George.

— Et vous l'avez trouvée ?

Catherine reprit une autre cigarette, prit tout son temps pour l'allumer. Du coin de l'œil, elle voyait Tommy l'examiner, le regard acéré dans son visage tanné. Il sentait qu'il y avait anguille sous roche, mais même l'imagination la plus débridée ne lui aurait pas permis de deviner ce qu'elle allait révéler, pensa-t-elle.

— Je n'ai pas eu le droit de faire le tour du manoir, dit-elle tout en exhalant la fumée. Mais j'ai vu ce qui avait ébranlé George.

Elle ouvrit son sac, sortit le dossier dans lequel elle avait mis les photographies d'Alison Carter vieillie par l'informatique.

Tommy tendit la main. Elle secoua négativement la tête :

— Dans un instant. La femme qui a ouvert la porte, soi-disant la sœur d'Helen, c'est le sosie d'Alison, son double. Jusqu'à la cicatrice sur le sourcil.

Elle tendit la chemise à Tommy. Il l'ouvrit avec précaution, comme s'il s'attendait à ce qu'elle lui explose à la figure. Ce qu'il vit fut pire que ce qu'il craignait. Il resta muet.

— Je n'en croyais pas non plus mes yeux. J'ai porté les photographies d'Alison à un spécialiste. Il les a traitées sur ordinateur pour faire apparaître le vieillissement. Ceci pourrait être une photographie de la femme que j'ai vue au manoir de Scardale. Mais c'est également Alison si elle était encore en vie.

Le dossier tremblait dans la main de Tommy.

— Non, murmura-t-il. Ce n'est pas vrai. Ce doit être une parente.

— La cicatrice est bien là, Tommy. Comment pourrait-il y avoir des cicatrices identiques ?

— Vous avez dû faire une erreur. Vous ne l'avez pas bien vue. Votre imagination vous joue des tours.

— Vous croyez ? Non, Tommy. Ce n'est pas mon imagination qui a provoqué la crise cardiaque de George. J'ai vu quelque chose, il l'avait vu avant moi. Voilà pourquoi je suis venue vous voir. J'ai besoin de votre aide. Il faut que vous m'accompagniez, que vous jetiez un coup d'œil à Janis Wainwright, que vous nous disiez à George et à moi que ce n'est pas Alison Carter. Parce que, de mon point de vue, il semblerait que je sois tombée sur le scoop du siècle.

De sa main libre il se couvrit le visage, frottant sa peau boucanée jusqu'à la faire ressembler au cuir plissé d'une bête. Sa main retomba sur ses cuisses et il regarda Catherine, l'air hagard :

— Vous savez ce que cela implique, si vous avez raison?

Elle hocha lentement la tête. Elle n'avait pas pensé à grand-chose d'autre pendant son long voyage vers le Nord, son esprit lancé sur une montagne russe et en haut elle voyait l'effet sur le plan professionnel de ses révélations, puis en bas celui sur George Bennett et sa famille. Il faudrait qu'elle trouve un juste équilibre entre les deux conséquences. Mais elle devait d'abord détenir dans ses mains toute la vérité. Catherine regarda Tommy droit dans les yeux:

— Cela signifie que Philip Hawkin a été pendu pour un crime qu'il n'a pas commis.

## 4

Tommy Clough n'était pas un sentimental. Il avait toujours vécu dans le présent, se contentant comme nourriture spirituelle de ce qui l'entourait. Sa grande qualité était la persévérance. Ainsi, sans avoir jamais ressenti un enrichissement particulier au cours des années passées dans la police, il s'était accroché à son travail par souci de justice. Mais, même à cette époque, il n'avait pu résister que grâce à sa double passion pour les oiseaux et pour le jazz.

Mais il avait bien dit à Catherine la vérité : l'affaire Alison Carter avait sonné la fin de sa carrière dans la police. Il s'était trop investi. Imaginer que le tueur d'Alison puisse échapper à la justice l'avait tourmenté jour et nuit tout au long du procès, et il n'avait surtout pas voulu revivre une pareille expérience. Environ deux années lui avaient été nécessaires pour évaluer avec précision ses sentiments face à l'enquête et à ses résultats, mais une fois qu'il eut pris sa décision, il avait quitté la police du Derbyshire en quelques semaines. Et il ne l'avait jamais regretté.

L'arrivée de Catherine Heathcote deux mois plus tôt l'avait contraint à un réexamen du passé, pour la première fois depuis sa démission. Pendant plusieurs jours avant leur entretien, il avait parcouru les falaises et les promontoires près de son cottage, revoyant ses souvenirs.

En tant que flic, sa qualité principale avait été l'intuition. Elle l'avait conduit à sonder plus profond lorsqu'il ne disposait pas de preuves concrètes, souvent avec succès. Dès le début de l'enquête, il était convaincu que Philip Hawkin était un méchant. Tous ses instincts le lui avaient crié dès leur première rencontre. Bien avant que George formulât ses premiers soupçons, Tommy Clough avait senti que le châtelain cachait quelque chose.

Dès que George commença à suivre Hawkin, Tommy s'était mué en chien de chasse prêt à flairer la moindre piste qui puisse conduire à une preuve. Personne n'avait poursuivi cette quête avec plus d'âpreté, pas même George.

Pourtant, Tommy n'avait jamais pu se persuader que Philip Hawkin était un tueur. Qu'il fût un pervers, un agresseur sexuel, il n'en doutait pas et les photographies lui avaient donné des cauchemars. Il savait trop bien qu'elles n'étaient pas truquées, que ce soit par George Bennett ou quelqu'un d'autre. Il haïssait, il méprisait Hawkin, mais il ne parvenait pas à le voir comme le tueur qu'ils cherchaient à faire condamner. Et peut-être était-ce ce doute persistant qui l'avait conduit à travailler si dur pour bâtir un dossier en béton. Il avait essayé d'emporter sa propre conviction tout autant que celle du jury. La certitude finale que son instinct viscéral l'avait trahi avait miné sa confiance en lui.

Maintenant, les deux nouvelles apportées par Catherine lui faisaient l'effet d'une bombe. George Bennett avait failli mourir en découvrant qu'Alison Carter était bien vivante et habitait Scardale. C'était une pure absurdité. Cependant, si Catherine avait raison, son propre malaise d'alors se trouvait justifié.

Mais que n'aurait-il pas donné pour s'être trompé pendant tant d'années… Si Alison Carter était vraiment en vie, les répercussions seraient effroyables. Sans parler même des conséquences juridiques : la fiancée de Paul ne pouvait être qu'impliquée dans une terrible erreur dont son futur beau-père avait été l'instrument.

Tout cela tournoyait dans la tête de Tommy en suivant la voiture de Catherine sur la A1, en direction du Derbyshire. Il n'avait pas trouvé d'autre solution que de revenir avec elle et de faire ce qu'il pourrait pour protéger George et sa famille des retombées de la prétendue découverte de Catherine. Elle était à la fois impétueuse et tenace, une combinaison dangereuse lorsqu'il y a risque d'explosion. Elle avait insisté pour l'emmener dans sa voiture, sans résultat : il entendait être libre d'aller et de venir, ce qui n'aurait pas été le cas s'il avait dépendu de Catherine pour ses déplacements. « J'irai rendre visite à George, avait-il expliqué, et ce ne sera pas pratique pour vous. » Par ailleurs, il voulait être seul avec ses pensées.

Les cinq heures de route parurent s'écouler très vite. Soudain, ils s'arrêtèrent devant un cottage, tout près de la rue principale de Longnor. Catherine annonça qu'ils devaient d'abord lui trouver une chambre. En plein mois d'août, celles du pub étaient toutes prises par des randonneurs et des pêcheurs. Tommy haussa les épaules puis se rendit tout droit chez Peter Grundy. Il déclara qu'il avait besoin de la chambre d'amis des Grundy pour quelques jours : est-ce que 10 livres par nuit conviendraient, le petit déjeuner inclus ?

La femme de Grundy, qui n'avait jamais aimé les supérieurs de son policier de mari, bondit sur l'occasion de soutirer de l'argent à l'un d'eux. Peter, quant à lui, avait l'air embarrassé. Lorsqu'ils apprirent la crise cardiaque de George, ils ne se posèrent plus de question.

— On a besoin de ses amis autour de soi dans des occasions comme celles-là, constata Mrs Grundy.

— C'est bien vrai, répliqua Tommy, l'air sévère. Et j'ai l'intention de faire tout cc que je peux pour aider George et Anne.

Il jeta à Catherine un rapide coup d'œil pour s'assurer qu'elle se souvenait que leurs intérêts ne coïncideraient pas nécessairement. Elle inclina la tête pour montrer qu'elle avait compris et refusa une tasse de thé.

— Vous me trouverez dans mon cottage quand vous serez prêt, Tommy.

Catherine n'avait pas le temps de s'interroger sur les intentions de Tommy Clough. Elle était trop impatiente de consulter sa messagerie. Elle l'ouvrit immédiatement et vit que l'agence lui avait transmis les renseignements demandés. Elle disposait des photocopies des certificats qu'ils avaient pu retrouver.

Tout d'abord, Janis Hester Wainwright, née le 12 janvier 1951 à Consett, sexe féminin, fille de Samuel Wainwright et de Dorothy Wainwright, née Carter. Profession du père : métallurgiste. Adresse : 27 Upington Terrace, Consett.

---

COPIE D'EXTRAIT D'ACTE DE NAISSANCE

Indications portées au registre central d'état civil à Londres.

LIEU D'ENREGISTREMENT : Comté de Durham, Commune de Consett
NUMÉRO D'ENREGISTREMENT : 7211758

---

Nom de jeune fille de la mère, Carter. Coïncidence sans grande valeur. Carter était un nom trop courant pour y accorder une véritable importance, se dit-elle fermement. Elle ne devait surtout pas se fier à des indices aussi faibles : elle avait besoin de preuves tangibles.

Défila ensuite sur son écran le certificat d'Helen : Helen Ruth Wainwright. Née le 10 juin 1964 à Sheffield. Sexe : féminin. Fille de Samuel Wainwright et de Dorothy Wainwright née Carter. Profession du père : métallurgiste. Adresse : 18 Lee Bank, Rivelin Valley, Sheffield.

DOMICILE : 18 Lee Bank, Rivelin Valley
PRÉNOM ET NOM DU PÈRE : Samuel Wainwright
PRÉNOM ET NOM DE LA MÈRE : Dorothy Wainwright,
née Carter
DATE D'ENREGISTREMENT : 14 juin 1964

Deuxième prénom : Ruth. Ruth plus Carter, la coïncidence se précisait, se dit Catherine, sentant grandir son excitation. Elle poursuivit et vit apparaître l'acte de mariage de Samuel et Dorothy Wainwright.

EXTRAIT D'ACTE DE MARIAGE CONFORME À LA LOI DE 1836

LIEU D'ENREGISTREMENT : Buxton
MARIAGE CÉLÉBRÉ À : St. Stephens Church, Longnor, comté du Derbyshire
DATE : 5 avril 1948
NUMÉRO D'ENREGISTREMENT : 87

PRÉNOMS : Samuel Alfred
NOM : Wainwright
ÂGE : 22
Célibataire
PROFESSION : métallurgiste
DOMICILE : 27 Uppington Terrace, Consett
PRÉNOM ET NOM DU PÈRE : Alfred Wainwright
PROFESSION : métallurgiste

PRÉNOMS : Dorothy Margaret
NOM : Carter
ÂGE : 21
Célibataire
PROFESSION : fille de laiterie
DOMICILE : Shire Cottage, Scardale, Derbyshire

PRÉNOM ET NOM DU PÈRE : Albert Carter
PROFESSION DU PÈRE : travailleur agricole

EN LA PRÉSENCE DE : Roy Carter, Joshua Wainwright
OFFICE CÉLÉBRÉ PAR : Paul Westfield

L'excitation qu'elle ressentait était devenue une sensation physique qui lui contractait l'estomac. Lieu du mariage : St. Stephen's Church, Longnor. Date du mariage : 5 avril 1948. Samuel Alfred Wainwright, célibataire, avait épousé Dorothy Margaret Carter, célibataire. Il avait 22 ans, elle 21. Il était métallur-giste, elle fille de laiterie. Au moment de leur mariage il habitait à Consett, elle résidait à Shire Cottage à Scardale et son père était Albert Carter, travailleur agricole. Les témoins étaient Roy Carter et Joshua Wainwright.

Catherine pouvait à peine en croire ses yeux. Elle relut. C'était bien ça : la mère de Janis Wainwright était Dorothy Carter de Shire Cottage à Scardale et l'un des témoins du mariage de Dorothy se trou-vait être Roy Carter, sans doute lui aussi, elle l'au-rait parié, de Shire Cottage à Scardale ! Et Roy Carter était le premier mari de Ruth Crowther et le père d'Alison. Il ne serait donc pas surprenant qu'il y eût une forte ressemblance physique entre Janis et Alison. L'héritage génétique réservait des sur-prises, mais n'expliquait pas la cicatrice. Si Janis n'était pas Alison, comment se faisait-il qu'elles avaient le même signe particulier ?

Une explication lui vint à l'esprit : la cicatrice était la marque d'une mutilation que se serait infligée Janis après la disparition d'Alison et sa mort sup-posée. Elle les imaginait enfants, entendait les com-mentaires de la famille disant qu'elles auraient pu

552

être jumelles, qu'elles se ressemblaient comme deux gouttes d'eau. Alison disparue, Janis avait alors décidé de conserver son souvenir en se marquant de la même façon. L'idée était passablement grotesque, mais Catherine savait que les adolescentes sont capables de comportements aberrants, quitte à se faire du mal.

Catherine s'aperçut soudain que la flèche continuait de clignoter en haut de l'écran. L'agence avait transmis un autre document. Elle activa l'écran et se raidit, bouche bée, stupéfaite. Elle n'avait ajouté cette demande que par souci routinier de recouper ses sources. Mais l'agence avait découvert ce à quoi elle n'avait pas vraiment cru.

Janis Hester Wainwright était décédée le 11 mai 1959.

---

EXTRAIT DE L'ACTE DE DÉCÈS

LIEU D'ENREGISTREMENT : comté de Durham
COMMUNE DE : Consett
NOM : Janis Hester Wainwright
SEXE : féminin
DÉCÉDÉ(E) LE : 11 mai 1959
ÂGE : 8 ans
CAUSE DU DÉCÈS : tuberculose
DÉCÈS CONSTATÉ PAR : Dr James Inchbald-Dr Andrew Witherwick
DOMICILE : 27 Uppington Terrace, Consett, County Durham
PRÉNOM ET NOM DU PÈRE : Samuel Wainwright
PRÉNOM ET NOM DE LA MÈRE : Dorothy Wainwright, née Carter

---

Catherine resta assise, immobile devant l'écran. Elle ne voyait plus qu'une seule hypothèse. Elle alluma une cigarette et essaya d'imaginer d'autres scénarios qui pourraient correspondre aux faits dont elle disposait, mais bien vite la tête lui tourna.

Rien à faire : il fallait d'abord supposer qu'Alison n'avait pas été assassinée en 1963. Qui pouvait l'avoir tenue à l'écart, sinon un proche parent de sa famille ? Elle avait donc emprunté l'identité de Janis et atteint l'âge adulte à Sheffield.

Une pensée la frappa et le duvet sur sa nuque lui parut se raidir. À l'époque, Don Smart avait convaincu le *Daily News* de consulter une voyante. Celle-ci avait déclaré qu'elle voyait Alison en bonne santé dans une maison d'une rue d'une grande ville. Tout le monde s'était esclaffé. Personne ne voulait croire à cette vision. Mais il semblait maintenant que la voyante avait eu raison.

Un coup à la porte tira Catherine de sa rêverie. Tommy était venu lui dire qu'il allait se rendre à Comford pour voir s'il y avait quelqu'un chez George. S'il faisait chou blanc, il continuerait jusqu'à Derby.

— Avant de partir, jetez donc un coup d'œil.

Elle lui fit signe de s'asseoir devant l'écran du portable. Elle lui montra sur quelles touches appuyer. Il resta un moment assis, silencieux, lisant et relisant avec soin les quatre documents.

Puis il se retourna pour lui faire face, le regard perdu :

— Dites-moi, demanda-t-il, presque suppliant, que vous avez trouvé une autre explication ?

Catherine secoua négativement la tête :

— Pas une seule…

De ses doigts encore robustes, il se massa la mâchoire.

— Je dois aller présenter mes respects à la famille, dit-il enfin. (Il soupira :) Nous devons parler de ce qui se passe ensuite. Serez-vous encore là à mon retour?

— Je serai là. Je vais à Buxton manger quelque chose, sinon ces quatre murs vont me rendre folle, dit-elle en montrant les photographies de Scardale qui l'entouraient. Je serai de retour à 21 heures.

Il approuva :

— Moi aussi. Ne vous faites pas de souci, Catherine, nous allons essayer de comprendre.

— Nous avons déjà compris les faits cruciaux, Tommy. C'est ce que nous en faisons qui pose problème.


Tommy sourit à l'infirmière :

— Je suis de la famille, dit-il avec cet air d'assurance tranquille qui l'avait souvent servi. George est mon beau-frère.

Il ressentit une certaine satisfaction à cette relation de parenté imaginaire.

L'infirmière hocha la tête :

— Son fils et sa belle-fille sont allés manger un morceau, mais sa femme est avec lui. Vous pouvez entrer. (Elle lui ouvrit la porte.) Troisième lit dans la rangée, ajouta-t-elle.

Tommy s'avança lentement dans la salle. Il s'arrêta à quelques pieds de l'arsenal de machines à qui son vieil ami devait d'être encore en vie. Anne était assise, lui tournant le dos, la tête penchée, une main tenant celle de George, l'autre lui caressant le bras en se gardant de toucher le goutte-à-goutte. La peau de George était pâle et comme humide, ses lèvres d'une teinte légèrement bleuâtre ; en dessous des yeux fermés se creusaient des poches sombres. Sous le drap mince le corps paraissait étonnamment frêle, malgré les épaules larges et les muscles bien dessinés. En le voyant ainsi, dépouillé de sa vitalité, Tommy prit conscience de sa propre mortalité comme si un souffle d'air froid passait sur lui.

Il avança d'un pas et posa une main sur l'épaule d'Anne. Elle releva la tête, ses yeux las et résignés. Un instant elle parut troublée, puis d'un coup elle le reconnut :

— Tommy ? articula-t-elle incrédule.

— Catherine m'a appris ce qui s'était passé. Je voulais venir.

Anne approuva d'un signe de tête, comme si ce qu'il disait était parfaitement logique.

— Bien sûr.

Tommy s'empara d'une chaise et s'assit à côté d'elle. La main qui l'instant d'avant caressait le bras de George vint se poser sur celle de Tommy.

— Comment va-t-il ? demanda Tommy.

— Ils disent qu'il tient le coup, rien de plus, murmura-t-elle d'une voix lasse. Pourtant, je ne comprends pas pourquoi il est toujours inconscient. Je croyais qu'une crise cardiaque vous vous en tiriez ou pas… mais ça dure depuis presque deux jours et ils ne veulent pas dire quand ils pensent qu'il reprendra ses sens.

— Je suppose que le corps en profite pour se guérir. Comme je connais George, s'il était conscient, il faudrait l'attacher à son lit pour qu'il se repose.

L'ombre d'un sourire passa sur les lèvres d'Anne :

— Vous avez probablement raison, Tommy.

Ils restèrent assis un moment sans mot dire, regardant George respirer. Enfin Anne parla :

— Je suis heureuse que vous soyez là.

— Je regrette qu'il ait fallu cela pour que je me décide à venir.

Tommy tapota la main d'Anne :

— Et vous, Anne ? Comment allez-vous ?

— Je suis terrifiée, Tommy. Je n'arrive pas à imaginer la vie sans lui.

Elle lui jeta un long regard, son désespoir visible dans l'affaissement de ses épaules.

— Quand avez-vous dormi pour la dernière fois? ou mangé?

— Je ne peux pas dormir. Je me suis allongée la nuit dernière. Ils ont une chambre pour les membres de la famille. Mais je n'aime pas le quitter. Je veux être là quand il se réveillera. Il aura peur. Il ne saura pas où il se trouve. Il faut que je sois là. Paul m'a offert de me relayer mais l'idée ne me plaît pas. Il est déjà trop bouleversé. Il se sent coupable et j'ai peur de ce qu'il dirait à George s'il est seul avec lui à son réveil. Je ne veux pas d'autre émotion…

— Mais je suis là maintenant, Anne. Je peux veiller sur George pendant que vous mangez quelque chose et prenez une tasse de thé. On dirait que vous êtes prête à tomber.

Elle le regarda curieusement:

— Et qu'est-ce qu'il va penser s'il vous voit assis là comme l'ombre des fêtes d'antan? dit-elle avec une trace de son humour habituel.

— Eh bien, au moins il pensera à autre chose qu'à son mal, répliqua Tommy avec un sourire. Vous avez besoin d'une pause, Anne. Prenez une tasse de thé. Allez respirer dehors.

Anne inclina la tête:

— Vous devez avoir raison, mais je n'irai pas prendre l'air. Je vais me reposer dix minutes dans la chambre réservée à la famille. N'oubliez pas de lui parler. Ils disent que ça peut aider. Et, s'il fait le moindre mouvement, appelez l'infirmière et demandez que l'on vienne me chercher.

— Allez-y, dit Tommy. J'ouvrirai l'œil.

À regret, Anne se leva et s'en alla lentement. Elle jetait un coup d'œil derrière elle presque à chaque pas. Tommy s'installa sur sa chaise, appuya ses coudes sur les genoux. D'une voix presque murmurée, il raconta à George ses dernières observations des mœurs des oiseaux. Environ dix minutes plus tard, l'infirmière vint vérifier les moniteurs.

— Je ne sais pas comment vous y êtes arrivé, dit-elle, mais Mrs Bennett dort pour la première fois depuis deux jours. Même si ce n'est qu'un petit somme, ça lui fera le plus grand bien.

— J'en suis heureux. (Tommy attendit que l'infirmière soit partie, puis il reprit sa conversation à sens unique :) Tu vas te demander ce que je fais ici. C'est une longue histoire et qu'il vaut mieux que je ne te raconte pas. Alors peu importe ce qui m'a amené ici, contente-toi d'être reconnaissant que ma sale tronche ait inspiré à Anne l'envie d'aller s'allonger un peu.

Comme il parlait, il s'aperçut que les paupières de George frémissaient. Soudain les yeux s'ouvrirent. Tommy se pencha encore plus, prit la main de George :

— Bienvenue, George, dit-il doucement. (De son bras libre il faisait signe, tentant d'attirer l'attention d'une infirmière.) Pas de panique, mon vieux copain. Tu vas aller mieux.

Les sourcils se froncèrent, les yeux interrogeaient.

— Anne va être là tout de suite. Ne t'en fais pas.

Une infirmière s'approcha du lit. Tommy la regarda :

— Il est réveillé. (Comme l'infirmière se penchait, Tommy s'écarta :) Je vais chercher Anne, promit-il.

Il traversa rapidement la salle, suivit le fléchage « Salle de repos ». Anne était étendue sur un canapé, profondément endormie. Il n'avait guère envie de la réveiller mais elle ne lui pardonnerait jamais. Tommy posa une main sur son épaule et la secoua doucement. Les yeux d'Anne s'ouvrirent d'un coup, immédiatement vigilants, la panique apparut sur son visage.

— Tout va bien, dit-il. Il reprend connaissance, Anne.

Elle réussit à se relever :

— Oh Tommy ! s'exclama-t-elle.

Et elle le serra dans ses bras, tandis que lui, gauche, ne savait plus quoi faire des siens.

— Je reviendrai demain, dit-il comme elle le relâchait et gagnait la porte.

Sur le seuil elle lui jeta un coup d'œil :

— Merci Tommy, vous faites des miracles.

Immobile, il la regarda s'en aller.

— Il n'y a pas que de bons miracles, constata-t-il tristement en quittant l'hôpital.

## 5

*Août 1998*

Catherine parvint à faire durer un médiocre repas une bonne heure et demie. Même ainsi, il était à peine 20 h 30 quand elle arriva à Longnor. Tommy l'attendait déjà, assis sur le mur de pierre calcaire devant son cottage. Son teint semblait grisâtre et Catherine ressentit un pincement au cœur. Elle oubliait constamment qu'il n'était plus si jeune, tant il paraissait alerte et en pleine forme. Mais il avait conduit plus d'une demi-journée et, sans doute, rien mangé de la soirée.

Il l'accueillit par un « Dieu merci, vous voilà de retour ! » puis :

— On s'installe pour parler ?

— Comment va George ? demanda-t-elle en le faisant entrer. Vous voulez boire quelque chose ?

— Vous avez du whisky ?

— Seulement de l'irlandais. (Elle lui montra le buffet.) Je vais me chercher un peu de vin.

Elle se rendit dans la cuisine, déboucha une bouteille. Quand elle revint, Tommy s'était versé une généreuse rasade de Bushmills dans un grand verre offert par une station d'essence.

— Alors comment va-t-il ? répéta-t-elle, s'attendant au pire.

— Il a repris conscience. J'étais près de lui quand ses yeux se sont ouverts.

— Près de lui ? Comment avez-vous fait ?

Tommy soupira :

— Comment ? Réfléchissez un peu : j'ai menti. Bien sûr, il n'était pas encore capable de parler, mais il a paru me reconnaître. J'ai dit à Anne que je repasserai demain. Il sera peut-être en état de m'écouter.

— À mon avis le moment est mal choisi pour lui parler de Scardale et d'Alison.

Le regard de Tommy se durcit. Il n'avait rien perdu de sa force avec les années. Catherine se sentit comme un papillon épinglé.

— Vous voulez dire, ma chère Catherine, que vous ne voulez pas qu'il se souvienne de sa demande de jeter le livre aux orties.

— Non, protesta-t-elle. Je crois seulement que si Scardale a déclenché la crise, il vaut mieux qu'il n'en parle pas.

Tommy haussa les épaules :

— À lui de décider. Je ne vais pas le bousculer, mais s'il veut en parler, je ne l'en empêcherai pas. Mieux vaut que ça sorte avec moi plutôt que de renfermer le truc et de se payer une autre crise, dit-il d'un air buté. Pendant que nous y sommes, j'ai rencontré Paul en sortant de l'hôpital. Il m'a présenté à sa fiancée. Et il faut que nous en parlions, ajouta-t-il en appuyant sur les mots. (Il but une grande gorgée de son whisky, vidant à moitié le verre.) Regardons un peu ces documents.

Elle mit en marche l'ordinateur tandis que Tommy tournait en rond dans la petite pièce. Dès qu'elle eut le premier certificat sur l'écran, il s'approcha :

— Montrez-moi celui d'Helen, dit-il.

Elle appuya sur la touche et le texte apparut.

— Mon Dieu ! gémit-il.

Il se détourna, alla se planter devant le foyer, mit un bras sur la tablette de la cheminée, y posa sa tête.

Catherine fit pivoter sa chaise :

— Tommy, allez-vous me dire ce qui vous préoccupe ?

Ses larges épaules se soulevèrent et il lui fit face. S'il ne lui disait pas, elle était parfaitement capable de le découvrir elle-même. En le lui révélant, il parviendrait peut-être à contrôler ses réactions et l'usage qu'elle ferait de cette information.

— Vous avez rencontré Helen, hein ?

Catherine fit oui de la tête :

— L'année dernière, à Bruxelles.

— Elle ne vous a pas fait penser à quelqu'un ?

— Curieusement, j'ai eu l'impression de la connaître. Mais maintenant que nous savons qu'elle a des liens avec les clans de Scardale, je crois que ce que j'ai vu, c'est l'héritage Carter.

Tommy soupira :

— Ouais, il y a un peu de ça. Du côté de sa mère. Mais c'est de son père qu'elle tient.

Elle fronça les sourcils :

— Tommy, je ne vous comprends pas. Comment avez-vous pu connaître Samuel et Dorothy Wainwright ?

Tommy s'assit lourdement dans le fauteuil :

— Je ne les ai jamais rencontrés. Je ne parle pas des Wainwright. Je parle de Philip Hawkin.

— Hawkin ? répéta Catherine, complètement perdue.

— C'est Hawkin tout craché quand vous regardez à la hauteur des yeux. Et elle a son teint. Avec les photos, vous n'avez pas vu la ressemblance mais, en personne, c'est clair comme le jour.

— Vous devez vous tromper, protesta-t-elle. George aurait vu cette ressemblance !

— Il n'aurait pas nécessairement fait le rapport avant que le lien avec Scardale lui saute à la figure. D'ailleurs, Paul vous a bien dit qu'il était mal à l'aise avant même d'arriver à Scardale.

— Ça pourrait encore être une coïncidence, affirma Catherine butée.

Si elle voulait que son histoire tienne la route, il fallait qu'elle en garantisse toutes les péripéties. Et pour l'aider à assembler ses arguments, l'expérience de Tommy était un avantage non négligeable.

— Regardez l'acte de naissance, dit-il. Elle s'appelle Helen Ruth. Je sais que Ruth n'est pas un prénom rare, mais à l'époque c'était une pratique courante de donner à un enfant comme deuxième prénom celui d'une personne de la famille, généralement celui du grand-père, ou de la grand-mère. Ajouté aux autres détails, là devant nous, que le deuxième prénom d'Helen soit Ruth ne peut pas être une simple coïncidence.

Catherine alluma une cigarette pour repousser l'instant de poser l'inévitable question.

— Reprenons... si Philip Hawkin est le père d'Helen... qui est sa mère ?

— Eh bien, ce n'était pas son épouse, c'est une certitude. Ruth Carter n'attendait pas un enfant en juin 1964. Elle assistait au procès de son mari. Nous l'avons vue au moins une fois par semaine tout au long de l'enquête et elle n'était pas enceinte.

— Sur certaines femmes cela ne se voit pas, fit-elle remarquer. Elles ont juste l'air d'avoir pris un peu de poids.

Il secoua la tête :

— Catherine, quand nous avons rencontré Ruth pour la première fois, c'était une robuste fille de la campagne. Quand nous sommes arrivés au procès, une rafale de vent aurait pu l'emporter de Scardale à Denderdale en un rien de temps! Comment aurait-elle accouché d'une fille en juin 1964?

— Alors qui était-ce? persista Catherine. Je suppose que nous écartons une liaison passionnée avec Dorothy Wainwright?

— Pourquoi pas? dit Tommy. Dorothy à l'époque devait avoir dans la trentaine. Mais si Hawkin avait couché avec elle, je me serais attendu qu'il la fasse citer comme témoin, pour témoigner qu'il était bien un homme avec des appétits normaux et non un pervers courant après les petites filles. Nous avons toujours pensé que c'était la seule raison pour laquelle il avait épousé Ruth: si on s'était posé des questions sur son comportement avec Alison, il aurait mis son mariage en avant pour prouver qu'il était tout ce qu'il y a de plus normal. Par ailleurs, il n'y a aucune indication pour prouver qu'il ait jamais rencontré les Wainwright.

«Mais si nous nous en tenons à notre théorie concernant la véritable identité de la prétendue Janis Wainwright, alors nous avons une personne en âge de procréer dans la famille Wainwright et dont on peut démontrer le lien avec Hawkin. Nous disposons même de preuves photographiques.

Ses paroles étaient marquées du sceau de la certitude.

— Alison Carter est la mère d'Helen Markiewicz, née Wainwright, dit Catherine, résumant la pensée de Tommy. Et Philip Hawkin est son père.

Elle regarda Tommy droit dans les yeux et il lui rendit son regard. Il n'y avait pas d'autre conclusion logique. Mais cette solution impliquait tant de questions que Catherine ne savait par où commencer.

Elle respira profondément et exprima ce que Tommy devait sans doute penser:

— Donc George Bennett est sur le point de devenir le beau-père de la fille d'un homme qui lui doit d'avoir été pendu. À cela près qu'Helen n'était pas encore née quand son père était censé avoir tué sa mère.

Exprimée de cette façon, pensa-t-elle, l'histoire reléguait les Atrides au rang de conte pour enfants.

— C'est, semble-t-il, la situation exacte, dit Tommy.

Il vida son verre et tendit le bras pour reprendre la bouteille de whisky.

— Ce que je vais dire peut paraître insensé... mais il semblerait aussi que Ruth et Alison aient conspiré pour faire arrêter Hawkin.

Tommy se versa lentement une autre rasade de Bushmills. Tout en sirotant, il regardait Catherine dans les yeux, par-dessous la broussaille de ses sourcils. Puis il reposa son verre :

— Et c'est un minimum, Catherine. Un minimum...

Elle inclina la bouteille de vin, remplit son verre. Il remarqua que sa main tremblait. Ce n'était plus seulement le meilleur sujet de livre sur lequel elle était tombée, mais aussi une tragédie qui, trente-cinq ans après, pouvait bouleverser la vie d'une deuxième génération ignorante du passé. Elle se retrouvait dans une situation à la fois terrifiante et exaltante. Et elle n'était pas sûre d'utiliser ces informations au mieux ; elle était presque contente de la présence de Tommy qui freinerait ses impulsions incontrôlées.

— Et qu'est-ce qu'on fait maintenant ?

— Bonne question, dit Tommy.

— J'en ai beaucoup d'autres.

— Pour ma part, je pense que nous n'avons qu'une seule issue. Partir immédiatement et tout oublier. Laisser Alison Carter, si c'est elle, en paix.

Laisser Helen et Paul se marier sans un nuage à l'horizon.

— Pas question! protesta Catherine. Impossible de fermer les yeux! Les affaires criminelles les plus significatives de l'après-guerre se retrouvent cul par-dessus tête! Ça bousille un précédent juridique important.

— Épargnez-moi cela, Catherine! dit Tommy furieux. Vous vous en foutez des précédents juridiques. Vous êtes seulement capable de voir le scoop avec un grand S et le fric que vous allez en tirer. Et les vies que vous allez détruire en publiant cette histoire, elles ne comptent pas? George avec sa réputation en lambeaux. Le futur de Paul et d'Helen anéanti, la vie d'Helen brisée! Qu'est-ce qu'elle va ressentir quand elle va apprendre que sa sœur est, en fait, sa mère et que celle qu'elle prenait pour sa mère a fait partie de la conspiration qui a valu la pendaison à son père? Et puis il y a aussi Janis, ou Alison, si vous préférez. Elle risque d'être poursuivie pour sa participation au complot. Et tout ça pour que vous ayez votre quart d'heure de gloire?

Il avait haussé le ton et sa présence physique semblait si bien remplir la pièce que Catherine en eut le souffle coupé.

Elle déglutit péniblement.

— Je suis donc censée faire une croix sur les six derniers mois de ma vie? Je joue gros, moi aussi, Tommy. C'est bien vous qui m'avez parlé de l'importance de la justice. Vous avez quitté la police parce que vous pensiez qu'elle ne pouvait pas servir la justice. Et maintenant vous dites «j'en ai rien à foutre de la justice, j'en ai rien à foutre de la vérité, moi, je vais protéger ma réputation et enterrer la preuve que moi et mon patron on a fait pendre un innocent»?

Elle était maintenant aussi en colère que lui.

Tommy avala une gorgée de whisky et tenta de reprendre ses esprits.

— Il ne s'agit pas de moi, Catherine. Il s'agit d'un homme de bien et de sa famille innocente. Aucun d'entre eux ne mérite de voir sa vie détruite par une chose qui devrait être morte et enterrée depuis trente-cinq ans. Réfléchissez, pourquoi perdre ces six mois ? Publiez le livre tel qu'il est et laissez les morts dormir en paix.

— Ce n'est pas ce que George voulait. Il a plus d'intégrité que vous, Tommy. Il ne voulait pas du livre parce qu'il ne disait pas la vérité.

Tommy secoua la tête :

— Il a agi sur un coup de tête. Quand il aura le temps d'y réfléchir, il verra qu'il vaut mieux qu'il paraisse en l'état.

— Vous voulez dire quand vous l'aurez convaincu, dit férocement Catherine. Ça ne suffit pas, Tommy. Je peux effacer les traces sur mon ordinateur mais pas les informations dans ma tête. Je vais trouver la vérité et, de fait, vous ne pouvez pas m'arrêter.

Il y eut un long silence. Tommy sentit ses mains se serrer et il fit un grand effort pour détendre ses doigts. Enfin il reprit sa respiration :

— C'est possible que je ne puisse pas vous arrêter. Mais je peux vous faire beaucoup de mal quand le livre paraîtra, en racontant, par exemple, comment vous vous êtes servie d'un homme qu'une machine tient en vie ; comment vous avez délibérément profité de l'impossibilité où il se trouve de prendre sa propre défense ou celle de sa famille. Votre croisade pour la justice aura mauvaise mine, quand j'en aurai fini avec vous, je vous le promets. Vous serez en loques, comme Philip Hawkin.

Ni l'un ni l'autre ne voulaient lâcher prise, se regardant en chiens de faïence. Enfin Catherine ouvrit la bouche :

— Nous n'avons pas le droit de prendre une décision en l'absence de George, dit-elle en s'efforçant au calme. Nous ne savons même pas si nous avons raison. Avant d'aller plus loin, nous devons parler à Alison Carter.

Le regard de Tommy s'écarta et vint se poser sur les photographies sur le mur. Alison Carter, George Bennett, Ruth Carter, Philip Hawkin. Dans son cœur, il savait qu'elle avait raison : le choix ne leur appartenait pas et un choix d'une telle importance ne pouvait se faire tant qu'il restait des zones d'ombre.

Il soupira :

— Très bien. Demain, nous allons à Scardale chercher quelques réponses.

## 6

*Août 1998*

Tommy se tenait sur le pas de la porte de Catherine à 8 heures le lendemain matin. Quand elle ouvrit, il s'aperçut qu'elle n'avait sans doute pas plus dormi que lui.

— Vous êtes matinal, dit-elle s'écartant pour le laisser entrer. Alison ne va pas être ravie de nous voir à cette heure.

— Nous n'allons pas encore à Scardale, répondit-il.

— Vraiment ?

— Non. J'ai promis à Anne de retourner à l'hôpital ce matin. Je veux le faire en premier. Et je veux que vous m'y conduisiez, dit Tommy, s'emparant du toast posé sur l'assiette de Catherine.

— Ne vous gênez surtout pas ! dit-elle, surprise de se sentir plus amusée qu'offensée. J'ai compris. Vous ne me faites pas confiance. Vous avez peur que je ne vous attende pas. Vous pensez que je vais me précipiter chez Alison pour lui tirer les vers du nez.

Tommy secoua la tête :

— Vous vous trompez, voilà qui est amusant. Auriez-vous d'autres toasts ?

— Je vais en faire.

Il la suivit jusqu'à la cuisine.

— Que je ne vous fasse pas confiance, c'est une autre histoire. Pour le moment il s'agit de moi et de mon grand âge. J'ai plus conduit hier que ma moyenne mensuelle et je dors mal dans un lit qui ne m'est pas familier. Pour tout dire, Catherine, j'aimerais mieux me faire conduire, aller et retour Derby.

Elle laissa tomber deux tranches de pain dans le toaster et dit d'un ton approbateur:

— Bien joué, Tommy! Vous m'avez presque convaincue. (Elle sourit en voyant sa mine dépitée:) Mais, bien sûr, je vais vous conduire à Derby. Faire un peu attendre Janis Wainwright ne changera pas ce qu'elle doit nous dire.

Ils parlèrent peu pendant la route, perdus tous deux dans leurs pensées. Catherine se creusait encore les méninges pour savoir quelle stratégie adopter. Elle était restée debout bien après minuit, fumant, buvant et réfléchissant. Elle avait toujours été persuadée qu'une interview réussie dépendait d'une préparation approfondie, mais elle avait beau tourner et retourner dans sa tête ce que Tommy et elle avaient appris, elle ne voyait pas comment faire pour que Janis finisse par dire la vérité: elle avait trop à perdre.

La journée commença par une surprise quand Tommy dit à l'infirmière de l'unité de soins intensifs qu'il venait voir son beau-frère George Bennett.

— Il n'est plus dans notre service, constata l'infirmière en consultant un tableau placé sur son bureau.

Tommy sentit son cœur se serrer:

— Ce n'est pas possible. Hier soir il a repris conscience. Je l'ai vu ouvrir les yeux.

L'infirmière sourit:

— En effet, nous l'avons transféré ailleurs parce qu'il est en partie tiré d'affaire.

Elle leur indiqua le service de cardiologie.

— Tact et diplomatie dans les services hospitaliers, constata Catherine sèchement.

Ils suivirent un couloir et se retrouvèrent devant la salle indiquée. La porte était vitrée et Tommy approcha son visage. Il y avait quatre lits dans cette salle, dont deux inoccupés. Près de la fenêtre, il découvrit Anne qui, assise près d'un lit, en dissimulait l'occupant. Mais celui-ci semblait être à demi adossé à des oreillers. Tommy se retourna vers Catherine :

— Il vaudrait mieux que vous m'attendiez.

Elle accepta à regret.

— Il y a une cafétéria au sixième étage. Vous m'y retrouverez. (Elle sortit son magnétophone de sa poche.) Au cas où…

— Non. C'est entre George et moi. Mais ne vous faites pas de souci. Je ne vous mentirai pas.

Il la regarda se diriger vers les ascenseurs, puis redressant les épaules, il ouvrit la porte. En s'approchant, il vit le visage de George. Il était difficile de croire que c'était le même homme qui n'était pas loin de ressembler à un cadavre la veille. Bien qu'il parût encore épuisé, les joues avaient repris des couleurs et les poches noires sous les yeux s'étaient quelque peu effacées. Quand George découvrit Tommy, il sourit largement.

— Tommy Clough, dit George, d'une voix faible mais où l'on percevait le plaisir que lui donnait cette visite. Et moi qui pensais que j'étais mort et en enfer quand j'ai ouvert les yeux et que je t'ai vu…

Tommy se pencha et serra la main de son ex-patron :

— C'est sûrement le choc d'entendre ma voix qui t'a réveillé.

— Gagné ! Comment faire confiance à un séducteur qui tourne autour de ma femme ? Il fallait bien un chaperon.

— George, le tança Anne, voilà comment tu reçois Tommy qui vient de si loin pour te voir.

— Ne prêtez pas attention à ce qu'il dit, Anne. Visiblement il délire encore. Comment tu te sens, George ?

— Éreinté, pour te dire la vérité. Je n'ai jamais été aussi fatigué de toute ma vie.

— Tu nous as flanqué une belle trouille, dit Tommy.

— J'en suis désolé, mais si j'avais su qu'il fallait ça pour te tirer de ton ermitage, je l'aurais fait plus tôt.

Tommy et Anne se jetèrent un coup d'œil complice, tous deux heureux de voir que, bien qu'épuisé, George n'avait pas perdu le sens de l'humour.

— Ouais, eh bien je ne me ferai pas si rare dans le futur. C'est Catherine qui m'a prévenu, tu sais. Elle a fait tout le chemin rien que pour m'annoncer la nouvelle.

George fit un mouvement de tête, l'étincelle dans ses yeux s'était éteinte.

— J'aurais dû m'en douter. Anne, mon amour, voudrais-tu me faire une faveur ? Voudrais-tu nous laisser seuls un instant, Tommy et moi ? Pas longtemps, un petit quart d'heure. Il y a des choses… dont nous devons parler, ma chérie.

Anne fronça les sourcils :

— Ils ont dit que tu ne devais pas te fatiguer, George.

— Je sais. Mais rester préoccupé me fera plus de mal que de parler à Tommy. Fais-moi confiance, mon amour. Je ne jouerai plus aux dés avec la mort. (Il s'empara de sa main, la tapota tendrement.) Je t'expliquerai tout, je te le promets, mais pas maintenant.

La désapprobation fit plisser les lèvres d'Anne mais elle se leva :

— Surtout ne l'épuisez pas, Tommy. (Elle se

retourna vers George :) Je vais aller téléphoner à Paul et lui dire qu'ils peuvent venir cet après-midi.

— Merci, mon amour. (George la suivit des yeux jusqu'à la porte, puis, avec un soupir, il dit à Tommy de s'asseoir.) J'avais peur qu'elle ne soit pas d'accord. Qu'est-ce que tu as appris ?

— Nous n'avons pas de certitude absolue, mais je crois que nous avons à peu près tout compris.

Tommy résuma les recherches de Catherine.

— Ça laisse peu de place au doute, conclut-il.

— À n'y pas croire, hein ? Mais, dès que je l'ai eue en face de moi, le doute n'était plus permis, dit George. Pendant huit mois, son visage ne m'avait pas quitté, pendant des années il m'a hanté. J'ai su tout de suite que la femme devant moi dans le manoir de Scardale était Alison Carter, et peu importe le nom qu'elle avait emprunté. Et, du coup, j'ai également compris pour Helen.

Ses yeux se fermèrent et une profonde respiration souleva sa poitrine. Il rouvrit les yeux sur le visage inquiet de Tommy.

— Je suis OK, le rassura-t-il. Juste fatigué, c'est tout.

— Prends ton temps, je ne suis pas pressé.

George parvint à faire un faible sourire :

— Non, pas toi, mais Catherine, oui. Je suppose qu'il n'y a aucune chance de l'arrêter ?

Tommy haussa les épaules :

— Je ne sais pas. C'est une sacrée cliente. La nuit dernière, je suis parvenu à lui arracher la promesse de te consulter avant de prendre toute initiative. Mais la promesse a un prix. Je dois aller à Scardale pour une confrontation avec cette femme que nous disons être Alison. Catherine n'en démord pas : nous devons d'abord tout savoir et je n'ai pas d'argument à lui opposer.

— Pour ma part ça m'est égal, dit George. C'est pour Paul et Helen que je m'inquiète. Nous avons fait une terrible erreur avant même qu'ils soient nés mais ce sont eux qui vont en subir les conséquences. Je ne vois pas comment ils vont pouvoir survivre à ces révélations. Et je ne vois pas comment Anne pourra me pardonner ce désastre.

— Je sais. Et ce n'est pas seulement eux, George. C'est aussi Alison. Quelle que soit sa participation, elle lui a déjà plus coûté que nous ne le saurons jamais. Ils peuvent encore la poursuivre pour entente délictueuse, et je ne pense pas qu'elle mérite ça.

— Alors que faire, Tommy ? Je ne suis pas utile à grand-chose actuellement…

Tommy secoua la tête, incapable de dissimuler son sentiment de frustration.

— Nous y verrons plus clair quand nous aurons entendu ce qu'Alison a à dire pour sa défense.

— Fais ce que tu peux. (La voix de George s'affaiblissait.) Je suis vraiment fatigué. Tu ferais mieux d'y aller.

Tommy se leva.

— Je ferai de mon mieux.

— Tu l'as toujours fait, Tommy. Je ne vois pas pourquoi ça changerait.

Se sentant vingt ans plus âgé que la veille, Tommy sortit de la salle pour se rendre à une rencontre qu'il ne se serait jamais attendu à faire de ce côté-ci de la tombe. La dernière fois qu'il avait ressenti le poids de ce fardeau sur ses épaules, c'était lorsqu'il contribuait à établir le dossier d'accusation contre Philip Hawkin. Cette fois, il espérait faire du meilleur travail.

# 7

*Août 1998*

Le temps maussade avec ses nuages gris et ses averses violentes, si fréquent au cours de cet été-là, était de retour. Comme ils prenaient le chemin de Scardale, une véritable trombe se déversa sur la voiture, recouvrant le goudron de la chaussée d'une eau tourbillonnante.

— La journée parfaite, constata Tommy laconiquement.

Il était en proie à de multiples émotions, entre la simple curiosité de découvrir enfin la vérité et l'appréhension des conséquences, la conscience de sa responsabilité envers George et sa famille et l'incertitude quant à pouvoir l'assumer. Il ressentait encore une immense pitié pour la femme dont ils allaient envahir le sanctuaire. Il se mettait à souhaiter de toutes ses forces que George n'ait pas choisi de rompre le silence. Ou qu'il ait choisi de collaborer avec un écrivain moins intelligent et moins tenace.

Quant à Catherine, elle se refusait à penser au-delà de sa rencontre avec Janis Wainwright, en se concentrant sur la méthode à suivre pour la forcer à dire la vérité. Le temps ne lui manquerait pas pour envisager la suite à donner. Son travail pour le moment consistait à s'assurer que quelles que soient les décisions prises par la suite, elles le seraient en pleine connaissance de cause. Elle vérifia son magnétophone miniature enfoncé dans la poche de son blazer. Il lui suffisait d'appuyer simultanément sur les touches « enregistrement » et « marche » pour se trouver en possession d'un enregistrement parfait de ce que Janis Wainwright – ou plutôt Alison Carter – avait à dire.

Ils s'arrêtèrent juste à l'extérieur du manoir et elle se gara en travers de l'allée pour que Janis ne puisse s'enfuir autrement qu'à pied. En silence, ils attendirent que l'averse se calme puis, pataugeant dans l'herbe, ils gagnèrent la porte de la cuisine.

Tommy laissa retomber le heurtoir. La porte s'ouvrit presque aussitôt. En l'absence de soleil, Catherine put avoir une vision nette de la femme en face d'eux. Ses yeux montraient qu'elle était sur ses gardes. La cicatrice était irrécusable. Ce ne pouvait être qu'Alison Carter. La femme ouvrit la bouche pour parler mais Tommy leva sa main et hocha négativement la tête :

— Je m'appelle Tommy Clough. Autrefois sergent inspecteur Clough. Nous aimerions vous parler.

À son tour, la femme secoua la tête. La porte commença de se refermer centimètre après centimètre. Tommy posa sa large main sur le battant, sans pousser mais en empêchant qu'elle se ferme à moins que la femme n'appuie de tout son poids.

— Ne nous fermez pas la porte au nez, Alison, dit-il d'une voix ferme mais polie. Souvenez-vous que Catherine est journaliste. Elle en sait déjà assez pour écrire une version de l'histoire. Il n'y a pas de délai de prescription dans le cas de complot en vue de commettre un meurtre. Et avec ce que Catherine est déjà en mesure d'écrire, vous pourriez être poursuivie.

— Je n'ai rien à dire, lança-t-elle.

Son visage reflétait la panique. La main qui ne poussait pas la porte s'élevait vers sa joue.

Parfois, se dit Catherine, la brutalité était le seul moyen possible.

— Parfait, dit-elle. Il me reste à entendre Helen.

Dans les yeux de la femme, une lueur de colère brilla puis ses épaules s'affaissèrent, se levèrent en un dernier sursaut, déjà de résignation. Elle fit un pas de côté, tenant la porte ouverte comme sa mère avait dû le faire des centaines de fois avant elle.

— Mieux vaut que je corrige les insanités que vous croyez connaître avant d'aller troubler Helen sans raison, dit-elle d'une voix froide et âpre.

Tommy se tint à l'entrée de la pièce pendant qu'elle refermait la porte derrière eux.

— Vous avez fait quelques changements ici, dit-il examinant cette cuisine de ferme que l'on aurait pu photographier pour une revue d'ameublement.

— Rien à voir avec moi. Quand ma tante était propriétaire, elle l'a fait aménager pour ses locataires, répondit-elle avec brusquerie.

— Rien d'étonnant, dit Tommy. (À côté de lui Catherine avait discrètement pressé les touches de son magnétophone.) Hawkin autrefois ne lésinait pas quand il s'agissait de photographie, ou de vous, Alison, mais il n'a jamais gaspillé un shilling pour le confort de votre mère.

— Pourquoi ne cessez-vous pas de m'appeler Alison ? demanda-t-elle, le dos appuyé contre le mur, les bras croisés sur la poitrine, souriant dans le vain espoir de paraître à l'aise. Mon nom est Janis Wainwright.

— Trop tard, Alison. (Catherine tira bruyamment une chaise et s'assit devant la table en pin ciré. Si Tommy avait décidé que dans cet interrogatoire il tenait le rôle du bon flic, elle ne refuserait pas celui du méchant.) Vous auriez dû faire le coup de la stupéfaction quand Tommy vous a appelée Alison pour la première fois. Vous aviez seulement l'air d'être sous le choc, nullement surprise. Vous n'avez pas dit : « Désolée, vous vous êtes trompés de maison. Aucune Alison n'habite ici. »

Alison les fusilla du regard. Catherine remarqua combien elle ressemblait à sa mère. Sur les photographies, Ruth devait avoir dix ans de moins qu'Alison aujourd'hui, mais elle semblait prématurément vieillie.

— Vous ressemblez beaucoup à votre mère, dit Catherine.

— Et comment le sauriez-vous ? Vous n'avez jamais rencontré ma mère, dit Alison sur le ton du défi.

— J'ai vu des photographies. On pouvait la voir dans tous les journaux pendant le procès.

Alison secoua la tête :

— Et ça recommence, vos absurdités. Ma mère n'a jamais été impliquée dans un procès de toute sa vie.

Tommy traversa la pièce et se campa devant elle. Il eut un demi-sourire compréhensif :

— C'est trop tard, Alison. Ça ne sert à rien de nier encore la vérité.

— Nier quoi ? Je n'arrête pas de vous dire que je n'ai pas la moindre idée de ce dont vous parlez.

— Vous prétendez toujours être Janis Wainwright ? demanda Catherine d'une voix glaciale.

— Que voulez-vous dire par prétendre ? Où vous croyez-vous ? J'appelle la police, dit-elle, se dirigeant vers le téléphone.

Tommy et Catherine ne firent rien, ne dirent rien. Alison ouvrit l'annuaire, chercha le numéro. Puis elle jeta un coup d'œil par-dessus son épaule pour voir s'ils se décidaient à partir. Catherine sourit poliment, Tommy secoua de nouveau la tête :

— Ce n'est pas une bonne idée, vous savez, dit-il tristement comme la main s'approchait du combiné.

— Non, Tommy, laissez-la faire. J'aimerais bien l'entendre expliquer comment elle s'y est prise pour ressusciter, dit Catherine devenue sur-le-champ le modèle même de l'ingénuité. (Alison se figea.) Vous avez bien entendu, Alison. Je sais que Janis est morte en 1959. Le 11 mai pour être précis. Cela a dû être un coup très dur pour votre tante Dorothy et pour l'oncle Sam. Dur pour vous aussi, vous et Janis vous étiez à peu près du même âge.

Les yeux d'Alison révélaient maintenant la terreur. Elle avait dû vivre ce moment dans ses cauchemars depuis des années, pensa Tommy dans un sursaut de pitié. Et voilà que la vision devenait réalité. Il pouvait imaginer la terreur qui envahissait son corps maintenant. Deux inconnus dans sa cuisine, l'un avec une bonne raison de vouloir se venger de s'être fait ridiculiser trente-cinq ans plus tôt, l'autre apparemment acharnée à révéler ses plus noirs secrets à un monde avide de sensations. Et Catherine en remettait avec son agressivité feinte. Il lui fallait, d'une façon ou d'une autre, calmer le jeu, faire comprendre à Alison qu'ils étaient sa meilleure chance de sauver quelque chose dans cette situation dramatique.

— Asseyez-vous, Alison, dit-il avec bonté. Nous ne sommes pas là pour vous arrêter. Nous voulons seulement savoir la vérité, un point c'est tout. Si nous vous avions voulu du mal, nous serions allés à la police dès que Catherine a découvert l'acte de décès de Janis Wainwright.

Avec lenteur, aux aguets comme un animal apeuré, elle vint vers la table et s'assit à l'autre bout en face de Catherine.

— En quoi cela peut-il vous intéresser? demanda-t-elle.

— George Bennett est sur un lit d'hôpital à Derby par suite de ce qu'il a vu dans cette maison. Je suis sûr qu'Helen vous a appelée pour vous le dire, dit Catherine.

— Oui et j'en suis désolée. Je n'ai jamais voulu que du bien à George Bennett.

— Vous n'auriez jamais dû le laisser venir ici, si vous lui vouliez du bien, intervint Tommy incapable de dissimuler dans sa voix une pointe de colère et de chagrin. Ne saviez-vous pas qu'il allait vous reconnaître?

Elle soupira :

— Que pouvais-je faire d'autre? Comment aurais-je pu expliquer à Helen que je ne voulais pas rencontrer son futur beau-père? Il valait mieux encore en finir une bonne fois plutôt que d'attendre le mariage. Mais vous n'avez pas répondu à ma question. En quoi cette histoire vous concerne-t-elle?

Catherine se pencha de l'avant. Sa voix avait la même intensité que son expression :

— J'ai passé six mois de ma vie à travailler avec George Bennett pour écrire un livre. Maintenant je découvre que nous avons été tous deux manipulés, conduits à croire à un mensonge. George Bennett a payé fort cher pour s'en être aperçu. Et je ne serai pas complice de la persistance de ce mensonge.

— Quel que soit le prix que d'autres devront payer? Même si cela couvre de honte George Bennett? Même si cela détruit également Paul et Helen? explosa Alison, dont le calme apparent s'était d'un coup craquelé comme du verre qui se brise. Et pas seulement eux !

Sa main s'envola vers sa bouche dans ce geste bien connu de l'enfant pris en défaut, ses yeux s'écarquillèrent : elle en avait dit plus qu'ils ne savaient.

— Si vous voulez que je me taise, il faudra me donner de meilleures raisons que cette pure sentimentalité. Le moment est venu de parler, Alison. Le moment de raconter toute l'histoire.

— Pourquoi vous dirais-je quoi que ce soit ? C'est peut-être une ruse. Tout le monde sait de quoi sont capables des journaleux comme vous pour pondre un article. Comment savoir ce que vous avez découvert ?

C'était un dernier coup de dé et ils en étaient tous les trois conscients.

Catherine ouvrit son sac et sortit les quatre photocopies des actes de mariage et de décès.

— Voici les premiers éléments, dit-elle les jetant vers Alison.

Les papiers tombèrent en désordre sur la table. Alison les lut lentement, mettant à profit ce temps pour retrouver son aplomb. Quand elle releva la tête, elle paraissait de nouveau impassible. Mais Catherine apercevait des taches sombres de sueur sous les manches de son corsage vert pâle.

— Rien d'autre ? dit Alison.

Catherine prit la photographie vieillie par ordinateur et la fit glisser jusqu'à Alison.

— Selon les ordinateurs de l'université de Manchester, voilà à quoi ressemblerait Alison si elle était encore en vie. Vous vous êtes regardée dans une glace récemment ?

Les lèvres d'Alison se séparèrent, révélant des dents serrées. Elle reprit sa respiration avec un léger sifflement. Le regard qu'elle jeta à Catherine était tel que celle-ci s'estima heureuse d'avoir Tommy à ses côtés.

— Nous savons que vous n'êtes pas Janis Wainwright. Grâce aux découvertes sur l'ADN, il sera sans doute possible de prouver que vous êtes Alison Carter et, assurément, qu'Helen n'est pas votre sœur mais bien votre fille. La fille que vous avez eue quand vous aviez à peine 14 ans, à la suite des agressions sexuelles répétées de votre beau-père, Philip Hawkin. L'homme qui fut pendu pour vous avoir assassinée. Si nous allions trouver la police avec ce dont nous disposons, ils pourraient exhumer les corps et prouver tout ce que nous avançons sans la moindre difficulté.

Catherine parlait sur le ton de l'objectivité la plus neutre.

— J'ai bien peur qu'elle ait raison, Alison, dit Tommy. Mais ce que je vous ai dit tient toujours. Nous ne sommes pas venus ici pour vous faire un procès. Dans l'intérêt de tous ceux impliqués dans cette affaire, il nous faut savoir ce qui s'est passé pour que nous puissions décider ensemble de ce que nous ferons ensuite.

Sans s'excuser le moins du monde, Catherine sortit ses cigarettes, en alluma une. Tommy alla chercher une soucoupe sur l'égouttoir et la lui tendit. Ces différentes actions remplirent le silence qui s'éternisait, comme Alison regardait fixement le portrait vieilli par l'informatique. Ses yeux brillaient de larmes contenues.

— Voilà ce qui s'est passé selon nous, dit Tommy doucement en s'asseyant près d'elle : Hawkin abusait de vous et nous pensons que vous ne saviez pas quoi faire. Vous aviez peur de ce qui arriverait si vous le disiez à votre maman, comme la plupart des enfants, mais vous l'aviez déjà vue perdre un mari et vous aviez également peur de lui faire éprouver

582

le même désespoir si vous la forciez à choisir entre Hawkin et vous. Puis vous êtes tombée enceinte et votre mère a compris.

Alison fit un signe presque imperceptible d'approbation. Une larme, une seule, se forma au coin de son œil droit et glissa le long de sa joue. Elle n'essaya même pas de l'essuyer.

— Elle vous envoya donc vivre avec votre tante et votre oncle en vous disant que dorénavant vous vous appeliez Janis. Et c'est alors qu'elle mit en place le piège. Avec les informations que vous lui aviez données, elle put disposer les indices de telle sorte que George Bennett les relève peu à peu. Elle découvrit même l'endroit où il gardait ses photographies. Pendant ce temps, vous vous taisiez, vous supportiez l'horreur d'une grossesse détestée. Vous aviez perdu votre enfance et toute chance de bonheur. Vous n'avez même pas eu la possibilité d'élever votre fille comme votre propre enfant. Pendant des années, le sacrifice fut supportable puisqu'il s'accompagnait d'une possibilité de vie à peu près décente pour vous toutes. Et aujourd'hui voilà que par un hasard incroyable Paul et Helen se rencontrent, tombent amoureux et tout bascule de nouveau dans la tragédie.

Agitée de frissons, Alison reprit encore son souffle :

— Vous semblez avoir tout compris, dit-elle, la voix brisée.

Tommy posa une main sur son bras :

— Nous n'avons donc pas tort ?

— Non, Tommy ! intervint Catherine, l'histoire ne s'arrête pas là. Nous le pensions précédemment, mais ce n'est pas tout, n'est-ce pas Alison ? Vous vous êtes trahie tout à l'heure. Quand vous avez dit que ce n'était pas seulement les vies de Paul et d'Helen qui étaient en jeu. Le reste, vous allez nous le dire.

Elle regarda Catherine, ses yeux noircis par la colère :

— Vous avez tort. Il n'y a rien d'autre à raconter.

— Je ne vous crois pas et vous allez nous le dire, parce que jusqu'à présent vous ne m'avez pas ralliée à votre cause. Vous et votre mère, vous avez assassiné Philip Hawkin. Et vous ne l'avez pas fait sans préméditation. Il a fallu des mois pour y parvenir et toutes les deux vous avez gardé le silence. Cette vengeance, vous l'avez dégustée ! Mais dans tout cela je ne vois rien qui justifie que l'on vous protège des conséquences de vos actes. Si vous aviez voulu qu'Helen ne risque pas de voir sa vie détruite, vous auriez dû lui dire la vérité il y a bien longtemps ! dit Catherine, simulant la colère. (Elle était résolue à ne pas se laisser troubler par la souffrance d'Alison, quelle que soit son authenticité.) Et maintenant vous n'êtes parvenue qu'à mettre en péril la vie d'un autre homme, un homme bien celui-là, et tout ça parce que votre mère n'a pas eu le courage d'affronter en face Philip Hawkin.

Alison releva la tête :

— Vous ne comprenez rien à rien, dit-elle amèrement. Vous n'avez aucune idée de ce dont vous parlez.

— Alors aidez-moi à comprendre, la défia Catherine.

Le regard dur d'Alison croisa longuement celui de Catherine.

— Il faut que j'aille chercher quelque chose... Ne vous inquiétez pas, ajouta-t-elle comme Tommy repoussait sa chaise. Je ne vais pas me sauver. Je ne vais rien faire de stupide. Mais je dois vous montrer quelque chose. Sans doute, vous me croirez alors quand je vous dirai la vérité sur ce qui s'est passé.

Elle sortit de la cuisine, laissant Tommy et Catherine se regarder l'air interrogatif, se demandant quelle surprise les attendait.

— Vous êtes un peu dure avec elle, dit Tommy. Elle a vécu l'enfer. Nous n'avons pas le droit de la faire souffrir encore.

— Allons, Tommy. Elle nous cache quelque chose. Qu'est-ce qui pourrait être pire que ce que nous savons déjà ? Elle a reconnu avoir comploté avec sa mère pour assassiner son beau-père, mais il y a encore un secret en elle qu'elle croit être plus terrible.

Tommy jeta un coup d'œil à Catherine qui n'était pas loin d'être méprisant :

— Et vous croyez avoir le droit de le connaître ?

— Nous en avons tous le droit.

Il soupira :

— J'espère que nous n'aurons pas à le regretter, Catherine.

**8**

*Août 1998*

Alison revint, portant un casier métallique équipé d'une serrure. Elle déverrouilla celle-ci avec une clef prise dans le tiroir de la table, ouvrit brusquement le couvercle et se recula comme si elle avait peur que son contenu puisse mordre. Ses épaules remontèrent, si bien qu'elle avait l'air d'être bossue, une attitude de protection que soulignaient les bras croisés sur la poitrine.

— Je mets la bouilloire en route, dit-elle. Thé ou café ?

— Un café noir, répliqua Catherine.

— Du thé, dit Tommy, lait, un sucre.

— Je voudrais pouvoir me débarrasser du contenu de cette boîte, dit Alison. (Leur tournant le dos, elle s'affaira devant la plaque électrique.) Regardez tout votre content, peut-être que vous serez moins encline à dire des sottises, ajouta-t-elle, jetant un bref regard de colère à Catherine.

Tommy et Catherine s'approchèrent avec cette prudence que l'on voit chez les démineurs devant un colis suspect. La boîte contenait une douzaine d'enveloppes grand format en papier Kraft. Tommy sortit la première. Elle portait un nom griffonné en majuscules d'imprimerie, à l'encre passée, « Mary Crowther ».

Avec comme accompagnement les bruits familiers de la préparation des boissons, Tommy inséra son pouce sous le rabat enfoncé dans l'enveloppe. Il versa son contenu sur la table. Il y avait une douzaine de photographies en noir et blanc, des négatifs et deux planches-contacts. Ce n'étaient pas des portraits souriants d'une innocente enfant de 7 ans. C'étaient des parodies obscènes d'une sexualité adulte, des poses lubriques qui donnèrent la nausée à Catherine. Sur l'une de ces photos, Philip Hawkin apparaissait la main enfoncée entre les jambes de l'enfant en pleurs.

Et, parmi les enveloppes, il y en avait une pour Paul, le frère de Mary, âgé de 9 ans, une pour Janet et ses 13 ans, une pour Shirley, 8 ans, pour Pauline, 6 ans, une même pour Tom Carter, 3 ans ; et encore pour Brenda et Sandra Lomas, 7 et 5 ans et pour Amy Lomas, 4 ans. L'horreur enfermée dans ces enveloppes dépassait leur possibilité de compréhension. C'était la visite guidée d'un enfer que Catherine n'aurait jamais voulu connaître. Ses jambes ne la portaient plus, elle retomba sur sa chaise, son visage d'une blancheur de craie.

Quant à Tommy, il détourna son regard et remit maladroitement les enveloppes dans la boîte. Il ne comprenait que trop bien l'instinct de meurtre ancestral qu'avait réveillé Philip Hawkin. Ce qui avait été commis sur la personne d'Alison était suffisamment horrible, mais cette accumulation d'actes obscènes dépassait l'entendement. S'il avait vu toutes ces photographies trente-cinq ans plus tôt, aurait-il pu s'empêcher de prendre cet homme à la gorge ? Il en doutait.

Alison déposa un plateau sur la table :

— Si vous voulez quelque chose de plus fort, il vous faudra aller au pub de Longnor. Je n'ai aucun alcool ici. Autour de 20 ans j'ai eu un mauvais passage. Le monde me paraissait meilleur vu à travers un verre. Jusqu'au jour où j'ai pris conscience que c'était une autre façon de le laisser gagner. J'étais sacrément décidée à résister, après tout ce que nous avions enduré.

Sa voix était froide et dure, mais ses lèvres frémissaient.

Elle versa le thé et le café et s'installa à l'autre bout de la table, le plus loin possible de Catherine et de Tommy et de la boîte de Pandore qu'elle leur avait confiée.

— Vous vouliez la vérité. Portez-en le fardeau vous aussi. Reste à voir comment vous vivrez avec ça.

Catherine la regardait, abasourdie, commençant à peine à prendre conscience de la malédiction qu'elle avait elle-même encourue. Des images s'étaient gravées en elle. Déjà elle savait que les cauchemars la guettaient.

Tommy ne disait rien, la tête inclinée, les yeux invisibles sous ses épais sourcils. Le choc l'avait sonné et il souhaitait que cet état ne passe pas trop vite.

— Moi, je ne sais pas comment raconter cette histoire, dit Alison d'une voix lasse. Depuis trente-cinq ans, elle tourne dans ma tête mais je n'ai aucune pratique. Quand tout fut fini, personne d'entre nous n'en a reparlé. Quand je suis à Scardale, je vois Kathy tous les jours et nous n'y faisons jamais allusion. Même depuis que vous êtes venus tourner dans le coin cherchant à exhumer de vieux souvenirs, aucun d'entre nous n'a ouvert la bouche.

« Nous avons fait ce que nous pensions avoir à faire, mais ça ne veut pas dire que nous ne nous sentions pas coupables. Et la culpabilité ne se partage pas facilement. L'expérience personnelle me l'a appris bien avant que je fasse des études de psychologie. (Elle repoussa les cheveux de son visage et regarda Catherine droit dans les yeux :) Je n'ai jamais cru que nous allions nous en tirer. Tous les jours, j'attendais les coups à la porte. Je me souviens de ma vraie mère appelant Dorothy pour lui raconter ce qui se passait au cours de l'enquête. Elle téléphonait tous les jours. Et elle était sur des charbons ardents parce que George Bennett était un si bon, un si honnête flic. Il avait une telle obstination, disait-elle. Elle était convaincue qu'il allait finir par trouver ce qui se manigançait. Mais non.

Tommy leva la tête :

— Vous étiez tous des menteurs-nés, observa-t-il pesamment. Allez, Alison, continuez. Mieux vaut que nous entendions le reste.

Alison soupira :

— Il faut vous rappeler comment était la vie dans les années soixante. Les viols d'enfants n'existaient pas à l'intérieur d'une famille ou d'une communauté. C'était quelque chose qu'un pervers, un étranger pouvait commettre. Si vous étiez allé voir votre prof ou votre médecin, ou le policier du village pour lui dire que le châtelain de Scardale baisait et enculait tous les gosses du village, on vous aurait enfermé dans un asile.

« Philip Hawkin nous avait tous à sa merci, il possédait tout, nos vies, nos maisons. À l'époque du vieux châtelain Castleton, nous avions grandi dans un système féodal, plus ou moins. Même les adultes ne mettaient pas en doute le pouvoir du châtelain et nous, nous étions des gosses. Et aucun d'entre nous n'était vraiment au courant de ce qui se passait pour les autres. Nous étions tous trop terrifiés pour en parler, même entre nous.

« Il était malin, ce salaud. Jamais il n'avait montré le moindre signe de pédophilie quand il courtisait ma mère. Avant de l'avoir épousée, il s'occupait à peine de moi. Il était gentil, il m'achetait des cadeaux, mais il ne m'ennuyait jamais. Je suis convaincue que la seule raison qu'il avait de l'épouser était de couvrir ses arrières. Si n'importe lequel d'entre nous avait osé le dénoncer, il aurait joué à l'innocence outragée, à l'homme heureux en ménage. (Son doigt pointa dans la direction de Tommy.) Et toute votre bande l'aurait cru.

Tommy soupira, hocha la tête.

— Vous avez sans doute raison.

— J'ai raison. En tout cas, il ne s'est jamais approché de moi avant le mariage. Mais dès qu'ils furent mariés, ce fut une tout autre histoire : « Les petites filles doivent montrer à leurs pères combien elles leur sont reconnaissantes de tout ce qu'ils font pour elles » et tous les couplets de ce type.

« Mais je ne lui suffisais pas. Cette ordure d'Hawkin nous infligeait à tous les mêmes traitements, Derek excepté. Derek était sans doute déjà trop âgé pour lui plaire. (Elle enserra sa tasse de thé de ses deux mains, soupira encore :) Et tous nous nous sommes tus. Nous étions sous le choc et surtout terrifiés. Aucun d'entre nous ne savait quoi faire.

« Puis un jour ma mère m'a demandé pourquoi je n'utilisais pas les serviettes hygiéniques qu'elle m'avait achetées après mes premières règles. Je lui expliquai que je n'en avais pas eu d'autres. Elle commença de me questionner et tout sortit : ce qu'il me faisait, comment il s'était pris en photo en train de le faire. Elle comprit que je devais être enceinte.

Alison avala une gorgée de son thé pour lutter contre l'enrouement qui la gagnait et reprendre son calme.

— Quand il se rendit à Stockport pour la journée, comme il le faisait souvent, elle fouilla sa chambre noire. Et c'est là qu'elle découvrit les photos dans son foutu coffre-fort. Elle sut alors qui il était. Elle rassembla tous les adultes et leur montra les photos. Vous pouvez imaginer la scène. Ils hurlaient tous à mort. Les hommes parlèrent de le tuer et de faire passer cela pour un accident agricole.

« La vieille Ma' Lomas leur fit entendre raison. Elle dit que, s'il était tué, quelqu'un allait en porter la responsabilité. Même s'il mourait écrasé par un tracteur, la thèse de l'accident ne marcherait pas. Il y aurait une enquête parce que c'était un homme important. C'était le châtelain, pas un ouvrier agricole qui comptait pour des prunes. Une petite erreur et quelqu'un du village se retrouverait dans le box des accusés, surtout dès qu'on s'apercevrait que j'étais enceinte. Par ailleurs, ce serait une trop bonne mort pour lui, il ne souffrirait pas assez, leur dit-elle.

« Et autre chose encore leur causait du souci : si ce qui était arrivé aux enfants se savait, on les leur enlèverait parce que leurs parents n'avaient pas veillé sur eux convenablement. Des gens de l'extérieur ne comprendraient pas leur façon de vivre dans la vallée, comment on laissait courir les gosses en liberté parce que l'endroit était si sûr, qu'il n'y avait presque pas de voitures et pratiquement aucun étranger, même en plein été.

« Ils en parlèrent donc toute la journée et, à un moment, l'un d'entre eux se souvint qu'il avait lu un article dans un journal sur la disparition d'une jeune fille. Je ne sais pas qui a eu cette idée, mais ils décidèrent de me faire disparaître. Ils s'arrangeraient ensuite pour faire croire que c'était lui qui m'avait tuée. Ils savaient qu'il avait un revolver. Il y avait aussi mes photos. Il serait pendu s'ils parvenaient à mettre le piège en place. Du même coup, on ne penserait pas aux autres enfants et ils n'auraient pas à affronter la police sur cette question-là.

Alison soupira :

— Ce fut la fin de ma vie. Les plans furent rapidement établis. Et tout d'abord par maman, Kathy et Ma' Lomas. Elles réglèrent tous les détails. Elles recrutèrent ma tante Dorothy et l'oncle Sam qui vivaient à Consett. La tante Dorothy avait été infirmière. Elle savait faire une prise de sang. Elle vint à Scardale quelques jours avant ma disparition et prit une pinte de mon sang. Elles allaient l'utiliser pour faire des marques sur l'arbre dans le bois et pour imbiber une des chemises d'Hawkin.

« Mais elles durent retarder la découverte de la chemise et de mes sous-vêtements parce qu'elles avaient besoin de son sperme. Elles savaient qu'elles finiraient par l'avoir parce qu'il utilisait toujours un préservatif quand il avait un rapport avec ma mère. (Elle eut un rire amer.) Il ne voulait pas avoir d'enfants à lui. Donc, ma mère parvint à le convaincre de faire l'amour avec elle. Elle dut presque le supplier, prétextant qu'elle n'en pouvait plus d'être délaissée. Les femmes utilisèrent ensuite le sperme dans le préservatif pour tacher mes vêtements. Aucun d'entre eux ne savait exactement ce que les gens des laboratoires pourraient déduire de ce sang et de ce sperme, mais tous voulaient être sûrs de ne négliger aucun détail.

« Et, bien sûr, tous devaient être certains de ce qu'ils allaient dire. Chacun d'entre eux avait son rôle à jouer sans la moindre fausse note. Les plus petits furent tenus à l'écart, mais Derek et Janet furent mis dans la confidence. Kathy passa des heures avec eux pour s'assurer qu'ils avaient bien compris l'importance de ne pas dire un mot de trop. Moi, j'errais un peu perdue, je sortais mon chien Shep, tentant d'enregistrer en moi tout ce que j'allais perdre. Sans arrêt je me sentais coupable. Toute cette agitation, cette tension autour de moi, et je me répétais que c'était ma faute.

Elle se mordit la lèvre, ferma un instant les yeux.

— Il m'a fallu du temps et pas mal de séances de thérapie pour comprendre que je n'étais pas responsable. Mais à l'époque je me détestais, oui, je me détestais. (Elle hésita, les yeux à nouveau brillants de larmes. Elle cligna, frotta ses yeux de sa main, brusquement, puis reprit son récit.) Pendant tous ces préparatifs dans la vallée, Dorothy et Sam s'arrangèrent pour déménager. Ils s'installèrent à Sheffield la semaine même où je devais disparaître pour que les voisins ne s'aperçoivent pas que je n'étais pas leur Janis. C'était facile en 1963.

Alison refit une pause, le regard perdu comme si elle cherchait en elle le chapitre suivant de sa tragique histoire.

— La période glorieuse du plein emploi, marmonna Tommy.

— Cela même. Sam était un métallurgiste qualifié. Il n'avait eu aucun mal à trouver une autre embauche. Et, en ce temps-là, avec le travail vous aviez la maison.

« Le jour venu, Sam m'attendait près de la chapelle méthodiste dans sa Land Rover. Il me conduisit à Sheffield et je m'installais chez eux. Ils firent courir le bruit que j'avais la tuberculose. Je devais donc garder la chambre et ne voir personne tant que je n'irais pas mieux. Ainsi personne ne s'aperçut que j'étais enceinte. C'est Dorothy elle-même qui, en se rembourrant, fit semblant de porter un enfant. (Alison ferma les yeux et un frisson de douleur la parcourut :) Ce fut très dur, dit-elle, relevant la tête et regardant Catherine droit dans les yeux.

Ce fut la journaliste qui, la première, détourna son regard.

— J'avais tout perdu, ma famille, mes amis. Je n'avais plus d'avenir. J'avais perdu Scardale. Des changements étranges se produisaient dans mon corps et je ne l'acceptais pas. Ma mère ne put pas nous rendre visite avant le procès car personne dans le village n'avait parlé des Wainwright et elle ne voulait pas avoir à expliquer où elle se rendait. Dorothy et Sam ont été vraiment très bons avec moi, mais cela ne compensait pas ce que j'avais perdu. On m'avait martelé qu'il fallait que je subisse tout cela pour le bien des autres enfants de Scardale, que nous le faisions pour qu'Hawkin ne puisse plus jamais faire du mal à des enfants comme il m'avait fait du mal à moi.

— Cela n'était pas dépourvu de logique, dit Catherine sombrement.

Alison but quelques gorgées de thé puis, d'un ton de défi, déclara :

— Je n'ai pas honte de ce que nous avons fait.

Ni Tommy ni Catherine ne répondirent.

Alison repoussa ses cheveux en arrière et continua son histoire :

— Helen naquit dans ma chambre un après-midi de juin, deux semaines avant le procès de ce salaud d'Hawkin. Sam la déclara comme sa fille et celle de Dorothy et ils l'élevèrent par la suite comme telle. Moi, j'étais sa grande sœur.

« Deux années passèrent et je trouvai un travail dans un bureau. (Un demi-sourire apparut sur ses lèvres pour la première fois :) Dans le cabinet d'un avocat, l'auriez-vous deviné ? J'aurais dû en avoir par-dessus la tête du droit, n'est-ce pas ? Peu importe.

594

J'allais aux cours du soir pour rattraper le temps perdu. Par la suite, j'entrepris dans les mêmes conditions des études supérieures et j'obtins un diplôme. Je suivis des stages de psychologie du travail et finis par ouvrir mon propre cabinet de consultation. Chaque étape franchie me donnait l'impression de cracher à la figure de ce salaud. Mais ce n'était jamais assez.

« Ma véritable mère vint vivre avec nous après la pendaison d'Hawkin. J'en fus heureuse. J'avais vraiment besoin d'elle. Elle ne voulait pas retourner à Scardale. Elle en confia donc la gestion à un avoué mais conserva cette demeure. Elle savait que je voudrais y retourner un jour. Helen fut tenue à l'écart de tout cela. Elle ne sait rien de Scardale. Elle croit que Ruth et son mari vivaient près de Sheffield. Ruth lui raconta que Roy, son mari, s'était fait incinérer et qu'il n'y avait donc pas de tombe à visiter. Helen n'a jamais mis en doute cette histoire.

« Quand ma mère est morte, Dorothy hérita du manoir à la condition qu'il nous revienne à moi et à Helen. Il en fut ainsi. Helen pense que je suis folle de vivre dans ce trou. Mais c'est ma maison et je l'ai perdue pendant si longtemps. Je veux en profiter maintenant. (Elle regarda fixement sa tasse.) Voilà, vous savez tout.

Catherine fronça les sourcils. Il y avait sans doute bien des questions à poser mais aucune ne lui venait à l'esprit.

— Chaque fois que vous regardez Helen, vous devez le voir, lui, dit Tommy.

Sur les joues d'Alison, les muscles des mâchoires saillirent comme elle serrait les dents.

— Quand elle était petite, ça ne se voyait pas autant, dit-elle enfin. Lorsque la ressemblance est devenue évidente, j'avais appris que cela pouvait m'aider. Ce salaud avait détruit mon enfance, m'avait privée de ma famille et de mes amis. Il m'aurait tuée s'il avait découvert que j'étais enceinte, j'en suis sûre. Il était la force, j'étais la faiblesse. Si bien que je n'ai jamais souhaité oublier comment j'avais contribué à renverser les rôles. Prendre sa vie en main est une forme de pouvoir. Je l'ai fait. Mais il est tellement plus facile de perdre ce pouvoir sur sa vie que de le gagner. Voilà pourquoi je ne voulais surtout pas me laisser aller, oublier mon passé. C'est ainsi que j'ai appris à considérer comme un avantage le fait qu'Helen me rappelle constamment la lutte menée contre cet homme ; contre un homme qui avait tenté de nous dépouiller de tout ce qui faisait ce que nous étions !

Elle s'exprimait maintenant avec passion. Puis elle fit une longue pause et reprit ensuite sur le ton, cette fois, de l'étonnement.

— Mais, vous savez, par l'esprit elle ne tient pas du tout de lui. Elle a la force et la bonté de ma mère. Comme si tout ce qui faisait de ma mère un être merveilleux avait sauté une génération pour renaître en elle...

Tommy s'éclaircit la gorge, visiblement ému.

— Tout le village participait donc au complot ?

— Tous les adultes, confirma-t-elle. Ma' Lomas disait qu'il fallait que chacun fasse semblant de ne pas faire confiance à la police et, du coup, ne laisse apparaître des indices que peu à peu. Vous et George Bennett avez vraiment été une chance. Personne n'aurait pu prévoir que des flics se passionneraient tant pour l'enquête qu'ils n'étaient pas prêts à lâcher le morceau. Les villageois pouvaient en toute tranquillité se tenir à l'écart sachant qu'ils n'auraient pas besoin de relancer les policiers pour leur faire trouver en temps voulu les indices qu'ils avaient semés.

Tommy secoua la tête, suffoqué par cette incroyable ironie :

— Nous étions, dit-il, les victimes de notre propre intégrité. (Il eut un demi-sourire.) Ce n'est pas souvent que l'on dit ça des flics. Mais si nous avions été moins décidés à obtenir un résultat, à voir justice faite, vous ne vous en seriez pas tirés avec une conspiration à une telle échelle.

Pendant un moment, plus personne ne dit rien. Alison se leva, s'approcha de la fenêtre. Elle regarda fixement au-delà du pré communal la vallée dont elle était partie un soir de décembre, trente-cinq ans auparavant, et qu'elle n'avait jamais cessé d'aimer.

Et maintenant elle lui appartient de nouveau, se dit Catherine, mais quel prix elle a dû payer. Peu à peu, le regard d'Alison se détacha de la vue. Elle redressa les épaules et demanda :

— Alors maintenant quoi ?

— C'est une sacrée bonne question, dit Tommy.

# 9

*Août 1998*

Catherine et Tommy achetèrent une autre bouteille de Bushmills sur le chemin du retour. Il vaut mieux s'équiper pour une veillée funèbre, se dit-elle. Car, cette nuit, ils allaient enterrer une fois pour toutes le fantôme d'Alison Carter. Demain ils auraient tous deux la gueule de bois mais ce serait le moindre de leurs soucis. Cette nuit, elle voulait ne plus rien ressentir lorsqu'elle poserait sa tête sur l'oreiller. Tout était bon pour fuir ce musée des horreurs et l'avilissement que Philip Hawkin avait légué au monde.

Quand elle referma la porte derrière eux, Catherine parla pour la première fois depuis qu'ils avaient laissé Alison Carter seule avec ses souvenirs.

— Eh bien, voilà, dit-elle. Nous connaissons toute la vérité.

Elle traversa la pièce jusqu'au buffet, remplit deux verres de whisky. Tommy accepta son verre sans rien dire. Il contemplait le mur et ses photographies, affrontant la révélation amère que Ma' Lomas et son clan étaient parvenus à duper suffisamment le monde pour précipiter Philip Hawkin sur ce chemin terrible qui menait au meurtre sanctifié par la loi. Il ne ressentait aucune satisfaction de savoir maintenant que son instinct ne l'avait pas trompé : Hawkin n'était pas un tueur, après tout.

Confrontée aux photographies qu'Alison avait utilisées comme une arme absolue, Catherine ne pouvait plus nier que les villageois avaient été dans leur droit quand ils avaient transformé leur vallée perdue en lieu d'exécution. Ils avaient reconnu que rien ne pourrait arrêter Hawkin sinon la mort et qu'il fallait sauver les autres enfants qui pourraient tomber dans ses griffes. Faire partir leurs propres enfants n'aurait servi à rien : il aurait trouvé d'autres victimes. Il disposait à la fois du pouvoir et de l'argent pour agir à sa guise et, si des témoins s'étaient décidés à parler, ils n'auraient pas été crus.

— Jamais je n'aurais pensé, dit Catherine d'un ton morne, qu'il puisse y avoir d'autres personnes impliquées.

— Moi non plus.

Tommy cessa de regarder les photographies accusatrices et se laissa tomber sur une chaise.

— Je ne vois pas comment je pourrais leur jeter la pierre, dit Catherine.

— À leur place, je n'aurais pas réfléchi deux fois avant d'être dans le coup, reconnut Tommy.

— Quelle ironie tragique que les souffrances de Hawkin aient été si brèves par rapport à celles qu'il a fait subir à Alison. Elle n'a plus jamais cessé de vivre avec. Elle a tant perdu et elle attendait vraiment ces coups frappés à la porte. Elle s'attendait à y trouver quelqu'un comme moi…

Catherine prit la bouteille de whisky et la posa sur la table entre eux deux.

Le silence s'appesantit, ils restaient là assis, tels les survivants d'un terrible accident qui n'arrivent pas à prendre conscience de leur chance. Gardant pour eux leurs pensées, ils fumèrent toutes leurs réserves de cigarettes.

— George avait raison, dit finalement Catherine. Je ne peux pas publier ce livre. Bien sûr j'en tirerais quelque renommée en démontrant qu'une affaire aussi célèbre reposait entièrement sur des mensonges et des tromperies. Mais je ne peux pas faire ça à George et à Anne. Pas seulement à cause de la honte qui rejaillirait sur lui, mais les souffrances qu'ils éprouveraient à voir Helen et Paul se défaire à petit feu… Et tous les villageois de Scardale encore en vie seraient poursuivis pour complot, Alison y compris.

Comme dans une tragédie grecque, pensait-elle, l'ancienne onde de choc des événements de Scardale viendrait briser encore d'autres vies bien éloignées de cet après-midi de décembre, des vies innocentes qui méritaient d'être protégées d'un passé qui n'était pas le leur.

Tommy vida son verre, le remplit à nouveau.

— Je bois à votre décision, dit-il. Je ne crois pas que quelqu'un veuille la contester.

— Allez l'annoncer à George.

— Vous ne voulez pas le faire vous-même?

Elle secoua la tête négativement:

— J'ai assez à faire. Je dois rompre le contrat sans donner la vraie raison. Non, Tommy, vous le lui dites. Ce n'est que justice. Après tout, sans vous, je ne sais si je serais parvenue à déduire qu'Helen est la fille d'Alison et d'Hawkin. Et je n'aurais pas eu de moyen de pression pour la convaincre de parler. Et pas une seule raison de me taire. Le mérite vous revient.

Il renifla bruyamment:

— Le mérite? D'avoir soulevé le couvercle de cette boîte grouillante de vipères? Ne me parlez plus de mérite, si vous le voulez bien. Mais je serai content d'annoncer à George que personne ne va réduire en miettes les vies de Paul et d'Helen. Je sais quelle importance cela aura pour lui. Je lui ferai grâce des détails.

Catherine saisit la bouteille.

— Excellente idée, approuva-t-elle, et elle se versa une autre rasade de whisky. Puis je suggère que nous fassions notre possible pour oublier jusqu'à l'existence de ces derniers jours.

# 10

*Octobre 1998*

Arrêté devant la barrière, George regardait fixement à travers le pare-brise. Octobre arrivait à sa
fin. Déjà les arbres avaient perdu leurs feuilles. Son
regard parcourut la vallée jusqu'à Scardale. À cette
distance, le gris familier des cottages n'était qu'un
accident de terrain dans le paysage, qui lui rappelait combien l'histoire de la terre avait influencé la
vie du village découvert trente-cinq ans plus tôt. Au-
delà des champs, il distinguait le manoir où vivait
la future belle-sœur de son fils. Elle méritait peut-
être – comme les autres – d'être punie pour ce complot conduisant à la potence un homme qui, quels
que fussent ses autres crimes, n'avait pas commis
de meurtre. Mais George ne voulait plus entendre
parler de châtiment : l'avenir lui importait plus que
le passé. Lorsque l'on a regardé la mort en face, la
vie prend de l'importance.

Voilà pourquoi il était en route. Trois jours auparavant, le médecin lui avait permis de conduire à
nouveau, à condition d'être raisonnable et de ne pas
entreprendre de longs voyages. Mais de Cromford
à Scardale, la distance en termes de miles était
faible. Si distance il y avait, elle dépendait de fac-
teurs émotionnels et psychologiques et celle-là était
impossible à calculer avec son compte d'années et

de passions. Mais dans quatre jours avait lieu le mariage qui pourrait enfin effacer la tragédie et George était décidé à faire tout ce qu'il pouvait afin que les fantômes dorment enfin en paix. Il avait donc téléphoné à celle qu'il ne pourrait plus jamais appeler par son vrai nom pour lui demander de la rencontrer.

Oui, trente-cinq ans que pour la première fois il avait emprunté cette route étroite. Il se souvenait, non sans une ironie amère, de son excitation à la pensée d'être chargé d'une enquête importante, une excitation tempérée par la culpabilité comme il s'inquiétait de la jeune fille disparue et de la souffrance de sa famille. Mais même l'imagination la plus débridée ne lui aurait pas permis de prévoir que cette disparition puisse un jour menacer sa propre tranquillité d'esprit et surtout le bonheur du fils qu'il aimait.

Autre ironie encore du destin, un sentiment de culpabilité était venu en remplacer un autre. Il avait vécu avec la certitude d'avoir manqué à ses engagements envers Ruth Carter jusqu'au jour où, au cours du travail mené avec Catherine, il avait enfin compris qu'il avait fait de son mieux étant donné les circonstances. Mais maintenant qu'il savait ce qui s'était réellement passé pendant cet hiver glacial, un nouveau fardeau pesait sur lui. Comment se faisait-il qu'à certains moments de l'enquête il n'eût pas pris conscience d'une vérité au-delà ? Mais si cette vérité lui était apparue, aurait-elle amélioré la vie d'Alison Carter ?

Tommy Clough lui avait assuré que rien de bon n'en serait advenu et qu'il avait été, tout autant que lui, aveuglé par les villageois. Pas de quoi se consoler : Tommy, de toute façon, le lui avait affirmé pour réconforter un homme malade.

603

Il devait trouver un moyen de se réconcilier avec lui-même. Que son cœur affaibli lui accorde des mois ou des années d'existence, il ne voulait pas que ce laps de temps fût empoisonné par des récriminations insupportables. Il lui fallait se pardonner et pour commencer, peut-être, Alison et lui devaient s'accorder le pardon pour les douleurs vraies ou imaginaires.

Avec un profond soupir, George embraya et lentement reprit la route de Scardale. Qu'importe ce que l'avenir leur réservait, le temps était venu de s'y engager sans se retourner, et de laisser le passé disparaître une bonne fois pour toutes.

6779

Composition
CHESTEROC LTD
Achevé d'imprimer en France (La Flèche)
par CPI Brodard et Taupin
le 8 avril 2011. 63778

EAN 9782290352502

1ᵉʳ dépôt légal dans la collection : mars 2003

Éditions J'ai lu
87, quai Panhard-et-Levassor, 75013 Paris

*Diffusion France et étranger : Flammarion*